Trevor Harley
トレヴァー・ハーレイ 著
Kawasaki Eriko
川﨑惠里子 監訳

心理言語学を語る

ことばへの科学的アプローチ

誠信書房

Talking the Talk: Language, Psychology and Science, Second Edition
by Trevor Harley

Authorized translation from the English language edition published
by Routledge, a member of the Taylor & Francis Group
Japanese translation rights arranged with Taylor & Francis Group, Abingdon
through Tuttle-Mori Agency, Inc., Tokyo

序　文

Preface

私は，幸運にも，好評を博した言語心理学のテキストの著者となることができた。好評に違いないと思うのは，版を重ねて第四版に達したからである。それなら，なぜさらにもう一冊の言語心理学の本が，とりわけトレヴァー・ハーレイによる別の本の第二版が必要なのだろうか。

この本は，私の書いた『言語心理学（*The Psychology of Language*）』とは読者層が異なるだろうと思う。もちろん，最終的にはすべての人に両方を読んでほしい。もっと初歩的で，個性的な本もあってよいと私は思う。言語についての定評のある本はすでに多数手に入るが，本書は言語の産出や理解に含まれるプロセスについての最新のものであると思う。心理学や言語学の大学生，入学前に教科について学びたい人たち，そして特に一般読者にこの本を読んでいただきたい。要するに，私たちがどのように考え，どのようにコミュニケートするかについて知りたい人にとっては，申し分のない読み物となるだろう。運がよければ，映像化権の話も出てくるかもしれない。

そのようなわけで，本書をこのテーマに関して最も親しみやすいものにしたいと思う。言語心理学は過去 10 年にわたって，ますます複雑で難解なテーマになっている。私のテキストの第四版（2012）は初版（1995）よりも非常に長く，より難解になっている。このテーマは多くの大学生が確かに難しいと感じるものであるが，その主な理由は 2 つあると思う。

第一に，現在はあまりに多くの材料が手に入りすぎる。私のテキストはすでに分厚いが，一部の研究者や教師はもっとこのトピックを加えてほしいと言い，また別の人たちはあのトピックを加えてほしいと言った。テキストをどれだけ厚くできるかには，明らかに限界がある。実際，人々は，長い本よりも，短い概説を求めていると思う。簡潔さは選択という犠牲を払ってのみ達成され，この選択には私の個人的好みや興味が現れる。しかしながら，何かを省略すると誰かを怒らせざるを得ない。

言語心理学が難しい思われる第二の理由は，「私たちはまだわからない」と言う以外の結論にたどり着けないことが多いからである。同一のデータに関して２つの（あるいはもっと多くの）異なった説明が残されることが多く，心は常にこのように働くと確信をもって言えることはめったにない。この不確実性は落ち着かない気分にさせる。本書では，私は偏らないように努めてきたが，なによりも，何らかの明確な結論に到達するよう心がけた。そのため，私がより確かであろうと思うこと，または，有力な結論を述べた。もちろん，私が誤る可能性があるし，再び，誰かを怒らせるかもしれない。私は現代心理言語学に広がる議論や反論について詳しく述べることを避けるように努め，結論が明確で，単純ではあるものの，単純化しすぎないようにしたいと思う。

１つの説明について多くを語りたいので，主要なテーマに関する回り道を避け，引用文献の数を最小に抑えるようにした。もし，重要な文献を見落としたとすれば，申し訳ない。すべてを含むことは不可能である。私は，現代の研究で進行中の論争を紹介しようとしてきたが，この種の本にとって，実証された結果はより安定しており，学識への寄与は容易に評価できると考えるので，より古典的な文献（たとえば，私のテキストに比べて）が優先されている。これらの古典的な文献は時間の検証に耐え，充分に説明された基礎的データを最初に体系的に記述していることが多い。私は，まとまった説明をしようと考えているので，この本は拾い読みするのではなく，小説のように最初から最後まで読んでもらうのがよい。「読書案内」は，本文に入れるとテキストの流れを中断させるかもしれない周辺部分や余分な概念を含んでいる。

この本はより簡潔で，より厳選されていて，もっと親しみやすく，個性的であるばかりでなく，多くの人々を悩ませるかもしれない。おそらく，動揺する人が多いほど，この本は成功なのである。けれども，不正確であったり，何かを誤って紹介したり，誤解することによって，人を悩ませることだけはしたくない。この種の本を執筆するに当たって最も時間をかけるのは，これらをチェックすることである。それにもかかわらず，誤りが入り込んだとすれば，私は仰天するだろう。もしあなたが，誤りを見つけたり，不適切な表現があったと思ったら，できれば電子メールで知らせてほしい（t.a.harley@dundee.ac.uk）。

もう１つの私の望みとしては，認知心理学が真の科学であるということを納得してもらうのに，この本が多少なりとも助けとなることである。心理学はあまりに広いテーマであり，さまざまなアプローチによって取り組まれてきたと，マスコミに批判的に取り上げられることがある。しかし，実験的（コンピュータ利用と数学的アプローチが連携した）アプローチは人間行動の理解に長足の進歩をもたらした。テーマの対象が私たち自身だからといって，企てが少しも非科学的になることはない。心理学は物理学，化学，生物学に匹敵する，真の科学である。実際に，多くの点で科学が機能しているところを確かめたければ，心理学においてプロセスは明確である。この序文では本書の副題――*Language, psychology, and science*――について説明した。そしてこれが言語心理学がなぜ難しいかというもう１つの理由である。

Matt Jarvis, Alan Kennedy, Annukka Lindell, Nick Lund, Glen Whitehead から本書の草稿に寄せられたコメントに感謝したい。私は提案のすべてを，たとえ取り入れなかったとしても，きわめて慎重に検討した。もちろん，私が無視した提案が正しかったとわかることがあるかもしれない。非常に恥ずかしい間違いを犯さないよう助けてくれた彼らには，いくら感謝してもしきれないほどである。特に感謝したいのは，Bill Thompson が聡明な専門外の目（と頭脳で）草稿を読んでくれたことである。私は彼にとても恩義を感じている。私は常に彼のアドヴァイスを受け入れたわけではないが，彼の頭脳を通してこの本を検討することは（時に奇妙だとしても），非常にためになる経験だった。本書は Apple 社の iMac 上で，Scrivener を使って企画し，執筆した。他の方法で書くことなど想像できない。写真は（1 枚を除いて）私のものである。

そして，最後に私が友人を創作したと考えた批評家へ。彼は実在する。これらはすべて私の兄弟の最初のことばであり，もしくは少なくとも私自身の 10 歳の時の考えである。本書のすべては実際に起こったことである。

2016 年 7 月

トレヴァー・ハーレイ（Professor Trevor Harley）
ダンディー大学（University of Dundee）

目　次

心理言語学を語る

ことばへの科学的アプローチ

第1章

言語の心理学

Language

私には，言語の心理学の研究は時間の無駄だと言う友人がいる。彼はこの考えをとても雄弁に，長々と説明する。彼はそれを聴く人の誰にでも（時として聴きたくない人にも），実にきちんと系統立てて（やかましいくらいに）話す。私はこの皮肉こそ彼にとって無駄だと思う。

彼の信念の根拠の１つは，言語に特有なことは何もないという考えにある。私たちは他の技能と同じように言語を学ぶ。たとえば，自転車の乗り方を覚えるように，話すことを学ぶ。私たちが行う他のすべてのことと同じ心理学的資源とプロセスを言語は利用する。彼にとって，文を話すことと帰宅する道を見つけることとの間には違いがない。

彼には両方に意見が欠けていると思う。なぜならば，私が彼に代案を提示し，言語には特有の何かがあり，また，他のことを学ぶようには言語を学ばないし，他の事柄と同じ心理学的プロセスを用いないだろうと言うと，その場合は特殊な例にすぎないので，どちらにも興味もないと彼が言ったからである。

言語の使用は，私たちの行う最も印象深い行動である。類似しているのは視覚しかない。私たちは日頃，驚くほど複雑で，独創的な発話（utterance）を産出する。あなたが言った最後のことばを思い返してみよう。それとまったく同じことを以前にも言ったことがあるだろうか。おそらくないだろう。そして，おそらく他の誰もないだろう（あなたは「ハロー」とだけしか言っていないと思うが）。言語使用は創造的なのだ。私たちは単語や文構造を常に新しいやり方で組み合わせる。そしてこの組み合わせを信じられないほど速く，驚くべき正確さで行う。この組み合わせを話す時も，書く時も行える。他の人が言うことを解読することもできる。すなわち，聴いたり，読んだりして，何の苦もなく意味やメッセージの意図をくみ取る。この組み合わせと解読はすべてコミュケーションという1つの目的のためである。そのことによって私たちは1つの考えをもつことが可能になり，まったく同じ考えをもつことが保証される。

言語は重要でもある。私たちは言語を使うのに，あるいは単に言語で考える時でさえ多くの時間を費やす。たいてい，やるべきことや考えていることを教えてくれる絶え間ない声が頭の中にあって，その声が自分たちの存在の中核だと考えがちである。現代生活の複雑さは，言語なしには想像もできない。それなしで，どうやって車やコンピュータや粒子加速器を設計して製造できるだろう。それなしで，このように密接な個人間の関係をどうやって維持できたのか。確かに，言語をもたない人間を想像することは難しい。

偶然にも，私と友人との会話は，言語の現代的研究における最も興味深い3つの問題に関連している。第一に，私たちは言語を実際どのように処理しているのだろうか。話すこと，書くこと，聴くこと，読むことにはどのようなプロセスが含まれるのか。第二に，子どもはどのように言語を獲得するのか。彼らは話しながら産まれるわけではないが，初めは大人と同じようにとまではいかないが，まもなくぺらぺらしゃべっている。第三に，言語の獲得と使用は，知識や言語特有のメカニズムによってどの程度決まるのだろうか。

この本は言語の心理学について書かれている。「言語の心理学（psychology of language）」は少し長くて言いにくい語であり，それを研究する人をいったい何と呼ぶのだろうか。言語の心理学者だろうか。60年代から70年代には「心理言語学（psycholinguistics）」という最適な語があり，心理言語学を研究する人は心理言語学者と呼ばれた。私は同じ頃，らっぱズボンがすたれたように，これらの語が時代遅れになったとは理解していない。これらの出来事に関連があるとは思わないが，もし心理言語学が流行すれば，らっぱズボンさえも再び流行するかもしれない。

「心理言語学」と「心理言語学者」という用語を私は使うつもりである。おそらく，それらは当然復活するだろう。もしかしたら，私は流行を起こすかもしれない[訳注1)]。

訳注1）本書ではpsycholinguisticsを字義通り「心理言語学」と訳しているが，著者の立場は，一般的に言語活動の心理学的側面を探求する「言語心理学」の意味合いが強い。

言語とは何か

好みの検索エンジンで「言語　定義」とタイプしてみよう。以下は www.thefreedictionary.com から私がまとめたものである。それによると言語とは，

1. 声やジェスチャーのように恣意的なサイン・システムを介した，考え方や感情のコミュニケーションであり，
2. そのシステムは単語のような構成要素を結合するルールを含み，
3. 特定の国や人々によって用いられる。

この定義は言語とは何かに関する最も重要な側面を含んでいるが，これらのポイントをさらに詳細に検討する必要がある。

第一に，言語は主としてコミュニケーションのためのシステムである。その主要な目的は情報を人から人へと伝えることにある。私はこの点にさらにコミュニケーションが意図されていることを付け加えたい。動物は互いに意思を伝え合う。たとえば，クロウタドリは雄が鳴くことで，テリトリー内にいて雌に応じられることを伝えるが，情報を伝達しようという周到な意図が常にあることが明らかなわけではない。これに対して，私たちが話す時，特殊な情報を伝達しようと意図している。このことは，私たちのコミュニケーションがすべて意図的であることを意味するのではない。私はばかなことを言って，自分の無知を伝えることがあるかもしれないが，これは発言の主要な効果というよりは副作用であって，確かに言語は副作用をもたらすために生じたのではない。それは言語の唯一の機能が厳密に意図的なコミュニケーションであることも意味しない。私たちは社会的絆のために，感情表現の手段として（「しまった!」や，もう少し強烈な表現もあるだろう），遊びのため（しゃれや冗談を言うなど）にさえ，たいていは言語を使う。そして，言語は私たちの思考を導き，またおそらく決定することにおいてさえ主要な役割を果たすだろう。

第二に，言語は単語，および単語を結合するルールのシステムである。単語は何かを意味しており，何かを象徴するサインである。「ネコ」「追いかける」「ネズミ」「真実」「ける」「大きい」はすべて外界の事象，出来事，概念，行動，事物の特性などを表している。私たちは何千という単語を知っており，そ

れらの意味や書き方，どんな発音かを知っている。これらの知識はすべて，**レキシコン**（lexicon）と呼んでいる膨大な心的辞書に貯蔵されている。しかし，言語は明らかに単語のリスト以上のものである。私たちは単語を結合して文章を作成し，文は事象間の関係についての複雑な意味（基本的には誰が誰に何をした）を伝える。しかし，単語を昔ながらのやり方で結合するだけではない。コンピュータ言語のように，特定の方式でのみ単語を結合することができる。「ネコがネズミを追いかける」とか，「ネズミがネコを追いかける」とは言えるが，「ネコネズミ追いかける」とか「追いかけるネコネズミ」とは言えない。すなわち，私たちは単語を特定の形式で結合するルールを知っている。これらのルールを言語の**統語論的規則**（syntactic rules）と呼び，単に**統語論**（syntax）と呼ぶこともある。加えて，語順はきわめて重要である（少なくとも英語のような言語では)。たとえば,「ネコがネズミを追いかける」は「ネズミがネコを追いかける」とは意味が異なる。言語に計り知れない力を与え，莫大な（実際，無限の）概念を伝えることができるのは，ルールを使って単語を結合する私たちの能力である。

レキシコンと統語論の区別は心理言語学において重要な問題である。もし統語論が**文法**（grammar）ということばを思い起こさせたとすれば，あなたは正しい。私たちは**文法**ということばを使って，言語を記述するルール体系全体，すなわち統語論をより一般的に記述する（特定の言語において単語がどのように成り立っているか，どんな音声が許されるか，それらがどのように結合されるのか)。しかし，あいにく「文法」ということばは，私たちが意図する意味を表せることばの１つであることに注意されたい。時には，それは「統語論」とほぼ同義に用いられ，時には言語のための完全なルールを表す，より一般的な用語として用いられる。心理言語学が難しいのも無理はない。

第三に，意味と語の形または音声との関係は恣意的である。音声を聴くだけで単語の意味を言うことはできないが，それがわからなければならない。もちろん，擬音語と呼ばれる単語のように，それらが表すものと同じように聞こえる単語もあるが，少数であるし，意味が完全に予測できるわけではない。whisper（ささやき声）はささやく声に似て聞こえるが，sisper も同じように似て聞こえるだろう。hermeneutical（解釈法）をどのように発音するかがわかっても，その意味については何もわからない。

第四に，私たちは言語を抽象的に定義してきたが，世界には特殊な言語が多数存在する。英語，フランス語，ロシア語，イボ語（ナイジェリアのイボ族語）はすべて異なった言語であるが，それでもやはり，それらはあらゆるタイプの言語である。それらはすべて単語とメッセージを形成する統語ルールを使用している。

言語はどのように異なるか

この本を書いた動機は，私の言語や語学のひどさにある。私はこの事実を決して自慢に思っておらず，どうしようもない。実際，後に明らかになる理由にあなたはきっと共感してくれると思う。言語の下手な人が言語の研究を行うのは奇妙かもしれないが，自分自身の特定の問題に興味をもつ心理学者についての格言が何かあるだろう。外国語はからっきしだめなので，私はさまざまな言語を使用する心理学科のメンバーに，以下を彼らの言語でどのように言うのかを尋ねなければならなかった（最初の文はなんとかなるが)。

The cat on the mat chased the giant rat.（英語）
Le chat qui était sur le tapis a couru après le rat géant.（フランス語）
Die Katze auf der Matte jagte die gigantische Ratte.（ドイツ語）
Il gatto sullo stoino inseguiva il topo gigante.（イタリア語）
De kat op de mat joeg op de gigantische rat.（オランダ語）
Pisica de pe pres a sarit la sobolanul gigantic.（ルーマニア語）
Kot który był na macie, gonił ogromnego szczura.（ポーランド語）
A macska a szőnyegen kergette az óriás patkányt.（ハンガリー語）
Matto-no ue-no neko-ga ookina nezumi-o oikaketa.（日本語）

私は，フランス語，オランダ語，ドイツ語の訳で何が起きているのかがわかる。それらと英語との間に類似性があることは明らかであり，学校で習ったフランス語を思い出して，その他の意味を理解することができる。イタリア語はもう少し異質だが，まだ理解できる。ポーランド語，ハンガリー語，日本語は私にはとても異質で理解できない。おそらく，同僚らが私をからかって，知らずに下品なことばを書かせることができただろう。もしそうだったら，申し訳ない。

語彙（cat，chat，Katze はすべて同じことを意味している）の他にも違いは多数ある。ドイツ語では，名詞の**格**（case）と呼ばれるものや，動詞の形態が英語よりもはるかに重要である。名詞や動詞の形態は，それらの文法的役割を反映する**屈折**（inflection）と呼ばれる過程によって変化する。たとえば，文の主語であるか，目的語であるか，すなわち，行為を行うものか，行為を受けるものかどうかによってである（その他の格もある。主格［nominative］，対格［accusative］，呼格［vocative］，属格［genitive］，与格［dative］を私はまだラテン語の授業から覚えている）。英語でも少し語形変化させる。たとえば，文の主語として she を，目的語として her を使うが，ドイツ語のように屈折のある言語ほどとはとても言えない。もしあなたがラテン語を知っているならば，ラテン語は非常に屈折があるので，語順はあまり重要でないことがわかるだろう。私が 12 歳の頃の郷愁にふけるために，ラテン語の *stella*（star）の語形変化を挙げてみよう。

stella — the star	stellae — the stars（主格）
stella — o star	stellae — o stars（呼格）
stellam — the star	stellas — the stars（対格，直接目的語）
stellae — of the star	stellarum — of the stars（属格）
stellae — to the star	stellis — to the stars（与格）
stella — from the star	stellis — from the stars（奪格）

私のラテン語の教師は，これらをできるだけ速く大きな声で繰り返すことで覚えさせた。stla, stla, stlam, stlae, stlae, stla そして複数形。日本語は非常に異なった文を構成する。最適な訳は“mat on cat big rat chased”であると教えられた。日本語では動詞が文末にくることにも注目されたい。トルコ語では，フィンランド語，日本語，スワヒリ語と同様に，互いに修飾する単語同士を結合させるため，**膠着**（agglutinative）言語と呼ばれる。例を挙げよう。

Ögretemediklerimizdenmisiniz? — Are you the one who we failed to teach?
（あなたは私たちが教えることができなかった人ですか）

（Ögret＝教える，emedik＝できなかった，lerimiz＝私たち，den＝あなたは

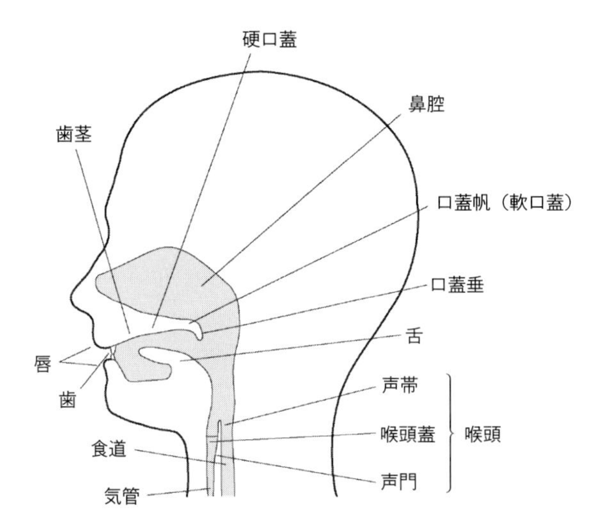

図 1.1　人間の声道の構造

〜です，misiniz＝人）。膠着言語では，単語内の各ユニットが特定の文法的意味を非常に明確に表す。

異なる言語が用いる音声もまた異なる。英語話者にとって，正しく発音されたスコットランド語の loch（ロッホ）やドイツ語の Bach（バッハ）の /ch/ の音は，やや奇妙に聞こえる。なぜならば，それは「正常な」英語で使用される音ではないからだ。専門的には，それは，その構音法のために**無声軟口蓋摩擦子音**（voiceless velar fricative）と呼ばれ，呼気が声道を通るとき狭められており，英語は無声軟口蓋摩擦子音を用いない（構音器官の図は図 1.1 を参照のこと）。アラビア語は舌の付け根が口の奥で咽頭に向かって持ち上げられる**咽頭音**（pharyngeal sounds）を使うので，英語話者にとっては異質に聞こえる。もちろん，英語はアラビア語話者にとって咽頭音を用いないので，異質に聞こえる。バンツー語やコイサン語のようなアフリカの言語の一部は子音として大きな舌打ち音（click sounds）を用いる。日本人は /l/ と /r/ を区別できないので，彼らが英語を学ぶ時，これらの音声を正しく産出するのが難しい。/l/ と /r/ は**流音**（liquid sounds）と呼ばれる。アイルランドのゲール語は 10 個の流音をもっているが，もちろんネイティブの英語話者はこれらの違いをすべて学ぶことは難しいだろう。言語間の音声の違いを挙げれば，明らかに膨大になるだろうし，新しい言語を学ぼうとする成人にとっては明白な結果をもたらす。

私はイラン人の同僚にも翻訳について聞いてみた。以下に，ペルシャ語，アラビア語，ギリシャ語，日本語，中国語の例を示す。これらは同じ書体（script）や書き方すら用いない。その上，ペルシャ語，アラビア語，ヘブライ語は右から左へと書く。

ギリシャ語

Η γάτα στο χαλί κυνήγησε τον γιγάντιο αρουραίο.

日本語

マットの上の猫が大きなネズミを追いかけた。

中国語

那只大老鼠　在毯子上　被　猫　追赶。
（大きなネズミ）（マットの上）（受け身表現）（猫が）（追いかけた）

ペルシャ語

（追いかけた）（大きな）（ネズミ）（マット）（の上）（猫）
.گربه روی فرش موش صحرا یی بزرگ را تعقیب کرد
V　O　Prep.　S
orbe（猫）rouye（の上）farsh（マット）moush-e sahraie-ye（ネズミ）bozorg（大きな）ra taghib kard（追いかけた）

アラビア語

（大きな）（ネズミ）（追いかけた）（マット）（の上）（猫）
القطه علي حصيرطاردت الجر العملاق
O　V　S
Al-ghetta（猫）ala（の上）hasir（マット）taradat（追いかけた）Al-jerza al- jerza al-amlagh（大きなネズミ）

ヘブライ語

החותול אל השטיח רדף אחרי החולדה האנקות
H′ chatul al h′ shatiach radaf acharey h′ chulda h′ anakit

このように，言語は多様で，使用する単語（語彙），好まれる語順，統語ルール，文法的役割を示すために単語を屈折させる程度や方法，文法的単位が結合される様式，音声，単語を書く方法が明らかに異なる。

違いはあるけれども，多くの類似性もまた存在する。一部の言語（英語，フランス語，ドイツ語，オランダ語，イタリア語）は互いに関係があるが，言語はすべて個々の概念ごとに別の単語を用い（ネズミ，マット，ネコ，大きい，追いかけた，に対して別の単語をもっている），何が何に対して何をしたということを伝える手段，すなわち，**文法的役割**（grammatical role）を示す手段をもっている。ネズミを追いかけているのがネコだとわかるし，反対に理解することはない。言語はすべて単語を用い，これらの単語を結合するルールを用い，この結合規則が非常に体系的に互いに類似していることがわかる。

言語はいくつあるか

私の妻はジョーディ（Geordie）[訳注2)]（ニューカッスル出身を意味する）である。幸いにも，ほとんどの場合，私は彼女の言うことはわかるが，彼女の親類の言うことを理解するのはかなり難しい。ジョーディは強い**アクセント**をもった（特有の発音をする）**方言**（dialect）（独特の語彙と文法的特徴がある）である。ジョーディは容認標準英語（RP，古き良き時代に女王や BBC のアナウンサーによって話されたような）とは異なるし，私には理解するのが難しいこともあるが，多くの人はジョーディを英語の一種といまだに呼ぶだろう。しかし，方言はいつ別の言語になるのだろう。厳密なルールはないのだから，現在世界中にいくつの言語があるかをはっきりさせることは難しい。

言語学者によれば，世界には5000～6000の言語があると推定されているが，話者の少ない言語は，これを読んでいる間にさえ，消滅しつつある。ある言語は黒コマドリ（わずかに5羽が1980年代初期にニュージーランドの海岸に残された）のように絶滅寸前である。過去数世紀にわたって，時には意図的に，あるいは話者がその言語が存続するには少なくなりすぎたり，他の言語に取って代わられたために，数え切れない言語が消滅してきた。

時として，絶滅寸前の言語が復活することもある。ウェールズ語（Welsh）

訳注2）北イングランドのタイン川流域地方の住人（が使う方言）。

はこの興味深いケースである（Price, 1984）。それは今もなおイギリス本土で話されている最も古い言語である。6 世紀の終わり頃，ブリソニック諸語（Brythonic language，スコットランドやアイルランドのゲール語［Gaelic language］に密接に関係のある古代のケルト語）は，ウェールズ語，コーンウォール語（Cornish），カンブリア語（Cumbric），ブルトン語（Breton）に分化した。それは長く豊かな文学的伝統をもち，広く話されてきた。13 世紀のイギリスの侵略により，ウェールズの地理的範囲は縮小し始めた。1536 年のイングランドとウェールズ連合法はウェールズ語を禁止しなかったが，公務員は英語を使わなければならないことを規定した。18 世紀後半と 19 世紀初頭に急速な衰退が続き，19 世紀の半ばには英語が公立学校の主要な目標言語になった。多数のイギリス移民，特に南部の工業化に引きつけられた人々が出たため，さらに，ウェールズ語を話す人の数とその重要性は減少した。「ウェールズ結び」について聞いたことがあるかもしれない。それは，19 世紀にウェールズ語を話す学校で児童たちが首に掛けていた木片である。ある言い伝えによれば，木片を身につけた者が他の子どもがウェールズ語を話しているのを聞いたら木片を渡し，その日の最後に身につけた者はたっぷりとむち打たれたという。そのような手段によって，ウェールズ語の使用がやめさせられたことは驚くに当たらない。

ウェールズ語の復活は 1930 年代に始まり，一部には決意の固い人々のおかげで，最初の国家制度と共に 1947 年，ラネスリーにウェールズ中等学校が開設された。1967 年のウェールズ語法はいかなる法的手続きもウェールズ語で書くことを許した。それにもかかわらず，バイリンガルの話者数は 1901 年の 929,824 名（人口の 50%）から 1981 年には 508,207 名（19%）へと減少した。単一言語話者の減少はさらに激しく，それぞれ 280,905 名から，たった 21,583 名となった。テレビやラジオの放送は 1982 年に S4C が開局するまではほとんどが英語だった。1993 年のウェールズ語法と 1998 年のウェールズ法の規制は，ウェールズ語と英語は同等に扱われなければならないとしている。たとえば，標識や公文書は現在すべて二カ国語で書かれなければならない。その結果，ウェールズ語の使用は増加し，現在では話者が 611,000 名（2004 年の人口の 21.7%）に達している。これまでのように，歴史的出来事の原因を突き止めるのは困難であるが，何人かの個人の決意がウェールズ語の復活に有意義な役割

私はウェールズの景色が好きで，道路標識も同じくらい好きである。「(とても小さいが) ウェールズ語の道路標識（左側）のある景観」は私の古い写真の 1 枚である。これは本物の写真家にはわかる間違いを示している。あなたはいくつ見つけられるだろうか。言語間の翻訳ではひどく間違えることがある。たとえば，2008 年 10 月に BBC ニュースで報道された道路標識の例がある。そこには「重量物の積載車は乗り入れ禁止。居住者のみ」と上段に英語で書かれていた。下段にはウェールズ語に訳して「私は目下オフィスに不在です。翻訳しなければならない仕事は送って下さい」とあった。

を果たしたということには納得できる。たとえば，Clive Betts は 1976 年の著書『文明の危機（*Culture in Crisis*)』で「ウェールズ中核地帯」を樹立すべきと主張した。そこでは，少なくとも 70% がウェールズ語の話者であり，ウェールズ語が公用語であり，英語は第二言語で必要な場合にのみ使用され，バンゴア，アベリストウィス，カーマーゼンのような英語中核地帯でのみ教えられるべきであるとする（Price, 1984)。深刻な状況は極端な計画を必要とする。

したがって，ウェールズ語は衰退していたが，状況はいまやかつてほど厳しくはない。ウェールズ語の歴史をコーンウォール語のそれと比較してみると，コーンウォール語話者ははるかに少数で，イングランドの比較的狭い地域を占めていた。英語が広がるにつれて，特に 1500 年以降，コーンウォール語はどんどん西に追いやられた。その後の衰退は急速で，最後の単一言語話者（1 つの言語しか話さない人）は 1676 年に死去した。議論は絶えないが，最後の母語話者である Dolly Pontreath は 1777 年にペンザンス近くの漁港，マウスホールで死去した。現在もコーンウォール語を日常言語として復活させる試みがいくつかあるが，これらが成功するかどうかはまだわからない。

英語はどのように変化してきたか

「シェークスピア　無礼　生成物」と好きな検索エンジンに入力してみよう。シェークスピアに出てくることばに基づいて，あなたへの侮辱を生成するサイトが数多くある。「思うに，涙ぐんだ秘密を汚す汝は実にひどい（Methink you stinks thou beslubbering onion-eyed hugger-mugger.）〔古英語による表現〕[訳注3]」を見つけ出すのに時間はかからなかった。私はかなりそれが好きである。

言語が時を経て大きく変化してきたことは明らかである。forsooth（本当に），coxcomb（気取り屋）等の語は今日めったに使わない。少なくともシェークスピアは（ほとんどの場合）英語話者にとって容易に理解できるが，さらに遡ってチョーサーは慣れない読者にとってはるかに難しい。

And somme seyen that we loven best
To be free, and do right as us lest,
And that no man repreve us of oure vice,
But seye that we be wise, and no thyng nyce.
For trewely ther is noon of us alle,
If any wight wol clawe us on the galle,
That we nel kike, for he seith us sooth.

Chaucer,『*The Wife of Bath's tale*（バースの女房の話）』，935-941
1390年頃の作

声に出して読むともっと理解しやすいが，まだ厳しい状態であるし，最後の2行には困惑させられる。

英語の歴史はイングランドの歴史である。英語は言語の寄せ集めであり，イングランドはよく「雑種国家」と呼ばれてきた。それはよい印象を与えないが，考え方は示している。ノルマン征服以前のイングランドの歴史は波のように押し寄せる侵略の連続であった。ケルト族，ローマ人，アングル族，サクソ

訳注3）文中の〔　　〕は訳注を示す。

ストラットフォード・アポン・エイヴォンの家。シェークスピアの家と記憶している

ン族，ジュート族，デンマーク人は皆，言語的特徴を残した。11 世紀初頭までに事態は落ち着き，主要な言語はアングロサクソン語，すなわち，ゲルマン語であり，一部で話されたケルト語（コーンウォール語，カンブリア語，マン島語，ゲール語）を含む。1066 年のノルマン征服は最後の主要な侵攻で，大きな影響をもたらし，しばらくの間二段階システムを生み出した。すなわち，フランス語が支配的な特権階級，裁判所，法律の言語となり，英語は征服された大多数の言語となった。しばらくして，ゲルマン語派の言語は，再び目立つようになった。その理由の 1 つはより多くの人がそれを話したからであり，もう 1 つはノルマン人の特権階級がフランスから孤立したからである。その結果，言語は継続の源泉を失い，ノルマン人とアングロサクソン人の結婚がさらに一般的になった。エドワード三世は 1362 年に英語を議会の公用語としたが，それにもかかわらず，ヘンリー四世が 1399 年に王位に就いて初めて，この国は英語の母国語話者によって統治された。もちろん，その時までに英語はフランス語の単語やフレーズを多数吸収した。フランス語を話す支配者とアングロサクソン語を話す農民との間の階級の区別は職業の名前にさえ反映された。洋服屋，画家，石工など，より立派な熟練を要する職業ではフランス語に基づいた名前を用いたのに対し，粉屋，パン屋，靴屋など，さほど立派でもない職業ではアングロサクソン語の名前を受け継いだ（Bryson, 1990）。英語にはまだフランス語に由来する数千の単語があり，その多くは裁判所，法律，ファッ

ションに関係がある。

もちろん，変化したのは語彙だけではない。文法規則もまた変化した。追放されている間に，英語は単純化された。文法的屈折が消失し，性（名詞の男性，女性，中性。フランス語やドイツ語にはまだ残っている）がなくなり，屈折語尾の数が減少した。初期の英語が今日よりもはるかに，地域間や地域内ばかりではなく，話者間でも，変化に富んでいたことは注目に値する。チョーサーは娘の複数形を，ある時は doughtren と呼び，またある時は，doughtres と呼んでいる。印刷機の発明や印刷物の利用は標準化効果をもたらした。

ラテン語もまた英語の発展に影響を与えた。教会の公用語として，その効果は宗教的問題，法律，教育に対して非常に大きい。多くの重要な 17 世紀のスコラ哲学の著作は最初にラテン語で書かれた（ニュートンの『プリンキピア（*Principia*）』やハーベーの血液循環に関する専門書『動物における心臓の運動に関する解剖学的研究（*Exercitatio Anatomica de Motu Cordis et Sanguinis in Animalibus*）』など）。ロマンス諸語であるノルマン語によって由来は曖昧にされているが，多数のラテン語の単語がラテン語と同様に今なお残っている。ラテン語はとても高い格式を保っていたので，英語文法の初期の学者らは英語の形式規則はラテン語に基づくべきであると考えた。

言語はいまだ止まることがない。ビクトリア女王時代の言語は現代の読み手に特異的に聞こえる。あらゆる種類の影響が，時間の経過とともに言語に作用し続ける。言語は単純化され，他の言語の一部を組み入れ，必要ならば，新しい単語を採用したり，作り出したりし，他が変化するうちに方言が広がり（「河口域英語[訳注 4)]（Estuarine English）」の最近の成功を見よ），新しいことばが流行する。「トランジスタ」「テレビジョン」「エアプレイン」「コンピュータ」はすべて，比較的最近加わったものである。数年前，私は最も早いアイポッドロジスト（ipodologist）であると思いたかった。そして，もちろん言語はまだ変化し続けている。

英語は，特にアメリカに輸出もされてきた。地理的広がりもまた言語学的孤立や変化を招いた。私はアメリカにいる時，いまだに elevator，hood，sidewalk，gotten と言うのに慣れることができない[訳注 5)]。

訳注 4）1980 年頃からテムズ川河口付近（ロンドン周辺）で使われるようになった英語。
訳注 5）英国ではそれぞれ，lift, bonnet, pavement, got を用いる。

変化の中には，人々の気に障るものもある。世の中には，分離不定詞（split infinitive[訳注 6]）だからといってかっかする人がいる（私もしばしばその 1 人である）（“to boldly go where no man has gone before”［以前に誰も行ったことのない所に思い切って行く］，または，冗談にあるとおり，“to boldly split infinitives no one has split before”［以前に誰も分離しなかった不定詞を思い切って分離する］）。しかし，私でさえ懸垂前置詞[訳注 7]（dangling prepositions）に対して熱意をこめることはできない（いわゆる正しい形式の “he was the man to whom she gave the present”［彼は彼女がプレゼントを渡した男性だ］よりはむしろ，“he was the man she gave the present to” の方がよい）。ちなみに，このルールが発生したのは，ラテン語の不定詞が分離できないため，昔の権威者が英語も分離できないと言ったためである。who と whom との区別や shall と will の使い方の違いはいまや消えてしまいそうである。発音についていらついている人もいる。たとえば，library の 2 つの r を必ず発音し，その代わりに libary と言ってはならない。ついでながら，それは mis-pronounciation ではなく mispronunciation（誤った発音）である。思うに，重要なのは特徴を失った言語や特権を利用する言語はよくないということである。そこで私たちが who の代わりに whom と言わない時はいつも，文を理解する人にとって少しばかりやっかいになる。しかし，言語が理解不能な曖昧な語句の意味のない寄せ集めにまで，格下げになるとは思えない。新しい区別立てや古いものを作るやり方は進化するだろう。状況は変わる。それを理解してほしい（しかし，its と it’s の違いは正しく理解してほしい）。

言語はどのように変わってきたか

一部の言語は互いに類似していることを指摘してきた。**言語学者**（言語の研究者）は関係があると見られる言語を**語族**（families）として分類してきた。明らかに，フランス語，イタリア語，スペイン語は関連があり，これらは**ロマンス語族**（Romance family）として分類されている。英語，オランダ語，ド

訳注 6）不定詞の to と動詞との間に語（群），特に副詞（句）が挿入されているもの。誤りとする説や正式な書き言葉では避けるべきとの説もある。
訳注 7）文中の他の構造と文法的な関係が成立しない前置詞。

イツ語もまた共通点が多く，**ゲルマン語族**（Germanic family）として分類される。なぜそれらは類似しているのだろうか。最も明確な説明としては，同一語族の成員は歴史的に同じ言語から派生しているというものである。もし私たちがはるか昔に遡れば，1つの言語を発見するだろう。たとえば，それを原始ゲルマン語と呼ぼう。長年にわたって，言語の話者が地理的に拡散し，互いに分離するにつれて，私たちが今日話す言語へと分かれたのである。

しかし，ロマンス諸語とゲルマン語は実際には互いに異なるものではない。そのことは，私たちがさらにいっそう時間を遡れば，ロマンス諸語とゲルマン語はたった1つの言語に由来することを意味する。それらはまた，他の言語と共通する特徴をもっている。mother（母）という単語は，フランス語ではmere，ドイツ語ではMutter，オランダ語ではmoeder，スウェーデン語ではmoder，イタリア語とスペイン語ではmadre，ポーランド語ではmatka，ロシア語ではmaht，アイルランド語ではmáthair，サンスクリット語ではmataである。単語間の類似性の数は（数の多さは顕著な実例である）これらの類似性を偶然の一致に帰すことができないことを示している。したがって，かつてこれらの言語はすべて，一度は関連があったに違いない。実際，ヨーロッパと西アジアのほとんどの言語はすべて原始インド・ヨーロッパ語と呼ばれる言語から派生したと考えられており，その語族の成員は**インド・ヨーロッパ語族**（Indo-European family）と呼ばれる。このようにして関連のある言語の系統図を作成することができる（図1.2を参照のこと）。

しかし，重要なことに，この地域で用いられる言語がすべてインド・ヨーロッパ語ではないことに気づく。バスク語は北スペインと南西フランスのバスク人に用いられ，インド・ヨーロッパ語を話し，広めた人々の侵攻以前にヨーロッパで話されていた言語の珍しい名残であると考えられている。フィンランド語とエストニア語はフィン・ウゴル語族（Finno-Ugric）である。おそらくインド・ヨーロッパ人の侵攻が単にそこまで及ばなかったのであろう。ハンガリーのマジャール語はウゴル語のより遠い関連語である（このような観察が示すのは，地球上で関連のある言語の分布を調べると，ずっと昔の人々の移動を学べることである）。

言語がいつ分離したかは，どの単語を共有するかを調べればわかる。インド・ヨーロッパ語はすべて，ウマやヒツジに対して似た単語をもつが，ブドウ

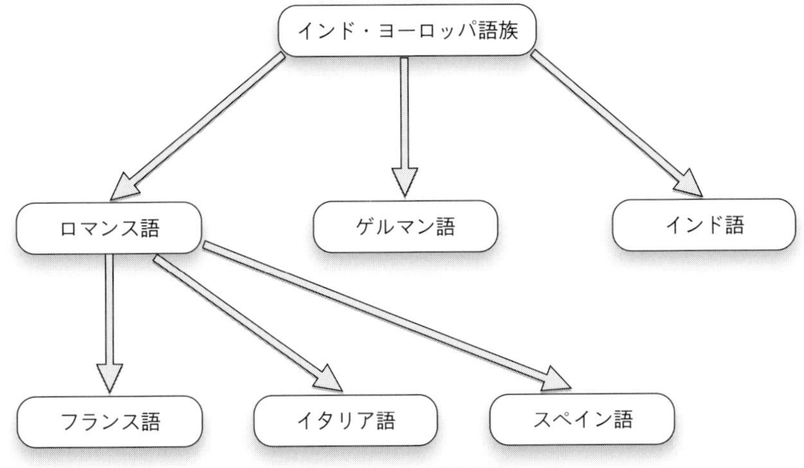

図 1.2　インド・ヨーロッパ語族の簡略化した系統図の一部

ややヤシに対してはもたない。このことは，元の言語がウマは普及していたが，ヤシのない所から発生したことを示す。このような観察結果によると，インド・ヨーロッパ語の最初の話者は北部中央ヨーロッパからやってきたらしい。これらの違いを用い，単語間の類似性の程度を調べれば，どのように言語が互いに分離してきたかを示す言語的類似性の系統樹を作成することができる。

他の語族に対しても，同様の系統樹を構築することができる。アルタイ語族（Altaic）はトルコ語や中央アジアのモンゴル語を含む。シナ・チベット語族（Sino-Tibetan）は中国語を含む東アジアの 250 の言語からなる。最も大きな語族であるニジェール・コンゴ語族（Niger-Congo）は 1500 以上の言語を含む。しかしながら，私たちはすでにバスク語がインド・ヨーロッパ語とはっきりした関係をもたないことを認識している。その地域で優勢な語族に一致するとは思えない孤立語（isolate）が，その他にも多数ある。もしはるか昔に遡れば，すべての言語の祖先となる唯一の言語，すなわち曾祖語（great-great-grandmother language）が見つかるだろうかという，当然の疑問が生まれる。またそのことは，言語がたった一度だけ「発明された」ことを意味する（いわゆる**単一起源説**［monogenesis theory］）のだろうか。あるいは，複数の原始語があるのだろうか。これらは容易に推測できる問いであるが，現実的なことを語るのは非常に困難である。しかし，彼らはあえて言語の究極の起源に言及する。

言語はどこから発生したか

1866 年にパリ言語学会は言語の起源に関する議論をすべて禁止した。あまりにも憶測が多く，証拠がほとんどないというのである。そして，多数の憶測に基づいた理論がある。たとえば，「イヌの鳴き声」理論によれば，言語は自然の音の模倣から始まった。「かけ声」理論によれば，原始人が重労働を共同で行う時のリズミカルな繰り返しの文句から始まったと言う。「歌唱」理論によれば，求愛，クークーというハトの鳴き声，笑い声から言語は生じたとする。「ユーリカ（eureka!）」理論によれば（私は気に入っているのだが），賢明な原始人の一部が意識的に発明したという。しかし，言語の起源について，科学から何がわかるのだろうか。

言語が一体全体どのように生じたかに関する確実な証拠はほとんどないどころか，あり得るのだろうかと，長年私は疑わしく思っていた。しかし，重要な証拠が 2 つあり，推測にゆだねるとしても，どちらも完全ではない。第一に，化石のあごと頭蓋骨の構造の変化を調べることによって，言語がどのように進化してきたかについて仮説を立てることができる。第二に，化石の中に残されたDNA の分析によって，わかることがある。

言語はいつ進化したのだろうか。他の霊長類が話し言葉をもたないとすれば，明らかに話し言葉が発生したのは，ヒト属（genus Homo）が他の類人猿から分かれたあとで，それは約 250 万年前のホモ・ハビリス（Homo habilis）と，約 5 万年前の最初の純人類，ホモ・サピエンス（Homo sapiens）による現代的行動の間のいつかであることを意味する。もう少し具体的に言うと，私たちにできる最善策は，今日私たちが行っていると同じように発話を産出する構音器官を人類がいつ持ったかを調べて，これを推定することである。化石からわかることは，初期のヒト科の動物（hominid）は 200 万年前によく発達したブローカ（Broca）野をもっていた。その領域は左脳の前頭葉にあり，発話産出に重要な役割を果たすことが知られている。しかし，大型類人猿（great apes）がこれと同じような非対称の兆候を示すことが現在知られている（Cantalupo & Hopkins, 2001）。おそらく，人類のブローカ野では巧みな手の動作のような他の機能が優勢になったものであろう。

3万年前に絶滅したネアンデルタール人は，人類ときわめて近い系統にある(別個の種というよりはむしろ亜種と考える者もいる)。ネアンデルタール人の頭蓋骨の形態から，彼らは複雑な言語音を発することができないと長い間信じられてきた。喉頭が適切な位置になく，人類よりは霊長類の位置に近く，舌の動きをうまくコントロールすることができないように思われた（Lieberman & Crelin, 1971)。さらに最近の証拠によれば，ネアンデルタール人は，当初考えられたほど能力を欠いたわけではないかもしれない。1983年にネアンデルタール人の舌骨（舌の付け根を支える首にある骨）がイスラエルで発見された。この骨が存在するという事実は，ネアンデルタール人がとにかく発話できたことを示唆しているが，骨の構造は人類ときわめてよく似ていた（Arensburg et al., 1989; D'Anastasio et al., 2013)。さらに，骨からDNAを抽出した結果，ネアンデルタール人は現代人に発見されたものに類似した型のFOXP2遺伝子をもっていることが示された。後にわかるように，この遺伝子は言語にとって重要な役割を果たすと考えられている（Krause et al., 2007)。

2008年にフロリダからやって来た人類学者，Robert McCarthyはコンピュータモデルを使って，ネアンデルタール人が話したような発話を産出した。その発話は，しわがれ声で，高音であり，私たちのように多様な母音を発することはできなかったが，充分なコミュニケーション・システムを容易に形成することができた（発話のサンプルはインターネット上で聞くことができる)。ネアンデルタール人は道具を使い死者を埋葬し，火を操り，小屋に住み，そして，おそらく，儀式や宗教活動さえも行い，音楽を作った。そして，彼らが言語なしにここまでの知的レベルに達することが，どうしたらできたかを考えるのは難しい。もし，ネアンデルタール人が私たちのもつFOXP2を共有し，言語を使っていたならば，これらの遺伝子的変化は，現代人とネアンデルタール人が30万年から40万年前に分かれる以前に起きたに違いない。こうした推論の進め方には異論がある。というのは，**ホモ・サピエンス**とネアンデルタール人の間で異種交配が起きたために，もしかすると突然変異したFOXP2遺伝子がサンプルに含まれていたのかもしれないからである。

現代の人間行動は少なくとも4万年前の芸術，技術，文化の開花まで起源をたどることができるが，アフリカでは石器時代の旧石器期から新石器期への変遷を伴って，さらに早期までたどれる可能性がある。石器はより複雑になり，芸術が開花し，初めて装身具が現れた。Corballis（2004）の主張によれば，このような文化的，技術的開花は言語の発達および言語が可能にした思考法の変化によって可能になった。正確に言えば，人間は現在を越えて移動することができ，直接目の前にある対象以外の事物や概念について語ることができた。彼らは可能性について考えることができた。彼らは思索し，未来について語り，計画を立て，「もし～ならば」と仮定して話すことができた。彼らは，未来の複雑な条件を表す計画を作ることができた（「もしあなたがこれをすれば，私はあれをするか，さもなければ……」）。化石の証拠によれば，舌，歯，喉頭，筋肉など，構音をコントロールする器官は，過去5万年の間変化してこなかった。その時期はこの文化の開花とほぼ同じなのである。さらに，言語の起源については，より慎重な意見がある。すなわち，およそ5万年前に何かが起きたのである。それが何であろうとも，現代の形態に発音器官を固定し，現代的言語の発達を可能にし，そのことが両手を他に使用できるようにし，さらに，これらの変化が文明の発達を導いたのである。その頃，何が起こったのだろうか。有力な答えは，過去10万年以内に現在の形態に至ったいわゆるFOXP2遺伝子の突然変異である。他の霊長類で，この遺伝子は複雑な動きや感覚入力と出力との協応をコントロールする役割を担う。この突然変異によってブローカ野が大きくなり，複雑な系列を産出する能力が高まった。これこそが，言語にとって不可欠なのである（Fisher & Marcus, 2006）。私たちは再びFOXP2遺伝子に出逢うことになるだろう。しかし，遺伝子の損傷が，今日，言語獲得，特に，音声を配列する能力に障害を招くという一部の研究者の主張は，注目に値する。人類がアフリカから広がる前，すなわち約6万年前に，言語がほぼ確実に発達したに違いないことは，言語出現の時期と一致している（Renfrew, 2007）。言語が多くの異なった場所で並行して同じように進化できたことは信じ難い。

次の章で示すように，霊長類は互いのコミュニケーションのために鳴き声を用いる。発話の起源に関する最も単純な示唆としては，原始人のもつ脳の高度な発達によってこれらの鳴き声がどんどん複雑になり，系列をなすことができたことを意味する。しかし，より高度な霊長類は，コミュニケーションのために多くの身振りを用いる。たとえば，チンパンジーは食物など彼らがほしいものを持っている他のチンパンジーに会うと，手を広げて差し出す。すでにわかっているように，大型の類人猿の脳は類似しており，ブローカ野は手の動きをコントロールする。おそらく，発せられた言語は，手と腕の身振りから発展したのではないだろうか。この考え方は一般的である。著名な発達心理学者の Jean Piaget は 1930 年代に，言語は手のしぐさを補うために発せられた音声による意思表示から発展したことを示唆した。Corballis（2004）の主張によれば，FOXP2 遺伝子の突然変異は，私たちが複雑な順序をもった音声ジェスチャーをすることができ，もはやコミュニケーションのために手に依存する必要がなくなったことを意味する。この発達によって，より複雑なコミュニケーションの発展が可能となり，私たちが同時に道具を作ったりするなど，手が別のことをしている間にもコミュニケーションができるようになった。さらに，このような発達は文化の発展を可能にした。鳴き声と身振りにおける特異的な進化は，文献中で論争があるが，おそらく，それらを二者択一と見なすべきではない。ジェスチャーから脳が解放されると，音声レパートリーを発展させ，拡大させることができる。

言語を全部かゼロか，すなわち，私たちが言語をもつか，もたないかと見なすことも，おそらく誤りである。Bickerton（1990）は人類の言語と霊長類のコミュニケーション・システムとの中間にあるものとして祖語（proto-language）の存在を仮定した。原始言語をもった原始人たちは，多数の対象にラベルをつけ，おそらくとても単純な語順を用いることができたが，これらのラベルに統語規則を結びつけることはできなかっただろう。

しかしながら，言語が進化する時はいつでも，何らかの犠牲を伴いながら重要な進化上の利点を与えられた。すなわち，多様な音声を発することができる咽頭の構造の位置は，食べ物でのどを詰まらせる危険に常にさらされることを意味する（他の動物ではあり得ない）。

心理言語学をどのように研究するか

言語とは何か，そして，それがどこから発生したかについて，現在，考え方がいくつかある。私たちの興味は，言語をどのように産出し，理解し，想起し，さらに，言語が他の心理学的過程とどのように関係するかという点にある。すなわち，言語の心理学（the psychology of language）——心理言語学

(psycholinguistics) と名づけることができるテーマ――に興味がある。

出来事の時期を正確に定められることは好ましいのだろうか。心理言語学の起源は 1951 年の夏にアメリカのコーネル大学で開催された会議に遡ることが多い。そして，この語はその会議について記した Osgood と Sebeok (1954) の書物で初めて活字になった。しかし，科学者らは用語が作られる以前に心理言語学に近い研究を行っていた。Paul Broca (1824-1880) と Carl Wernicke (1848-1905) など初期の神経学者らは，脳損傷の影響を調べることによって脳がどのように言語に関わるかを研究した（ブローカ野とウェルニッケ野を含む脳の構造を図 1.3 に示す)。考え方は単純である。脳の外傷（おそらく脳への血液供給を絶つ脳卒中や頭部損傷によるもの）は脳の一部を破壊し，行動の変化を招く。患者の死後，解剖によって頭のどの部位が影響を受けたかが正確に判明する。Wernicke は特に，脳がどのように言語を処理するかを，今日認められているのと差がない形で総合的に説明した。脳と言語の関係は，後に詳しく検討する。世紀末に，2 人のドイツ人研究者，Meringer と Mayer は，現代的研究ときわめてよく似た方法で言い間違いを収集し，分析した（彼らの 1985 年の本は『言い間違いと読み間違い――心理学的言語研究（*Versprechen und Verlesen*: *Eine Psychologisch-Linguistische Studie*)』と名づけられた。「心理

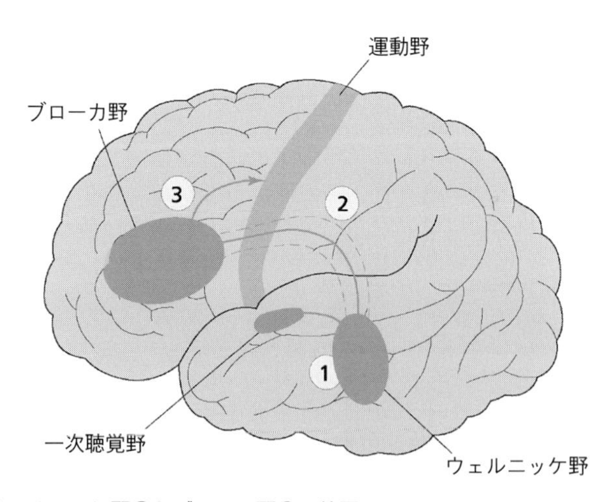

図 1.3　ウェルニッケ野①とブローカ野③の位置

単語を話すとき，活性化は弓状束②を通ってウェルニッケ野からブローカ野へと進む

言語学的（psycholinguistic）」という語を最初に用いた功績がMeringerとMayerに認められるべきであると私は考える）。Freudは1901年の『日常生活の精神病理学（*The Psychopathology of Everyday Life*）』において，言い間違いの分析を再び取り上げた。彼は抑圧された無意識によって言い間違いを説明しようと試みたが，言いまちがえる原因やそこに含まれる心理学的プロセスに非常に関心をもっていた。このように心理学的プロセスを重視するのが，心理言語学の特徴である。

非常に大まかに言えば，初期の心理学者は測定または内観に興味があった。それ以後，1930年代，40年代，50年代は**行動主義**（behaviourism）が心理学の主要なパラダイムであった。行動主義はJ.B.WatsonとB.F.Skinnerによって広められ，心のような仮説的仲介概念を必要とせずに，入力（**刺激**）がどのように出力（**反応**）に関連づけられるかを研究した。行動主義にとって，思考は私たちが声に出さないで行う影の（covert）スピーチにすぎない。ラットがえさの報酬を目指して迷路の進み方を学習するのと同じやり方で，子どもは言語を学習する。このアプローチの欠陥は，1959年アメリカの言語学者Noam ChomskyがSkinnerの『言語行動（*Verbal Behavior*）』に対する影響力ある書評で表明した。これは元の本よりも有名になった書評という，めったにない例である。Chomskyの主張によれば，動物研究から得られた学習原理は，子どもがどのように言語を学習するかや，子どもや成人のもつ創造性（当然，聞いたことがない無限に多くの文を産出することができる）を説明するには不十分である。その代わり，言語や子どもの言語学習についてもっと多彩な説明が必要である。Chomskyの批判は，人間心理学の説明として行動主義が終わりを迎えたことを意味し，今日の認知心理学の基礎となる情報処理的説明の先駆けになったと，多くの心理学者は考えている。すなわち，私たちは行動に伴う心的過程と表象に関心がある。

現代心理学は科学である。その事実は学生を驚かせることがある。多くの学生が心理学はすべてFreudに関係しており，人々を助け，あるいは自分自身を理解するのに役立つと思っている。その後，彼らが大学に入学すると，それは突然，統計学，コンピュータ，実験となる。心理学は人々が思っているより難しいし，心理言語学はその中で最も難解である。心理学の学位取得課程では，心理言語学はほとんどの学生が理解しにくい科目である。なぜ難解かと言うと，概念が複雑だからである。すなわち，専門用語が多数あり，はっきりした答えがほとんどないのである。しかし，人間であることの意味の核心であり，非常に多くの行動にとって重要なので，心理言語学の研究はきわめて実りが多い。

科学であるとは何を意味するのだろうか。私たちは仮説（何がどのように作用するかに関する推測）を立て，仮説を検証するために実験を実施する。私はここでは「実験」という語をかなり広い意味で用いている。私にとって，居酒屋で言い間違いを収集することや，精神がどのように作用するかを検証するため幼い子どもの発話を体系的に記録することは，異なった条件で人々がどれだけ速く反応するかをコンピュータで測定するのと同様に実験なのである（一般的に認められているように，この特定のテクニックは心理言語学において個別の重要な役割を果たしてきたけれども）。そういうわけで，私たちは人間がどのように言語を用いるか（どのように，言語を話し，聴き，理解し，書き，読み，獲得し，想起するか）についての実験を行って，心理言語学を研究する。

私たち心理言語学者は方法論的にかなり雑多である。過去半世紀を通じて，他の分野から借用した多くのテクニックや概念を用いてきた。心理学に対する脳の重要性を考えれば，神経心理学からのデータを用いてもまったく驚くには当たらない。そして，心理言語学が言語に含まれるプロセスについてであるとすれば，言語学（言語それ自体の研究）と関連づけることを期待するだろう。心理言語学はコンピューティング（コンピュータに基づき，それを利用してモデルを構成する），人類学，哲学はもちろん，心理学の他の分野からも着想を得てきた。このようなわけで，心理言語学は，学際的科目であると言われることが多い。

心理言語学には何らかの答えがあるだろうか。これは奇妙な質問と思われるかもしれない。もちろん，あなたは答えがあるに違いないと考えていることだろう。もちろん，心理学者は心がどのように機能するかについて多くを知っているに違いない。あなたは心理学は科学であると言ったばかりではないか。私は高等学校でも大学でも科学を勉強した（心理学を学ぶ前の，「伝統的な」もしくは「他の」科学のことである）。私は物理や化学の教科書を用い，そこには，答えがぎっしり詰まっていた。

しかし，心理学の教科書，特に心理言語学の教科書はそうではない。もちろん，私たちの問いに対してすべて答えがなくてはならないが，時には，それが何であるかがまだわからないことがある。もしくは，複数の人たちが答えを知っているが，答えが何であるかについて意見が一致しないことがしばしばある。そこで，心理言語学の教科書は矛盾した説明に満ちており，それぞれの説明が矛盾した結果を見出した実験によって支持されている。別の心理言語学者は，あなたがある特定の結果を得た根拠に議論をもちかけるかもしれない。おそらく，あなたは適切なやり方でその実験を行っていなかったのだろう，用いた単語がどれほど一般的であるか説明するのを怠ったのだろう，課題を充分に難しいものにしなかっただろう，あるいはあなたの実験結果は特殊なものにすぎず，私の説明の方がより一般的なのであって，理解できる場合はあなたの発見や説明を含める。理由を述べれば際限がなくなる。私は芸能人の役を演じる2つの操り人形が，リングに立って戦い始めるのをテレビのショーで見た記憶がある。一方がノックダウンされて立ち上がり，次に相手をノックダウンさせ，このプロセスが幾度も繰り返された。心理言語学も同様である。「あなたが正しい，私がまちがっています」と研究者が言うことはめったにない。明らかに乗り越えられないハードルが課されればようやく，彼らは引っ込むだろう。

したがって，心理言語学に答えはいくつかあるが，しかし，必要な数だけあるわけではない。そして，私たちは研究者らが正反対の見解をもつ場面に数多く出会うことだろう。そういうわけで，心理言語学は意気地なしのためのものではない。

説明とは何か

心理言語学において，何がよい説明となるのだろうか。何が心理言語学者を小躍りして喜ばせるのだろうか。私たちは実験し，数量データを収集し，それから次は何をするだろうか。

私たちは自分たちの実験結果の「**モデル**」がほしい。モデルは収集したデータを説明するが，それにとどまらない記述である。「**理論**」は広範な現象や結果に及ぶ，より包括的な記述である。ある単語を認知するのにかかる時間に関するモデルはあるかもしれないが，一般的に単語認知の理論はない。しかし，これらの用語は互換性をもって使われることもあり，あまりこだわるべき区別ではない。

とても単純な例を挙げよう。仮に，単語を読み上げるのにかかる時間が，単語の文字数とどのような関連があるかを調べる実験をするとしよう。適切に実験して，次のような（少々わざとらしい）結果を得る（また，声に出すのにかかる時間をどのように正確に測定すべきかについて悩まないことにしよう）。

3 文字　400 ミリ秒（1 ミリ秒は 1000 分の 1 秒で，msec と略される）
4 文字　500 ミリ秒
5 文字　600 ミリ秒

結果をグラフに描こう。単語の文字数を x 軸に，命名時間を y 軸にプロットしよう。この実験では何が得られるだろう。直線，すなわち 2 変数間の最も単純な関係を見出すことができる。これを線形関係があると言う。

このように，私たちは自分たちの実験結果を説明してきたが，さらに踏み込むことはできるだろうか。6 文字からなる単語を読み上げるのに時間はどれだけかかるだろうか。これらの数字から判断するだけで，おそらくあなたは計算できるだろう。しかし，もしあなたが数学や統計学の専門知識をもっていれば，単語の長さと読み上げる時間を関係づける，次のような形式の方程式を導き出せることがわかるだろう。

$$y = ax + b$$

この例では，次のようになる。

読み上げる時間（ミリ秒）＝（単語の文字数×100）＋100

このとても単純な数学的モデルはきわめて有効である。読み上げる時間と単語の長さの関係を説明するだけではなく，すでに収集したデータの範囲を超えることができる。7 文字の単語を読み上げるのにかかる時間はどれくらいだろうか。前述の等式に数値を入力すれば，答えが得られる。それは 800 ミリ秒である（約 1 秒であるが，これは架空の数字である）。このように私たちはモデルを使って予測を行う。これらの予測を検証するために，さらに実験することもできる。6，7，8，9 文字の単語がすべて 5 文字と同じように 600 ミリ秒かかることがわかったとしよう。この場合，モデルが新規のデータへとうまく一般化しなかった，すなわち誤りが立証されたことに皆が賛成するだろう。もっとうまく機能する別のモデルを捜して，最初からやり直そう。そして，これは科学がうまく機能しているとされる方法なのである。

数学的モデルは，心理学において行動に対する最も満足のゆく説明の１つであると私は考える。それらは美しくて，単純である。これらすべてのデータは一直線上に還元される。しかし，少々不満をもったままの人もまだいるかもしれない。この方程式は本当に説明になるのだろうか。なぜ，一次関数なのだろうか。そうであるとは限らない。見たところ，多項式関数（曲線も含む）が当てはまるようだ。このように数学に過度に感心してはいけない。私たちは関係がなぜそうなのかを説明する必要がある。本当は，このモデルは何らかの予測をしやすくする，データの厳密な記述以上のものではない。なぜこの方程式はそのような形なのだろうか。

ほとんど出発点に戻ってしまった。よい説明とは何だろうか。私たちは他の心理学的過程の観点から結果を説明することができる。おそらく，情報を記憶から検索できる速度に関係づけることができるだろう。それはおそらく，言おうとする単語音のすべてをまとめるのにかかる時間であろう。その両方かもしれない。しかし，疑問をさらに押し戻すことができる。なぜ，記憶から単語を検索するのにかかる時間が，このように単語の長さに関連づけられるべきなのか。なぜ，私たちの発見を脳内のニューロンが互いに結合される方法やそれらが興奮する速さに関連づけようとしなければならないのか。最終的に満足のゆく説明とは何だろうか。

満足のゆくモデルは２つの特性をもっているべきだと私は考える。第一に，モデルは原則的に**反証可能な**（falsifiable）予測をしなければならない。反証可能性とは，それが誤りであることを証明できる予測を検証する明確な方法があることを意味する。したがって，前述のモデルに対して，７文字単語を読み上げるのにかかる反応時間は800ミリ秒であるはずだと予測する。それが反証可能な予測である。というのは，実験して反応時間を測定することができるからである。もし予測が証明されなければ，モデルは誤りである（もしくは，修正を必要とする)。予測が証明されればそれでよい。そのモデルは生き延びて，後日，議論される。予測は革新的で，突飛であるほどよい。2020年以前にトーキー（Torquay）がサッカーのプレミアリーグで優勝することはないだろうと私は予測する。トーキーの選手やサポーターに対して，何の悪気もない。彼らは私の予測に賛成するのではないかと思う。しかし，この予測が正しいと証明された場合，サッカーに対する私の洞察力には，誰も感心しそうもないだろう。しかし，もし私が心理学と社会の完全なモデルをもち，トーキーは2019年にリーグ優勝する**だろう**（will）と予測して，実際にそうなるとすれば，感動的である。私のモデルは申し分のないものに違いない。第二に，説明は循環論的であってはならない。その思考のもとの領域外に由来する概念を含むべきである。理論的には，記憶理論もしくは，脳内のニューロンが互いに結合する方式から方程式を導き出すことができる。よいモデルは「**記述のレベルを超越する**（transcend levels of description）」べきである。とはいえ，私の考えでは，ニューロンや脳全体さえも調べてわかることには限界がある。最終的には，行動も心理学的プロセスもすべて脳に基づいているが，しかし，現在も，これから先も，心理学なしですませることはできない。私たちはまだ人が考え，感じ，行動することに対して脳が行っていることや，人が他者とどのように関わっているかについて相互に参照する必要がある。本書は言語の神経学ではなく，心理学に関するものなのだ。

時として，心理学的モデルはメタファーに基づいている。たとえば，図書館を基にした心的辞書をどのように探索するかというモデルでは，心の書棚の特定の場所に保管された単語があり，それを探すための目録がある。実際，単語認知のよく知られたモデル（系列的探索モデル）は，このアナロジーを利用している。心理言語学において最も一般的に使用されるメタファーは，**活性化**（activation）である。あなたが読む単語には活性化レベルの高いものや低いものがあり，競合する中で最も高く活性化された単語が勝ち残る。活性化とは，エネルギーや温度のような量である。ある項目は多くをもち，ある項目はそれほど多くないが，連続的な尺度である。心理言語学的現象のよいモデルはどのようなものであろうか。単語認知に関してはどうか。単語認知の完全なモデルは次の項目を説明しなければならない。単語認知を困難にする要因，単語認知に要する時間，異なった種類の語に対する認知時間の相違，単語認知の際のプロセス，認知することと，命名して意味を呼び出せることとの相違（あるとすれば），話された単語と書かれた単語の認知の相違，単語認知の際に脳の異なる部位で起きていること，認知をより容易にしたり，困難にしたりする要因，他の心理学的プロセスとの関連，脳損傷による影響，発達の様式などである。それが，必要条件の全リストである。

統計学的モデルとは何か

少し戻って，2つの一般的モデルについて調べよう。心理学はメタファーが豊富だ。何年にもわたって，私たちは心を魂，ポンプ，ネズミ，コンピュータ，ガス，ブリキ缶のようにさえ，考えてきた。心はさらに車，計算機，チョコレート工場，ラジオ，テレビ，工場から出る煙にたとえられてきた。1960年代から1980年代にかけて，心はデジタル・コンピュータのようなものだというメタファーが主流であった。すなわち，メモリーをもち，プロセッサーをもち，ある表象から他の表象へと変換する操作を行う。その当時のコンピュータはほぼ系列的であり，一度に1つの処理を行った。もし，あなたにコンピュータのプログラミングについての知識があれば，よいプログラミング方法の原理を知っていることだろう。すなわち，コードをできるだけモジュール化し，できるだけバグをとり除きやすいようにすることだ。よく使用される少数のコードを別々のサブルーチンにはめ込む。そして，このサブルーチンが他のサブルーチンの内部に手を加えてはならない。東海岸モデルは典型的に系列的である。一度に1つの事柄だけが生じ，モジュール式であり，ボトムアップ式である。入力に対して動き始め，外的な情報を使うことなくこつこつ働く。

私は1983年にコンピュータが心理学にとって究極のメタファーであると考えたことを思い出す。心は確かにコンピュータなのだと。翌年コネクショニスト・モデルの重要性が明確になり，私の前年の信念は本当は誤りだったのだ。

コネクショニスト・モデルは，同時に活性化され，広く相互に結合した単純な処理ユニットを多数使用する。コネクショニズムと脳の間のアナロジーがしばしば使われる。脳は膨大な数（約1兆個）のきわめて単純な神経細胞（ニューロン）からなり，各ニューロンは数千の他のニューロンと結合している。人間の行動，言語，思考，感情，活動，意識はすべてこの広く相互に結合したニューロンのネットワークから生じている。各ニューロンはデータ処理能力をもたない（dumb）。特定の状況に興奮するか，しないかのどちらかであるが，この全体的能力のなさから偉大な能力が発揮される。

コネクショニスト・ネットワークの利点は，どのように行動すべきかを私たちは教えず，それらが学習することである。ネットワークは複雑なアルゴリズムを使って，次のようなことを保証する。もし物事が同時に発生したならば，それらの間のリンクは強化される。もし，ネットワークにパターン認識を学習させようとするならば，何がその時点での最適な推測かを調べ，誤りの理由を教える。ネットワークは学習するので，私たちはそれがどのように学習するのかを検証し，さらにその学習が，供給された入力に，どのように依存しているかを検証することができる。ここで重要なのは，ネットワークが明確なルールを教えられたから学習するのではないことである。ネットワークは入力にある統計的な規則性を発見することによって暗黙のうちに学習し，後続の行動はルールというよりも，これらの規則性によって導かれる（この種のアプローチはやはり西海岸流である）。

統計的規則性とは何か。それは頻繁に起こるパターンである。少し脱線してみよう。ここに暗号で書かれた短いメッセージがある。

> Uif dbu dibtfe b mjuumf npvtf. Uif eph unifo dibtfe uif dbu, uif npvtf ftdbqfe.

読み進む前に，立ち止まって考えてみよう。この暗号の解読に，どのように取り組んだらよいだろう。もしあなたが以前にこのテクニックに出くわしたことがないのなら，何が起きていると思うだろう。このメッセージを意味をなさないものにするため，ある 1 文字を他の文字に置き換えているらしい。どうすれば，原文と暗号文の 2 つの文字セット間の対応がわかるだろうか。メッセージを調べてみよう。何度も使われる 3 文字綴りがある。実際，他の綴りよりも多い。英語で最も多い一般的な 3 文字単語は何か（もし，まだわからなくてヒントが必要なら，それはあの文中で用いられていた)。また，1 文字の単語もあり，それは英語では 2 つしかない 1 文字単語のうちの 1 つだろうか（前と同じヒント)。あなたは第二の手がかりはまったく必要なく，このメッセージを解読するのに充分な情報をもっているに違いない。おめでとう。あなたは英語の統計的規則性を利用した。ある特定の長さの単語は，他の単語よりもよく使われているのだ（アーサー・コナン・ドイル著シャーロック・ホームズの短編

『踊る人形』やエドガー・アラン・ポー著の短編『黄金虫』はともに読む価値があり，頻度分析の技法がはるかにエレガントにかつ面白く説明されているので，これは文学的転用である）。

もっと心理学的な例として，発話を理解しようとする幼児が直面する困難さを考えてみよう。誰かが話しているのを注意深く聴くと，普通の発話には区切りは決して多くはなく，単語や音声は互いに連続している。そこで，単語が何を意味するかを学ぼうとする幼児が直面する最初の困難は，第一に個々の単語を区別することである。しかし，この課題は初めて聴く時ほど困難ではない。何の単語かわからずに次のメッセージを聴くことを想像してみよう。

Themanlovesthewomanandthewomanlovesthemanthemansdogchasedthe womanscatthewomanlovedhercat

これを聞いた赤ちゃんが，文を思い浮かべることはないが，特定の音，すなわち the が少しは助けになるだろう。そこで the は別個の単語であるらしいとわかる。c，a，t も何度か一緒に現れるので，cat が別の単語と考えても間違いではないだろう。そして子どもはすらすらと進む。子どもがこのように推論すると私は言っているのではない。学習は無意識に行われるのだ。コネクショニスト・モデルは意識的ではないが，容易にこの種の統計的規則性を検出できる。

統計的規則性は言語において重要である。それにより言語を学習する子どもや他者が話すことを理解しようとする人々の課題が単純化される。

心理言語学における論点は何か

心理言語学では今日，4つの論争が大部分を占めている。たとえ，最初はそれが研究者の主要な関心事ではないように思えたとしても，多くの研究は，これらの問題の1つあるいはそれ以上に解明の光を当てている。これらの論争は繰り返し登場するので，その概略を時間を割いて述べることには価値がある。

第一に，私たちの言語行動はルールの使用または多数の制約と統計的規則性に規定されているのか。複雑な文を聞いた時，文法に従ってその構造を理解しようとしたり，経験を利用してその種の文の構造が過去にどのようなものだったかを知ろうとするだろうか。

第二に，生まれか育ちかという問題がある。知識はどこから生じるのか。知識は生得的なもので，遺伝子にあるのか，それとも学習されたものなのか。赤ちゃんはどれだけ多くの知識と共に生まれてくるのかという問題は，哲学の歴史において主要なものであった。**生得説**（nativism）の見解によれば，私たちは特定の情報と共に生まれてくる。知識は脳に組み込まれていると言える。白紙状態あるいは**経験主義者**（empiricist）によれば，私たちは何も描かれていないキャンバスとして生まれ，経験から物事を学ぶ必要がある。すべてが生得的あるいは学習されたものであると言う人は誰もいない。たとえば，たとえあなたがすべてを学習すると考えたとしても，学習メカニズム自体がどこから生じたものかを問う必要がある。あなたは何かをもってスタートしなければならない。そこで疑問となるのは，それがどの程度なのかである。私たちは言語についての特殊な知識をどれだけ多くもって生まれるのだろうか。言語についての知識の一部は遺伝子に組み込まれているのだろうか，それとも汎用的な認知メカニズムを利用して手に入れているにすぎないのだろうか。

第三に，処理はモジュール式なのか，それとも相互作用的なのか。**モジュール**（module）とはそれだけで機能するユニットである。大学の講座はモジュールとして教授されることが多く，独自の評価と体系のある別個の教授ユニットである。各課程では，歴史モジュール，地理学モジュール，生化学モジュールや，もちろん心理学モジュールを慎重に選ぶことができる。重要なのは，モジュール・システムでは，心理学モジュールの試験において問われるのは，心理学についてのみであることである。歴史や生化学についての知識は期待されない。課程は相互に独立している。モジュール家具を買えば，さまざまな家具モジュールの中から選んで，あなたの好みにぴったり合うよう寝室や居間に配置することができる。Google から見えるように，あなたの仕様書の通りにコンクリートの家のモジュールを設計することさえできる。これらすべてのシステムに共通するのは，既存のモジュール（講座，家具，家）から慎重に選ぶことができるが，モジュールそれ自体の内容を変えることはできないことである。そこで，心理学モジュールを選ぶことはできるが，社会心理学または認知心理学のどちらかを選ぶことはできない（もちろん，それらの独立したモジュールがなければ，であるが）。

したがって，1つのモジュールは特殊なことをなす自己完結的なユニットである。哲学者 Jerry Fodor は 1983 年に彼の画期的な著書『精神のモジュール性（*The Modularity of Mind*）』において，精神は視覚的処理と同様に，特殊な課題を遂行するための別個のモジュールによって構成されていると主張した。Fodor はモジュールの特性をいくつか挙げている。たとえば，モジュール内の処理は高速で，意識にのぼることはなく，変更できない（いったんスタートすると，終わるまで止まらない。読む単語を選択することはできないし，始まったら終わらざるを得ない）。しかし，最も重要なことは，モジュール内の処理は外部からの干渉を受けないことである――「モジュール内をいじることはできない」。心はこのようにして進化してきたとの主張はもっともである。たとえば，多くの心理学者が信じているように，顔処理のモジュールがあると仮定してみよう。そのモジュールは，人の顔を素早く，自動的に認識できるよう進化上の必要にせまられて発達してきた。それが可能になると有利だからである。この議論の最終段階は驚くべきもので，これらの認知モジュールが進化したならば，それはほぼ確実に，明確に区別できる脳の独自の領域に対応するとしている。

モジュール性という概念は，言語の本筋からそれるように思われるかもしれない。しかし，単語認知や統語処理など，特殊な課題を遂行する言語処理モジュールが存在することを，多くの心理言語学者が主張する。たとえば，言語を理解しようとする時，語順に関する情報だけを使って語順を処理するだろうか，それとも，意味など他の知識を使うだろうか。読んだり，聴いたりする時，統語論的に曖昧な所にたどり着くことがある，その場合，その時点までにあり得る統語構造以外にも可能性がある。“The policeman arrested.....”（警官が拘束……）という文を聞くと，“The policeman arrested the burglar”（警官が泥棒を拘束した）という最もありそうな構造を考えるか，または，“The policeman arrested by the fraud squad made a run for it”（詐欺団に拘束された警官が必死で逃げた）という別の構造を考えることができる。あなたはおそらくこの曖昧性に気づいていないだろうが，確かにある。その曖昧性を解消するために統語情報（語順）だけを使うのだろうか，それとも補助的に意味情報（ことばの意味）を利用するのだろうか。前者は**モジュール**説の立場であり，後者は**相互作用**説の立場である。私はこの問題を「文章理解」の章でさらに詳細に検討する。単語産出から別の例を挙げることができる。私たちは確かに意味の全体的傾向から音声へと進むが，おそらく，音レベルの情報が単語の選択に影響を及ぼすこともあるだろう。そのような相互作用は，モジュール説による説明では一切許されない。相互作用説は当初考えられたほど受け入れ難いものではなく，「発話と失語症」の章で議論する。

このように言語処理の方法については主要な説明が2つある。モジュール説では，多数の単純で小規模なモジュールが単独で個々の課題を遂行し，相互作用説では異なった種類の処理が，至る所で互いに協力したり干渉したりする。

このような意味では，言語自体が1つの大きなモジュールであるかもしれない（より小さなモジュールからできあがっているとはいえ）。このことは第四の問題をもたらす。私たちが言語において何が生得的なのかを問う時，言語を産出したり，理解するために用いる知識や処理は言語特有なのか，それとも汎用目的なのかという問題に触れる。Chomsky の主張によれば，言語は独特な心的器官を形成しており，私たちのもつ言語能力は脳の固有の領域を占め，その構造は生得的である（Chomsky, 1975 など）。この見解によれば，言語処理は他の認知処理から何らの支援も干渉も受けずに，みごとに進行する。もう1つ別の見解では，言語に固有のものは何もない。言語処理専用のものがあるのではなく，言語はその他の生活を営むためと同様の認知過程を用いる。言語知識の独自の貯蔵庫，すなわち言語のためだけの貯蔵庫は存在しない（この議論はもちろん，本章の冒頭での友人の立場と同じである）。

具体的な例を挙げると，文の構造を処理する場合，記憶を利用する必要がある。“the woman the man kissed laughed”（男性がキスした女性が笑った）という文を聴いた場合，男性にキスされた彼女について処理している間，laughed（笑った）という主要動詞にたどり着くまで，the woman（女性）を保持しておかなければならない。どこに貯蔵しておくのだろうか。統語処理だけが利用できる（文の処理が他の記憶課題に影響を及ぼさない）特殊な貯蔵庫があるのだろうか。それとも，電話番号を覚える時に使うのと同じ（統語処理が確実に他の記憶課題に影響を及ぼす）貯蔵庫を利用するのだろうか。あるいは，言語を学習する子どもを考えてみよう。子どもは他のあらゆる事柄とは独立に言語を学習するのだろうか。それとも，言語の発達は一般的認知発達によって決まるのだろうか。

東海岸の景観。保守的でモジュール式

西海岸の景観。自由で気楽

これらは独立した問題であり得るかもしれないが，実際上は関連している。言語はルールに支配されていると主張する人たちは，言語固有の知識（一部は生得的）を利用し，その処理はモジュール式であると主張する傾向がある。言語処理は統計的規則性と制約を利用すると考える人たちは，処理は相互作用的で，汎用メカニズムを通して学習されると信じる傾向がある。

アメリカでは，生得的なモジュール式ルールの存在を信じる人々は東海岸（主にボストン周辺）に住んでおり，経験によって獲得された一般的パターンの存在を信じる人々は西海岸（主にロサンゼルス周辺）に住んでいると言われてきた。そして私たちは皆，堅苦しい東部の住人と肩の力を抜いた西部の住人のステレオタイプを知っている。それは真実である。誰かの政治的信条について言っているわけではないが，私は彼らを保守対リベラルと考えたい。保守主義者の主張によれば，モデルを作成する際，物事に関する最小限の仮定しか立てない。彼らは最も単純な説明を目指すに違いない。節約は科学における長所として挙げられることが多い（可能な限り仮定を少なくする）。残念ながら，どれが最も単純なのか必ずしもはっきりしない。そして１つの事柄に複数の仮定を設けると，他の事柄についても多くの仮定を必要とすることになる。生命現象は複雑であり，心理言語学もまたしかりである。

予備知識はもう充分だろう。言語とは何かをもう少し詳しく調べよう。そのための最も興味深い方法は，他の動物のコミュニケーションのあり方を調べることである。

第2章　動物のコミュニケーション

Animals

幼かったころ『ナルニア国物語』は私に深い印象を残した。ただし，動物たちが私に話しかけてくるくらいなら，奇妙な何かが母の衣装だんすの裏に潜んでいるというほうがありそうだとも思っていた。ヒトのようにしゃべる動物という発想は，数世紀にわたって明らかに人々を惹きつけてきた。民間伝承やおとぎ話（3匹の子豚を思い出す）の中にはことばを話す動物がいる。『ウォーターシップダウンのうさぎたち』のしゃべるうさぎ，『たのしい川べ』のカエルとネズミ，そしてナルニア国とドリトル先生の本や映像に出てくるあらゆる種類の生き物たち。

なぜ動物はしゃべれないのか。単純な答えは，ヒトだけが充分に複雑な構音器官をもつというものである。話すことは難しく込み入っており，専門である喉頭はいうまでもなく，繊細に調整できる舌と上下の唇を必要とする。それでは，なぜ動物は言語のために他のチャンネルを使えないのか。チンパンジーは手が器用なのに，なぜ手話を使わないのか。私たちはチンパンジーにヒトのことばを教えられるのか。自然ドキュメンタリー番組をしばらくの間，見てみよう。少なくとも一部の動物がお互いにコミュニケーションすることは明白である。私の言う，**コミュニケーションする**ということばは，動物が情報を伝達するという意味である。コミュニケーションの後，2頭目の動物は以前には知らなかった何かを「知る」（そこにヘビがいるよ。この道の向こうにはたくさんの花粉があるよ）。私は動物がこの知識を自覚していると言うつもりはない。ただ，彼らの行動がそれ以後は違ってくるだろうと言っているのである。また，コミュニケーションには2種類ある。1つは意図的なコミュニケーションで，1頭目の動物が何らかの意味で（ここでも，おそらくは必ずしも意識的にではなく）情報を伝えることを意図しているような場合である。2つめは非意図的な場合である。ある鳥の群れがおびえた時，別の鳥も空に飛び立つことによりこれに反応する。恐怖や危険が伝えられたのである。私たちが関心があるのは，ある動物から別の動物への意図的な情報の転送を伴う，第一の種類のコミュニケーションである。

動物はどんなふうにコミュニケーションし，動物のコミュニケーションにはどんな限界があるのだろうか。何が私たちと彼らとの違いなのだろうか

動物はどんなふうにコミュニケーションするか

私は昆虫に詳しいわけではない。昆虫はたくさんの足をもつとともに，その大きさからすると非常にすばやく遠くまで移動する。ところで，私はアリを見るのが好きだ。おなじみの地元のアリによってこの実験をしてみよう。彼らは都会でさえ極めてありふれている。アリが通ることがわかっている場所を見つけて，甘いものを置く。何が起こるだろうか。それから，何もせずに観察する。しばらくしてから，運がよければ，あなたの小さな落とし物にはアリが群がっているだろう。次に，あなたはアリが小さな列をなして巣に食べ物を運んでいくのを見ることができるだろう。

何が起こったのだろうか。明らかに，外で巡回中の１匹のアリがマーマレードを見つけて，彼女の（働きアリはメスである）心躍る発見を何とかして仲間に伝えたのだ。アリはフェロモンという化学信号でコミュニケーションする。フェロモンは「におい」として検出されると考えられる。アリがフェロモンを嗅ぐのに使うアンテナは，地表にあるフェロモンの方向と強度のどちらも検出できる。アリはコロニーを離れる時，特別な腺の産出する少量のフェロモンで通り道にマーキングする。食べ物を見つけたら，アリは同じ道に沿って戻り，より多くのフェロモンでマーキングし，それによってその道のにおいをより強くする。他のアリはそれに気づき，フェロモンの幹線道路にしたがって，自分も食べ物を見つけたらにおいを強化する（Jackson & Ratnieks, 2006）。こんなふうにして，食べ物に至るルートには，強力なフェロモンの痕跡がすばやく積み上がっていく。食べ物が尽きると，アリは新しい食べ物を探して手ぶらでさまようので，もとの痕跡はもはや強化されずフェロモンはだんだんと薄れていく。違う種類のフェロモンは違った事柄を表す。痕跡フェロモンに加えて，ア

リがコロニーを守るよう刺激する警戒フェロモンや繁殖中に女王が産出する，働きアリが新たな女王になることを抑制する特殊なフェロモンもある。フェロモンは広く昆虫の間で食べ物，縄張り，危険，生殖を伝えるためのコミュニケーションに用いられる。フェロモンはチョウが6マイル先までの配偶者候補を見つけることを可能にする。

ただし，フェロモンは昆虫に限らない。いっしょに生活している女性集団は，フェロモンの影響による同期化によって，やがて同じ時期に月経を迎えるようになることは広く認められている（Stern & McClintock, 1998）。私は昆虫のフェロモンシステムを意図的コミュニケーションと呼びたい。フェロモンの目的が（個々のアリではなく）痕跡，苦痛，性的利用可能性を伝えることにあるからである。一方で，ヒトの月経システムの同期に関わるフェロモンシステムは非意図的コミュニケーションと呼びたい。同期は主要な目的ではないからである。ただし，この区別にはあまりこだわる必要はない。あなたを異性に対してもっと魅力的に見せることを保証する，フェロモンを基にした香料の広告を見たことがあるかもしれない。だが，（悲しいかな）これらが有効であるという確かな証拠はまだない。

昆虫のコミュニケーションはフェロモンに基づくものだけではない。ミツバチはエネルギーを蓄える手段として食用のハチミツを作るが，そうするためには花からの花蜜が必要になる。彼女らは巣の子どもたちに食べさせるタンパク質の源として植物からの花粉も必要とする。彼女らはどうやって花蜜や花粉を見つけるのだろうか。ただ無作為に，楽観的に，花らしきものに行き当たるまであたりを飛び回るのだろうか。第二次世界大戦末期，オーストリアの科学者Karl von Frischは，ミツバチの飛行がランダムではないことを発見した。ミツバチはどこに行けばいいのかがわかっていた。なぜなら他のミツバチがどこに行けばいいかを教えてくれたからである（von Frisch, 1974）。

ミツバチは食べ物を見つけると，巣に戻り**ミツバチダンス**を行う。ミツバチダンスは，花粉を帯びたミツバチが巣で「踊る」こと，楕円や8の字の形に飛んだり，時には**尻を振ったり**（waggle）ジグザグのパターンで楕円状に行き来することを言う（図2.1を参照）。このダンスは，少なくともアリストテレスの時代から知られている。アリストテレスは，ダンスの目的が他のミツバチの注意を引きつけることであると考えていた点でいくぶん的を射ていた。von

図 2.1　尻振りダンス

Frisch は，ダンスが巣から見た花蜜や花粉の場所の情報を伝えていることを明らかにした。8 の字形の中心線の方向は太陽と食べ物の相対位置についての情報を伝え，ダンスの横振りの幅の部分は距離についての情報を伝える。ミツバチは花蜜を発見してからの太陽の移動を考慮に入れて中心線の方向を調整することまでする。von Frisch はこの研究で 1973 年にノーベル生理学賞を受賞した。

Von Frisch は自身の研究を「ミツバチの言語」と呼んだが，ここでの「言語」という用語は「草木のことば」について話すのと同じような意味で比喩的に用いられている。ミツバチは詳細な情報を伝えることができるが，伝えることができるのは食べ物がある場所の方向と距離だけである。アリがフェロモンで伝えることができるのは，食べ物の方向といったものや攻撃を受けているかどうかだけである。彼らは途中の天気や，花は何色かといったことや，翌日に何がしたいかといったことは語れず，特に優れた尻振りダンスだったかそうでないかといったことにはかまわない。昆虫のコミュニケーション・システムは非常に印象的だが，それらは言語ではない。

サルは何を語るか

もちろん，昆虫がその小さな脳でもって極めて限られたコミュニケーション・システムを動かしているということは驚くにはあたらない。遺伝的に私たちにもっと近い生き物，霊長類ではどうだろうか。

サル世界への訪問。見てのとおり左のサルが右のサルのぜんまいを巻いている

霊長類には，ヒトのほかに，類人猿，サル（monkey）〔類人猿よりも小型で尾がある〕，キツネザル，近縁種が含まれる。霊長類は高度に社会的な動物であり，集団で生活する。結果的に，ヒト以外の霊長類には豊富なコミュニケーションのレパートリーがあり，音，接触，におい，ジェスチャー，表情，グルーミング，鳴き声が用いられる。コミュニケーション・システムは，社会集団が円滑に動くようにするためにも，社会集団を外的な脅威から守るためにも用いられる。たとえば，動物が怒っていることを表す特定の顔の感情表現は，争いを防ぐか，少なくとも争いの量を減らすのに用いられる。これらの表情が私たちにも容易に認識可能であるのは，私たち自身の表情とも関係があるからである。順位の高いオスのヒヒは適切なやり方でまばたきするだけで順位の低いヒヒを追い払うことができる。ベルベット・モンキーは特に豊富なコミュニケーションのレパートリーをもっている。彼らは鼻に触れることによって互いにグルーミングし，あいさつし，社会的な結びつきを強める。彼らはたいていいくつもの誇示行動によって，集団内の社会的順位をモニターし，強化する。彼らは多数の有声音をもっている。社会的な結びつきを強めるもの，乳児が母親に苦しみを伝えるもの，さらには子どもがただお互いに遊んでいる時にゴロゴロいう音までである。注目すべきは，脅威がそばにある草むらの中のヘビなのか，頭上のワシなのか，離れたところに見つけたヒョウなのかによっ

て，別々の警戒の鳴き声がある。それぞれの鳴き声は，集団の他の成員から別々の反応を呼び起こす（Struhsaker, 1967）。

ヒト以外の霊長類は明らかに豊かなコミュニケーション・システムをもっているが，多くの点でヒトの言語には達していない。彼らは食べ物の方向以上のことについて「話す」ことができるが，彼らが「話す」ことができることはまだ非常に限られている。食べ物，脅威，けんかがしたい，けんかがしたくない，けんかするか決める前に自分が相手よりも大きいか知りたい，などなどである。それぞれの鳴き声やジェスチャーが意味をもっていることは確かだが，その意味の範囲は現時点——霊長類のまさに目の前にある物事——に限られている。さらに，鳴き声は文法の規則を用いて単語を組み合わせ，多数の文を生み出すようなやり方で組み合わされてはいない。鳴き声の数が限られていることと文法の欠如は，野生の霊長類のコミュニケーションがごく限られたものであることを意味している。

クジラとイルカは言語を用いるか

毎年授業で，言語と動物という話題について話すと，「でも，クジラ（または，イルカ）も言語をもっているというのは有名じゃないですか……」と言う人がいる。この信念は都市伝説に近い地位をもつものと言える。

鯨類——クジラ，イルカ，ネズミイルカを含む——は，実際，音によってお互いにコミュニケーションする。測ることは難しいけれども，彼らは世界で最も知的な種であると考えられることが多い。多くの種（特に，イルカ）は極めて社会的な動物であり，安全と結束のためにコミュニケーションに依存している親密な社会集団である。イルカは道具も使う。彼らは海底から海綿動物の一部をもぎ取り，それを身に付けて採餌の際に鼻を守る。そして，この行動を子どもに教えているところが観察されている（Krutzen et al., 2005）。イルカは遊ぶし，明らかに望んでヒトのスイマーとやり取りするところも観察されている。しかし，イルカが問題解決，推論や未来の行為系列のプランニングに特に優れているという証拠はほとんどない。

歯クジラ類（イルカを含む）は，頭にある特殊な構造に空気を通すことによって多様な高周波クリック音とホイッスル音を作る。その構造は，形はヒト

誰が誰を訓練しているところでしょう

の鼻に似ているが，ちょうどヒトの唇のように閉じることで音を調整できる一対の音唇を含んでいる。1回のクリック音は反響定位を用いることで，コウモリのソナーやレーダーのように，イルカが自分の位置を測るのに役立つ。一部のホイッスル音は，他のイルカが集団の個体がそれぞれどこにいるのかを正確につきとめるのに役立っているが，一般には，ホイッスル音は，まだ明らかになっていないコミュニケーション上の目的で使われている（Frankell, 1998）。

大きなヒゲクジラは，よく**クジラの歌**と呼ばれる，長い低周波の音を出す。彼らが作る音は，非常に大きく，水面下を何マイルも進むことがある。音を生み出す正確な方法はまだ明らかでないが，音を共鳴させることができる喉頭のような構造（ただし，声帯をもたない点においてヒトの喉頭とは異なる）を通して空気を循環させることが関わっているようだ。洞のような構造は音を共鳴させるのにさらに役立っているのだろう。音の目的もよくわかってはいない。音の一部は反響定位のために用いられてクジラが航海するのに役立っており，一部はクジラが集団採餌を連携して行うのに役立っている。ザトウクジラの複雑な歌は特に有名である。この歌は交配時期にのみ見られるので，性的選択に用いられているのだろう——配偶者を惹きつけたり，縄張りを決めたり，その両方に使ったりする。交配のために歌うということが正しければ，ザトウクジラはただ喜びのために歌うことがあるという，一般に抱かれている信念は誤りだと証明するものに思える。

魅力的な動物を擬人化することは簡単だし，そうしたい誘惑にかられるものだが，科学者としては証拠にこだわるべきだ。そして，鯨類のコミュニケーションについてまだわかっていないことは明らかにたくさんある。しかし何であれ，個別の音声を任意の意味（単語）と組み合わせ，文法規則を使って無限の文を作り出せるという意味で彼らが言語を用いているという証拠や，彼らがそのキュートな小さな鼻先にあるもの以外のことについてコミュニケーションできるという証拠はない。

動物に言語を教えられるか

さて，一部の動物は洗練されたコミュニケーション・システムをもっているが，少なくとも私たちが知る限りでは，それらは現時点でのことについてのコミュニケーションに限られており，伝えられる事柄の数はごく限られ，文法の規則を用いてシンボルを組み合わせ，文を作ることはない。また，自身のコミュニケーション・システムについて論じることもできない。だが，おそらく，少なくとも一部の動物は教えられた場合に限ってはこのことをなしえるのではないか。おそらく，ヒトだけが言語をもつというのは進化の偶然にすぎないのではないか。

飼いイヌに「お座り」や「取ってこい」を教える時や，汚いところを転げまわったり他のイヌを追いかけたりすることを運よく止められた時，あなたはイヌに言語を教えているという幻想を抱くのではないかと思う。ローバーはわずかな具体的な命令しかわからない。あなたは生涯をかけて「大きなイヌがネコを追いかける」と「ネコがイヌに追いかけられる」の違いを教えることもできるが，達成の見込みは薄いと思う。ましてネコではもっと望みが薄いだろう（彼らは優越感を振りまいているように見えるけれども）。もちろん，ほとんどの人はイヌにできる限りのことを教えようとはしないので，その限界についてはあまり気をつけなくてもよい。リコと呼ばれるボーダーコリーは，200 以上の対象の名前を教えられ，トレーナーを見ることができない時でも家のあちこちから適切な対象をもってくることができる。新しい名前に直面すると，彼はその名前がまだ名づけられていない対象に属するものであると推論し，すでになじみのある対象の別の名前にすぎないとは思わない（Kaminski et al., 2004）。だが，リコの能力はそれでも極めて限られたものである。彼の知識は物の名前に限られており，私たちの知る単語は意味に関係があることを理解している兆しはなく（私たちもごく幼い子どもも，doll と ball という単語は物理的には非常に違った対象を指しているが，どちらもおもちゃの種類の名前であることを知っている），名前を作り出したり，まして自分で単語を組み合わせて文にしたりできない。

ヒトの言語を動物に教えたいのであれば，もっと賢い動物を選ぶことで仕事をできるだけ簡単にしよう。イルカもいいが水が何もかもをじゃまするので，動物に言語を教える試みのほとんどは，私たちに最も近い同族の動物であるヒト以外の霊長類を用いている。

オウムはしゃべれるか

チンパンジーに言語を教える研究を検討する前に，オウムに寄り道することにも意味がある。

オウムと九官鳥はよくしゃべり，物まねがうまく，訓練すれば特定のヒトのような音を産出できる。時に，ペットのオウムがまずい時にまずいことを言って人の秘密をもらすという話を聞く。これらの逸話からは，オウムが自分の作っている音を理解したり，それらを今までにないやり方で組み合わせることができるという証拠はまったく得られない。

だが，私たちは逸話にとどまらないで，オウムに何ができて，何ができないかをより系統的に調べる必要がある。アメリカの動物心理学者 Irene Pepperberg は，アレックス（Alex：Avian Learning Experiment〔鳥の学習実験〕にちなんだ名前）と呼ばれるアフリカ産灰色オウム〔和名：ヨウム〕に関する 30 年の研究でこの問題を扱った。Pepperberg は 1977 年にペットショップで約 1 歳のアレックスを購入した。20 代半ばのころ，50 の違った対象の名前を言うことができ，約 150 の単語の語彙をもっていた（Pepperberg, 2002）。名前に加えて，形容詞と一部の動詞も使った。色や形，何でできているかなどの特徴によって対象を分類でき，他のものよりも大きいなどの弁別を行うことができた。6 つまでを数えてその数を適切に使うことができ，Pepperberg の主張によれば，ゼロの概念があった（ものがない時や欠けている時についての概念）。オウムの内面生活をうかがわせるおもしろい逸話がある。かつて「バナナがほしい」と言った時にナッツが与えられたことがあった。彼は黙ってナッツを眺めたが，再びバナナを求め，結局はナッツを研究者に放り投げた。アレックスは2007年に突然亡くなったが，研究はPepperbergがグリフィンと呼んでいる別のオウムで続けられている。

クジラやイルカの場合と同じように，これらの話を過度に擬人化してとらえることには慎重でなければならない。また，動物は私たちと似たふるまいをするように見えるから同じ思考や感情をもっているはずだ，と考えることにも注意しなくてはならない。Pepperbergはこの危険性を意識しており，アレックスに関する研究は徹底的かつ慎重に記録されている。また，Pepperbergは，アレックスができることについて強く主張しすぎないように心がけており，「言語」や「意識」などの単語を避けている。とはいえ，アレックスの言語能力は明らかに極めて限られている。彼は決して多くの動詞を学習していないし，彼が動詞を使って名詞を関連づけられるという明確な証拠もない。動詞は言語にとって本質的である。定義により，動詞なしでは文を作れない。アレックスは1単語の段階にとどまっており，単語を組み合わせる能力――つまり言語であることの証明――はごくわずかであるか，あるいは，まったくない。そして，一部の研究者の考えによれば，アレックスは機械的学習以上のことを何もしておらず，自分の発声していることの意味を理解していない。

だが，アレックスはまったく言語をもっていないと，あわてて片づけてしまわないようにしよう。さらにいくつかの例を検討するまで最終的な判断を控える価値はある。

リコとアレックスはヒトの言語を用いなかったが，彼らの話は，動物は愚かでヒトに劣ると考えることには極めて慎重であるべきだということを教えてくれる。私はどちらの話も非常に印象的だと感じるし，一部の動物はかつて考えられていたよりも明らかに賢い。控えめに言っても，アレックスは初歩的な推論能力を示した。今のところ，私は新しい面からローバーを見ている。たとえ彼が動物のコミュニケーション・システムの本質と限界について私に語りはじめることは決してないだろうとわかっているとしても。そして，イヌに，さらにはオウムにこれほど教えることができるのなら，チンパンジーにはどのくらい多くのことを教えられるのだろうか。

チンパンジーではどうか

私はちょうど Amazon で『私はチータ：自伝（*Me Cheeta: The Autobiography*）』を注文したばかりだ。1930 年のターザン映画でジョニー・ワイズミューラーとモーリン・オサリヴァンとともに主演を務めた実在のスターであるチータの話だ。チータがまだ生きていたこと，パームスリングスで幸福な引退生活を送っていることを知って驚いた。うまく書かれており非常にユーモラスでもある彼の自伝では，彼はスターのうわさ話を書き散らしている。

もちろん，これはゴーストライターが書いたものだが，それなら当節，誰の自伝がそうでないと言えるのか。そして，彼だけが語れる内容であるのなら，これはチータが言ったことではないと誰が言えるのか。

高等霊長類，特に，チンパンジーは，私たちに最も近い遺伝上の隣人である。正確な表現については少々の論争があるが，私たちは 95% の遺伝的物質をチンパンジーと共有している（おそらくは，98.5% くらい）。チンパンジーは極めて社会的な動物であり，非常に知的である。ごくおおまかに言えば，彼らの知能は 3 歳くらいの幼児に匹敵する（Hayes & Nissen, 1971）。彼らの狩猟方略のいくつかは多大な協同作業を必要とするものだし，最近では槍などの道具を作ることが明らかにされている（Pruetz & Bertolani, 2007）。彼らは遊び，死を悲しむように見え，好奇心を示し，他の種に共感したり，敬意を示したりすることさえある。すでに記したように，霊長類は洗練されたコミュニケーション・システムを持っており，誇示行動，ジェスチャー，発声を用いる。動物に言語を使うよう教えられるとしたら，確かにチンパンジーをおいてほかにないのではないか。それゆえに，当然のことながら，動物に言語を教える研究のほとんどはチンパンジーを対象にしたものである。

初期の研究の基本的な発想は，チンパンジーを家庭環境の中でヒトの子どものように育てること――**交叉哺育**（cross-fostering）として知られる過程――だった。この段階の最初の試みを報告したのが Kellogg と Kellogg（1933）である。彼らはグアと呼ばれるメスのチンパンジーを，自分たちの息子のドナルドといっしょに 9 ヶ月間育てた。実験当初，グアは 7 歳半でドナルドは 10 ヶ月だった。Kellogg が重視したのは，言語だけでなく，発達に及ぼす遺伝と環境のそれぞれの効果を検討することだった。彼らは完全にヒトの環境で育てた時にチンパンジーがどのくらい人間らしくなれるのかを知りたかった。とはいえ，ドナルドが早い時期から特に産出に優れた言語能力をもっていることは明らかだった。グアは生まれもった吠え声，悲鳴，叫びしか発しなかった。彼女は単語らしいと認識できるような音を産出できなかった。はじめは，彼女の言語の理解は子どものそれよりも優れていた。早い段階から彼女は「ノー，ノー」と「キス，キス」を理解できた。しかし，数ヶ月のうちにドナルドはグアの理解スキルを追い越した。研究の最後まで，グアの言語は極めて限られたものにとどまった。

数十年後にビッキーと名づけられたメスのチンパンジーで同様の企てが行われた（Hayes, 1951）。Hayes はビッキーを人間の子どものように育て，話すことを教えようとした。6 年後，彼女が産出できた認識可能な単語は「ママ」「パパ」「アップ」「カップ」だけで，これら 4 つの単語でさえもうまくは発音されなかった。Hayes の報告によれば，ビッキーは高度な言語理解を示したが，しかしながら，話は概して逸話的であるため，ビッキーが実際にどのくらい理解していたのかを確認することは難しい。

これらの初期の研究からの筋の通った結論は，チンパンジーは，子どもが熱心に話しはじめる時期――約 18 ヶ月齢――までは認知的にも言語学的にも同じ年齢のヒトの子どもと似ているということである。だが，チンパンジーの話す能力について大きな期待を抱くべきでない極めて充分な理由がある。前の章では，ヒトの言語に向かう大きな進化の歩みの 1 つは，複雑な音を流暢に産出できるようにする発声装置の再構築であったということを確認した。チンパンジーはこの大躍進を遂げていないので，音を産出するのに苦戦したとしても驚くにあたらない。しかし，彼らが得意なのは手を使うことである。チンパンジーに言語を教えようという次の試みはこのスキルを利用した。

交叉哺育を行いチンパンジーに言語を教えた最も有名な研究は，ネバダの Beatrix Gardner と Allen Gardner によるワシューの研究である（Gardner & Gardner, 1969, 1975 など）。約 1 歳の時からワシューは Gardner によって子どもとして育てられた。彼らの新機軸はワシューに ASL を教えようとしたことだった。ASL は北アメリカで聴覚障害者が用いる手話の一形式である。手話は手の動きの組み合わせを使って意味を伝える。手話には単語と文法規則があり，機能と複雑さにおいて話しことばと同等である。

4歳になるまでに，ワシューは約85の手話を産出し，さらに多くの手話を理解できた。数年後，彼女は約200語の語彙を獲得した。これらの単語はすべての統語範疇にわたっていた。名詞つまり物の名前に加えて，彼女は豊富な動詞の語彙をもっており，否定辞や代名詞などの文法語ももっていた。また，ワシューはヒトの子どもと同じやり方で単語を学習し，ヒトの子どもがするのと同じ種類の誤りをした。子どもは言語を産出しはじめると，ときどき単語を間違って使い，自分の知っている単語を不適切に拡張する。たとえば，彼らは「月」という単語を丸いものすべてを指すのに使い，「イヌ」をすべての4つ足の動物を指すのに使いはじめる。これらの種類の誤りは過剰般化と呼ばれる。子どもは明らかに単語の意味のある側面を学習しているが，制限された文脈でのみそれが使えること――「イヌ」は特定の種類の4つ足の動物を指すのにだけ使えること――を学んでいないからである。ワシューは過剰般化の誤りをするように見えた。はじめのころ，彼女は「花」の手話を使って花だけでなく花のようなにおいのするものすべてを指した。彼女は「傷つける（hurt）」という単語を使って刺青を指した。さらに驚くべきことに，彼女は手話を教えられたことのない物事についての単語を作り上げることができた。非常に有名な話だが，彼女ははじめてアヒルを見た時に，「水鳥（water bird）」という手話を作った。

ヒトの言語は規則を使って単語を組み合わせる能力から，その力を得ていることを見てきた。ワシューは手話を組み合わせて，数語の長さの系列を産出することを学習した。最初期の段階では，彼女は2語の発話を産出した。ちょうどヒトの子どもが，「ワシュー，悲しい」「中に，入る」「だっこ，早く」などと言うように。のちに，彼女は「外へ，開けて，どうか，急いで」などの発話を産出する。彼女は質問に正しく答えることができた。彼女は語順の重要性に敏感であり，「あなたが私をくすぐる」と「私があなたをくすぐる」の違いがわかった。

おそらく，何よりも驚いたことに，ワシューの養子である息子のルイスが，訓練を受けずに手話を使いはじめたことに研究者らは気づいた。ルイスはワシューをただ観察することと，積極的にワシューに教わることとによって手話を獲得した（Fouts et al., 1989）。

ワシューは何を知っていたのか

一見したところ，ワシューの才能はすばらしいものだが，この研究は言語学界の激しい論争に火をつけた。チンパンジーによるこの研究には2種類の批判があった。第一の批判は方法論的なものである。「ワシューは言語を獲得した」などの強い結論を引き出すことを可能にするほど，実験研究としての厳格さが充分でなかった。新たな技法の先駆者に私はつねに同情をおぼえる。すべての問題を前もって予測することは実質的に不可能であり，あとから気の利いたことを言ったり批判したりするのは非常に簡単である。とはいえ，批判者らもGardner らによるワシューの成功が注目を集めたことを認めている。ワシューの言語を評価するには，彼女が犯した誤りも含めて，ワシューが特定の期間に産出したすべての発話の完全な体系的なコーパスが必要だろう。そのようなコーパスは存在しない。また，ワシューの発話の報告は，ある程度整理されている。意味をより明瞭にするために繰り返された手話を削除するなどによってである。だが，このことは評価を難しくもする（Seidenberg & Petitto, 1979)。ワシューの「花」に対する手話の創造的使用は，彼女がその日一日中あらゆるものを花と呼んでいたとしたら，それほど印象深いものでもない。アヒルを「水鳥」と呼んだ創造性も，彼女があらゆるものの前に水をつけて呼ぶ時期だったとしたら，それほど意味あるものでもないだろう。水犬，水バナナ，水だっこはあまり意味をなさない。また，発話が正確かつ中立的に記録されていることも重要である。聴覚障害のある手話使用者は，ワシューの訓練者が考えるのに比べて，ワシューは何か他のことを言っている（あるいは，まったく何も言っていない）と考えることが多い（Pinker, 1994)。ただ無作為に手話をしていたということはなさそうだと思うが，彼女がしていたことの詳細を評価することは難しい。

ワシューと賢いハンスの事例を比べてみよう。賢いハンスは20世紀初頭にドイツのVon Osten 氏が飼っていた馬だ。彼は算数の問題を解くことや時間を告げることができるかに見えた（ひづめでコツコツ叩くことで答えを示した)。この馬はVon Osten 氏がその場にいなくても正しい答えを出せた。この馬は質問をする人の物腰に非常に敏感であることが判明した。ハンスが正しい答えに近づくと，質問をする人の表情や姿勢が変わる。この馬はその情報を使って正しい答えを選んだ――あるいは，それに近い答えを選んだ。賢いが，この賢さを求めているわけではない。ワシューは訓練者と強い社会的なきずなを作り上げており，日々の状況において，彼らは疑いなく何が適切な反応であるかについての情報をやり取りしていた。しかし，このことがワシューの成功のすべてについての唯一の原因であったとは考えにくい。

ワシューの言語に対する第二の批判は，彼女は実際にはやり遂げたかに見えるほどのことを学習していないというものである。彼女は表す意味に関係のある手話を比較的よく使う傾向があった。「ドライブ」の手話はハンドルを回す行為に似ているし，さらに「あげる（give）」の手話は手で何かを誰かに渡す動作に似ている。また，彼女の発話は概していまここでの事柄，つまり，彼女の目の前で起こっていることに結びついていた。より重要なことは，発話は同程度の語彙をもつヒトの子どもが作るような統語構造を欠いていた。また，ワシューが文法規則を学習していたという証拠はわずかである。彼女は単語を一貫したやり方で並べなかった。他のチンパンジーによる同様の研究が示すところでは，「入れる，りんご，バケツ」とか「赤い，皿」などの発話を産出できる規則を学習しても，それらを組み合わせて「入れる，りんご，赤い，バケツ」などの発話を生成できる能力には結びつかなかった（Fodor et al., 1974）。

ほぼ同時代のチンパンジーに言語を教えようという他の試みは，サルが獲得できることの限界に注意を促した。これらの研究は，チンパンジーを実験室でテストすることによって，前述のような方法論に対する批判を回避しようとした。

ASL を教えるのとはわずかに異なるアプローチを採用したのが David Premack とチンパンジーのサラである。サラは実験室環境において育てられ，小さなプラスチックのシンボル――レキシグラムと呼ばれる――を操作することを教えられた。これらのシンボルは単語に相当するもので，規則にしたがって組み合わせることで**プレマッケス**（Premackese）として知られるようになる言語の文を作ることができた（図 2.2）。手話よりは自然さに欠けるが，このシステムでは，会話する時にシンボルがつねにサラに見えるようにするので，彼女への記憶負荷が少なくすみ，また，シンボルとそれが表す物事との関係は完全に恣意的でありうるという利点がある。サラは相当の語彙を学習し，

図 2.2　Premack のもう 1 頭のチンパンジーであるエリザベス
ボード上のメッセージには「エリザベスはエイミーにリンゴをあげる」とある（Premack［1976］から採録）。

規則にしたがってレキシグラムを組み合わせ極めて複雑な発話を作ることができた（Premack, 1971; Premack & Premack, 1983）。しかし，彼女が新規な発話を産出する能力は，ある単語を別の単語に置き換えることに限られていた。たとえば，「ランディ，あげる，りんご，サラ」を学習した場合，彼女は「ランディ，あげる，バナナ，サラ」を産出できた。私たちが子どもに見る創造性とオリジナリティはここにはない。それから，Premack は 5 頭のチンパンジーによる研究を行い，そのうち 2 頭はいずれの単語も学習するのに失敗したことは特筆に価する。人は成功に目を奪われる。だが，これらの特別なチンパンジーを子どもと比べることが公平であるとは私は思わない。実験室における訓練とテストは，起こることに対するコントロールを可能にするが，自然さや，環境との相互作用や他の人々との社会的相互作用，交叉哺育によって可能となる相当な時間の言語への接触と使用の機会を失うことになる。実験室で週に数時間，白いコートを着た男性によって訓練を受けるだけだったとしたら，子どもはどのくらいのことばを学習するだろうか。そして，サラは訓練をはじめた時にはすでに 5 歳だった――このことは，次の章で見るように重大である可能性がある。

ニム・チンプスキーは，有名なアメリカの言語学者 Noam Chomsky にちなんでユーモアを込めて名づけられた。Chomsky はヒト以外の動物は決して言語を学習できないと論じた。ニムは125の手話を学習し，彼の訓練者は2年にわたって彼のすべての発話を体系的に記録した（Terrace et al., 1979）。彼の訓練者はニムがどのくらい学習したかについて悲観的だった。彼の2語発話は規則性の表れを示したが（たとえば，何かがある場所はいつも2番目に言及された），この規則性は長い発話では破綻した。彼の長い発話は，ワシューを思い出させるようなしかたで，かなり多くの繰り返しを示した（「バナナ，私，食べる，バナナ」）。彼の最長の文は16語の長さで，以下のようなものだった。「与える，オレンジ，私，与える，食べる，オレンジ，私，食べる，オレンジ，与える，私，食べる，オレンジ，与える，私，あなた」。これはヒトが日常的に産出する16語の長さの文とは非常に違った類のものである。ニムは――ワシューとは違って――自発的にはめったに手話をせず，彼の発話の多くはいまここでの事柄についてのものだった。また，その40％ほどは訓練者が手話で示したばかりのことの単なる繰り返しだった。彼の発話はほとんどいつでも特定の結果を得ることに即したものだった（もう1つバナナがほしいなど）。これは，子どもが産出する広い範囲の発話とは大きく違っている。ニムは家族とともに育てられたが，ASL の訓練を受け，実験室でテストされた。この場合も，サラに関するものと同じ種類の批判が生まれた。子どもが言語を学習するやり方と同じでない，なのに，どうしてチンパンジーが言語を学習できるはずだと言えるのか，と。

サラの発話もニムの発話も，子どもの発話よりもずっと限定されたものであり，単語を新しいやり方で組み合わせることのできる規則のシステムを獲得するという意味で，文法を学習したという明確な証拠はない。せいぜい彼らは単語を挿入できる少数の文の枠組みを学習したというところだろう。だが，彼らが教わる手段の限界を心に留め置かねばならない。方法論的な厳密さには大きなコストが伴う。

私はこれらすべての批判には漠然とした引っかかりを抱いている。おそらく，私がポジティブ思考の重要性について多くの本を読みすぎたせいだろうが，研究者は否定的な側面にこだわりすぎている。これらのチンパンジーは，前世紀の中盤に研究プログラムがはじまる以前に期待されていたような，コミュニケーションに関するかなりの言語能力を示している。最終的には論争は，言語とは厳密には何なのか，学習されるのは何なのか，学習の限界はどこか，言語の本質の核心はどこにあるのか，実際，ヒトであるということは何を意味しているのかという問いに帰着する。これらの問いには，もう1頭の世界中で有名なチンパンジーであるカンジを取り上げてから戻ろう。

なぜカンジが重要なのか

霊長類に言語を教えた先行研究は多大な関心を生み出した。だが，多数の先駆的な研究と同じく，それらの研究は答えを出すのと同じくらい多くの問いを呼び起こした。同時に，利用できる技術が進歩し，疑う人を納得させられるようなやり方で研究を実施するためにしなければならないことについての知識が発展した。

先行研究は Pan troglodytes，すなわち，一般的なチンパンジーを研究した。Pan paniscus，すなわち，ボノボ（かつてはピグミーチンパンジーとして知られていた）は，一般的なチンパンジーよりも，いくぶん知的で社会性が高く，生得的なコミュニケーションのレパートリーをより豊富にもっており，言語研究の実施にとっての第一候補となる。カンジ（Kanzi，1980 生）は，多くの人が重要な言語能力を獲得したと信じるオスのボノボである。

カンジについての第一の非凡な点は，もともとは言語をまったく教わっていなかったということである。彼は幼いころ，養母のマタタの訓練セッションにくっついていた。Savage-Rumbaugh の研究プログラムでは，キーボード上に表示されるシンボル（レキシグラム）に基づく言語を通してのコミュニケーションをボノボに教えていた（Savage-Rumbaugh et al., 1986; Savage-Rumbaugh & Lewin, 1994）。マタタは訓練を進めるのに苦戦していた。カンジはこれらのセッションで起こっていることに何の関心も示さないように見えたと報告されているが，ある日，マタタがいない時，自発的にレキシグラムを使いはじめた。驚くまでもなく，研究プログラムの中心はカンジに切り替わった。カンジは豊かな環境でヒトと関わり合った。彼は明示的な訓練によってというよりは，相互作用によって言語を獲得した。

30ヶ月齢までにカンジは少なくとも7つのシンボル（オレンジ，リンゴ，バナナ，ピーナツ，寝室，追いかけっこ，オースティン）を学習し，46ヶ月齢までにはほぼ50のシンボルを学習し，それらの800の組み合わせを産出した。そして，6歳の時には約200のシンボルを獲得した。彼は語順と動詞の意味に敏感だった。「帽子をボールの上に置きなさい」と「ボールを帽子の上に置きなさい」「石を取りなさい」と「石に乗りなさい」に適切に応答できた。自発的発話——誰かの命令や要求に単に答えるのではなく，彼が開始したもの——が彼の発話の大部分をなした。

レキシグラムのキーボードで自分自身を表現できることに加え，カンジは多数の話しことばの英語を理解した。全般的に，カンジは2歳半のヒトの子どもと同じレベルの言語を使うように見えた（Savage-Rumbaugh et al., 1993）。言語的成果に加え，カンジは熟練した道具の使用者かつ作成者であり（特にナイフを作るのがうまい），集団で地位の高いオスだった。彼の好物は図らずもたまねぎであった。

研究者はもちろん先行研究の批判に敏感である。この研究プログラムは方法論的に非常に強力であり，先行研究で学んだことの上に作り上げられていた。そのため，カンジの言語スキルのレベルが幼い子どものそれと真に同等であるとするなら，また，懸命な訓練によってではなく概して観察によって学習したとするなら，私たちが他の霊長類をどのように考えるかだけでなく，ヒトがどのように言語を学習するのかについても，重要な意義をもつすばらしい成果である。当然のことながら，この主張には異論がある。第一に，一部の人々は，主張されているとおりにカンジが明示的な報酬を使った直接的な訓練を受けることなく，観察によってこれほど多くを学習したというのが本当か疑っている。Savage-Rumbaughと共同研究者らは慎重に，正しい応答や発話の直後にカンジに食べ物を与えたりしないようにしたが，ヒトと動物が物事を学習しようとする時には他の強化の手段もある。笑顔，ことばがけ，称賛，私たちのとる姿勢などの，ふだん無意識であるようなことでさえ違いを生み出すかもしれない（Sundberg, 1996）。次の章で見るように，ヒトの子どもは明示的には厳格な訓練方式で言語を教えられないが，ときどき発話の強化がなされ（ただし，これらがつねに効果的なわけではない），両親は子どもをほめたり促したりする。カンジの養育とヒトの子どものそれとの違いはそう大きなものではない。

カンジに関する第二の問題は，彼が私たちと同じやり方で言語を用いるのかということである。彼が学んだことは正確には何なのか。彼は子どものように言語を学習し，子どものように多くの単語を知ったかもしれないが，子どものように言語を用いるのだろうか。複数の研究者が違いを指摘している。カンジの発話のほとんどは，彼がしたいことについての要求であり，世界についての意見ではなかった。カンジが産出する文法構造は比較的単純であり，子どもよりも遅く文法を学習した。カンジが単語の意味を子どもと同じやり方で用いるのかに関しては議論が激しく戦わされてきた。たとえば，彼は「イチゴ」という単語を名前として，あるいは，イチゴを食べたいという要求として，また，移動したいという要求として使った。彼はそれが物の名前であるとわかっているのだろうか。彼の単語は私たちのやり方で世界を表現しているのだろうか。多くの論争（Seidenberg & Petitto, 1987）と反論（Nelson, 1987; Savage-Rumbaugh, 1987）がなされているが，意見の一致はほとんど見られない。

なぜ動物は言語がうまくないのか

動物が言語をまったく使えないのか，それとも，単に能力が非常に限られているのかにかかわらず，ヒトよりも大きく劣ることは明らかである。動物の言語の世界のスーパースターであるカンジでさえも，よちよち歩きの幼児と同じくらいでしかない。一部のチンパンジーは，ごく初歩の言語をまったく習得できないようだが，それにもかかわらず，彼らに教えるには多大な努力が投入される。そして，彼らはみな何かを獲得するまでに言語にかなり接触する必要がある（明示的な訓練の量に関しては議論の余地がある）。対照的に，次の章で見るように，ヒトの子どもは何の言語的入力がなくても言語を発達させる。

なぜ動物はこれほど劣るのか。チンパンジーはヒトよりもずっと小さな脳しかもたない。チンパンジーの脳はよくても500グラム以下の重量である。平均的なヒトの脳は約1,300グラムの重量がある。もちろん，脳の大きさにはばらつきがあり，脳の重量と知能の関係は完全な相関からはほど遠いが，この違いは大きなものである。そこで，彼らの言語能力の低さに対して考えられる説明としては，チンパンジーは脳が充分に大きくないので言語を充分に学習できるほどには賢くないだけだ，というものがある。一部のチンパンジーは言語をまったく習得しないように見えたことを思い出してほしい。そのことは驚くにはあたらない。チンパンジーは，ヒトと同様に，知能と認知スキルがさまざまであり，これらの課題においては認知能力の限界が問われることになる。カンジのように最も賢いサルのみが，それを習得するものと思われる。

そこで，言語の処理はそれに関連する高次の認知スキルをもつこと——平たく言えば，大きな脳をもち，賢くあること——に依存するという説明も考えられる。この観点によれば，一部のサルはいくばくかの言語を獲得できる。だが，他の人々の主張によれば，ヒトだけが言語を獲得できるのは，言語がヒトのみがもつ特有の生得的な過程に依存するためである。それはヒトにおける遺伝的な資質であり，ヒトだけのものである。こうした研究者にとっては，カンジのようなチンパンジーでさえ本当には言語を獲得してはいない。

もちろん，どの議論も言語をどのように定義するかによるとあなたは言うかもしれない。言語は有限個の規則を用いて有限個の単語を組み合わせ，無限個のメッセージを伝えることのできる能力であると考えてみよう。カンジはこの定義を満たすだろうか。

まず単語について考えてみよう。明らかに，カンジは正しい文脈で単語を用いているが，これはヒトがしているのと同じことだろうか。カンジが本当に学んだことは何だろうか。ハトを訓練してピカソの絵とモネの絵を弁別させることはできる。ハトは一方の種類の絵を見た時につついたら食べ物を報酬として与えられるが，他方の種類の絵を見た時にはつついても報酬を与えられない（Watanabe et al., 1995）。しばらくすると，ハトは一方の芸術家による絵だけをつつく。この種の学習は**オペラント条件づけ**と呼ばれる。それでは，「バナナ」や「電車」のレキシグラムを見た時に，違ったふうにつつくようハトを訓練することは難しすぎて不可能だろうか。だが，ハトは本当に私たちと同じやり方で単語を学習したと言えるのだろうか。私たちは単にある種の記号を区別できるというよりもずっと多くのことを知っている。私たちはバナナが黄色くてよい味がすること，果物であり，熱帯地方の木になることを知っている。マンゴーやブルーベリーとは関係があるが，サツマイモとはそれほど近い仲間でないことを知っている。木になっていようと，飛行機で輸送されているところだろうと，スーパーマーケットできれいに包装されていようと，バナナはバナナであることを知っている。私たちは電車についても同じことを知っている。バナナが世界中に出回っていて，電車が貨物操車場に停車している時でも，バナナは生き物で電車はそうでないことを知っている。ハトはこうしたすべてを知っているのだろうか。もちろん，知らないだろう。それでは，言語を扱うチンパンジーはハトと私たちのどちらに近いのか。研究者の間でも一致をみていない。「中間」という人もいるかもしれないが，それは何を意味しているのか。中間ということさえ言えるのだろうか。

同じような問題は文法についても起こる。私たちは単語を統語法，すなわち，文法の規則によって並べる。チンパンジーは文法を使って複数語の発話を産出するのだろうか，それとも，自分がしていることについての洞察もなく，ただいくつかの単純な単語の順序や枠組みを学習するだけなのだろうか。それに，彼らは「ください，私，バナナ」や「ください，私，ピーナツ」を知り，一方を言うとバナナを与えられ，他方を言うとピーナツを与えられることを知っているのだろうが，それ以上ではないのではないか。この場合，やはり彼らはオペラント条件づけによって学習しただけである。だが，私たちはもっと多くのことを知っている。私たちは好きな名詞をこの統語構造にはめ込めることを知っており，「あげる」は「もらう」と関係があることを知っている。「私はあなたにバナナをあげます」は統語構造において「あなたは私にバナナをくれます」と似ているが，意味は（少なくとも結果は）非常に違っていることを知っている。「私はあなたにバナナをあげました」は「バナナは私があなたにあげました」とは統語構造は違っているが同じことを意味しているのを知っている。「私はあなたにバナナをあげます」は文法的に容認可能だが，「私にあなたにバナナをあげます」はそうでないことを知っている。批評家の主張によれば，カンジはこうしたことを何も知らない。この場合もやはり，彼がなしえたことのすべては，正しい順序で正しいキーを押せばバナナが手に入ると学習したということである。また，カンジの理解は彼の産出に比べて明らかに優れているが，知ってのとおり，ヒトの成人や子どもは言語の産出が巧みで口達者である。

なるほど，すべては真実で，チンパンジーは先にあげたことを何もしていないが，たぶん程度の問題にすぎないとあなたは言うかもしれない。もしかしたらヒトはオペラント条件づけによってより多くのことを学習するだけなのではないか。私たちがこの想定よりも賢く，私たちが知っていることは物事の間に連合を作って獲得できること以上に洗練されていると主張する根拠は複数ある。Chomsky の偉大な業績の1つは，言語は非常に強力であり――潜在的には無限個のメッセージを伝えられることを思い出してほしい――条件づけだけによっていては決して学習できないと明らかにしたことである。この議論は長く複雑だが，言語における**再帰**（recursion）に注目すれば，それが意味することをよく理解できる。再帰はそれ自身を意味する過程である。単純な例は，「再帰」を「再帰を参照せよ」と定義する辞書という古いジョークである。言語における再帰の規則は，原理的には文法的に容認可能な無限個の文を生成することを可能にする（おそらく，容易には理解可能でないが）。最も一般的な例は，ある文を他の文に埋め込むというものである。私たちは好きなだけこれを繰り返せる。「ネズミが逃げた」という文からはじめよう。この中に他の文「ネズミはネコに追いかけられた」を埋め込む。2つの文を埋め込み組み合わせると以下が得られる。

　ネコが追いかけたネズミが逃げた。

だが，ここで止める必要はない。

　男がかわいがっているネコが追いかけたネズミが逃げた。

この文が私の理解力と記憶の限界に及んでいることは認めねばならないが，原理的にはさらに進むことができる。

　女がキスした男がかわいがっているネコが追いかけたネズミが逃げた。

再帰は言語に巨大な力を与えており，言語を学習したチンパンジーが再帰を使えるという疑いの余地のない証拠は存在しない。

　おそらく，動物の言語に再帰が見られないことにはそれほど驚きはしない。たぶん，あなたは肩をすくめ，いささか専門家らしく，カンジがしていることを言語と呼べたらいいね，と言うだろう。おそらく，言語をもっているかいないかとか，言語を学習できるかできないかといった，どちらかを選ぶという発想から離れるべきかもしれない。おそらく，言語能力を連続体上にあるものとして見るべきなのだろう。古代人は言語を発達させる途中で祖語を発展させたという前章の Bickerton の議論を思い出すなら，おそらく，カンジのようなチンパンジーは少なくとも祖語の段階には達していると言えるだろう。

今のところ，研究文献には行き詰まりがあり，動物言語肯定派（少数派）と反動物言語派（多数派）は自分たちの立場に固くとどまっている。この種の研究は，非常にコストが高く，実行するのに時間もかかる。皆の疑問に，いつでもすぐにすべて答えられるなんてことはありそうにない。

だが，この章を書きながら，私は一部の動物がどれほど賢いものかますます痛感したことを認めなければならない。動物の愚かさについて語る人は，自分自身の愚かさをさらしているだけなのだ。

Children

第3章 子どもの言語獲得

生まれたばかりの赤ん坊はぎゃあぎゃあと泣くことしかできず，言語を話したり，理解することはできない。生まれたばかりの赤ん坊ほど，哀れで，無力で，傷つきやすいものはない。だが，数年もすると，走り回るようになり，もちろん未だにしばしば泣き叫ぶことはあるが，どんなによく訓練されたチンパジーや高価なコンピュータよりも，すらすらと文を話し，理解するようになる。どうやって，このような驚くべき変貌を成し遂げるのだろうか。

人間の子どもとチンパジーには顕著な違いがある。チンパジーに数個のサインを教えようと努力しても，サインを眺めるだけでは，ほとんどのチンパジーは学べないように思われる。チンパンジーのカンジの発話は限られており，カンジの言語能力は2歳児レベルのままである。しかし，子どもは両親からほとんど教えられなくても，簡単に言語を学んでいるように見える。実際，子どもにどのようにすべきかを教えても，見事に失敗する。言語を教えても，その他のことを教える時と同じように，ひどく反抗的であったりする。しかし，それは問題ではないようだ。それでも，子どもは（しばしばうんざりするほど）おしゃべりをしながら成長するのである。どうして，このようなことが可能なのだろうか。

子どもはいつ言語を学習するか

子どもは話し始める前に，多くの音を出す。泣いたり，げっぷをしたり，叫んだりし，そしてまた泣いて，叫ぶ。2〜3ヶ月すると，クーイング（cooing）を始め，4ヶ月もすると笑い始める。生後6ヶ月後頃から，喃語（babbling）と呼ばれる，音節単位（/ba/ や /da/ のような子音と母音）で何回か繰り返さ

言語を学習している小さい頃の私

れる言語のような音を出すようになる。おそらく数個の単語はもう少し早い時期に理解しているだろうが，9ヶ月頃になると，ある特定の状況において，特定の音がいつも聞こえることに気づき始めるといったように，言語を理解しているさまざまな様子を示す。その少しあとに，最初のそれとわかる言語を発する。おおよそ18ヶ月頃に，子どもが理解できる単語の数が爆発的に増える。この段階のことを「語彙爆発」（vocabulary explosion）と呼ぶ。ほぼ同時期に，子どもは単語を組み合わせた発話をするようになる。最初のうちは，2語文だが，じきにもっと長い文を話すようになる。この初期の発話は，文法的な細部をしばしば欠いており，大人の発話とは文法的に明らかに異なり，短く省略された性質（“more car”“bye-bye car”など）を強調するもので，**電報発話**（telegraphic speech）と通常呼ばれている。語彙は常にかなり劇的に増加し続ける一方で，文法は成長とともに詳細を含むようになっていく。2歳半までには，小さい大人のように話し始める。言うまでもなく，発達はその後も続く。子どもが習得している言語によって異なるより細かい文法事項を獲得するのには時間がかかる。年をとると獲得のペースは落ちるが，語彙習得は生涯続くものである。平均的な十代の子どもは1日あたり10個の新しい語彙を獲得していると概算されている。

このように，喃語を別にすると，健常児の場合，6ヶ月から9ヶ月で言語を理解し始め，18ヶ月から2歳頃に言語を活発に使うようになる。速度は落ちるが，習得が止まることは決してない。もちろん，習得の時期や厳密な習得順序には個人差がある。まったく同じ子どもが2人いることなどない。以下は言語習得の典型的な図式である。たとえわが子が，生後366日目にあなたの名前〔であるママやパパ〕を言っていなくても，心配することはない。

1ヶ月　げっぷ
4ヶ月　笑い
6ヶ月　Ba da ba da ba da 子音を発する
9ヶ月　単語や単純な指示を理解
12ヶ月　Ma 最初の単語
18ヶ月　Bad dog! 語彙爆発と2語文
24ヶ月　3語文とそれよりも長い文
36ヶ月　非常に多くの語彙，完全な文，文法規則の運用

人間の胎児は言語を学べるか

母親がお腹の中の子どもに話しかけることが流行っている。もちろん，母親の声は母親の気分を反映し，結果として体内を循環するホルモン・レベルに影響を与え，それが子どもの成長に影響しうる。しかし，母親の言語の音声や内容が子どもに影響を与えるのだろうか。胎児は皮膚，脂肪，筋肉によって守られながら成長し，羊水に浸かっている。そう考えると，胎児が聞くことのできる音声というのは限られていると思うだろうが，それは完全に正しい。誰かが話しているのを，水の中に潜った状態で聞くようなものだ。言語音声の重要な構成要素は，4000ヘルツ（サイクル毎秒）までの周波数の音であるが，電話

の場合は3000ヘルツ以下，胎児が聞けるのはせいぜい1000ヘルツまでであるので，胎児には母親の声はかすかにしか聞こえない（Altmann, 1997）。

お腹の中の赤ん坊が聞いたことは，どんなことでも利用できるという証拠は何だろうか。DeCasper ら（1994）は，妊娠 34 週から 38 週の間，母親に短い童話を毎日音読してもらった。その後，胎児には聞こえ，母親には聞こえないように母親のお腹につけたスピーカーを通して，同じ童話と新しい童話を流した。胎児の心拍数を測ると，胎児が聞き慣れた童話を「聞いた」時には（おそらく馴染みがあり，安心できたため），心拍数が下がったが，新しい童話の時には（おそらく新奇性を感知したため），心拍数に変化がなかった。このことから，自分の行動に影響を与えるくらいしっかりと胎児も聞こえていると言える。

しかし，胎児が１つ１つの単語を聞き分けられそうにないのに，お腹の中で音声を聞く能力は何の役に立つのだろうか。胎児は音声の**リズム**を聞くことができる。リズムとは，話をする時の声の上げ下げや強調である。言語ごとに異なるリズムをもっている。Mehler ら（1988）は，フランス語の音声のテープを生後 4 日のフランス語のモノリンガルの家庭に生まれた乳児に聞かせたが，乳児が 4 日間で言語を学んできたとは非常に考え難い。Mehler らは，乳児におしゃぶりをしゃぶらせ，吸う速度によって音声が呈示されるようにした。おしゃぶりを吸い続ける限り，音声が聞こえるという仕組みだ。赤ん坊は目新しさを好むため，違うものを聞くためにおしゃぶりを吸うが，飽きると吸うのをやめる。そのため，これは変化を感知するのにいい手法である。聞かせる音を変え，赤ん坊がその変化に気づくのなら，新しい音声をもっとたくさん聞きたいと思うため，吸う速度は早くなる。だが，赤ん坊が違いを見たり聞いたりできないと，吸う速度は変わらない。乳児がフランス語の音声に慣れてしまった時，専門用語で言うと**馴化した**（habituated）時，同じ人物が話すロシア語の音声テープに変えたところ，おしゃぶりを吸う速度が速くなり，言語の変化に気づいたことが示された。

Mehler ら（1988）は，低周波音だけが聞こえるように高周波音をフィルターでカットした音声テープを流したので，乳児は異なる音声をもとに言語の区別はできなかったはずである。音声サンプルも同一人物によるものなので，違いを見つける手がかりはなかった。一番妥当な説明は，乳児は異なる言語のリズムを識別できるということになる。

この研究は，赤ん坊は生まれて間もない頃から言語のリズムを感じていることを示唆している。しかし，Mehler ら（1988）は，フランス人の乳児はフランス語を聞くことを好み，フランス語を聞いた乳児は，最初にロシア語を聞いた乳児よりも，おしゃぶりをたくさん吸うことも発見した。乳児の年齢がとても低いことから，お腹の中で聞いた言語のリズムに馴染みがあるために，フランス語を好んだと考えられる。この説明は，乳児は母語と他の言語の区別はできるが，2つの外国語の識別はできないことからも妥当だと言える。

胎児期に言語に触れることは言語リズムの識別に役立つが，主に触れている言語の細かい情報までは胎児に伝わらない。生後6ヶ月の赤ん坊が自分の言語にない音の区別もできるということは，お腹の中で自分の言語の音を学べなかったことになる。たとえば，英語では /l/ と /r/ を区別するが（rate と late は異なる単語である），日本語ではその区別はない。最初は日本人の子どもも /l/ と /r/ を異なる音として認識できる。しかし，1歳頃までには，その識別能力は失われ，自分の言語の音に焦点をあてることになる（Werker & Tees, 1984）。一方で，お腹の中で聞いてきた言語の母音とそれ以外の言語の母音の区別を新生児ができるという証拠もある（Moon et al., 2013）。

お腹の中で音声に触れることで，生後学んでいく言語のリズムと，少なくとも周囲の言語に含まれる音を感知して，子どもは幸先のよいスタートをきることができる。赤ん坊は話せないかもしれないが，自分の言語がどのような音なのかは生まれながらに知っている。音声言語，とりわけ一番よく聞いてきた母親の言語の音声に注意を向ける準備をして，赤ん坊は生まれてくる。

なぜ赤ん坊は無意味な音を発するのか

古代ギリシア人は外国人に対する名称をもっていたと言われている。外国人は「バババ」としか聞こえない理解不能な言語を話しているので，ギリシア人は外国人のことを「バババ」〔バルバロイ〕と呼んだ。ローマ人がこの用法にならい，「バーバリアン」という言葉ができた。

赤ん坊は話し始める前，生後6ヶ月頃から，東ゴート人や西ゴート人とは異なるが，無意味な音を出し始める。喃語は言語のような音声を繰り返し発するもので，基本的には 2 種類ある。反復性喃語（reduplicative babbling）は，bababababababa のように音節（音節は子音のあとに続く母音で構成されている）を繰り返すもので，非重複性喃語（variegated babbling）は，ほとんど繰り返しのない音節 badokabodabo のつながりである。喃語はもちろん断続的ではあるが，9 ヶ月頃まで続き，だんだんと発話に置き換えられていく。

心理言語学者になる前に，なぜ赤ん坊は無意味な音を出すのか考えたとすれば，人々が話しているのを聞き，取り残されるのがいやで，試しに自分も話してみたと，私は思っただろう。喃語は赤ん坊が話せるようになる前のおしゃべりということである。私のうぶな仮説が正しいはずがないことは，わかるだろう。生まれた時から耳が聞こえない赤ん坊も，耳が聞こえる赤ん坊のように同じ音節を繰り返すことはないが，無意味な音を出し始める（Oller & Eilers, 1988; Sykes, 1940）。小型のキヌザルのように，人間以外の霊長類の赤ん坊も，叫びのような音を繰り返し出すという意味においては, 喃語を発する（Elowson et al., 1998）。

耳が聞こえない赤ん坊の喃語は聞こえる赤ん坊の喃語とは異なるという結果から，喃語は赤ん坊が耳にする言語の影響を受けていることがわかる。喃語は無作為に産出された音ではない。赤ん坊が触れている言語にかかわらず，喃語に含まれる子音の 95% は /p/，/b/，/t/，/d/，/m/，/n/，/k/，/g/，/s/，/w/，/j/，/h/ の 12 個の子音である。これらは，あらゆる言語において平均的には，最もよく使われる子音である。しかし，言語による違いもある（De Boysson-Bardies et al., 1984）。成人のフランス語話者は，フランス語の乳児の喃語と中国語やアラビア語の乳児の喃語を区別できる。手話で育てられた耳が聞こえない乳児を見ると，環境の影響が最もはっきりと表れている。しばらくすると，手で喃語を発するのである（Petitto & Marentette, 1991）。これらの結果から，後半の喃語は言語モード（話し言葉または手話）とは結びつけられないが，子どもが触れている言語の抽象的な構造に関連していると言える。

では，なぜ赤ん坊は無意味な音を出すのか。喃語と初期の発話は連続体で，喃語が発話と融合すると，最初は考えられていた（Mowrer, 1960）。子どもは，世界の言語のありとあらゆる音を産出することから始めるが，言語に触れるにつれ，だんだんと産出する音が狭められていく。子どもが 1 度も耳にしない音は脱落し，その言語に必要な音だけが残る。連続仮説（continuity hypothesis）

と呼ばれるこの考え方が正しくないことは明らかである。まず第一に，喃語を発する時，赤ん坊はすべての言語の音を出すわけではない。ほとんどは，先にあげた12の子音で，喃語では子音連結（strungの始まりの音のように，2つ以上の子音がつながっていること）は決して発しない。第二には，他の音を犠牲にして，ある音だけを特に強化するようなことを親はしない。親はただ子どもに音を出すことを促すだけなので，自分の言語の音だけを積極的に強化しているとは言えない。第三に，自分の言語に適切な音に少しずつ移行していくという証拠はあまりない（Locke, 1983）。しかし，目標言語に存在しない音が突然落とされ，喃語と真の発話は断絶されているとかつては考えられていたが（Jakobson, 1968），子どもは喃語を発する時もあれば，単語を発する時もある段階があり，今では喃語と初期の発話は融合していることが知られている。したがって，連続仮説も不連続仮説も完全に正しいとは言えない。

乳児が無意味音を発するのには，明らかに生物学的動因がある。手話に接している赤ん坊が手で喃語を産出するように，喃語の形式はとりまく環境に影響される。しかし，喃語の音は言語の音声に少しずつ変化はしていかない。無意味音を発することは，赤ん坊が音で遊び，運動器官を練習して制御し，それぞれの音はどのように異なり，どのように発するのかを学習することであろう（Clark & Clark, 1977）。特定の言語のリズムや全体的な音を正しく習得するための練習もしているかもしれない（Crystal, 1986）。無意味音を発することは，サッカーの試合の準備運動のようなものだ。動きのいくつかを練習するけれど，本当の試合とはまったく違う。

小さい子どもはどのように音声を分割するのか

理解が産出よりも先にくるのは明らかである。単語を使えるためには，子どもは（程度の差はあるが）その単語が何を意味するのかを知らなければならない。だとすると，発達段階にある子どもの最初の課題の1つは，単語が意味するものを解き明かしていくことである。しかし，それができるようになる以前に，単語を同定しなければならない。つまり，聞こえてくる音声を単語に**分割**（segment）できなければならない。自らを赤ん坊の立場に置いてみなさい。聞こえてくるのは，意味のない音が早く流れているだけだ。この状況を想像するのが難しければ，まったく知らない言語を聞いてみるとよい。単語がどこで始まり，どこで終わるのかわからない。

聞こえてくる音声を分割していくことは，最初に感じるほど難しいものではない。まず第一に，単語と単語の間には間がある。大人は小さい子どもに対して，はっきりと話したり，しばしば単語の間の間隔をはっきりとさせて，理解を助ける。しかし，大した手助けなしに，この問題を解決する別の方法がある。

このセクションの最初のパラグラフの一部を，子どもに聞こえているように，視覚的に文字で見てみよう。

> oneofthefirsttasksfacingayoungchildlearningalanguageissegmentingthesp
> eechtheyhearintowordsputyourselfintheplaceofabablyallyoucanhearisarap
> idstreamofmeaninglesssoundsifyouhavedifficultydoingthisyoushouldtryli
> steningtoalanguagewithwhichyouarecompletelyunfamiliar

これを見ると，これは規則もなく並んでいるわけではないことがわかる。規則性が存在する。たとえば，the や a のように，you という文字列は繰り返し出現している。ある文字（発話の音）は一緒になる傾向がある。これらの塊は，はっきりとした 1 つの単語である可能性が高い。たった数行でも，少なくても 3 つの単語が何であるかがわかる。言語における統計的な規則性という話を先の章でした。これは，耳にしている言語には，たくさんの順番と規則性があり，人間はこの順番を使って，言語処理を簡単にしているという考え方だ。単語が何であるかを明らかにしていくのに使える別の規則性がある。たとえば，ing は特に単語の最後にくる傾向があるから，ing の次は新しい語が始まると予想できる。mp というつながりは，決して単語にはならないので，単語の途中か，単語と単語の切れ目である可能性が高い。単独の子音は単語にはなりえないなど，言語にはたくさんの規則性がある。

単語に分割する作業はまだ手強いが，赤ん坊が十分な量のインプットを受け取っていると考えれば，音声を分割し，このように単語を見つけていくことは，実際にはかなり簡単なことが計算モデルによって示されている (Batchelder, 2002)。インプットされた情報にあるこの種の統計的規則性を使って，赤ん坊が音声を分割するという実験的証拠がある。8ヶ月の乳児は，どの音が一緒になり，単語を作るのかを素早く学べる。一度単語を割り出したら，すでに認識した単語よりは，むしろ単語として認識していない新しい刺激にじっくりと耳を傾ける（赤ん坊は新奇性を好むということを覚えているだろう）。さらに，乳児は非常に素早く，たった数分間，発話を聞いただけで，単語を取り出すことができる（Saffran et al., 1996）。赤ん坊が自分の言語の音声を学習する方法として，このタイプの統計的学習の重要性が，最近の研究でつぎつぎと示されている（Adriaans & Kager, 2010; Daland & Pierrehumbert, 2011 など）。

子どもは mother（mama, mom, ma, mammy, mum, mater など）を構成している音声が一緒に生起するのをよく聞くだろう。そして，これらは1つの単語になる。それだけではなく，ある人物が目の前にいる時に聞く音だと判断する時，言語的なスタートを切っている。8ヶ月までに，子どもは聞こえることに適切に反応し始める。「パパはどこ」と聞かれれば，向きを変えて，パパを探し始めるかもしれない。おそらく，この句の中のそれぞれの単語の意味を学んでいなくても，すべての単語を認識することさえも必ずしもできていなくても，複数の手がかりを使って，意図されたことを理解する（Fernald & Marchman, 2006）。

平均的に10ヶ月の子どもは約40語を理解すると推定されている。いくつかの単語を学び始めると，他の単語が意味することを理解するのがだんだんとやさしくなっていく。少しの情報をより多くのことを学習するのに使用することを，ブーツの紐で自分を引き上げることにちなんで，**ブートストラップ**（bootstrapping）と呼ぶ。これは，子どもが言語を学習する上で，重要かつ繰り返し出てくる考え方である。したがって，語彙学習が素早く加速し，18ヶ月までに平均で250語以上を理解できるようになることは，驚きに値しない。

最初に学習する語彙は何か

私の弟の最初の言葉は「きれいな光」だったことを，はっきりと覚えている。とは言え，そんなはずはないとも思う。なぜなら，最初の発話にしては複雑すぎるように思えるからだ。すでに見てきたように，1歳頃から子どもは身の回りの認識できる物の名前を言い始めるが，実際には，18ヶ月頃に起こる語彙爆発まで始まらない。赤ん坊は何を話すのか。

子どもたちの最初の言葉がある程度同じであっても，ほとんど驚かないだろう。小さい赤ん坊の世界というのは，両親，食べ物，子ども用のベッド，明るい光，いいもの，いやなものぐらいで，人による違いはあまりない。赤ん坊は自分が目にすることを口にする。初期の言葉は，人の名前，おもちゃ，食べ物，動物である（Nelson, 1973）。もちろん最初の言葉は多様であるが，子どもは大きく 2 種類に分けられると Nelson は言う。事物の名前を初めに言う傾向がある**指示グループ**（referential group）と人の名前や感情を初めに言う傾向がある**表現グループ**（expressive group）である。これらの違いは，言語は何のためにあるのかということを，子どもがどのように考えているのかに影響されているかもしれない。事物に名前をつけていくことだと考えている子どもは，指示型になる一方で，主に社会的なやり取りだと考えている子どもは，表現型になる。どの程度事物に名前をつけていくかは，親によって異なる。親が時間をかけるほど，子どもは指示型になる（Pine, 1994）。これらの違いが，のちの言語や心理発達に影響があったとしても，それははっきりしない。どちらのタイプの子どもも，ほぼ同じ時期に 50 語の節目に到達する（Bates et al., 1994）。

初期の語彙はある程度同じであるが，子どもが話し始める時期に関して，かなりばらつきもある。早ければ生後 8 ヶ月ほどで，（非常に早い時期にわかるようになる自分の名前以外の）個々の単語を理解し始める子どももいれば，さらに 7 ヶ月後まで理解しない子どももいる。最初の単語を 1 歳の誕生日前に発する子どももいれば, 15 ヶ月まで発しない子どももいるかもしれない（Fernald & Marchman, 2006）。この個人差から，このような範囲内であれば，まだ話していないとしても，おそらく何も心配する必要がないことがわかる。ばらつきがあることは，ごく自然なことだ。習得が比較的遅かったとしても，その後の発達への影響もないように見受けられる。もちろん遅れが長引けば，言語障害の危険性は高まるが。

すでに 50 語ぐらい話せると，生後 18 ヶ月ぐらいで語彙が飛躍的に増えることはすでに述べた。このはっきりとした突然の成長は，語彙爆発と呼ばれる。認知発達における大きな変化があるために，子どもはこのぐらいの年齢で言語を突然「手に入れる」と言われている。有名な発達心理学者 Jean Piaget によれば，目を見張るような発達の１つは，視界から消えても事物は存続するという物の永続性の概念を，このぐらいの時期に子どもは獲得することだ。この世の事物は相互に区別され，永遠に存在すること，すなわち，物には名前があるということ，**命名の洞察**（naming insight）と呼ばれるものを，子どもは理解する。

語彙爆発は本当にあるのか，はっきりと目に見えるのか，もし本当なら，何が原因なのかということに関しては，議論があることに触れておくべきだろう。子どもの語彙発達の速度には切れ目があるのか。爆発などはなく，幼少期の語彙習得の速度は比較的一定であると考える研究者がいる（Bloom, 2000）。問題の１つは，「爆発」の定義である。「爆発」と説明するためには，速度にどのくらい大きな変化が必要なのか。また，速度は一定ではない。より多くの語彙を学習する時もあれば，少ない時もある。とはいうものの，子どもがしていることに根本的な変化があるという点から説明する必要があるのだろうか。

子どもは最初に発する単語を短くして，しばしば簡略化する。子どもは，最後の子音を省略したり，子音連結を１つの子音にしたり，強勢のない音節を省略したりするかもしれない（Smith, 1973）。子どもの喃語の体系に存在しない音は，存在する音に代用される傾向がある。たとえば，ball は“ba”，stop は“top”，tomato は“mado”になる。単語が簡略化される理由はおそらくいくつかある。子どもは自分が楽に出せる音を使いたがるというのが，適当な説明だろう。

最後に，なぜ子どもは１歳になるまで話せないのかは，誰にもわからない。たくさん言葉を発するようになる前に，多くの能力が融合される必要がある。物事を十分に見極められる知覚能力や聞こえた音を処理し分割する能力を，ある程度もっていなければならない。音声を弁別し，産出する能力がなければならない。事物が存在し，名称があることを知っている必要がある。周囲の事物をカテゴリー化できる必要がある。物とその名称を十分な時間貯蔵できるだけの記憶段階に達していなければならない。そして，おそらく言語は何のためにあるのかをある程度理解している必要があるだろう（Bloom, 2000）。

子どもはどのように語彙を学習するのか

東京の真ん中に立っているとしよう。ある日本人が近づいてきて，“kumo”とだけ言う。これは何を意味しているのか（この記述は，読者が英語母語話者で，日本語をまったく知らないのを前提にしている。私はまさしくその1人なのだが）。皆目検討がつかない。一度だけ“kumo”と言って，立ち去ったとしよう。おそらくそれが何を意味をするのか理解できないであろう。和英辞典を使って探ろうとするかもしれないし，それを思い出し，あとで聞くために書き留めるかもしれない。しかし，ほぼ確実に，何を言っていたのかわからないだろう（実際には，ただ「雲」と言っただけである。頭上高くにとてもふわふわの雲があると考えてみるといいだろう）。

赤ん坊の経験というのは，私が東京で立ち往生しているようなものであるが，ある意味ではこれよりもひどい。1歳だったら，単語は個別には聞こえず，文の塊としてものすごい速さで聞こえてくる。それぞれの単語が何を意味しているのか，一体全体どうやってわかるのだろうか。

それほどひどい話ではない。日本での別の状況を想像してみよう。森にいると，灰とすすだらけになった人々が駆け寄ってきた。彼らは自分たちが走ってきた道の方を向き，指差して，“kaji da!”と叫んだ。彼らが指差している所に目をやると，森の間からオレンジ色の炎が見える。さて，彼らは何と言ったかわかるだろうか。「火事だ！」とおそらく想像するだろう。それが正解である。

普通というよりはむしろ大げさに，大人は子どもにこのような手助けをするが，子どもがしなければいけないことは，もっとやっかいだ。母親にいたずら好きな子イヌを目の前に置かれた幼児の立場になってみよう。母親は子イヌを指差しながら，ゆっくりと注意深く，「イヌ，……イヌ，……イヌ」と言っている。母親は何を言っていると想像するのか。何かの名称を言っているとわかったとしても，それは何なのか。「イヌ」というのは太ももからくるぶしまでを指しているのか，それとも足全体なのか，それとも毛皮なのか。それともその小さい鳴き声なのか。それとも色なのか。それともその対象全体なのか。もっともな推論だと思うかもしれないが，母親が「子イヌ，……子イヌ」とか「ローバー」と言っていたらどうだろう。そして，散歩に行っていたり，お風呂に入っていても，イヌだとどうしてわかるのだろうか。

この難題を**マッピング問題**（mapping problem）と呼ぶ。どのようにして，子どもは言語と世界を結びつけているのだろうか。問題ではあるけれども，子どもはいとも簡単に解決している。若干3歳にして，子どもは数回聞いただけで，新しい単語の使い方がわかるようになる（「クロムのお盆をもってきて，青いのではなくて，クロムの」）。1，2回聞いただけで，単語の意味の一部またはすべてを素早く学習することを**迅速マッピング**（fast mapping）と呼ぶ（Carey & Bartlett, 1978の造語）。

子どもがどのように，マッピング問題を手助けなしに解決できるのかを理解するのは難しい。子どもにとって，1つの手助けは，大人は大人同士で話をするようには，子どもと会話をしないということだ。大人は大げさに，ゆっくりと，繰り返し話す。子どもと一緒に注意を向けているものについて話をする。先ほどの「火事だ！」のような状況で，「雲」ではない。

2つ目の手助けは，どのような推測が可能なのか，ある程度制約されていることだ。心理言語学者は子どもが使うかもしれないいくつかの制約を確認している（Golinkoff et al., 1994; Markman, 1990; Waxman, 1999）。おそらく明らかに，その反対を示す証拠がない限り，新しい単語は，部分ではなく全体を指しているということが前提になっている。このことを支持する証拠として，大人が物を指差して名前を教える時，普通はそのもの全体の名称を指していることがあげられる。お母さんはイヌを指差して，「足」とは言わない。もしこの原則から逸脱する場合には，大人はしばしばその物全体の名称も言って，はっきりとさせるようにするだろう。特に足を指差して，「これはイヌの足」と言うかもしれない。子どもは子どもで，時々この原則を少し熱心に使いすぎてしまい，新しい単語が物全体を指していると勘違いして，間違いを犯す（たとえば，「きれい」という特性が，花を指していると勘違いするように）。もう1つの制約は，子どもは少なくとも最初のうちは，事物には1つしか名前がないと思っていることだ。また別の制約として，子どもの目の前に名前がわからないものが1つだけあるような場合には，新しい単語はその名前がわからない事物を指すであろうと，子どもは考えることがあげられる。また，子どもは名称というのは，類似したもののカテゴリーを指すのだと考える傾向がある。たとえば，「イヌ」はイヌのように見えるもののカテゴリーを指すのであって，紐や餌やボールなど，ある特定のイヌに伴うすべてのものを指すのではない。

3つ目は，子どもが話し始めると，言語そのものが手がかりになることだ。「ローバーに会う」では，ローバーは固有名詞で，「イヌに会う」ではイヌは普通名詞だ。もう少し理解できる子どもには，他の単語との関係で説明できる(「ローバーは飼っているイヌだよね」「イヌは吠える動物の一種だよね」)。これは，ブートストラップの別の例で，語彙習得が加速化する明らかな理由の1つである。人間が使うカテゴリーの種類は，子どもが最も習得しやすいものである。「火曜日の砂だらけのイヌ」を意味する stog というような単語はない。この考えられる制約のリストは，決して完全なものではない。

制約という考え方はすべてとてもよいと思うかもしれないが，マッピング問題を先送りしているだけだ。なぜなら，これらの制約がどこからくるのかを説明しなければならないからだ。そうなると，ここではよくわかっていないと言わなければならない。環境は特定の方法で，構成されている。事物は物理的に統一性があり，他のものとはっきりと区別でき，独自に空間を占めている。そして，事物の一部は連動して動き，他の物とは区別できる。だとすると，子どもが事物に何らかの優先権を与えることは驚くにはあたらない。子どもの心が完全に白紙状態であるはずはない。子どもは（もちろん「私たちは」という意味である)，学習手段としてだけでも，基本的な認知装置は生まれながらにもっていなければならない。生まれながらに，というのは最終手段のようなものである。いわゆる事物全体という仮定は，生得的なものであろう。けれども，それはたぶん何らかの方法で認知の別の側面から生まれてくるのかもしれない。ただよくわからないのである。

子どもが物の名前を言う時，間違えるという話をしたが，これらの間違いをもう少し調べてみる価値がある。小さい子どもは，事物の名前を初めて使う時，大きく分けて2種類の間違いをする。使い方が限定的すぎる場合と，広すぎる場合だ。大人の使い方とまったく異なることも時々あるが，これらは珍しく，子どもの発話からあっという間になくなる。最も多いのが，ある単語を広く使いすぎる，**過剰拡張**（overextension）である。その結果，その単語が適用できる範囲以上のものを指すようになってしまう（Clark, 1973)。たとえば，Eve Clark の子どもは，「月」という単語を，月だけではなく，ケーキ，丸いはがき，「O」の文字，そして，窓についている丸いしるしにまで使った。「ウマ」という単語は，ウシ，子ウシ，ブタに，最初のうちは4本足の動物すべてに使われていた。ここでは，子どもはある特性（丸み，4本足）に注目し，そのカテゴリーを定義づけるのにその特徴を使ったのだ。その単語はもう少し具体的なカテゴリーだということは，子どもはまだ理解できていないのだ。過剰拡張は非常によくあることで，子どもはおそらく初期の単語の3分の1は過剰拡張しており，これは文化に関係なく起こる。また，これは産出だけではなく，理解においても起こる。過剰拡張は，事物の機能ではなく，外観に基づいている場合がほとんどである。

Clark と Clark（1977）は，過剰拡張は2段階で発達すると言う。第1段階では，事物の1つの特性，たいていは知覚的な特性に子どもは固執し，その特性を使ってカテゴリーに属するものを限定していく。実際には事物は複数の特性で定義づけられることを，子どもはわかっていない。そのために，その特性をもったものすべてに，その単語を使いすぎてしまう。しばらくすると，何か正しくない，そしてその単語は，実際には自分が使っていたよりも，もっと限定的な意味があるということを理解する。けれども，子どもは，他の事物の名前はまだ知らない。この段階では，「名前はまだ知らないけれど，月のような形をしたもの」を簡潔にした表現として，その単語を使っている。

このトピックに関しては，まだ少し物議を醸している。特に，単なる間違いというよりも，語彙の発達が不完全なために，つまり語彙が多くない子どもが精一杯コミュニケーションをしようとしたために起きる過剰拡張の割合に関しては議論になっている。それでも，これらの初期の間違いによって，子どもの意味表象，意味が，どのように発達し，だんだんと大人の意味に近づくのかがわかる。言語習得とは，単語が正しい意味に結びつけられながら，大人の意味表象と子どものそれが近づいていく過程である。また，あとで触れるが，子どもと一般的な大人が正しい場合だけではなく，何を間違えるのかを調べることは，心理言語学では重要なことである。たった2〜3ヶ月でほぼゼロの状態から流暢でかなりの言語レベルに達する偉業を成し遂げるという重要な事実を，言語を学習する間に子どもが犯す「間違い」が覆い隠すようなことはない。

大人は子どもにどのように話すのか

言葉を理解しようとしている子どもが直面している課題の難しさに，焦点をあてることは簡単だ。Chomsky（1965）は，子どもが耳にしているインプットは変質している（degenerate）と解説した。間違え，ためらい，文法的誤り，出だしの失敗，ろれつが回らないこと，伝えようとしているメッセージとは何の関係もない「えーと」や「あのう」がたくさんある。子どもが耳にする言語は限られている上に，インプットが変質していたら，子どもは言語を獲得できなくなってしまうと，Chomsky は主張する。とりわけ，特定の非文法的な文例に触れるわけではない（たとえば，「ズィギー，よく聞いて『その男性が愛したネズミがネコを』は文法的に正しい完全な文ではないよ。わかったかな」というように）。

日常会話は普通（色々な意味で）変質しているかもしれないが，子どもは大人からたくさんの助けをもらっている。大人は特別な方法で，正確には対幼児発話（child-directed speech），略して CDS と呼ばれる方法で，子どもに話しかける（Snow, 1994）。CDS は日常会話では赤ちゃん言葉や母親語（motherese）と呼ばれる。けれどもその呼び方は誤解を招く恐れがある。なぜならば，母親が最もよく使うが，小さい子どもに対してはほとんどの大人がこのように話し，年上の子どもでさえも CDS で年下の子どもに話しかけるからだ。CDS は明瞭で簡潔である。語彙は限られており，文は短く，文法も単純である。ゆっくりと話され，単語と単語の間に間があり，繰り返しが多い。声の上げ下げといった強勢やイントネーションは，しばしば強調される。大人は子どもの目の前にあるものについて話す傾向があり，大人と子どもが同じものについて話していることを確かめるため，しばしば共同注意を向ける。CDS には比較的多くの名詞が使われ，屈折語尾は少ない。音韻的に難しい単語（音の構成が複雑な単語）は簡略化されるかもしれないが，それだけが語彙の変化の理由ではない。「イヌ」というより「ワンワン」,「ウシ」というより「モーモー」の方が明らかにやさしいとは思えないからだ。しばしば高いピッチで話される。話しかける相手が小さければ小さいほど，CDS の形が強調される。

選択肢があるなら，乳児は普通の発話より CDS を好む（Fernald, 1991）。その理由は明らかだ。ゆっくりで，簡略化されており，はっきりと分割された発話は，大人の普通の話し方よりも理解しやすいからだ。

しかし，CDS は生活を楽にはするが，必要不可欠とは言えない。なぜなら CDS が使われる量にかなり差があるからだ。CDS が少なくても，子どもはあまり苦労せずに言語を習得する。一方で，CDS への動因は話し言葉以外にも CDS を生じさせる。手話を使う母親は，幼児に手話を使う時，ゆっくりとしたペースで，はっきりとした，大げさな身振りの単純な様式を使う。他方で，CDS はさまざまな文化で使われているにもかかわらず，どこでも見られるわけではない。CDS が使われていても，その量やスタイルにはかなりの違いがある（Lieven, 1994）。重要なのは，子どもに対するそれぞれの文化の考え方である。子どもは無力で，何もわからないのだと信じる傾向にある文化においてよりも，とても小さい子どもでもかなりのことを理解できると信じている文化においてほど，大人は子どもに積極的に話しかけない。もちろん CDS が存在しないように思われる文化でも，CDS に代わる方法で子どもが理解しやすいようにすることは，当然可能である。1 つの可能性としては，毎日の共同生活に母親が子どもを参加させる方法だ。

ここには矛盾があるように思われるかもしれないが，この矛盾は実際よりも大きく見える。CDS においては，子どもが興味をもち続け，大人と子どもが同じものに注意を向けていることの方が，簡略化されていること以上に重要である。先に述べた CDS の特徴のほとんどに，この効果がある。英語圏の文化ほど CDS を使わない文化圏では，別の方法で大人と子どもが同じものに注意を向ける。話し手と子どもが同じものに注意を払う，共同注意は言語発達において非常に重要である（Tomasello, 1992）。

母親が言うことの内容が重要ではないと言っているのではない。社会経済的に恵まれない家庭の子どもは，恵まれている子どもに比べ，語彙や言語力の発達が遅れていることは一般的に受け入れられている（Rowe, 2008）。母親が子どもとどのように接するかが，1 つの重要な要因であるように思われる。社会経済的に恵まれた環境の母親は（もしかするとただ単に時間があるだけかもしれないが），子どもによりたくさん話しかけ，さまざまな表現を使い，より長い文を使う傾向にある（Hoff, 2003）。一番速く学習するのは，発話することを励まされ，褒められ，また話をする時に母親と注意を共有でき，一番多くの質問を投げかけられ，自分が言ったことに対してそれ以上のコメントを両親からもらえる者である（Cross, 1978）。簡単に言うと，時間の質によって差ができるのだ。文化的な違いに関しては，子どもの発達について大人が信じていることが重要なように思われる。小さい子どもが何を知っていて，どのくらいのことを本当に理解できるのかについての現在の理論を知っている大人ほど，子どもに話しかけ，より豊かな方法で子どもとやり取りする傾向にある（Rowe, 2008）。

子どもはどのように文を組み立てるのか

一般的には，語彙が急激に増え始めた直後の生後 18 ヶ月頃に，子どもは単語をつなぎ始める。それまでは，かなり複雑なことを表現する時も 1 語で表現する。たとえば，「マ」はお母さんを呼んでいるのではなく，「ハグして」と言っているかもしれない。この段階は **1 語文**（holophrastic speech）と呼ばれる。なぜなら，1 つの単語が 1 文を表すからだ。そして，多くの子どもは，意味的に関連のある 2 つの単語を並べる移行期を経る。たとえば，目の痛い子どもがある朝起きてきて，「目，痛い！」と言った（Hoff-Ginsberg, 1997）。続いて，この子どもは 2 語文の発話を始める。以下は 2 語文の例である（Braine, 1976 より）。

パパ　コーヒー
ママ　本
大きい　ふうせん
小さい　バナナ
もっと　コップ
レーズン　2つ
ママ　座る
パパ　寝る

これらがランダムな単語の組み合わせでないことは明らかである。最初の 2 つは，「所有者，そしてその後に所有されているものが続いている」，その次の 2 つは「何かの特性」で，その次の 2 つは「数詞と物」で，最後の 2 つは「人と行為」である。この年齢の子どもの発話のほとんどは，これらのパターンとその他のパターンに従っている。実際，これらの 2 語文で表現されている内容は，かなり限られている。文化を問わず，上に書いたような 8 つの組み合わせで，ほとんどの 2 語文の説明ができる（Brown, 1973）。時々，同じ 2 語文が異なる意味を表現することもありうる。たとえば，キャサリンという名前の女の子が「ママくつした」と言って，母親が靴下を履く行為を指すこともあれば，母親の靴下を指すこともある（Bloom, 1970）。しかし，どちらも主要な組み合わせのパターンに従っている。

また，「バナナ小さい」や「コーヒーパパ」のようなことを言って，これらのパターンを乱すことがないのもすばらしい。この段階でも，子どもは規則を使っているらしいということがわかる。早い段階から，構文または単語の並び順に関する文法を使っているのだ。これらの規則は大人の規則とは厳密には同じではなく，はるかに単純ではあるが，それでも文法は文法である。統語的発達は，子どもの文法が大人の文法に近づいていく過程として考えることができる。

2 語期に何ヶ月間か留まる子どももいれば，2 語期を素早く通過する者もいるが，子どもの発話の平均的な長さは，時間とともに長くなる。変化するのは上限である。Hoff-Ginsberg（1997）が，ある 2 歳の子どもの朝食での発話に注目したところ，4 語以上だったのはたったの 1 回で，3 語発話が数回，ほとんどは 1 語または 2 語であった。初期の 3 語発話のほとんどは，子どもが言える 2 語文を組み合わせたり，簡略化していると見なすことができる。つまり，“I watch it” は “I watch”（人と行為）と “watch it”（行為と物）の組み合わせである。これらの初期の文は，子どもの目の前にあるものについてで，ほとんどの場合肯定文である。文は名詞，形容詞，動詞で主に構成されており，大人の発話に非常に多く含まれる文法的な働きをする単語は省略されているので，このタイプの発話は，**電報的**（telegraphic）と言われる。これは，電報を打つ時には，1 語ごとに料金がかかってくるので，重要でない単語は省略するという昔の習慣にちなんでいる。文法的な単語に加え，名詞や動詞を文法的に修飾する語尾もほとんど見られない。電報的な簡略化は多くの言語・文化に共通であるが，言語や文化による違いはある。たとえば，トルコ語では語尾は際立って重要で，トルコ語を母語とする子どもは非常に早い段階から語尾を産出する（Aksu-Koc & Slobin, 1985）。

統語構造を学習するのは難しく，記憶スパン（容量）や技能がまだ完全には発達していない時に，簡略化が起こる。おそらく簡略化は，記憶スパンが一杯になってしまった時に，意味を伝えるのにあまり重要でない語を子どもが省略するために起こるのだ。トルコ語では，意味を伝えるのに文法的要素は重要であるので，ずっと早い段階で獲得する。また，この段階では，これらの文法的要素がどのような役割を果たし，どのように機能するのかということを，子どもはおそらく理解していないだろう。後に，もっと複雑な文法構造を学習することで，より長く複雑な考えを表現できるようになり，文法要素の使い方を学習することになる。

初期段階では，規則または少なくともパターンを子どもは学んでいる。ここでは，規則とパターンの違いについてはあまり考えないことにしよう。正しい文は “the cat chases the rat” のように，名詞句は名詞を含み，「名詞句 動詞 名詞句」になるが，「動詞 名詞句 名詞句」にはならないということを子どもは学習する（大人も子どもも “chases the cat the rat” とは言わない）。しかし，この手のパターンを使えるようになるためには，子どもは名詞が何で，動詞が何なのかを知らなければならない。もちろん，これを明示的に知っている必要はないが，暗示的には必要である。子どもは，どの枠にどの単語が入り，どの単語が入らないのかを知っている必要がある。

この課題はかなり難しいもので，子どもがこの情報をどのように獲得するのかについて，多くの説明がなされてきた。1つの可能性は，統語的範疇（名詞，動詞，形容詞など）の知識は生得的とする説明である（Pinker, 1984）。この説明によれば，子どもは生まれながらに，統語的範疇と意味的範疇を関連づけることができる一連の**連結規則**（linking rule）を知っている。たとえば，物体と人，動作主または被動作主は名詞とつなげられ，動作は動詞と連結される。つまり，単語が物を指しているのか，動作を指しているのかがわかれば，その単語の統語役割を理解するのに生得的な知識を使える。このアプローチでは，意味をまず理解し，意味から統語的知識を割り出すので，**意味的ブートストラップ**（semantic bootstrapping）と呼ばれる。この場合も先と同様のブートストラップで，最初から備わっているごくわずかの知識を使って，高次の知識に引き上げていくことになる。

このアプローチには，難しいところがあるので，それは生得的に違いないと言うことは，どこか敗北主義的なところがあるという私の先の主張や一般的な考え方以外にも，いくつかの問題があることを指摘する研究者もいる。第一の問題は，意味的ブートストラップが成功するかどうかは，何が何を何にしているかを特定するのが簡単な文を，子どもがたくさん聞いているかどうかにかかっている点だ。しかし，CDS は今この場でのことに使われる傾向があることはすでに見たが，すべての発話に当てはまるわけではない。実際には，何が事物で，何が動作かを理解するのはかなり難しい。とりわけ，発話が今この場でのことでなければ難しく，たとえそうだとしても難しい。文脈が目の前にあったとして，see，want，know のような動詞の意味を子どもはどのように理解するのか（Gleitman, 1990）。どのような意味で，kiss や kick は動作と認識されるのか。第二に，モデルによる詳細な予測が必ずしもデータと一致しない点だ。連結規則を通じて，意味的ブートストラップで子どもが学んでいるなら，関連した動作に結びつけやすい動詞（たとえば，fall や chase のように，落ちていく様や追いかける様は，すぐにわかる）は，結びつけにくい動詞（たとえば，have や lose）よりも早く獲得するはずである。しかし，いつもこの順番で獲得されているわけではない。意味役割を結びつけやすいはずの動詞の学習に，子どもはもっと困難をきたすこともあった（Bowerman, 1990）。

生得的な知識に代わる主要な考え方は，子どもは言語的インプットの中にある統計的規則性を見つけることを学び，品詞の概念はこれらの規則から生じるというものだ（Levy & Schlesinger, 1988; Valian, 1986 など）。この分布的（distributional）説明によれば，文のどの部分に何が来るのかというパターンを発見し，規則をこれらのパターンから作ることになる。非常に単純な例として，平叙文と呼ばれる最も単純な英語の文では，生き物を指す単語が最初に来て，次に動作，その後に別の生き物または事物が来る。つまり，「文の中で最初にくる種類のもの」の範疇が名詞である。または，「可算（count）」名詞や「質量（mass）」名詞と呼ばれるものについて考えてみよう。可算名詞は1つ1つの事物（cup, horse など）を指し，質量名詞は（furniture, sand など）は物質やたくさんの物事の集合を表している。特に子どもにとっては，この違いを理解するのはかなり困難である。その違いについて，わかりやすい意味的な説明をするのは難しい。しかし，可算名詞と質量名詞には顕著で確かな統語的違いがある。“a cup” や “a horse” とは言えるが，“a furniture” や “a water”

とは言えない。他方で“some sand”や“some water”とは言うが，“some horse”とは言えない。可算名詞の複数形 horses は簡単に作れるが，質量名詞はもっと複雑である（sands は単語であるが，sand を単純に複数形にしたものではないし，furnitures は到底受け入れられない）。子どもはこの区別を意味の複雑さから獲得するのではなく，統語的な手がかりを使って習得する（Gathercole, 1985; Gordon, 1985）。計算モデルは，この分布的な説明がうまくいくことを示唆している。たくさんの文に繰り返し触れていれば，統計的基礎だけで統語的範疇を学習することは可能である（Mintz, 2003）。ただ，この手の研究の多くは，単純化するため，自然言語の文法ではなく架空の「人工文法」を使って行われている。しかし，子どもが違った方法で自然言語を習得すると想定する理由はない。

分布的説明の長所は，生得的な知識を前提としたモデルよりも簡潔であることだ。子どもは言語を聞き，パターンを見つけることさえできればいいのだ。もちろん，節約の原理というだけでは十分ではないが，分布的説明はさまざまな言語の幅広いデータをうまく扱うことができる。

言語習得はいつ止まるのか

私は 5 歳の誕生日をはっきりと覚えている。「今日 5 歳」と言うのに合わせて歌うというレコードをもっていた。その時の光景を写真のように覚えている。私の心の中では，5 歳だった時の私は，本質的には今の私と同じ技能と能力をもっていたと思う。もちろんそんなことはありえない。5 歳児の言語技能は，大人の言語技能とはまったく異なる。5 歳の時の私の語彙は，今よりもずっと小さかっただろうし，統語構造の種類もかなり限られていただろう。言うまでもなく，私はほとんど読むことも，おそらく書くこともできなかった。このように明らかな違いがあるにもかかわらず，平均的 5 歳児は，言語学的にははるかに進歩している。

子どもが完全に有能な言語使用者になるためには，電報体段階の後，多くの技能を身につけなければいけないが，私はその段階までの戦いにはおおよそ勝利していると，どうしても考えてしまう。2～3 歳の子どもの語彙は，まだ相当に少ないし，統語構造はかなり限られており，文法的な単語は実質的にはないに等しく，名詞の数や動詞の時制のような語尾もない。言語習得を完璧に説明するためには，これらの現象の発達を説明できなければならない。ある時点で，子どもは言語そのものについて話せるようになる。自分の言語について語れるこの能力のことをメタ言語と呼ぶ。**メタ言語的技能**（metalinguistic skill）があれば，自分の言語について語れる。メタ言語知識とは，自分の言語に関する知識である。単語や文自体についてやり取りできることは，もちろん大きな利点だ。この時点から，子どもは言語について話せるようになり，子どもにできることとできないことが説明できるようになる。

言語の大部分は，18 ヶ月以降の幼少期に発達することは明らかであるが，言語技能というのは，生涯を通して発達し続ける。時々，新しい単語を学んだり，書く技能に磨きをかけたり，知っていると思っていた単語の正しい発音を学んだりする。「田園」（bocage）という単語の意味を（航空写真で見ると，森林と牧草地が混在したとても美しい地域のこと），私が学んだのはつい最近のことである。12 歳の子どもでさえも，個々の単語の意味から生じる物語の矛盾を見つけるのが難しく，そのために読んだことをきちんと理解していなかったことに気づけないのだ（Markman, 1979）。以前に以下の例を使ったが，気に入っているので……

> 海底には光が絶対に届かない。海底に生息する魚は，色で自分の餌を識別している。赤い菌類だけを食べる。

……なぜ意味を成さないのか理解するのに少し時間がかかっただけだったらいいのだが。2〜3 日前に書いたことに関して，同じ問題を未だに見つけようとしているのは，私だけではないはずだ。

人間はなぜ言語を話さざるをえないのか

フランスのピレネー山脈にある村アッスは，とてもきれいな小さい村だ。Google で検索してみると，おそらく谷の傍らに建ち並ぶ魅力的な家々，遠くには雲の中に隠れていく山々と教会の写真を見つけるだろう。この村の住民に関するある事実を除けば，きれいだが平凡な村にすぎない。アッスの羊飼いは，広い地域を世話しなければならないため，村から離れて散在している山小

ピレネー山脈は，口笛を吹く人，ヨーデルを歌う人，やまびこを響かせる人のふるさとである

屋を拠点に，羊の群れの面倒を見ながら長い夏を過ごす。羊飼いは，仲間と連絡をとるために指笛言語を作った。2 マイル離れていても聞こえ，理解できる 100 デシベルのこの言語で，さまざまなピッチの口笛で意味を伝達する。この「言語」は 20 世紀初頭まで使われており，遠距離で意思伝達をはかるもっと簡単な手段が広く使われるようになったために消滅した。口笛言語は，特に母音のピッチが重要な声調言語に関連して，世界各地でまだ見られる。無限の意味を伝えられるという点で完璧かどうかは，議論の分かれるところだが，口笛吹きの羊飼い，もしくは**口笛吹き**（siffleur）が連絡を取り合うのを，何千年もの間，可能にしてきた。

人はどの程度，意思疎通をはかろうとするのかが，口笛言語からわかる。特に子どもは，言語を学習する意欲があるように思われる。今では有名な例の 1 つに，ニカラグア手話，ISN（Nicaraguan Sign Language）として知られている手話の習得があげられる。1970 年代以前は，正式な手話教育はなく，ニカラグアの聴覚障害の人々は地域で隔離されていた。1977 年に聾学校が西ニカラグアに開校された。しかし，聾学校の教育は，スペイン語の読唇術とほんのわずかな基本的な手話を使うだけだった。当然のことだが，このプログラムでは効果的にスペイン語を教えることはできなかった。しかし，子ども同士が初めてお互いそばに連れてこられた時，興味深いことが起こった。子どもたちは意思疎通をはかるために，自分たちの手話を共同で作り始めたのだ。最初のうちは，ジェスチャーと家庭で使っていた手話を混ぜて，コミュニケーションをとっていたが，次第に豊かな語彙と洗練された文法規則が生まれて，完全な手話になった（Kegl et al., 1999; Senghas et al., 2004）。ISN の重要性を繰り返そう，言語のない子どもが，言語を発明する手段を見つけたのだ。はっきりとした結論は，簡単に言語を利用できる状況になくても，言語を発明する限りにおいては，人間は生物学的に言語を生成するようになっているということである。ISN も異例ではないことがわかる。他の文化でも，手話が発生していて（アル＝サイード・ベドウィン手話；Sandler et al., 2005 を参照），これらの研究から，言語がどのように形成され，獲得されているのかがよくわかる。

これらの例はすべて，意思疎通をするためだけではなく，文法のある十分に表現力豊かな言語を使うよう**駆り立てられている**（driven）ことを示唆している。統語を発達させる生物学的動因は言語生得的プログラム（language bioprogramme）仮説と呼ばれるものだ（Bickerton, 1984, 2014）。

ピジン語とクレオール語の違いは何か

ISN の発生過程は，ピジン語とクレオール語の幅広い区別を示している。ピジン語（pidgins）は，既存の共通語がない 2 つ以上のグループの人々が意思疎通のために用いた簡略化された言語である。一般的に，2 つのグループが長い時間接触し，意思疎通する必要がある時に生じる。奴隷や貿易によって生じることが多い。有名なピジン語は，カリブ海沿岸諸国，中国，南太平洋諸国，ハワイで発達した。ピジン語を母語とする人はおらず，どの人にとっても，ピジン語は第二（または第三）言語である。ピジン語は，単語と文法を組み合わせるが，たいていは二言語のうちの 1 つ（より権威のある言語）に基づいている。音，単語，文法規則は簡略化され，限定されている。そのため，ハワイのピジン語で “Da book stay on top da table”（The book is on top of the table）や中国のピジン英語で “Hab gat lening kum daun”（There’s rain coming down）のような発話を耳にする。畳語（reduplication）は複数を意味するのに使える。books の代わりに “book book” と言える。*pidgin* という単語は，中国のピジン英語で英語の business を中国人が発音したことに由来すると信じられている。ウィッキペディアには世界中のピジン語のリストがあり，ピジン語がどれだけ数多く存在しているかがわかる。

ピジン語の中にはピジン語のまま留まるものや，消滅するものもあるが，中にはクレオール語（creoles）になるものもある。ピジン語には母語話者がいないが，クレオール語には存在する。ピジン語に頻繁に触れる環境に生まれた子どもは，ピジン語を適切な言語，クレオール語形と呼ばれるものに変化させる。ぎこちなく，貧弱な言語を聞いて育った子どもが，本物の言語に変えるようなものである。クレオール言語は世界中で見つけられているが，ピジン語が発達した地域では当然のように見受けられる。ピジン語が簡素化されているのに対し，クレオール語は簡素化されていない。ピジン語の音声，語彙，文法は限られているが，クレオール語はこの場合もやはり限られていない。内在する言語の主要な影響を，しばしば見つけることが可能である。1つの例はジャマイカン・パトワだ。“mi a di tiicha”（I am the teacher）のような文では，基となっている英語の影響が明らかである。

現代語はクレオール化（creolisation）の過程を通じて，生じたと考えられる。一番研究されている事例は，現代ドイツ語である。ドイツ語の単語のおよそ3分の1は，他のインド・ヨーロッパ語族の単語と関連性がないように思われることから，ドイツ人言語学者の Sigmund Feist は 1932 年に，ドイツ語はインド・ヨーロッパ語族の言語とゲルマン祖語基質（proto-Germanic substrate）と呼ばれる初期言語が組み合わさって生じたと主張した。

クレオール語がどのように発達し，どのように共通語になるのかに関しては，意見の一致をみていない。ここで重要なのは，ただ単にクレオール語が存在するという事実である。適当な言語が以前なかった所で，人々が言語を発明することだ。クレオール語の発達は，人間は言語を発達させるよう生物学的にプログラムされているという考えをさらに支持している。

言語をどのように学習するのか

次に，子どもがなぜ（why）言語を学習するのかは明らかである。それは意思疎通のためである。自分以外の全員がしていることがある。自分がそれを始めると，世の中はより単純な場所になる。欲しい時にあのアイスクリームを，あの味のものを，ゼリーではなくアイスクリームを得ようとする。子どもが学習する時（when）に，何が起こるのかを見てきた。次の当然の疑問は，どのように（how）学習するのかである。

最も単純な説明は，赤ん坊は周囲で聞いたことを真似しているというものである。真似することは，明らかに言語発達の一翼を担っている。その重要性を過小評価すべきではない。子どもとほんの少しいるだけでも，どれほど頻繁に，そして上手に真似をするかがわかるだろう。現在では，さまざまな分野で模倣がどれだけ重要か，そして模倣が困難だとどのように発達障害につながりうるかを示す研究文献が大量にある。最近では，ミラーニューロン（mirror neuron）に大きな関心が寄せられている。ミラーニューロンは脳の前頭葉にあり，自分が動作をしたり，他人が同じ動作をする時にはいつも活性化する。模倣をする上で，ミラーニューロンはとても重要だと考えられており，ジェスチャーや言語をはじめとする人間の高次認知能力の進化に，必要不可欠な役割を果たしていると主張されてきた。ミラーニューロン・システムが，幼少期から大人のジェスチャーの模倣に影響を与えているかもしれない。新生児は自分たちの世話をしてくれる人の真似をするだけではなく，以前に真似したジェスチャーを模倣し，その世話人たちとジェスチャーで「会話」をする。つまり，子どもは意思疎通を学習するのに重要な，既存の模倣装置を備えて生まれてくる（Nagy, 2006）。

しかし，言語習得の多くは模倣では説明不十分である。大人はしないような間違いや物事を，子どもはする。しばしば，子どもは頑張っても大人の発話を正確に真似することができない。とは言え，最も重要なのは，潜在的には無限の数の文を作り出すことを文法が可能にしている点だが。今までに一度も聞いたことのない文や構造を，子どもはどのようにして作り出すのだろうか。

Chomsky による行動主義の言語学習の説明の総括と反論が，心理言語学の歴史上の決定的瞬間の１つであることは，第１章で見た。初期の行動主義者によれば，条件づけという過程を通じて，子どもはその他のことを学習するのと同じように言語を学習する。そのため，正しい発話は強化され，間違っている発話は強化されない。そうすることで，正しくない使い方は子どもの発話から消滅し，正しいものに置き換わっていく。赤ん坊はしゃべり続け，「ママ」に似た音の組み合わせをでたらめに発するかもしれない。母親がやってきて，子どもにキスをして注意を向け，「そうよ，ママよ」と言う。すると，子どもは次に「ママ」と言う確率が高くなる。子どもが発する音が，次第に正しい単語の音に近づいてくる。赤ん坊が「ダダ」と言うなら，母親はブスっとして「違うわ，ママよ」と言う。すると，子どもは次から「ダダ」とはあまり言わなくなる。このようにして，子どもは事物とどの音が組になっているのかを学んでいく。残りの言語も似たように学んでいくと考えられていた。

もちろん，「似たように」という表現は，巨大で複雑な課題を包み隠している。なぜこれでは説明できないのかについて，Chomsky は数学的な根拠を示した。ここで詳細を述べるつもりはないが，基本的に Chomsky は，いくつかの例文を聞いただけで，無限の数の文を産出し，非文を決して産出しない文法を習得するのは不可能であることを示した。

だが，子どもの言語を観察することで，模倣と強化がすべてではないことを十分に示すことができる。一般的に大人は，子どもの言っていることが事実で，まあまあ理解できれば，詳細は気にかけない。子どもの言うことを訂正して回ったりはしない。たとえ大人が訂正しようとしても，訂正はほとんど効果がない（Brown & Hanlon, 1970; De Villiers & De Villiers, 1979）。大人が子どもの言ったことを訂正しようとすると，どのようになるのかを示している有名な，実際には悪名高い例を以下にあげる。

大人："Tur" と言ってごらん。
子ども："Tur"
大人："Tle" と言ってごらん。
子ども："Tle"
大人："Turtle"（カメ）と言ってごらん。
子ども："Kurka"

子ども：私の先生がウサギを抱いて，私たちはウサギをなでたの。
（My teacher holded the rabbits and we patted them.）
大人：先生は子ウサギを抱いたの？
（Did you say teacher held the baby rabbits?）
子ども：うん（Yes.）
大人：先生は何をしたの？（What did you say she did?）
子ども：先生は子ウサギを抱いて，私たちがそれをなでたの。
（She holded the baby rabbits and we patted them.）

大人：先生はウサギをきつく抱いたの？
　　（Did you say she held them tightly?）
子ども：ちがう。ゆるく抱いたの。（No, she holded them loosely.）

他方で以下のような例もある。

子ども：ママは少年じゃない。彼は少女よ。（Mama isn't boy, he a girl.）
大人：そうね。（That's right.）

大人の発話の単純な観察に基づいた言語習得という説明のもう1つの問題点は，子どもは正しくできていたのに，できなくなることが時々あることだ。退行産出の最も有名な例は，過去形の習得パターンだ。英語では動詞の語尾にedを加えると（母音で終わっている場合にはdを加える），ほとんどの動詞を過去形にすることができるが，不規則動詞と呼ばれる例外がたくさんあることは，よく知られている。つまり，lovesからloved，kissからkissedをうまく作れる一方で，give，has，seek，blow，goなど，その他もっと多くの動詞は解決するのが難しい。子どもは不規則形（gave）を正しく使い始めるが，その後に誤りを犯すようになることが知られている。それでも規則動詞の過去形は正しく産出するが，不規則動詞に関しては過剰な規則化として知られている間違いをするようになる。不規則動詞の過去形をあたかも規則動詞のように産出し始めるのだ。たとえば，gived，haved，goedのような過去形を産出するかもしれない。そして，その後に規則形も例外も正しく産出できるようになる。子どもが犯す間違いの数を，横軸に時間をとってグラフにすると，少ない数で始まり，増加して，それから減少するということで，U字の逆さまの形になる（Kuczaj, 1977）。

正しい反応の条件づけに基づいた古典的学習理論では，この逆U字パターンを説明するのは難しい。子どもはいったん系統的に正しく理解すると，系統的に間違って理解し始めることはないはずだ。しかし，子どもが厳密に何を学んだのかに関しては，物議を醸している。子どもは何らかのパターンを学んだということには，ほとんどの人が同意していると思うが，一致するのはそこまでである。

子どもの過去形の習得については，熱く議論されている理論が2つある。古典的な説明では，まず最初に子どもは過去形を個別に学んでいるので，すべてを暗記していることになる。そして，動詞の語尾に -ed を加えると，過去形を作れるという規則を見つける。欠点は例外があると気づかずに，その規則を過度に一般化して適用することだ。後に規則には例外があることを見つけ，これらの例外を学習する。この説明では，子どもは基本的には**規則を学んで**（learning rules）おり，例外を処理するために別のメカニズムをもっている（Pinker & Prince, 1988）。この考え方によると，大人は規則形と不規則形を 2 つの異なるルートを使って処理している。記憶から素早く例外を検索できない時には規則を使う。規則動詞と不規則動詞が処理されているかで，脳の活性化パターンが異なるという脳機能イメージング研究は，この考え方と一致する（Pinker & Ullman, 2002）。

他の考え方として，2 つの異なる処理ルートは必要ないというものがある。有名な計算機による研究で，Rumelhart と McClelland（1986）は子どもが過去形を学習する過程をシミュレートした。動詞の語幹（たとえば give）が与えられると，正しい過去形の屈折形（gave）を産出できるよう，コンピュータにバックプロパゲーション（back-propagation）と呼ばれる技術を使って教えた。バックプロパゲーションとは，何千回も反復することで，コンピュータが実際に産出するものと産出すべきものとの相違を少しずつ減らしていく手法である。どのようにモデルが訓練されたかが重要であることを 2 人は発見した。発話においてたくさんの不規則形がとても頻繁に使われており，まず最初にこれらのよく使われる不規則形を選択してコンピュータを訓練すると，素早く学習する。子どもは少し大きくなると，頻度の低い動詞も学習するようになる。同様に，初期段階を過ぎると，コンピュータにも中程度の頻度の動詞がたくさん入力される。幅広い動詞をたくさん入力していくと，モデルは混乱をきたすように思われる。結果として，コンピュータ・プログラムは逆 U 字の学習曲線を示す。つまり，最初はいい具合に学習し，その後は落ち込むが，またすべての動詞を正しく活用させることを学習する。このモデルでは，子どもの間違いは，どのように言語と接触したかに影響される。規則動詞の処理は音の規則性を活用するように，規則動詞と不規則動詞の処理で異なる知識を使っていると考えることで，大人の脳機能イメージングのデータは説明できる。

心理言語学でこのトピックほど，物議を醸したものはない。両者の見解がしっかりと確立されている，心理言語学の東海岸と西海岸の対立のよい例だ(参考文献は読書案内を参照のこと)。研究者は未だにこのことで論争している(Seidenberg & Plaut, 2014)。

いやいや，子どもは単に観察しているのではない。インプットから規則性を見つけようとしているのだ。インプットの影響も心に留めて置く必要がある。実際，子どもは何に触れているのか。

生得的な知識は必要か

Chomskyは子どもが耳にするインプットの量では，言語を習得できないと主張する。ためらい，間違い，文法的誤りがたくさんあり，変質していると言うのだ。また，すべての人間言語に見られる特徴が含まれる複雑な言語体系(たとえば，“The cat the rat chased died”のような中央埋め込み文を産出するのに必要な繰り返し規則）を習得するには，文に触れるだけでは不十分であることを数学的に示せることも事実である。子どもは否定的証拠（negative evidence）も聞く必要がある。つまり，文法的でない例文に触れる必要があるが，実際には触れることがない。まとめると，これらの2つの考え方は，刺激の貧困（the poverty of the stimulus）と呼ばれるものになる。子どもが言語を耳にするだけで統語規則を学習するのに十分な情報がない。しかし，明らかに子どもは統語規則を学んでいる。子どもはどこかから付加的な助けを受ける必要があるとChomskyは主張する。それは一体どのような助けなのだろうか。子どもは**言語獲得装置**（language acquisition device：LAD）を備えて生まれてくるという考え方を，Chomsky（1965，1980）は提唱した。

Chomskyの術語は年とともに変化した。また，人間の言語は表面的には異なるが，深いところではどの言語も似ていると，Chomskyは主張した。Pinkerが言うように，「火星からやってきた科学者は，お互いに理解できない語彙は別として，地球人はたった1つの言語を話していると間違いなく判断するだろう」(Pinker, 1994, p. 232)。この引用に対して多くの人は，最初はばかげていると反応する。大きく異なる語彙は別にして，もちろん文法も非常に異なるのではと思う。文の中で動詞がどこに位置するかというような基本的なことでさえ，さまざまである。たとえば，英語では通常，動作主と被動作主の間に動詞がくるので，主語－動詞－目的語の SVO 言語と呼ばれる。しかし，日本語では，動詞は通常，主語と目的語のあとにくるので，SOV 言語になる。ゲール語は動詞が最初にくる（VSO 言語になる）。確かに言語は非常に異なっているではないのか。

生得論者ではない立場から 2 点を述べる。第一に，言語間の違いは表面的なものである。言語は特に根本的なところでは，多くの部分で似ている。たとえば，すべての言語に，事物は名詞，動作は動詞というように異なる文法的範疇が存在する。すべての言語に，「彼」「彼女」「それ」のように代名詞があり，似た種類の文法的規則がある。言語間の類似性についての有名な研究で，Joseph Greenberg（1963）は世界中の 30 の言語について調査し，すべての言語に共通の統語的特徴をいくつか発見した。言語に共通の特徴を，**言語的普遍性**（linguistic universal）と呼ぶ。そして，生得論者は，文法は異なるけれども，それは制限された方法においてだけなのだと主張する。したがって，言語によって語順は異なるけれども，まったく自由というわけではない。主語の前に目的語を配置する言語は非常に珍しい（言語学者がこのように特別な言語をどう分類すべきか意見の一致をみていないことを考慮しても，せいぜい全言語の 1% 未満である）。

第二に，多様性は存在するが，言語の 1 つの特性がわかると，他を推測できるという点において，その多様性は非常に系統だっており，相互に関連している。この相互関連性は非常に大きく，言語学者はこれらをもう 1 つの普遍性，いわゆる**含意的普遍性**（implicational universal）と考えている。これらは規則として特定することができる。含意的普遍性の最もよく知られた例の 1 つに，疑問文の作り方がある。英語では疑問詞を文の始めにもってきて，疑問文を作る（“What did you have for dinner?”，“Who did you kiss?”，“Where did the cat catch the rat?”）。疑問詞の位置はとても規則正しい。実際，規則として表すことができる。すべての SVO 言語は疑問詞を文の始めに置くのに対し，すべての SOV 言語は疑問詞を文の最後に置く。もう 1 つの例は前置詞に関するものである。前置詞とは物事の関係を示すもので，on，in，at，to などがある。英語では on the mat，in the box，at the fair などのように関連する句の前に前置詞がくるが，日本語やハンガリー語のように多くの言語では，関連する句のあとに置く**後置詞**がある。規則は次の通り。SVO 言語ではほとんどの場合，前置詞を使い，SOV 言語では後置詞を使う。

つまり，一般的に動詞はどこに置くなどのように，言語について1つのことがわかると，突然もっとたくさんのことがわかるのだ。Chomsky は，変化する言語の側面（前置詞か後置詞，疑問詞は文頭なのか文末なのか）を**パラメータ**（parameter）と呼んだ。パラメータはスイッチのように考えることができ，限られた位置にのみセットできる。どの位置にセットするのかが1つわかると，他のいくつがそこにセットされるのかを確信できる。

これらの普遍性は普通のことなので，偶然に起こるようなことはない。Chomsky は，それは言語獲得装置の結果なのだと述べた。我々には生まれた時から，スイッチが備わっている。実際に，私たちは**普遍文法**（universal grammar）と呼ばれるすべての言語に共通な基本をもって生まれている。子どもは，そして，人間の子どもだけが，ある特定の言語に触れることで決められるパラメータの枠組みをもっている（だから，動物は言語学習がうまくできないのである）。

この20年間ほどで，Chomsky の生得論的枠組みは，さまざまな方面から非難された。その非難はすべて，子どもは言語特有の知識をもって生まれる必要がないというものだ。普遍性とはどこからくるのか。人間は基本的な認知的過程を共有しており，同じ世界に生存している。生物的な制約を前提として，事物や動作のように基本的なことを区別することは，驚くにはあたらない。他方で，「生得的だ」と言うだけなのも，説明になっていない。重要なことは，これらの問題は議論の余地があるということだ。

Chomsky の主張の前提はすべて疑問を抱かれている。まず第一に，人間の言語は Chomsky が最初に提案したほど強力なものかどうか，議論の余地がある点である。この文のように，いつまでも1つの文を別の文に埋め込んで，無限に繰り返すことが原則的にはできるが，実際にはしないし，できない。最も単純な中央埋め込み文でさえ，かなり難しく，多くの人が文法に従っていないと判断する。いずれにせよ，子どもは否定的証拠を得ることになる。すなわち，子どもが非文法的な文を産出すると，誤りを正されることもある。たとえ子どもがその訂正を無視しているように見えたとしても（Pullum & Scholz, 2002）。また，親は正しい形よりも間違って産出された形を繰り返す傾向にあるという点において，子どもに暗示的に否定的証拠を与えている。親は会話を続けるのではなく，非文法的な発話のあとに質問を加える傾向がある（Sokolov & Snow, 1994）。

生得主義の批判に関連した第二の点は，言語習得のコネクショニスト・モデルの影響を受けている。学習の計算モデルは，厳密には何をどのように子どもが学習するのかを重要視しており，子どもが接する言語に特に注意を払っている。実際には，肯定的証拠にのみ触れるだけで，コンピュータは人間のような文法を学べるということを，計算モデルは示唆している（Elman, 2005）。ここで重要に思われるのは，このモデルが困難な状況にはさらされてはいない点だ。モデルは埋め込み文を分析する方法を学習することができるが，最初に非埋め込み文を分析する方法を訓練し，縮小された記憶スパンを少しずつ増加させた場合に限られた。より大きい問題を解く前により簡単な問題を解くという考えは，「小さく始めることの重要性」や「少ない方がよい」として知られている。言うまでもなく，子どもは似たようなことをしている。子どもは最も複雑な問題から始めることはせず，より簡単な問題から始める。すべてを一度に行うようなことはしない。そして，CDS に見られるように，大人は子どもに話す内容と結果的に子どもが最初に触れる内容を簡略化する。子どもは大人に比べ，記憶スパンが小さいが，複雑なパターンを学習する時には，これが有利になるかもしれない。基本的には，記憶スパンが小さいということは，本質的要素に焦点をあて，課題の非中心的要素にはあまり惑わされないことを意味する（Newport, 1990）。さらにこの考え方を支持するものとして，大人が新しい言語を学習する時，新しい言語を完全に分割した方が，複雑な形のまま触れるよりも，簡単だと感じる（Kersten & Earles, 2001）。

第三の問題は，心理学，神経学，遺伝学に及ぶ詳細な理論なくして，言語知識や言語処理を遺伝子がどのように符号化するのか厳密にはわかりにくいことだ。次のセクションで，「言語遺伝子」と主張されている FOXP2 遺伝子について話すが，遺伝子が言語処理を直接符合化していると考えるのは愚直だろう。遺伝子は，タンパク質の合成を指示する RNA という形のコピーを作成することで，遺伝子の中にある情報を伝達するということはわかっている。なぜこの情報は言語に制限されているのかを説明できるように，タンパク質合成から言語処理までのつながりを精密に描く必要がある。

第四の問題は，普遍文法の実証的根拠が非難を浴びていることだ。新しいデータ分析方法によって大量のデータが利用可能になり，今では多数の言語について調査できる。多くの言語を調べると，これまで受け入れられてきた言語の普遍性は，どうなるかわからない。Greenberg は 30 の言語を調べたが，何千もの言語の最近の分析によると，最初に考えられていたよりもはるかに多様性があることが示されている（Evans & Levinson, 2009）。同様に，世界中のより多くの言語を見てみると，言語のあらゆる点を設定するパラメータがあるという見解も精査すると問題が見つかる（Levinson & Gray, 2012）。

近年，Chomsky は言語獲得装置が提供しなければならないと思うものの量を大幅に減らした。その結果，現在は，言語の際立った特徴で，人間が他の動物と異なる技能，そして遺伝的に組み込まれていなければならない唯一の技能は再帰性であると，Chomsky は主張する。前章で見たように，これは規則の使用を可能にし，構造を他の構造に埋め込むことによって，言語を複雑化し，無制限にする操作で，動物の自然コミュニケーション・システムと人工コミュニケーション・システムにはないように見受けられる（Berwick & Chomsky, 2016; Fitch et al., 2005）。

これらすべての攻撃とその反撃から結論づけられるのは何だろうか。生得的な言語特有の知識がどれだけ必要なのかに関しては，研究者の間に一致した意見がないのは確かだ。いつもの通り，東西分裂が存在する。生得主義の立場は多くの点で説得力があるが，刺激の貧困についての核となる前提は疑われ，言語に触れるだけで言語のかなりの部分を学べることを計算モデルが示し，新しい実証的な証拠は生得主義を支持する元来の主張の一部と矛盾する。この問題を子どもの視線から捉え，子どもが実際に何をしているのかを調べることが重要だとわかる。子どもは小さい大人ではないということを，記憶に留めておかなければならない。実証的な立場をとり，それを発展させることは確実に価値のあることだ。言語についての生得的な知識に頼ることなく，どこまで進展することができるだろうか。

特異的言語障害はあるのか

現在のところ，私は真の西海岸老ヒッピーで，前のセクションの結論に大まかには賛成であるが，FOXP2 遺伝子には悩まされている。FOXP2 は，過去 10

万年の間に突然変異し，結果として脳のブローカ野が拡大し，複雑な文を産出できる能力を高めることになったことを思い出してほしい。FOXP2 は「言語遺伝子」の 1 つとして（1 つとしたのは，おそらく多くのことが関与しているからだ），とりわけ「文法遺伝子」の 1 つとして語られている（Lai et al, 2001; Pinker, 2001）。この遺伝子は何をするものなのか。

ロンドンに住む KE さん一家について，近年非常によく調査がなされている。3 世代にわたり，この大家族のメンバーの半分は，言語で苦労している（Vargha-Khadem et al, 1995）。彼らは構音器官，特に舌を操作するのに苦労しているため，はっきりと音声を産出するのが困難である。家族の中でのこの問題の分布を見ると，これは遺伝的で，優性遺伝子の影響を受けていることがわかり，この障害は FOXP2 遺伝子の一部が突然変異したものと考えられている（Lai et al., 2001; Nudel & Newbury, 2013）。

しかし，KE さん一家は発音に問題があるだけではない。発音の問題があるメンバーは**発達性言語統合運動障害**（developmental verbal dyspraxia）がある。統合運動障害とは，動作や課題を計画し，実行することが困難な障害である。脳損傷によって生じるのではなく，生まれた時からある障害ということで，発達性である。この障害がある人は，音声を特定したり，発話を理解したり，文法的な屈折を理解・産出したり，文法的な文かどうかを判断するのが困難である。つまり，構音障害に加え，より高次の言語問題があるように思われる。Lai ら（2001）は FOXP2 の突然変異が原因で，脳の言語回路が適切に発達しなかったと提案した。

もちろん，言語と音声の産出・知覚に遺伝的な基盤がある程度はなければならない。問題は言語的な面のみを操作する遺伝子がそもそも存在するかどうかだ。人間の FOXP2 遺伝子は言語を操作するのか。KE 一家の症状が言語に限られているのであれば，その問いに対する答えは「イエス」だろう。したがって，KE 一家の障害は**特異的言語障害**（specific language impairment：SLI）なのかどうかが議論の争点となった。障害のあるメンバーは他の問題もある。文法遺伝子の立場を批判する人々は，文法的または言語的問題は，低レベルの一般的知能，運動の計画と協応に伴う困難，音声を知覚する困難が原因であると主張した。これらの要因はすべて文法に問題があるように見える機能障害のパターンに影響しうる。FOXP2 の突然変異は知能指数の低さと関係がある。

しかし，言語機能障害のために知能指数が低くなることはありうるが，知能指数の低さが原因で言語機能障害になるわけではない。いずれにせよ，正常の範囲と重なる部分もあることから，IQ が低いからといって，自動的に言語機能障害になるわけではない。生得主義者は，文法のような高次レベルの問題は，音声の産出や計画における障害のような低次レベルの問題から起こるのではないと主張する一方で，生得主義を批判する人々は影響を与えうると考える。

KE 一家から話を進めると，SLI がある人は文法に困難があり，年齢相応の言語発達が難しい。しかし，それ以外においては，正常に発達している。もっと一般的に SLI が存在するはっきりとした証拠はあるのか。そして，文法に問題を抱えて生まれてくる人，文法だけに問題があって生まれてくる人はいるのか。そのような障害の人がいれば，生得主義の立場を支持することになる（Gopnik, 1997）。SLI は特異的な言語機能障害から生じるのではなく，もっと一般的な知覚的・認知的処理における微妙な困難から生じるのだと主張する人もいる。1 つの考え方として，文法的困難は知覚障害，特に作動記憶において音声に基づく表象を保持するのに困難を伴う障害が原因だとするものがある（Joanisse & Seidenberg, 2003）。たとえば，動詞に正しい語尾をつけられるようになるためには（語形変化できるようになるためには），音を適切に聞けなければならない。bake の過去形は baked で，/t/ の音で終わる。けれども，try の過去形は（/d/ の音で）tried となり，wait の過去形は（まったく新しい音を加えて）waited である。これらの語尾の違いを規則として説明できる。最後の子音に声帯の振動が含まれなければ（たとえば /k/ のような音は無声である），/t/ を加える。最後の子音または母音が有声であれば（try のように声帯が振動していれば），/d/ を加える。単語が “t” または “d” で終わっていれば，/d/ だけではなく母音も加える。これらの音を聞けなければ，この規則を学習するのが困難なのは明らかである。別の言い方をするならば，過去形の形成に関する文法規則は音韻的（または音声的）要素を含む（Joanisse & Seidenberg, 1998）。統語に関するその他の問題は，文を思い出すのが難しいことから生じると言える。短期記憶の重要な構成要素に，音声形式における情報の保持が含まれていることが知られている。この困難が早くから見られれば，言語発達に明らかな連鎖的結果をもたらすだろう。

批判への反論としては，SLI の子どものすべてに知覚的障害があるわけではないので，それが潜在的な原因にはなりえないと答える（Gopnik & Goad, 1997)。しこれは同様に議論されてきたが，いずれにせよ，すべての文法的機能障害が知覚障害とどのように関係しうるのかがはっきりとしていない。またしても，どちらの立場も深く凝り固まっている。前線は生得主義者側に向かってゆっくりと進んでいるが，まだ前途遼遠である。しかし，言語の遺伝的基盤の理解が進歩し始めていることは疑う余地がない。

言語獲得に臨界期はあるのか

小さければ小さいほど学びやすいと，広く信じられているのは確かだ。言語に限った話ではない。もっと早くに始めていたら，もっと上手に泳げただろうし，サッカーもできただろうし，ピアノも弾けただろうにといつも思う（自分の選んだ技能をここに当てはめてみよう)。そしてほぼ言うまでもなく明らかであるが，言語獲得に関しても当てはまる。第二言語の学習は早くに始めないと，もうだめだ（私は 11 歳になるまでフランス語を始めず，自分のひどいフランス語はそのせいだということを，人にいつも言っている)。早期学習が優位であることは，人間に限らない。ヒバリは，後にきちんとさえずることができるためには，生後 2 週間以内にさえずりに触れなければいけない（Brainard & Doupe, 2002)。後に正常に発達するために学ばなければならない限られた期間を，**臨界期**（critical period）と呼ぶ。臨界期仮説によれば，言語を早い時期に学習する必要がある。「早い」が厳密に意味することはさまざまである。臨界期は 5 歳までには終わると考える人もいれば，学習能力は年齢とともに後退するが，思春期までと主張する人もいる。そして，言語を学習するためには，もちろん言語に触れなければならない。言語獲得の臨界期は，第二言語学習について私たちが抱いている直感とよく一致する。早くに，臨界期のうちに学び始めなければ，いつも苦労をすることになるし，母語話者のように流暢には決してなれない。だが，私たちの直感はいつも正しいとは限らない。

第二言語学習に役立つことを考えれば，学習開始年齢が問題かどうかに関する研究がかなりの数あることは驚くにあたらない。もう 1 つの言語の学習を非常に早い時期に始めないと，本当に望みはないのか。研究結果はかなりまちまちである。ひとつ心に留めておかなければならないのは，子どもが言語学的に明らかに優れているのは，子どもは多くの時間を言語獲得に費やしているから，ということだ。子どもは言語を学習すること以外，ほとんどすることがないという人もいるかもしれない。言語学習が子どもの本職である。1週間に数時間の自由時間を見つけるのにも苦労している大人と比べてみると良い。大人が相対的に下手なのは意外なことだろうか。子どもはたくさんの時間を言語学習に費やしているということ以上の主張をするなら，この時間的要因を何とかして統制しなければならない。時間を統制すると，子どもの方が大人より優れているということはきわめて不明確になる。実際には，幅広い学習スキルと技術をもった大人の方がよいかもしれない。オランダでオランダ語を学んでいるイギリス人の大人と子どもを最初の年に比較したところ，3～4歳の子どもが最もできないことを，Snow と Hoefnagel-Hohle（1978）は発見した。子どもの方が明らかに優れているのは，強い訛が残りにくいことだ。

新しい言語を学習するのに臨界期が存在する証拠を示している研究者もいる。Johnson と Newport（1989）の有名な研究では，アメリカ到着後に英語を学ぼうとしていた，さまざまな年齢の中国語話者と韓国語話者の移民の詳細分析が行われた。統語の獲得に焦点があてられ，移民は文が文法的かどうかを判断させられた。Johnson と Newport は人生の早い段階で新しい言語を学び始めるほど，成績がよいことを発見した。しかし，15歳以降は到達レベルのばらつきが大きくなり，言語能力と移住年齢の相関関係が低かった。しかし，これは劇的な期限ではなく，7歳以降はだんだんと出来が悪くなるというものだった。これらの結果は，発達中の脳が成熟し，7歳以降は反応が鈍くなり，柔軟性が低くなり始め，16歳頃までには大人のような定常状態になるためだと Johnson と Newport は説明した。

この研究から明らかなことが2つある。第一に，ある年齢以降は新しい言語の学習が突然不可能になる，または少なくとも非常に難しくなるという劇的な期限はないことだ。〔学習開始年齢が遅くなるにつれて〕，能力は低下するが，それは緩やかな低下である。第二に，どのくらいよく新しい技能を身につけられるのかを考慮すると，大人でも子どもでも，学習に費やした時間が重要であることだ。

言語を適切に学習するためには，言語に触れなければならない臨界期があるとするなら，その期間に言語に触れないとどのようなことが起こるのだろうか。正道を踏み外し，きわめて倫理に反する実験を行った歴史的な統治者のひどい言い伝えがある。スコットランドのジェームズ四世はエデンでどの言語が話されていたのかを知りたくなり，1500 年頃，2 人の子どもを世話するための耳が聞こえず，口のきけない女性と一緒に，フォース湾に浮かぶ孤島，インチケイス島に置き去りにしたと言われている。子どもが成長した時には，ヘブライ語を上手に話していたと，後に伝えられている。このことが，すべての子孫の祖先の言語はヘブライ語であると当時広く信じられていた考えの拠り所となった。もう少し古い話では，古代エジプト王のプサンメティコス一世が子どもを似たような苦境に追いやったところ，最初に子どもが発した言葉は「ベコス」という，フリギア語でパンという意味の語だった。このことから，フリギア語を最古の言語とした。またもう 1 つの話は，神聖ローマ皇帝フリードリヒ二世に関するもので，この場合は一言も発することなく子どもは亡くなった。

古くからいくつかの**野生児**（feral children）の物語がある。野生児とは荒野で迷子になった，または親に見捨てられ，自力で生きながら何とか成長した子どもだ。伝説的なローマの建設者，ロームルスとレムスはテヴェレ川の土手に捨てられ，オオカミに育てられた。そのため，またの名を狼少年と言う。後に出てくる多くの物語はあまりよく記録されていない。最も有名な物語の 1 つは，「アヴェロンの狼少年」で，フランソワ・トリュフォーの 1970 年の映画『野生の少年』のもととなった。1800 年 1 月にフランス南部のサン＝セルナン村の近くの森で，後にビクトルと名づけられた少年が歩いているのを発見された（Shattuck, 1994）。少年は，直立しぼろぼろのシャツしか着ておらず，話すことができなかった。医学生のイタールは，少年にソーシャルスキルと言語の教育をし，面倒を見たが，あまり成功しなかった。“lait”（牛乳）と“Oh Dieu”（なんてこった）という 2 語を発するのでやっとだった。ビクトルは 1828 年に亡くなった。森の中から出てきた時に何歳だったかは定かではないが，おそらく 11〜12 歳だっただろう。他にも似たような話が数十個はある。もっと最近のものでは，1920 年にインドでオオカミの住処から救助されたアマラとカマラという女の子の話や 1954 年にインドのラクナウで発見された狼少年の話がある。

これらの野生児は誰一人として言語を獲得しなかった。しかし，これらの物語の信憑性を疑わないとしても，臨界期の証拠として受け入れる前に，この種の逸話的証拠には扱いにくい問題があることを知っておく必要がある。すなわち，これらの子どもが捨てられる前の言語能力について何もわからないのである。子どもがどこか違っているという理由で（自閉症だったり，脳損傷があったり，言語障害の兆候があったなど），親が子どもを捨てた可能性は大いにある。つまり，これらの子どもの言語機能障害は，臨界期に言語に触れていなかったことが原因なのか確信はもてないのである。言語に触れていても，たぶんそれとは関係なく同じような状況になっていただろう。

言語を剥奪する実験を行うことができないのは明らかである。したがって，そのような事例が不幸にも起こってしまった場合に，そうした事例を調査することに頼らざるをえない。有名な事例は「ジーニー」という女の子のケースだ。1970 年 11 月にロサンゼルス当局によってジーニーが発見された時には，彼女は 13 歳を過ぎていた（Curtiss, 1977; Fromkin et al., 1974）。生後 20 ヶ月から発見されるまで，窓は光が入らないようにアルミホイルで目張りされた小さい寝室に監禁されていた。日中はおまるに，夜は小さい柵のついたベビーベッドに紐で縛り付けられていた。父親は雑音に我慢できなかったので，家の中に会話はなく，テレビやラジオさえもなかった。ジーニーは少しでも音を立てると，お仕置きをされた。父親はジーニーの母親と兄がジーニーと話をすることを禁じ，ジーニーに対してイヌのように吠えたり，唸ったりすることだけを許可した。唯一ジーニーが人と接したのは，母親が黙って食事をジーニーに渡す数分間だけだった。

セラピストがジーニーと一緒に訓練を始めた時には 14 歳だったことから，ジーニーの事例は臨界期仮説を検証する絶好の機会であるはずだ。誰に聞いてもその年齢までには臨界期は終わっているので，仮説が正しければ，ジーニーが言語を学習することは不可能であったはずだ。仮説が間違っていれば，ジーニーは言語を完璧に習得することが可能であったはずだ。心理学ではいつものことだが，結果はこの両極の中間だった。ジーニーはある程度の言語は学んだが，小さい子どもの言語とは明らかにいくつかの点で異なっていた。第一に，ジーニーの文法の発達は，語彙に比べてかなり遅れていたので，同じ語彙数の子どもと比較すると，彼女の産出する文は単純で独特だった。文法的語彙はほとんど使わなかった。否定文を作る時には，否定辞を動詞とではなく，文頭に置いた。疑問詞はあまり使わず，助動詞を使わず，受け身形を適切に獲得できなかった（獲得できていれば，“The cat chases the rat” を “The rat is chased by the cat” に変形することができる）。そして，ジーニーは動詞や名詞を屈折させて過去形や複数形を作ることを学べなかった。ほとんどの右利きの子どもと違い，ジーニーは言語音声処理における右耳優位を示さなかった。このことから，彼女の脳の回路が異なっていたかもしれない可能性があると言える。

ジーニーをどのように訓練するのかについて論争になり，資金調達も行き詰まってしまったために，科学的な研究がさらに行われることはなかった。ジーニーは今もカリフォルニアの人目につかない介護施設で暮らしている。ほんの2〜3 語しか話せないことと手話が少しわかる以外は，彼女の現在の状況については，ほとんど知られていない。

残念なことに，ジーニーが生まれた時どのくらい正常だったかということについて議論がある。彼女の父親は（後に自殺したが），ジーニーが 1〜2 歳だった頃，ジーニーは発達が遅れており，おそらく知恵遅れだと医者に言われたと述べていた。父親は「ひどい知恵遅れだ」と解釈し，ジーニーのためになるとっぴなことを考えたのだった。これは状況を少し複雑にしているが，知能がかなり低い子どもでも言語を獲得できる。だが，社会的・情緒的・肉体的ネグレクトが発達障害の可能性に加わっているので，臨界期に言語に触れていなかったからという理由だけで，ジーニーが言語を獲得できなかったとは言い切れない。ただ，言語を正常に獲得するためには，早期に言語に触れる必要があるということは言える。

極度の虐待や社会的・言語的隔離は他にも起こっている。最近の事例の 1 つが，2005 年にフロリダで発見された 6 歳のダニエル・クロケットのケースだ。ダニエルは母親によって自宅に監禁されており，地元警察は「想像を絶する卑劣さ」と述べた。ダニエルは今も言葉を話すことができない。最も有名な事例の 1 つは，6 歳まで社会から隔離されたが，正常に話せるようになるのに 1 年間の支援と訓練が必要だったイザベルのケースだ（Davis, 1947）。子どもが小さければ，言語を剥奪されても言語を獲得できる可能性を示唆している点で，イザベルのような事例は重要である。

言語をほとんどまたはまったく学ばず，大きくなってから発見された野生児と，自分たちで手話を生み出したニカラグアの聴覚障害者の子どもたちは，対照的である。明らかな違いは，ニカラグアの子どもたちはかなり小さい頃からコミュニケーションを始めていた点だ。このことは臨界期をある程度支持するように思われるかもしれないが，他の説明もある。第一の説明はすでに述べたが，これらの野生児は生まれながらに，極度の認知的障害または言語的障害をもっていたかもしれない点だ。第二の可能性は，野生児が隔離されていたのに対し，ニカラグアの子どもは，同じ年齢の子どもたちと活発に触れ合っていたことだ。第三に，野生児はみな，情緒的・社会的に完全に隔離されていたことだ。正常な言語発達には社会的交流が不可欠なことがわかっている。それゆえに，CDS や特別な方法で子どもとやり取りをするのだ。

子どもが文脈で言語を学習することの重要性は，「ジム」の事例が痛感させてくれる。ジムは聴覚障害者の両親のもとに生まれた健聴者の子どもだった。ジムは正常な聴力をもっており，両親はジムに自分たちが使っている手話よりも音声言語を学んでほしかった。そのため，両親はジムのそばでは手話を使うことを避け，テレビやラジオを聞くだけで言語を学んでくれると期待していた（Sachs et al., 1981）。ジムが3歳で保育園に入った時，ある程度は言語を獲得していたものの，すでにわかったことから考えると当然かもしれないが，彼の言語は貧弱で不自然だった。発音が特にひどく，何を言っているのか理解できない発話もあった。イントネーションがなく，話す時に声が上がったり下がったりしなかった。文法は非常に変わっていた。単数の名詞の最後に s を加えて，複数にすることができなかった。そのため，“House. Two house. Not one house.” というようなことを言っていた。言語理解も非常に弱かった。幸いにも，まだ小さい時に治療を始められたので，2〜3ヶ月でほぼ正常な言語になった。正常な言語発達のためには，単に言語に触れているだけでは不十分だということが，ジムの事例からわかる。言語は社会的な文脈の中で，今この場で使われなければならないのだ。

ジーニーの言語，類人猿の言語使用，そして先に述べた祖語（proto-language）に関する Bickerton の考えが，よく似ている印象が私にはある。Bickerton（1990）は言語が一段階では進化できないと主張していた。代わりに，統語的にも表現的にも豊かな言語から作られた，祖語という中間的な段階が存在する。祖語は語彙の体系で，文法は非常に基本的なものしかないか，まったく存在しない（おそらく，再帰性の重要な特性がすべて欠如している）。

これらの事例からわかるのは，臨界期に言語を剥奪されて最も影響を受けるのは，単語を文法的単位で正しく並べられた文を産出・理解できる能力，つまり統語的能力であるということだ。

言語の臨界期の生物学的基盤に関する草分け的な研究は，言語学者で神経学者の Eric Lenneberg（1967）によって行われた。Lenneberg は脳損傷が言語発達に与える影響に関心があった。子どもは小さければ小さいほど，大人だったら大打撃になるような脳損傷から回復できる確率が高くなることを発見した。Lenneberg は**神経可塑性**（neural plasticity）という考えを掲げた。損傷を受けていない脳の部位が損傷を受けた部位の機能を引継ぐことができるが，それはまだ子どもがきわめて幼いうちに損傷を受けた場合に限られるという考えだ。生まれた時には脳は非常に柔軟だが，この可塑性はすぐに失われ，5 歳を過ぎる頃から一気に減少すると，Lenneberg は主張した。

Lenneberg は**側性化**（lateralisation）の進行に最も興味があった。脳は 2 つの半球に分かれており，異なる種類の課題に特化していることが広く知られている。大まかには，ほとんどの右利きの人の場合，左脳は系列処理と分析的処理に特化しているのに対し，右脳は全体的処理を主につかさどっている。「左脳対右脳」という一般に信じられている概念は，相違点を簡略化し，誇張しているが，アイディアの芽生えは正しい。言語をつかさどる 2 つの重要な領域であるブローカ野とウェルニッケ野は左脳にあることが，最も重要だ。このため，言語処理は脳の片側に寄っており，語彙アクセス，理解，産出計画，構音は左脳に局在している。この点を考慮すると，左脳の損傷，特にブローカ野またはウェルニッケ野が含まれる場合，言語能力に障害が出ることになり，**失語症**（aphasia）と呼ばれる。時間とともにいくらかの機能を大人も回復できるが，時間がかかる。言語中枢に大きな損傷を受けると，ほぼ確実に恒久的障害となる。言語機能は，大人の脳の特定部位と結びついている。大人とは対照的に，左脳の言語領域に損傷を受けた子どもはすぐに回復し，しばしば完全な回復を遂げることを，Lenneberg は発見した。損傷を受けた時期が早いほど，予後もよい。

小さい子どもの回復力は，**半球皮質切除**（hemi-decortication）として知られる手術後に顕著に見られる。半球皮質切除は，きわめて重度のてんかんの最後の治療法で，てんかんのもとを破壊し，損傷を受けていない脳組織にてんかんが広がるのを予防する目的で，脳の片側にある皮質を手術によってすべて取り除く。左脳の半球皮質切除が大人に行われた場合，言語能力はほぼ完全に失われる。大脳半球切除術（hemispherectomy）を乳児期や幼少期に受けた子どもの言語能力は，これとは非常に対照的で，完全に正常とは言えないが，言語を習得する。こうした子どもの言語がどのように異なるのかに関しては議論がある。なぜならば，一般的にこの手術によってIQが低くなるからだ（Bishop, 1983)。語彙はあまり影響を受けないが，複雑な文を理解したり，流暢に発話することができなくなる。

幼い子どもに関しては，右脳が左脳の機能を担うことができる（まだ十分に幼い場合のみだが)。ここで印象的なのは，右脳では完璧と言えるほどには言語を獲得しないことではなく（脳の大半を失っていることと脳が2倍の仕事をしなければならないことを考えれば，驚くにはあたらないが)，右脳が多くのことを獲得している点だ。Lenneberg によると，生まれた時には脳の左右の機能分化は行われていないが，5歳までには分化される。脳の一部または全半球が損傷を負っても，他の部位がそれらの機能を担うことができる。別の言い方をすると，幼少期には多大な神経可塑性があり，年齢とともに可塑性は低下していく。神経可塑性が最大の時期と臨界期が重なる。右脳と左脳は区別がつかない状態から始まるのか（**等潜在能力**［equipotenitality］として知られている)，それともあらかじめ左脳が言語をつかさどるようになっているのかは，議論の余地がある（Thomas, 2003)。非常に早い年齢から，脳の局在化が行われることはわかっている。Entus（1977）は，生後3週間の乳児の聴覚嗜好を調べるために，吸啜法を使ったところ，右耳に音声が呈示されるのを好むことがわかった。大人も同じ傾向を示す。なぜならば，音声が右耳から入ると，左耳から入る時よりも左脳にある言語中枢に素早く届くように，耳と脳がつながっているからだ。生後1週間足らずの赤ん坊でも，左脳と右脳の電気的活動は言語音声と非言語音声で異なる（Molfese, 1977)。それでも早期の側性化の証拠は，幼いほど神経可塑性は高いという特徴を損なうことはない。

神経可塑性の変化は，子どもが脳損傷から比較的よく回復できるのはなぜかを物語っている。しかし，なぜ年をとると，言語の獲得が難しいのか。1つには，言語に触れると，言語を獲得し，使用するのを手助けする言語専用の経路ができるという考えがある。この考え方は**母語への神経特化**（native language neural commitment: NLNC）と呼ばれる（Kuhl, 2000, 2004）。周囲の言語固有の特徴に同調させることができる特別なネットワークを，若い脳は発達させる。専用のネットワークが言語の獲得を早めているという証拠がある。生後7ヶ月の乳児に母語と外国語の音声を知覚する実験をしたところ個人差があり，この差は後の言語技能を予測するものだった。しかし反対に，その結果としてのちに言語的により熟達した子どもは，習得初期段階では自分の言語に集中する傾向があった。範囲が狭いことは強みである。手短に言うと，言語処理に特化したネットワークを脳内に発達させられると，言語を最もよく獲得できる。そしてこのネットワークの発達は神経の可塑性に依存する。

5歳で終了すると明確に定義する臨界期の考え方は棄却できると思う。そして，言語に触れないと，何も学べないというのも事実ではない。脳は幼児期を通じて発達し続け，脳の発達によって，学べることが制約される。幼少期に学べることはだんだんと減少していくので，言語にまったく触れていなければ，統語的能力は大きく損なわれるだろう。それゆえに，言語の，特に統語発達の臨界期は存在すると言える。この臨界期は，神経の可塑性が低下した結果である。

バイリンガリズムとは

海外にいると，外国語の単語が私のそばを飛び交う。フランス語やスペイン語のように「馴染みのある」言語でさえも，耳にする音の多くは区別できない。コップを割ってしまったことを謝罪するメモをメイドに書いたことがある。申し訳ないことに，私は彼女が割ったと書いてしまったのだ。そのことを非常に申し訳なく思っていた。翌日，彼女は困惑し，少し怒っているようにさえ見えたのも当然だ。なので，第二言語に達者な人に会うと，私はいつもとても感心する。どうしたら流暢に第二言語を操れるのか，驚嘆してしまう。

私がもし2つ以上の言語が話されている言語コミュニティに生まれていたら，状況は違ったかもしれない（たぶん，私は2倍ぐらい混乱していただろう）。2言語が話されている地域が世界にはたくさんある。ウェールズ，特に北ウェールズでは，英語とウェールズ語が話されている。カナダの一部では英語とフランス語が話されている。オランダにはオランダ語とフリジア語という

2 つの公用語がある。ベルギーには，オランダ語，フランス語，そしてドイツ語という 3 つの公用語がある。実際に，複数の言語が話されている地域が，世界中にたくさんある。その他にも，新しい国に移住すると，子どもは家庭で 1 つの言語を学び，もう 1 つの言語を家庭外で学習する場合があるかもしれない。

2 つ以上の言語に堪能なことを**バイリンガリズム**（bilingualism）と呼ぶ。3 つや 4 つの言語に流暢なマルチリンガルの人もいる。この定義は少し曖昧である。なぜならば，堪能であるとか，流暢であるという単語は正確性に欠けるからだ。しかし，それぞれの言語の熟達度を連続体としてとらえ，バイリンガリズムの程度について考えることはよいことだ。

マルチリンガルな環境においても，子どもがすべての言語に同等に触れていることはほとんどない。それぞれの親が異なる言語を赤ん坊に話していても，ほぼ確実に，1 つの言語に（通常は母親の言語に），もう 1 つの言語よりも多く触れる。子どもが一番頻繁に触れる言語を L1，その次を L2 と呼ぶ（そして望むなら，L3 なども加えられる）。非常に早い時期から（ここで言う「早期」とは生まれた時から 3 歳までを指す），子どもが 2 つの言語に触れている場合を**同時バイリンガリズム**（simultaneous bilingualism）と呼ぶ。1 つの言語に最初に触れ，あとからもう 1 つに触れる場合を**継続バイリンガリズム**（sequential bilingualism）と呼ぶ。第二言語に触れるのが遅くなると，バイリンガリズムは第二言語習得になっていく。

初期の研究は，バイリンガルの自分の子どもの言語発達に関する日記の報告だった。最も有名なのは，Leopold（1939–1949）で，自分の娘 Hildegard の言語発達の詳細を 5 冊にわたって記した。Leopold はアメリカ人の妻とともにアメリカに移住した，ドイツ人言語学者だ。もちろん周囲で使われている言語は英語ではあったが，自分の娘を「一親一言語」規則で育てた。最初のうち，Hildegard は両方の言語をごちゃ混ぜにしていることに，Leopold は気づいた。この観察によると，バイリンガルの子どもには，L1 と L2 を区別しない初期段階があるモデルになる。つまり，本質的にはモノリンガルだが，単語は 2 言語がごちゃ混ぜになっている。そして，2 言語の語彙は区別されるようになり，その後に，文法に関しても 2 言語が完全に区別されるようになる（Genesee & Nicoladis, 2006）。

最近の研究では，熟達したバイリンガルは，1 つの脳にいる 2 人のモノリンガルではないということが示唆されている（Hernandez et al., 2007)。L1 と L2 で文を処理する時に使うストラテジーはごちゃ混ぜになっている。その結果，L1 を理解するのに最適なストラテジーを L2 に当てはめ，またはその逆を行うが，それは次善のものかもしれないことを，多くの研究が示している。たとえば，主語と動詞の一致は言語によって異なる。英語で最も重要なのは，語順で，語尾はそれほどでもない。“I love you”，“You love them”，“They love you”，“We love him”，“He loves you”，“He loves them” のように，動詞の語尾は（第三人称で）少し変化する。しかし，一般的に語尾からはあまり予測できない。スペイン語のような言語では，動詞はもっと広範囲にわたって，系統的に屈折する。そのため，動詞の語尾を見ることで，もっと多くのことがわかる。たとえば，スペイン語のような言語ではどの程度代名詞が省略され，英語では省略されないのかなどである。このような文を処理する時，モノリンガル英語話者は語順だけに頼り，モノリンガル・スペイン語話者は動詞の語尾をもっぱら使い，バイリンガルは両言語で両方のストラテジーを使う。バイリンガル話者は**コード・スイッチング**（code-switching）もする。L1 と L2 を，時には 1 文の中でもスイッチする。2 人のバイリンガルの会話の中で，よく間違えてコード・スイッチングが起こることもある。コード・スイッチングが起こるのにはいくつかの理由があるが，そのうちの 1 つは，1 つの言語の方がもう一方の言語よりも表現しやすかったり，アクセスしやすかったりするからだ。2 つに分かれた言語システムがあるわけではなく，1 つの言語での処理がもう一方の言語に影響を与えるのだ。

2 言語が，干渉してほしくない時に邪魔にならないようにするためには，注意が非常に重要な役割を果たしている。バイリンガル話者は，その場で使わない言語を抑制するのに非常に長けている。ある研究で，バイリンガルに，呈示される単語が指定された言語に属する場合にはボタンを押し，もう 1 つの言語の場合には反応しないように指示した。脳の電気的活動を見てみると，ターゲットではない言語の単語はまったく処理されていない。この実験の参加者は，よく使われている単語に対しても，使われていない単語と同様に，反応を示さなかった（Rodriguez-Fornells et al., 2002)。それどころか，ターゲットでない単語は，非単語（NATE のような）と同じように処理しているようだった。

二言語習得はよいことか

ほとんどの場合，2つのことを同時にすると時間がかかる。2言語を同時に学習することは，1つよりも難しいのか。バイリンガルであることは，デメリットであるとかつては考えられていた。しかし，負担があるとしても，それほど大きくはない。バイリンガルの子どもは，モノリンガルの子どもと同じくらいの時間で，それぞれの発達段階に到達する（Genesee & Nicoladis, 2006）。言語間の干渉によるコストがあるという研究者もおり，また継続バイリンガルがL2を学習するとL1にアクセスしにくくなるという研究者もいる。しかし，違いは微々たるものだ。純粋なモノリンガルのレベルに両言語とも到達することが，本当に可能なのかもにわかに信じ難いが，L2のレベルを高くすることは可能だ（B. Harley & Wang, 1997）。実際には，バイリンガリズムには他のメリットがある。バイリンガル話者は言語により堪能で，言語がどのように機能するのか熟知している。また，バイリンガルの子どもは，創造力を測るテストでモノリンガルの子どもよりも高いスコアをとっている（Bialystok, 2001b; Lambert et al., 1973）。そして，注意を非言語的に測定すると，バイリンガル話者はモノリンガル話者よりも高い結果になる。これは，2言語を操作しなければならないことが，注意をコントロールする機会の増加につながっていることを示唆している（Bialystok et al., 2004）。

第二言語を学習することで，長期にわたって脳が変化するように思われる。バイリンガルは，言語の流暢性を測る課題を行う時に大きく関わっているとされる左頭頂葉と（Mechelli et al., 2004），2言語をコントロールしなければいけない時におそらく使っている前頭葉の灰白質の密度が高い（実際には，より多くの脳細胞が結合している）（Olulade et al., 2015）。非常に幼い頃から，認知的な利点があることも明らかになっている。眼球運動を測定した研究によると，2言語に触れている乳児は7ヶ月であっても，同年齢で一言語にのみ触れている乳児よりも視覚的に呈示された刺激をよく見つけられる（Kovacs & Mehler, 2009）。新しい言語を学習するのに，それほど長い時間をかける必要がないようにも思われる。ゲール語を1週間の集中クラスで学習するすべての年代の英語話者は，統制群に比べて，注意の転換と抑制に関する聴覚テストの成績を伸ばした（Bak et al., 2016)。新しい言語を1週間に最低5時間練習し続けた人たちでさえ，コース修了から9ヶ月経った時にも，注意課題において優れた成績を残した。

バイリンガリズムは知的により柔軟になることや，課題を切り替えたり，観察したり，抑制する方法を改善することで，メリットをもたらすように思われる。ただ，誰もが同意しているわけではなく，すべての研究で，実行処理の測度に，バイリンガルとモノリンガルの差が見られると報告されているわけではない（Paap & Greenberg, 2013)。また，多くの研究を対象とした最近のメタ分析によると，有意な差を発見した研究が論文になることが多いので，バイリンガリズムのメリットが誇張されているかもしれないことが示唆されている（De Bruin et al., 2015)。そうは言ったものの，多くの研究がメリットを発見しており，デメリットはほとんど見つかっていないのだ。

しかしながら，バイリンガリズムの主要なメリットは高齢期に現れるという証拠が，今ではかなりの数，報告されている。2言語を話すことが，ある一種の認知的な蓄えとなり，アルツハイマー病をはじめとする，あらゆる種類の認知症の発症を最大で6年ほど遅らせている（Alladi et al, 2013; Bialystok et al., 2012; Costa & Sebastian-Galles, 2014; Woumans et al., 2014)。2言語が異なれば異なるほど，メリットは大きいという証拠もインドの言語で報告されている。ウェブ上で調べると，バイリンガルの人の方が稼ぎがいいということもわかる。

第二言語を学習する最良の方法とは

遠い昔，私はラテン語とフランス語を学校で学んだ。他の方法で学ばなかったことを今では少し奇妙に思う。もちろん，フランス語では聞くこと，話すこと，会話することにもう少し重きが置かれたが，どちらも教科書から学んだ。どちらの言語のレッスンも文法中心だった。動詞の活用や文法規則を学んだ。活用や規則などの表を丸暗記することに重点が置かれていた。自分の意図を伝えることよりも，読むことが中心だった。

現在の状況はかなり違う。学校で言語を学んでからしばらく経っているなら，自学自習用の本を一冊手に取ってみるといい。規則はあまり説明されておらず，会話や効果的なコミュニケーションに重点が置かれている。ほとんどの本にCDがついているので，言語を聞くことができる。多くのコースはリスニングだけで，洗練された視聴覚教材がついている。それでも，新しい言語を学習することは難しい。言語を使いこなせるようになるためには，時間がかかる。言語学習の一番の障壁は，十分な練習を行うための時間を確保することだ。その言語に堪能な人と練習する必要もある。マルチメディア教材を使って自分で学習するのにも限界がある。特に大人の場合，短期間で習得しようとするので，別の問題もある。第二言語学習で難しいことの１つは，私の場合，忍耐力がないことだ。

子どもがいとも簡単に言語を学習するのを見れば，第二言語を学習する最良の方法はできるだけ子どものように学習することだというのは，おそらく意外ではないだろう。練習を積んで，第二言語をたくさん聞き，結果を気にせずにたくさん間違えることだ。**イマージョン法**（immersion method）では，学習者を急に困難な状況に陥らせる。すべての授業が第二言語で行われる。イマージョン教育の有名な例はカナダの学校だ。そこでは，英語とフランス語のバイリンガリズムを促進するため，英語を母語とする子どものすべての教育を，通常５歳からフランス語で行う。これらの学校では，子どもにフランス語を話すようにせかしたり，強要したりはせず，文法の正確さにも重点を置かない。子どもがフランス語を話す準備ができるまで待ってから，流暢さやコミュニケーションの正確性を求めていく。イマージョン教育は最良の第二言語学習法だ。最初の数年間は，イマージョン教育を受けていない子どもにくらべ，学習到達度の面で劣るので，ある程度の犠牲はある。しかし，すぐに追いつき，同じ学習レベルに到達し，最終的には非常に高い第二言語能力を身につける。そして，第一言語への目立つような負担もない（Baker, 2006）。

Krashen（1982, 2003）は影響力のあった自著の中で，第二言語学習には時間がかかることを強調している。伝統的な第二言語の教授法と子どもの言語習得の違いを指摘している。子どもはただ聞くことに多くの時間を費やし，言語にずっと触れているにもかかわらず，何ヶ月もの間何もしゃべらない。大人は記憶力もあり，学習能力も高いのに，あせって話そうとする。学習者には理解できるインプットが必要である。子どもは早口で話すテレビの中の有名人の言

典型的な戸外のイギリス人。流行の帽子と熱射病の兆候があることに注目

うことを聞いて言語を学んでいないだろう。だったら，中高生や大人も同じではないだろうか。実際，大人は CDS を使って，簡略化し強調して子どもに話しかける。同じことが大人にも必要なのではないか。言語は文脈で学習する必要がある。Krashen はほぼ無意識な自然獲得と，自分が言おうとしていることは正しいかチェックしたりする，より意識的で意図的なモニター・プロセスを区別している。Krashen によると，効果的にモニターできるよう規則を学習することが，学習が果たす唯一の適切な役割である。結局のところ，学習者は自分の発話が正しいことを確認するために，新しい言語の規則を知る必要があるのだ。そして，Krashen はモニターを使うことが多くの場合あまり好ましくないと認めている。書いたことが正しいか確認したくなることもあるが，会話においては正確性よりもコミュニケーションやスピードの方が大切である。教室学習は自然獲得ほど効果的ではない。

もちろん，多くのことは第二言語学習の目的によって異なる。第二言語が堪能になるためには，休日に何とかするよりも，はるかに多くの時間と努力が必要である。試験に合格することとはまったく別の事柄だ。子どもは言語獲得の試験を（まだ）受ける必要はない。それがまさに子どもがよくできる理由なのだ。したがって，スペイン語を身につけたければ，スペインの日当たりのいいビーチに素敵な別荘を見つけ，そこで数年生活するのが最善策だ。そして，サングリアを楽しむことだ。

第4章 思考と言語

Thought

自分はイメージで考えると言っている友人がいる（言語は時間の無駄であると考えている友人と同じ人ではない）。私はこの発言を信じていない。本当のところ，私には理解できない。そして，このことについて考えれば考えるほど，私は本当に彼を信じられなくなる。私はことばで考える。あるいは，少なくとも，ことばのようなもので考える。私の頭はいつも内的な対話や，次に何をすべきか，いま何をしたらいいのかを私にひっきりなしに語りかけることばでいっぱいだ。少なくとも，それが私の経験だ。いや，私の頭は間違いなくことばでいっぱいだ。そして，友人も彼が自覚する以上にことば（または，ことばのようなもの）で考えていることに賭けてもいい。本当のところ，ことばなしで考えることについて考えるなど想像もできない。言語と思考はどのように関係しているのだろうか。

思考とは何か

思考とは何か。私はこの問いに対する答えを簡単だろうと考えながら書きはじめたが，頭痛薬を飲んで非常に長い休憩を取らなければならなくなった。思考は，誰もがわかりやすく非常に簡単に説明できると思うけれども，文の形で定義しようとするとつかみどころのない概念なのである。そこで，私はずるをしてオンラインでいくつか「思考」の定義を調べてみる。ある定義では，「考えるという行為またはプロセス」であった。あまり役に立たない。「考えたり推論したりする能力」。少なくとも推論という別のものが付け加わった。「考える」は，「何かについて推論し，反省し，思案すること」，「視覚化すること」，「自分の思考に集中すること」，「能力や推論を働かせること」，「問題を解決すること」を私たちにもたらす。私たちはゆっくりと説明を確立してゆく。

今度は認知心理学の教科書に助けを求めてみよう。最も役立ったのは（他の本は「思考」を定義していなかったり，わずかに言及しただけだった），Eysenck と Keane（2015）の『*Cognitive Psychology: A Student's Handbook*』だった。この本によると，「私たちが複雑な仕方で人生を思案し，プランし，日々生じる問題を解決する能力は，考えるという行動の根本である」（p.429）。形式的定義とするには不足だが，これは私たちが考えている状態についての非常に優れた要約である。「明らかに思考は意識的気づきを伴うのでなければならない。しかし，私たちが意識するのは思考という過程そのものではなく，思考の産物である」と続く。

ここで大胆になって，思考は意識性（consciousness）に到達できるような成果を伴うアイデアの操作であると言ってみることにしよう――今のところ，「意識性」や「アイデア」の意味するところは曖昧だが。だが，これから見るように，言語と思考についての研究の一部は，実はこれよりもさらに広い範囲にわたっている。実際には，本章は「意識性はその他の認知および知覚とどのように関係するか」という問題についてのものとなる。

行動主義者は心などの内的な構成概念なしですませようとしたが，思考に関するちょっとした問題に直面した。非常に大胆な心理学者にさえ，行動主義者は考えるということを否定すると受け取られたからである。そこで，行動主義者は言語と思考は同じものであると主張した。今では，行動主義者でも自分の思考を声に出して触れ回ったりはしないが，思考は心内音声発話（subvocal speech）にすぎないと言ったりする――Jacobsen（1932）は考えるように求めた時の喉の筋肉の電気活動を検出して，この仮説についての証拠を提出した。つまり，考えることは話すことだが，ちょうどその際に音は止められているのである。J. B. Watson が「私の見解では，思考の過程は実際には喉頭における運動の習慣です」と言ったことは有名である（1913, p.174）。

だが，このことは直感的には正しいとは思われない。直感は信頼できないことも多いが，多くの人は同時に別々のことを話しながら，考えることができると信じていると思う。私の気に入っている実験の 1 つが今までに明らかにしたところによると，思考は構音器官のただの小さな運動動作ではない。Smith ら（1947）は，ツボクラリンを用いて，ボランティアの筋肉を麻痺させた――このボランティアとは大胆な Smith 自身である。ツボクラリンはツボクラーレの毒素であり，南アメリカで矢じりに用いられる毒の一種である。略称クラーレは極めて効果的な筋弛緩剤であり，麻痺を起こす。そのため一時期，外科手術で麻酔薬とともに用いられた。したがって，クラーレの麻痺効果が弱まるまでの約 20 分の間，人工的な換気がなされている限りはそのまま死んだりはしない。クラーレは中枢神経系に影響しないので，この点において完全な実験である。思考が構音系の小さな運動にすぎないとしたら，その効果が効いている間は考えられないはずである。のちに Smith は自分はことばで考え，数学の問題を解くことができたと報告している。

したがって，思考は単なる心内音声発話以上のものである。確かに，ときどき，私たちは内的な声が自分たちを見ており，叱責し，導くという印象をもつことがある。意外にも，内言（inner speech）について数多くの研究が行われてきたわけではなかったが——ある点でこの内言が真実の「私」に近いことを考えれば意外である——，いくらかは行われてきた。最近，内的な声が統合失調症や自閉症——部分的には，自己モニタリングの障害から起こると思われる問題（Jones & Fernyhough, 2007; Whitehouse et al., 2006 など）——などの病理と，どのように関わるのかに関する研究に追い風が見られる。研究の多くは，ロシアの心理学者 Lev Vygotsky が提案した，内言は自己モニタリングや自己調整の一形式であり，知的・社会的相互作用を媒介するというアイデアから派生している。Vygotsky の研究については，あとで再び取り上げよう。

構音抑制——声に出すことによって内的音声と干渉させる——は，複数の認知課題（特に，プランニングや記憶からの検索など）の成績を低下させる（Miyake et al., 2004）。人々が内言で行う類の言い間違いについての研究まで行われている。これらのエラーと顕在的発話において一般的になされるエラーの比較は，いくつかの相違点を示している——特に，顕在的発話では，間違いに関わる音が互いに似ている傾向があるのに対して（たとえば，/r/ は /b/ よりも /l/ と入れ替わりやすい），内的発話にはそのような傾向は見られない（Oppenheim & Dell, 2008）。他方，顕在的発話と同じように，内言における間違いは偶然の場合に予想される以上に単語になることが多い（たとえば，/leaf/ という単語のはじまりのところで /l/ の代わりに /r/ の音を言った場合，それでもなお単語になっている）。つまり，内言は私たちが自分の思考や行動をモニターするのに用いる心的イメージの一形式である。それは複数の仕方で認知的に私たちを助け，直感にたがわず，発話に似ているが異なるものであり，最終的な音の細部のレベルでは貧弱である。だが，思考は単なる内言ではない。内言において（内的な）言い間違いをすることがあるというこの事実そのものが，私たちの意図と内言に不一致が生じることを明らかにしている。では，意図とは何だろうか。そして，私たちはときどき（私の場合にはしょっちゅう）自分に「そういう意味じゃない」と言ったり考えたりしているのに気がつく。明らかに，言語的ではなく，意図のようなものを伴う思考のレベルが存在する。もちろん，思考は視覚的な心的イメージを伴うこともある。また，思考の産物は意識性に達するかもしれないが，その産物を生じる過程のすべてが意識性に達する必要はない。私の非言語的な意図が，実際のところ脳の産物以上の何であるのかについてはわからない。

思考について行うべきその他の指摘は，カテゴリー化に関わるものである。実際，未分化の世界というものに想像が及ばないことは自明であるように思う――これが（たとえ人はいくつかの心的カテゴリーをもって生まれるのだとしても）新生児の心的生活を想像できない理由である。認知は，他のカテゴリーから何かしらの仕方で区別されるように選び出した事物のカテゴリーに対処する必要がある。私たちはいくつかのカテゴリー名をもっている――異なるカテゴリーの動物（それ自体がカテゴリーである）に対して「ネコ」や「イヌ」といったラベルをもっているが，「黒いイヌ」，さらには，「他の黒い動物を除いた黒いイヌとネコ」というカテゴリーについて独立の単語をもつことはない（少なくとも最初はそうだろう）。このように，言語，思考，そして，カテゴリー化はすべて明らかに絡みあっている。

だが，たぶん，私たちは思考が正確に何であるかについて，不必要にこまごまと考えすぎている。アインシュタインにいつまでも付き合う必要はない（「単純に説明できないのなら，あなたはそのことを充分には理解していないのだ」）。私たちは，認知と言語の発達はどのように関係するのか，大人ではどのように関係するのかという双方の点で，言語が認知のその他の部分とどのように関係するのかに興味がある。その初期段階からはじめよう，つまり，子どもの話から。

言語発達は認知発達に依存するか

Jean Piaget（1896-1980）は，古今を通じて最も重要な発達心理学者の1人であり，認知発達の理論で有名である。Piagetはヒトの知識の構造と起源に興味があった。彼の貢献は大きく広範囲にわたるものであり，過度に単純化されやすい。彼は子どもたちの知的構造が一連の段階を通してどのように発達するのか，ある段階から別の段階への変化を導き出すものが何なのかを描き出した。

Piagetは誕生から約2歳の間の段階を**感覚運動期**（sensorimotor period）と呼んだ。この段階では，乳児は世界に対する働きかけを通してのみ世界を理解する。乳児の運動行為は，感覚運動スキーマ（行為と知覚に関わる行為の一般的なパターン）になる。この段階の終わりまでに，子どもは外界の心的表象を作れるようになる。この段階で行われる重要な達成の1つは，私たちがすでに見てきたように，物体の永続性――世界内で個別化された物体は視界の外にある時にも存在し続けるという考え方――である。**前操作段階**（pre-operational stage）（だいたい2～7歳）では，子どもは世界の心的表象を用いるが，彼らが推論する能力は，知覚に依存するものと自己中心性（自分が宇宙の中心にいると考え，別の視点を採用できないようなあり方）によって制限される。**具体的操作段階**（concrete-operational stage）（7～11歳）では，子どもは論理的に考え，自己中心的思考の限界を克服し始める。このころには知覚による制約が少なくなり，別の視点を採用できるようになる。最後に，11歳以降の**形式的操作段階**（formal-operational stage）では，子どもは論理的かつ科学的に推論する（少なくともときどきは）。Flavellら（2002）が指摘したように，子どもは世界に働きかける行為を通して得た知識から，世界についての静的な表象，表象に対する心的操作，操作に対する心的操作へと歩を進める。外的行為は内的行為になる。Piagetは認知発達は同化（assimilation）と調節（accommodation）の相補的過程によって促進されるとみなした。同化はすでに知っていることを世界に適用することを意味し，調節は知識を世界にある新しいものや意外なものに対して調整することを意味する。したがって，知識は子どもが世界と相互作用するにつれて成長し，世界についてのすべてを説明できない時には知識構造が変化する。そこで，この説明は構成主義的であり——子どもは世界についての経験から，世界についての知識を構成する——，かつ，環境駆動的である。この意味で Piaget は経験論者である。知識が経験から生じる道筋を重視したからである。ただし，彼の理論化に生得主義的側面がまったく存在しないと言っているわけではない——同化し，調節する動因はどこかから得なければならない。

このことは，言語の発達について考える際にどう関係してくるのか。この種のアプローチにとっては，言語発達には何か違ったところ，特別なところは何もない。言語発達は他と同じく，他の認知過程に依存し，特定の認知能力をもっていることに依存する認知過程である。約 18 ヶ月頃のいわゆる語彙爆発が，感覚運動段階の終わりに向けて物体の永続性の概念への到達とどのように結びつくのかについてはすでにわかった。より一般的に言えば，すでにわかったように，子どもは生まれつき世界を表象しているのではなく，表象は感覚運動期に発達し，前操作段階で表面化すると Piaget は論じている。表象はシンボル（心の外にある何かの代わりをする心の中の何か）を伴うものであり，単語は他のものの代わりをする何かであるので，言語と表象は密接に絡みあっている。そこで，子どもが心的表象を発達させるまでは言語について考えることもできない。Piaget のアイデアを取り上げて，子どもは自分が考えていることについてしか話せない，子どもが知っていることは彼らの認知システムの現在の状態に依存する，といったアイデアにまで推し進めることも可能である（Flavell et al., 2002）。研究者は認知と言語の間の多数の結びつきを検討してきた。命名と物体の永続性の結びつきはその 1 つである。物体の相対量（more など）や物体の消失（gone など）といったアイデアと関係する単語は，物体の永続性の獲得の後期段階になってはじめて現れるという知見もある（Gopnik & Meltzoff, 1986）。

認知発達が言語発達を促進するというアイデアは**認知仮説**（cognition hypothesis）と呼ばれることがある（Sinclair-deZwart, 1973）。これをどう考えるべきだろうか。この仮説が最も強力になるのは，単語の系統的な使用が適切な特定の認知的前駆過程にどのように依存するかについて語る時である。この仮説が弱まるのは，特定の概念やラベルが認知発達からどのように現れるのかについて語る時である。そして，最も弱くなるのは，文法発達について語る時である。これについてはほとんど沈黙するしかない。実際，子どもが語彙と統語において大きな飛躍をするまさにその時（2 歳から 4 歳の間），Piaget 理論は，自己中心主義（子どもは自分の視点からしか物事を見られず，他者の視点を採用できない）や知覚の依存性など，認知の限界を強調する（Flavell et al., 2002）。命名が物体の永続性に依存するように見えることさえも，最初にそう見えるよりはあてにならない。大部分の子どもは 18 ヶ月齢以前にいくつかの単語を産出するが，それよりもずっと以前に明らかにそれらの単語を理解していることを私たちは見てきた。そうなると，物体の永続性は単語使用の前提条件ではありえない。それでは，何が前提条件なのか。語彙爆発と物体の永続性を結びつけることが無意味であるのは，一部の理論家が論じるのを見てきたように，語彙爆発が本当のところは発達の不連続性を反映していない場合である。因果関係がちょうど逆であることすらありうる――物体が一意的な名前をもっていることが，物体は個別的なものであると子どもが理解するのに役立っているのだ。2 つの別の物体（たとえば，おもちゃのアヒルとベル）について 2 つの別個のラベルを耳にすることは，9 ヶ月の幼児がそれらを弁別するのを助けたが，それらを別々の表情と結びつけることは物体の弁別に役立たなかった（Xu, 2002）。

もう 1 つの問題は，認知能力と言語発達の関係が明確でないことである。認知仮説が正しいとすれば，そして，認知発達が遅れたり，阻害されたりしたとすれば，言語発達の諸側面も遅れたり阻害されたりするはずである。Yamada（1990）はローラの事例――深刻な認知的障害を伴い，IQ は約 40（平均から 4 標準偏差以下）と推定される若い女性――を記述している。ローラはそれでも統語的に複雑な文を産出し，理解できた。彼女の発話の内容は同じくらいの年齢の人の発話とはかなり違っていたが，その形式はよく似ていた。Yamada はこれらの結果を，認知過程と統語過程が別個のものであることを示すものとして解釈した。ローラは例外的な事例ではない。他の事例研究も，言語能力と非言語的 IQ の相関が低いことを示している。もう 1 つの特筆すべき事例は，クリストファーの事例である。彼は知的にかなりの障害があり，自分の身の回りのことはできないが，15 の異なる言語を翻訳できる（Smith & Tsimpli, 1995）。

ウィリアムズ症候群（WS）は，7 番染色体の遺伝子の欠損から生じる，珍しい発達障害である。身体的には，「エルフの顔のような」見た目が特徴だが，それよりも認知的，行動的な変化が顕著である。WS のある子どもはたいてい非常に朗らかで外交的だが，時に負の爆発を示す。WS は IQ に影響し，非常に低い IQ（典型的には約 60）とともに深刻な精神的障害をもたらす。WS のある子どもは保存（背が高くて細いグラスから広いグラスに水を注いでも量は変わらないことを理解しなければならない）などの古典的な Piaget 課題の成績が非常に低い。とはいえ，WS のある人々の発話は非常に流暢で文法的に正確であり，たいていは豊かで並外れた語彙をもち，子どもは稀な単語に喜びを示すようだ。ある子どもは，できる限りすべての動物の名前を言うよう求めると，「ブロントサウルス，ティラノ，恐竜，アイベックス〔アルプスなどに住む野生のヤギ〕，ブロントサウルス・レックス［原文のまま］，ゾウ，イヌ，ネコ，ライオン，赤ちゃんカバ，クジラ，雄ウシ，ヤク，シマウマ，子イヌ，子ネコ，トラ，コアラ，竜」と答えた。対照的に，IQ が同程度のダウン症の子どもは「イヌ，ネコ，サカナ，トリ，サカナ」を産出した。つまり，WS では，言語的スキルは彼らの全般的な認知能力のレベルから期待されるよりも優れている（Bellugi et al., 1999）。

認知発達と言語発達の関係についての最後の実験の場は，盲目の子どもの研究である。当然ながら，深刻な視覚的障害は認知発達を変化させ，遅らせる。その子はあまり動き回らず，環境からのフィードバックが少なく，経験が限られる。物体の永続性，因果性，保存などの重要な初期の認知的構成概念を促進するのに利用可能な情報が少ないのである。言語発達が認知発達に依存するのであれば，言語発達には明らかな違いが予想される。しかし，どんな違いも微細で異論の余地を残すものであり，パフォーマンスはひどくばらついている（Hindley, 2005; Lewis, 1987）。初語は目が見える子どもとだいたい同じ時期に産出され，概して同じようなものだが，物体の名前は少ない。当然のことながら，盲目の子どもは視覚的に顕著な物体を命名せず，代わりに触覚や聴覚にとって顕著な物体を名づける。盲目の子どもは早期には，もともと獲得した文脈を超えて単語を一般化することが困難であり（Dunlea, 1989），早期の統語もわずかに違っているという議論がある。たとえば，will や can といった助動詞の獲得に遅れが見られるかもしれない（Landau & Gleitman, 1985）。しかし，これらの小さな違いは，盲目の子どもと晴眼の子どもの認知発達には違いがあるとはいえ，社会的相互作用や社会的発達にも，大人が子どもに話しかけるやり方にも必然的に違いがあるという事実を念頭に置いて考えるべきである。たとえば，大人は盲目の子どもには助動詞を伴う質問（「お人形を取れるかい」[can you take the doll?]）をするよりは，直接的な言い方（「お人形を取って」[take the doll]）をする傾向がある。そして当然，こうした子どものこれらの動詞の獲得はどちらかと言えば遅い。それどころか，かつては盲目の子どもの発話の障害や遅れを反映すると考えられていた側面には，実際には利点があると指摘する人もいる。たとえば，一部の子どもの繰り返しの発話の多さは，社会的接触を引き伸ばすというコミュニケーション上の機能を担っているのかもしれない（Pérez-Perieira & Conti-Ramsden, 1999）。

まとめると，認知発達が言語発達を促進するという証拠はほとんどない。認知発達の進捗と言語獲得の目立った特徴の間には明白な結びつきは見られない。言語的天才，ウィリアムズ症候群の子ども，盲目の子どもの研究は，少なくとも認知的障害は明確な言語的障害をもたらさないことを示している。さらに進めて，これらの集団の一部の人の高度な言語能力は言語と認知が完全に独立であることを示していると結論する人も多数いるだろう。2つの間に何らかの結びつきがあるとしたら，それは微細で複雑なものである。したがって，この点において私の友人は間違っている。言語は単に他と同じような認知過程ではない。

言語発達は社会的発達に依存するか

控えめに言っても，ときどきは運悪く自分の考えを誤って声に出してしまうことがあるだろう。内言は私的なものに留まっていることを意味する。だが，子どもは自己検閲にそれほど熟練しているようには思えない。Piaget（1926）の観察によれば，就学前児童の会話は大人の会話と同じではない。子どもは大人と同じように交代で話をはじめるが，彼らの言うことは前の話し手が言ったことにまったく関係していないことが多い。それぞれの子どもはモノローグを産出し続け，子どもの集団が寄り合うと，Piagetが言うように，会話を聞くのではなく，**集団的モノローグ**（collective monologue）を聞くことになる（私の経験では，同じことは多くの大人にも当てはまる）。Piagetがモノローグという性質を考えたのは，部分的には，年少の子どもは自己中心的であるという自身のアイデアの結果である。自己中心性は，会話の他の参加者の視点を取得することを妨げるからである。だが，彼はこうも考えた。会話に加わるスキルが欠けているのと同じように，子どもは意志も欠いているのではないか。子どもは単にコミュニケーションすることや対話に加わることについて，思い悩まないのだ。

これらのモノローグに加えて，子どもはたくさん自分に話しかける——Weir（1962）による有名な研究が示すように，彼らは聞き手を必要としない。Weir は，寝室でひとりでに眠りに落ちるまでの 2 歳半の息子の発話を記録した。この子は「お母さんのはすごく弱い，アリスは強い，アリスはすごく弱い，アリスはすごく弱い，お父さんのはすごく弱い」といったかわいらしい発話の連なりを産出した。この独り言はどんな機能を果たすのだろうか。Weir の主張によれば，この子は言語を練習し，探求していたのである。子どもの自分自身に向けての発話は，会話の中で産出されるものよりも長く，複雑であることがある（詳細は，Hoff-Ginsberg, 1997 を参照）。

すると，Piaget にとっては，モノローグが起こるのは子どもが他者と会話するスキルと意思を欠いているためであり，子どもはひとりでいる時に一種の練習をするということになる。子どもが成長するにつれて，モノローグは薄れていく。特に，自らの自己中心性を克服し，聞き手の視点を取得できる認知スキルを獲得するとそうなる。Vygotsky（1934/1962）は別の視点を提示した。Vygotsky については本書ですでに言及しており，内言は自己調整や自己モニタリングの一形式であるという彼のアイデアに触れている。Vygotsky は内言と子どものモノローグには関係があるという洞察をもっていた。彼によれば，それらは実際のところ同じものである。例外は，年少の子どもで，まだモノローグを内面化することを学んでいない場合である。この説によると，モノローグは単に消えてゆくのでなく，内面化されて内言になる。顕在的な場合でも潜在的な場合でも，モノローグは同じ役割を果たすが，年少の子どもは自分の考えを声に出さないと話せない。

これらの立場を単純化しすぎないことが重要である。すべての独白が方向性をもつ必要はない。時には子どもはことばで遊んでいるにすぎないのかもしれない。そして，年少の子どもの発話は明らかに常にモノローグであるわけではない。とはいえ，子どもの大部分のモノローグの機能と将来に対する Piaget

と Vygotsky の見解には違いがある。独り言が誘導的役割をもつという Vygotsky の主張にはいくらかの実験的証拠がある。子どもが問題を解決しようとしている時に産出する類の私的発話は，その問題をどのくらい解決できそうかを予測し，問題が難しくなるほど子どもが産出する私的発話が増えるというものである（Behrend et al., 1992）。思考の内面化は3歳頃に起こるがばらつきがあり，家庭でより多くの言語とより多くの認知的シミュレーションを体験した子どもは，より早くに内面化する傾向がある（Quay & Blaney, 1992）。

次に，Vygotsky は言語と認知のより複雑な関係に目を向けた。彼は相互作用と発達が生じる社会的，文化的文脈の重要性を強調した。Vygotsky の考えによれば，言語は高次の思考に利用可能な最も洗練された複雑なシステムである。それゆえに，年長の子どもや成人では，認知は言語に依存する。乳児は言語を使いはじめる前に認知的に発達していることも彼は認識していた。Vygotsky にとっては，発話と認知が相互作用し始める瞬間は，子どもの知的発達において最も重要な瞬間であり，私的発話の出現によって顕在化し，私的発話はのちに内面化される。この瞬間以前には，発話は純粋に社会的，コミュニケーション的な機能を果たしているが，これ以降は推論を誘導したり，助けたりもする。一方，初期の思考は前言語的である。言語は子どもが目の前の文脈から自分を切り離せるようにする。それによって，子どもは目の前にない物事について話したり，推論したりできるようになる。つまり，最初に切り離されたあとで，言語と思考は相互依存的になる。

Vygotsky のアイデアはいつも賢明で悪くはないという思いを私に抱かせるが，その点におそらく問題が横たわっている。すべてが少々曖昧なのだ。確かに，本書の他の箇所で論じてきた実証研究に比べるとそう言える。自己中心的発話の内言への内面化についてのアイデアはもっともらしく興味をそそるものだが，このアイデアを検証した研究を私は知らないし，どうやって検証できるのかを考えることも難しい。言語と思考が相互依存的であり，複雑な仕方で発達するというアイデアはもっともなもので，認知仮説よりもデータとの一致度が高い。だが，ここでも詳細は不足している。このアイデアを具体的で検証可能な予測に変換する研究はほとんどなされていないために詳細が欠けている。実際，認知仮説についてのあらゆる強い主張を棄却できるとしたら，論理的には，この種の複雑な関係性か，私がこれから論じようとしている2つの対立仮説のうちのいずれかが残る。そんなわけで，この申し立てには証明がないのに，充分にもっともらしく聞こえるのである。

また，発達が起こる文脈を考えるのに必要な Vygotsky の議論は，言語発達も認知発達もばらばらには起こらないことを思い出させてくれる。Jerome Bruner（1983）は，特に言語発達が生じる社会的文脈の重要性を強調した。なかでも，伝えられていることの意味について子どもが多くを学習するのに役立つ母子のペア（または，よく二者関係［dyad］と呼ばれる）を重視した。Chomsky の生得的 LAD（言語獲得装置）への返答として，Bruner は言語獲得は LASS（language acquisition socialization system：言語獲得社会化システム）の文脈で起こると語った。子どもに話しかける時に大人がどのように自分の言語を調整し，共同注意をするかについてはすでに見た。その際，母親は自分と子どもが何に共同で注意を向けているのかについて語るが，このことは子どもが単語の意味を発見するのに役立つという点で重要である。社会的相互作用もまた，子どもが会話を維持するのに必要なスキルを学習するのを促すという点で重要である。私たちは話す時，（普通は）一度にすべてを話さない。私たちは交互に話す。このターンテイキングは，凝視（会話を続けたい時あなたは視線を逸らすことが多いだろうが，発言権を譲る準備ができた時には他の人を見るだろう），話す時の声の抑揚のつけ方，話す内容などの多くの手がかりによって実現される。私たちは，自分が話し，相手が話し，自分が話すといったこのパターンを非常に早い時期から追跡できる。Schaeffer（1975）の主張によれば，会話のターンテイキングは授乳の開始－停止のパターンに遡るが，発達の経過のもう少しあとでは，母親は乳児のげっぷやあくびに，まるでそれらが発話であるかのように応答する（Snow, 1977）。ターンテイキングのはじまりが非常に早期の年齢から存在することを確かめるには，母親と赤ちゃんの音声的相互作用のパターンを観察しさえすればよい。母親は乳児が見つめている場所に注目する傾向があるので，協調や共同注意も非常に早期から見られる。

もちろん，言語獲得は社会的相互作用と適切な社会的文脈に依存する。それを理解するためには，テレビを見ることで言語を学習しようと苦心したジムのことを思い出しさえすればよい。もちろん，社会的相互作用は子どもにとって途方もなく役立つ。結局のところ，言語の第一の目的は，他者とコミュニケーションすることである。だが，それがすべてではない。

言語は特別な独立モジュールか

あなたの腹腔内を探ってみてほしい。特定の機能をもつ複数の独立した器官があるのに気づくだろう。肺，肝臓，胃，すい臓などなど。Chomskyにとっては，言語と思考の関係は単純である。それは同じものではない。心は器官——あるいは，部門，または，モジュール——に分割される。そして，言語は独立のモジュールである。言語の発達は認知発達に依存しない。その代わり，私たちが見てきたように，言語の発達は言語獲得装置，すなわち，LADにおいて遺伝的基盤をもつ。これは，子どもが普遍文法の基礎をもって生まれることを意味している。そうなると，環境的な言語に触れることによってスイッチ，あるいは，パラメータを適切な値に設定することだけが問題になる。

この言語に対する東海岸的な見方には，複数の絡みあったテーマが存在する。ここまでで見てきたように，もともとの動機づけは刺激の乏しさである——子どもは言語をただ聞くだけでは，その言語を学習できるだけの充分な情報を受け取れないという考え方である（ついでながら，これが多くの人が，自転車の乗り方を学習するというのと同じような意味では，子どもが言語を学習すると言いたがらない理由である。学習するという言葉づかいは，学習の方にすべてがあって，子どもはまっさらの石版であることを暗に意味しているからである。その代わりに，子どもは言語を獲得するという言い方は，もっと多くの関係要因が付随してくることをほのめかしている)。私たちが見てきたように，刺激の乏しさには複数の問題があるが，そのことはFOXP2遺伝子の役割，特異性言語障害，高機能な言語能力をもつが他の認知スキルは極めて乏しいサヴァン症候群などの証拠，言語処理がモジュール的で規則に基づくものであることを示すすべての実験結果が，東海岸の人々に歓喜とともに取り上げられる——そして，西海岸の人々には疑問視されたり，拒絶されたりする——理由となっている。

門外漢にとっては，何が結論づけられるのか理解するのは難しい。また，どんな種類の証拠ならこのアプローチを証明したり反証したりできるのかを想像するのも難しい。脳構造を通して行動と遺伝子を結びつける心理学的過程の洗練された複雑なモデルとは別の方法で，生得的な言語固有の知識の重要性を強調するモジュールモデルを，何によってなら立証できるのかを思い描くのは特に困難である。私たちは問題の複雑さを切り崩すことに手をつけはじめたので（特に，コネクショニスト・モデルによって），どうしたら生得的知識の規則を必要とせずに，一般的な認知処理の観点から言語を説明できるのかを見ていこう。

Sapir-Whorf 仮説とは何か

心をからっぽにして次の文を声に出して読んでみてほしい。「議長（chairman）は議会に命令を出した」。何が心に浮かんだだろうか。あなたの心の目には，議長はどう見えただろうか。恥ずかしながら報告すると，私の心には細かい縦縞のスーツを着た少し太った紳士の曖昧なイメージが浮かんだ。恥ずかしいのは，イメージが男性だからである。もし「議長（chair）は議会に命令を出した」という文を読んでいたとしたら，違うものを思い浮かべただろうか（生きている椅子という当惑するようなイメージは無視して）。私たちが性差別主義の言語を避けようとするのは，そうしたことばが少なくとも一部の人々の思い込みにつながると思うからである。私たちは，chair を男性であると考えるよりは，chairman が男性であると考えやすい――そうでないとしても，少なくとも，昨今では自分のことばをそれらしくなるように修正する（ただし，私は「専門家っぽく」反論することとは一線を引いておく）。私たちはことばが思考に影響することに用心して，性差別主義の言語を避ける。

言語が私たちの思考や信念を制約することがあるという考えは，もちろん，新しいものではない。ジョージ＝オーウェルは『1984 年』という小説で，「ニュースピーク（Newspeak）」を発明し，「オセアニアの公式言語はイギリス社会主義の……イデオロギー的な必要を満たすように考案された」（1949, p. 241）と書いている。ニュースピークの目的は，イデオロギーと相容れない思考を不可能にすることであった――言い換えると，ニュースピークが考えることを許すことしか考えられないので，人々は指導者が彼らに考えてほしいことだけを考えるようになる。たとえば，「自由」という単語の意味は「このイヌはノミから自由だ」の意味でのみ使えるように変更された――もはや政治的な自由，自由な発言，自由な思考を意味するためには使えない。思考が短く単純になるだろうという発想から，単語は短く，文は単純になった。実際のところ，「思考」という単語はなかった。ニュースピークはその見かけほど無茶なものではない。アメリカの軍隊は「付帯的損害（collateral damage）」という用語を発明した。この用語は，「不運にも軍事行動の結果として市民が殺傷される」という意味合いをもたないようにするためのものだ。この他の私のお気に入りの婉曲語法には，「アダルト映画」，「真実の節約」，「疲れて感情的になる〔酔っていることの婉曲表現〕」，「私は手を洗う必要がある」がある（婉曲表現の解釈については「読書案内」を参照）。これらすべてのことばは受け入れ難い思考をそれほど不快でなくし，受け入れやすくする。

言語が思考に影響を与えられるという考えは大衆文化においてよく知られており，昔からそうだった。心理学では，この考えはアメリカの言語学者 Edward Sapir と彼の学生の Benjamin Lee Whorf の研究によって有名になった。Whorf は若くして亡くなり，彼の死後，1956 年に刊行された著作集で知られている。彼ら 2 人の名前を合わせて，言語の形式が私たちの考え方に影響を与えるという考えに Sapir-Whorf 仮説という名前が与えられた。言語が思考に影響するという発想は，コネチカットの防火検査員をしていた時期に得られたと Whorf は書いている。ある時，労働者がたばこの吸殻を「空の」ガソリンのドラム缶に投げ込んだ。ドラム缶は当然ながらガスでいっぱいで，その結果は予想できる。彼は事故が起こったのは，ことばによるラベルづけの仕方のせいで人々が誤って状況を捉えたからだという結論に達した（さらなる例と詳細については，Pinker, 1994 を参照）。言語が思考を決定するという考えは，**言語決定論**（linguistic determinism）と呼ばれる。この考えを表現する別の方法は，思考はそれを表現する言語の形式によって制約される，ゆえに，言語の違いは考え方の違いにつながる，というものである。この考えは厳密には**言語相対論**（linguistic relativism）と呼ばれる。しかし，「言語決定論」と「言語相対論」という用語はよく相互に入れ替えて用いられる。原則的には相対論なしの決定論を唱えることができるが，用語法の詳細が私たちの思考を混乱させないように気をつけよう。混同に加えて，この発想全体が時に Whorfian 仮説（the Whorfian hypothesis）と呼ばれる。これは Whorf 自身は拒んだとされる言い回しである。というのは，〔Whorfian 仮説の前につけられた〕the という

川として，白いものが下方へ移動する

単語は彼が１つの仮説しか提案しなかったことを意味するからで，実際，彼は多くの仮説を示した。

認知は言語に影響を及ぼさないと主張する人は非常に勇敢だと言えるのと同じくらいに，言語が認知に何らかの影響を与えることを否定する人も，同じくらい勇敢だと言えるだろう。しかし，言語が私たちの思考の形式を完全に決定づけるという極端な主張も間違っている。そこで，問題は，言語は思考にどのくらい影響を及ぼすのかということになる。

Whorf の研究はその大部分は人類学的なものであった。彼はネイティブ・アメリカンの言語を研究し，これらの言語が英語とは大きく違うものであると結論した——語彙や統語といったよく目につく違いがあるだけでなく，世界を構造化する方法においても異なる。Whorf の最も有名な例は，アパッチ族が泉（spring）についてどんなふうに話すのかについての考察である（1956, p. 214）。

> 私たちは「それは滴る泉だ」と言うことで自然の中の何かを切り分ける。アパッチ族は ga という動詞で「白い」(透明な，色のないなどを含む）という表現をする。no- という接頭辞をつければ下方向の運動の意味が加わる（「白味が下がる」)。そして，「水」と「泉」の両方の意味をもつ to が接頭辞として加えられる。その結果は英語で言う「滴る泉」に一致するが，合成的に「水，あるいは泉，白味が下がる」となる。われらの考え方のいかに違っていることか。

Whorf にとっては，この変換が示しているのは，アパッチ語の話し手は英語の話し手がするようには世界を事物と行為に明確には分割しないということである。Whorf は他にも豊富な例をあげている。「彼は人々を宴会に招待した」に相当するアパッチ語は「彼または誰かが，料理した食べ物を食べる人になる」，「彼は槊杖で銃を掃除する」に相当するのは「彼は道具の動きによって乾いた汚れを移動させる筒を向ける」である（これらの例のさらなる考察については，Pinker, 1994 を参照）。

「われらの考え方のいかに違っていることか」というフレーズは伝説になっている。複数の研究者がこの翻訳の恣意性と逐語性のばかばかしさを指摘している（Clark & Clark, 1977; Pinker, 1994 など）。まるで，かつて私が学校でしていたフランス語への翻訳のやり方のようだ。単語から単語へ，2 つの言語の要素の間に厳密な対応関係を見出そうとする。英語もアパッチ語も，透明性，水，下がるといった要素を両言語における中心的概念として同定する――「われらの考え方のいかに似ていることか」（Clark & Clark, 1977）。状況をひっくり返して，Pinker は「彼は歩く（he walks）」は「孤独な男らしさとして，歩みは進む（as solitary masculinity, leggedness proceeds）」に翻訳できると指摘している。

翻訳の恣意性に加えて，ここには堂々巡りの気配がある（Pinker, 1994）。アパッチ族は私たちとは違ったふうに話すので，彼らは違ったふうに考えるのに違いない。彼らが違ったふうに考えると，どうしてわかるのだろうか。彼らが違ったふうに話すからだ。そうした事柄について語りはじめる前に，「思考」についての独立の測度が必要である。

言語を比べることからは，それほど多くを結論づけることはできない。異なる言語が世界を単語に変換する方法に注目するならば，同じ論点が何度も繰り返されることになる。言語について多くの人が知っている少数の事柄の 1 つは，イヌイットは雪についてたくさんの異なる単語をもつというものである。観察の日付は人類学者の Franz Boas（1911）の研究に遡る。Boas の記述によれば，イヌイットは異なる種類の雪について話すのに，異なる種類の構文を用いる。「地面の上の雪」について aput，「舞い落ちる雪」については gana，「吹き積もりつつある雪」については piqsirpoq，「積もった雪」については qimuqsuq である。Boas は，単語を構成するために，異なる言語が異なる語根（root words）をどのように使うのかに関心があった。英語話者は 1 つの語根をもつのに対して（snow），イヌイットは 4 つをもつ。Whorf（1940，1956 年の著作集に再録）はさらに踏み込んで，イヌイットにとってこれらの種類の雪は「感覚的かつ操作的に異なる」と付け加えている。また，彼は雪の種類の数を，降っている雪，地面の上の雪，固まった雪，ぬかるんだ雪，風に舞う雪，他の種類の雪など 7 つにふくらませた（Pullum, 1989）。Bartlett（1932）の有名な記憶の研究が，時間と語り直しによってどんなふうに物語が歪められ単純化されていくかを示したのと同じような形で，イヌイットの雪についての単語の数はオリジナルのデータから歪められ切り離されていった。私は学生時代に，雪について 13 の単語があると聞いた覚えがある。だが私が思うに，この数は稲に対するフィリピン語の単語の数についての同じような混乱から生じたものだろう。1984 年 2 月 9 日のニューヨーク・タイムズの編集後記は 100 個であると伝えている。私は何度か「400」という数も見た。そして，私がオンライン検索でたどり着けた最高値は，今のところ「数千」である。ネット上では，少なくとも，総数は 100 以上である（「40」がもう 1 つの一般的な総数であり，これらの数がどのくらいばらばらであるかを示している）と考えることが広く受け入れられているようだ。正確な数は問題ではない。Geoffrey Pullum の魅力的なフレーズによれば，バケツがいっぱいあることは誰もが知っている。だが，自分が読んだことを何でも信じてはいけない。雪の単語の数はどうしてこんなにもふくれ上がったのか。一部は Bartlett が認識させてくれたような形の報告の誤りと歪みによって，一部は故意の捏造によって，一部は風刺が現実と混同されたことによって，一部は誤訳によって，そして，一部は単語の構成の仕方に関する混乱によってである。そして，偽りの事実はいったん大衆の想像力を捉えると，消し去ることは非常に難しい。いったいいくつの偽りの事実を私は信じているのかと考えるとぞっとする。

だが，Boas のオリジナルの 4 つが正しい数であるとしてみよう（ただし，正しい数については異議がある。「空中の雪」についての qanik と「地面の上の雪」についての aput の 2 つだけとされることもある――4 つよりも多いと主張しようとするのなら，それは何という語なのかを問われることになる）。Whorf の論点は，人は違った語をもつのだから，世界を違った仕方で分類するというものである。彼の有名なフレーズによれば，「私たちは自然を自分たちの母語が定めた方針にそって分析する」。語が違えば，私たちは世界を違ったふうに見る。この結論は，もちろん，すべて推測である。イヌイットが雪について多くの単語をもっていたり，フィリピン人が稲について多くの単語をもっていたりするのを考えれば意外ではないだろうが，そのことは私たちがこれらの対象を違ったふうに見ることを意味するとは言えない――雪について２つの単語があるために，その人々は２つの種類の雪を月とすっぽんのように違ったものと見ることを意味するとは言えない。ここでも，この議論は堂々巡りである――彼らは違った単語をもつので世界を違ったふうに捉える。彼らが世界を違ったふうに捉えると，私たちはどうやって知るのだろう。彼らが違う単語をもっているからだ。そして，英語話者は実際には異なる種類の雪に対して異なる単語をもっている。snow（雪），slush（半解けの雪），sleet（みぞれ），また，blizzard（吹雪）や avalanche（なだれ）も含めたくなるかもしれない。スキーヤーは雪について深い経験があり，さらに多くの単語をもっている。おそらく，powder（粉雪），corn（ざらめ雪），crust（凍結雪面），piste（雪を固めた滑降コース）もそうである。雪についての単語を決めることの難しさによって，私が言わんとすることを理解してほしい。また，たとえ単一の

「雪として，白いものがやや汚れてぬかるんでいる」という非常に凝った写真

単語をもっていないとしても，簡単に多くの語を作ることができる。乾いた雪，湿った雪，電柱の上の雪，ちょうど枝から落ちたばかりの私の頭上の雪などである。イヌイット語は膠着言語である――単語を組み合わせることによって語根から単語を作り上げるので，これらの種類の概念は単一の単語として表現できる――これらの複合語をすべて雪についての異なる単語であると言うのだろうか。個数は，異なる言語が単語を組み合わせて複合概念を作る方法の結果にすぎない。

今にいたっては，読者も私と同様に雪についてはうんざりしていることと思う。単語と私たちが世界をどう見るかについての別の例を取り上げることにしよう。若くてもっと自由な時間があった頃，私は極めて熱心なバードウォッチャーだった。あなたが「カモメ」を見つけた時（または，ただの「鳥」の場合でさえ），私はユリカモメ，セグロカモメ，一般的なカモメ，ニシセグロカモメを見つけるだろう……これでおわかりだと思う。そして，私よりも熟練した他のバードウォッチャーは，品種を区別することができるので，彼らはニシセグロカモメ基亜種，ニシセグロカモメ亜種，さらには二冬，三冬の成体を見たと語るだろう。だが，私たちは別のものを見ていたのだろうか。もちろん違う。私たちは細部に対する感度は違っているが，足は黄色かピンクか，あるいは，翼の先端に白い羽があるかに注意を向けるとよいと私が言えば，あなたもその違いを語ることができる。その情報はあなたがそれらの特徴に注意を向ける前にも視覚的情景に存在する。けれども，それにほとんど注意を向けていなかったので，あなたはそうした特徴に気づかないかもしれない，あるいは，それらがどのくらい重要かわからないのかもしれない。私たちの知覚に違いはないが，Whorf のことばで言えば，世界を分析する能力には違いがある。私は異なる種類のカモメの違いを語ることができるが，それは私に専門知識があるからであり，私がそれらについての名前をもっているからではない。

最近，Sapir-Whorf 仮説の基盤を検証する研究活動がにわかに盛んになっているのが数認知の領域だ。私たちがどのように数や数学を理解しているのかを調べる領域である。ピラハ族はブラジルの狩猟採集民で，数について，1 と 2 とたくさんに対応する 3 つの単語しかもたない。Gordon（2004）は，一定範囲の課題でピラハ族の人の数学能力を調べた。彼らは 3 つよりも多くの事物を扱わねばならない時に成績が低くなった。たとえば，ある絵の中に 4 匹の魚がいるのか，5匹の魚がいるのかを思い出すのが困難であり，また，一列に並んだ棒や木の実の数が3つよりも多いと照合するのが困難であった。彼らの成績の低さの1つの説明は，彼らには適切な区別を手助けする単語がないので，大きな数に関わる推論や計数が困難になるというものである。もちろん，なぜピラハ族が2つより多くの数を区別しないのか，私たちは疑問に思う。一般的な返答は，「彼らは3つ以上の数を必要としない」というものだが，私には信じ難い。だが，彼らには3つ以上の事物を区別する必要が少なく，大きな量を扱う訓練がされておらず，慣れていないということはありうる。彼らは語彙が私たちとは違うことに加えて，生活様式も違っている。

他の研究は同じ結果を見出さなかった。ワルピリ語も1，2，たくさんに対応する単語しかないオーストラリア土着の言語であり，エニンディィリャグワ語は1，2，3，4，たくさんに対する単語をもつ言語である。これらの言語を話す単一言語話者の子どもは，単一言語話者の英語を話すオーストラリア土着の子どもとちょうど同じくらいの数的概念と数的能力をもっていた（Butterworth et al., 2008）。おそらく，最も衝撃的であるのは，ムンドゥルク族（ピラハ族と多くの点で非常によく似た別のアマゾン民族）は1，2，たくさんに加えて，3，4，5に対応する数字をもっているが，彼らも5つよりも少ない数を伴う一部の計算課題で成績が低かったことだろう（Pica et al., 2004; Pinker, 2007）。これらの結果は，生活様式と文化が数学能力において大きな役割を果たすことを示唆している。Picaら（2004）が見出したところによると，ムンドゥルク族は数を表す単語がなくても洗練された数能力を実現できるが，それでも，より厳密な課題では，これらの単語がないことは彼らの妨げになる。

だが，言語による数の扱い方はある程度の違いを生み出す。ウェールズ語の数字は対応する英語の数字と音節の数は同じだが，母音は英語よりも長いものが多いので，発音するのに相対的に時間が長くかかる。私たちのワーキングメモリは単語の音を使って事物を表現することがわかっているので，この母音の違いは数字についての記憶の違いに反映されるはずである。基本的には，長い事物よりも短い事物の方がワーキングメモリに多く詰め込むことができる。英語とウェールズ語のバイリンガルの話者（同じ人物の成績を2つの異なる言語で比較できるので，2言語使用がここでのキーとなる）は，英語に比べて，ウェールズ語の数字について記憶テストの成績がわずかに低かった。また，彼らは英語に比べ，ウェールズ語で暗算をする時にわずかに多くの誤りをする傾向があった——おそらく，思い出せる数字がわずかに少なかったためであろう（Ellis & Hennelly, 1980）。ウェールズ語よりも英語の方が数字を言うのに短くすむが，中国語ではさらにもう少し速く言える。中国語は数字についての名称が非常に短いので，中国語話者は英語話者よりも多くの数字を思い出せる（典型的には，7 ではなく 10 個；Dehaene, 2000）。英語の数システムは比較的複雑である。英語話者は 13 個の基礎的な数字名をもつ（0 から 12）。そして，13 から 19 を言うのには特殊な規則がある。それから，100 までは極めて単純な規則ベースのシステムがあるが，20，30，40 などについてはなお特殊な名称を学習しなければならない。その時，新たな規則が適用される。このシステムとは対照的に，中国語の呼称システムはずっと単純で，子どもは 0 から 10 までの 11 個の基礎的な用語と，100，1000，10,000 についての 3 つの特別な名称を学習しさえすればよい。中国語では，「eleven」は単純に「10 足す 1」，「twelve」は単純に「10 足す 2」などであり，単純で予測可能な方式である。中国人の子どもは特に「10 の代」において数えることの学習が速いということは意外ではないはずである（Hunt & Agnoli, 1991; Miller & Stigler, 1987）。ある言語は，他の言語では極めて複雑な概念を表現する 1 つの単語をもつが，これらの単語の存在は，それらの概念へのアクセスを容易にするはずだ。その例には，ドイツ語で「世界に対する包括的な見方」を意味する Weltanschauung，「他者の不幸に対する喜び」を意味する Schadenfreude（私はこれをよく感じるのだが）などがある。ニューギニアのキビラ語の mokita という単語は，「皆が知る真実だが誰もが口にはしない」ことをみごとに意味する。

容易に利用できる単語があることは確かに推論や分類を助けるだろうが，それは単語がなかったとしたら課題をやり遂げることができないというのとは別である。私はクック船長の船が最初にハワイに到着した時に，船というものについての概念をもっていなかったために，ハワイの島民にはそれが見えなかったという話を思い出す。この話は上手くはまりすぎていて，まったく信じられない。

色をどう呼ぶかということから何が学べるか

引き続き，簡単に利用できる単語があると何ができるのかという観点から，このアイデアを取り上げる。だが，まずは虹について考えてみよう。あなたにはいくつの色が見えるだろうか。もちろん，7つだとあなたは言うだろう。虹に含まれる色とその順序については実は複数の覚え方がある。私は学校で「Richard of York gave battle in vain」（ヨークのリチャードが無駄な争いをした）〔各単語の頭文字が red, orange, yellow, green, blue, indigo, violet に対応する〕と習ったが，今は「run over your gerbil because it's vicious」（君のスナネズミを踏んづけたのは危険なやつだったからさ）〔色の対応関係は前の例と同じ〕の方が好きだと思っている。実際には，虹を見る時，そこには7つの色とされるものがあるが，私は7色を見たことがない。せいぜい6つまでしか見えない。私の色覚はさておき，私たちの色の呼称の仕方は，言語と思考の関係を理解する際の争点であることが判明する。

一部の色は他の色よりも記述するのが容易である。あなたはある色を見て，「いい赤だ」とか「強烈な黄色だ」とか，たぶん「青みがかったサーモンピンクだな」と考えることができる。他の色は記述するのがずっと難しい。初期の複数の研究が明らかにしたところでは，呼称するのが容易な色の方が記憶しやすい。研究者らは彩度，明度，色相の異なる色パッチ（この材料がどんなものかは絵の具の見本のパンフレットを見ればわかる）を実験参加者に見せて，色パッチがどのくらいよく覚えられたかを調べた。おまけに，これらの効果はさまざまな言語で頑健であると思われた（Brown & Lenneberg, 1954; Lantz & Stefflre, 1964）。

このことは，Sapir-Whorf 仮説を支持しないだろうか。一見したところでは，支持する。ある色について簡単に利用できる単語や単語群があることは，その色をどのくらい容易に思い出せるかに影響する。だが，この結論を引き出す際に，私たちは色名と色との対応関係が恣意的なものであると仮定している。私たちは色のスペクトラムを言語によって自由に分割する。分割したら，私たちはたまたま呼称した色については常に上手く覚えられる，と。グリーンやブルーの代わりに，グリーンとブルーの中間にあたる「グルー」という色名を見

私の裏口のすぐ外に夢の実現がある〔虹の先が地面に接する所に黄金入りのつぼがあるという言い伝えがある〕

つけ出したとしたら，私たちはその色について優れた記憶を得るだろう。生物学が色呼称において大きな役割を果たすことがわかっている。異なる言語と文化によって用いられる色名には多くの秩序がある（図 4.1)。それらは色のスペクトラムのすべてにわたるものではなく，非常に絞り込まれている（Berlin & Kay, 1969)。

すべての文化が英語と同じ数に対応する数字をもつわけではないのと同じように，文化によって使用する色の用語も異なる。Berlin と Kay（1969）は，基本色用語と呼ばれるものの分布を調べた。これらは，その名称が示唆するように，ある言語にとって利用可能な中核的な色用語である。色名が色名として認められるには複数の基準を満たさなければならない。2 つ以上の意味の単語を含んでいてはならない（たとえば「赤」は容認可能だが,「暗赤色」はそうでない)，あらゆるものに適用可能でなければならない（「ブロンド」は髪の色や肌質を指すのにしか使えない)，一般的に知られていたり，他の物体から導き出したりされなければならない（「サフラン」はダメ)，他の色のサブタイプになってはならない（「緋色」は赤の一種であるというように)。使用される基本色用語の数はどちらかと言えば少数である。さらには，文化を通じて，それらはある階層を形成する。ある文化に 2 つの基本色用語しかないとしたら，それらは常に黒と白に対応する。3 つの色用語をもつ言語は，黒，白，赤に対応する名称をもつ。4，5，6 個の色をもつ言語の場合，黒，白，赤に加えて，黄，

図 4.1　英語，ショナ語，バッサ語，ダニ語における色相の分割の比較
（Gleason［1961］に基づく）

緑，青の一部かすべてをもつ。そして，7つの場合には，7番目は英語で言うブラウンに対応する。さらに多くをもつ場合には，色は英語の紫，ピンク，灰色，オレンジのうちのいずれかに対応する（図4.2）。

しかし，一番問題になるのは名前ではなく，対応する色である。4ヶ月の乳児は，境界上にある色よりも，色名が及ぶカテゴリーの中心に位置する色に注目することを好む。言い換えると，彼らは中間にある濁った色よりも，はっきりした代表的な青や赤を好む（Bornstein, 1985）。古典的な比較文化研究において，Heider（1972）は，異なった文化の人々も，色についての名前をもっているか否かにかかわらず，ちょうど同じようなやり方で色を扱うことを示した。彼女は**焦点色**（focal color）についての記憶に注目した。焦点色とは，色用語に対応する色の最もよい例のことである。もし100人に違った種類の青のサンプルを見せて，最もよい青を選ぶように求めたとしたら，どのサンプルがそうであるかについてだいたい一致し，一致する色が焦点青である。もしここであなたに目を閉じて青い正方形を想像するようお願いしたとしたら，それもまた焦点青だろう。

Heider（1972）は，ニューギニアのダニ族の成員がどのように色を使うのかに注目した。ダニ族は，2つの基本色用語しかもたない文化の1つである。私たちの言う白に対応する**モラ**（mola）を使って明るい色について語り，私たちの言う黒に対応する**ミリ**（mili）を使って暗い色について語る。Heiderは他の色についての名前をダニ族に教えた。彼女は非焦点色よりも他の焦点色

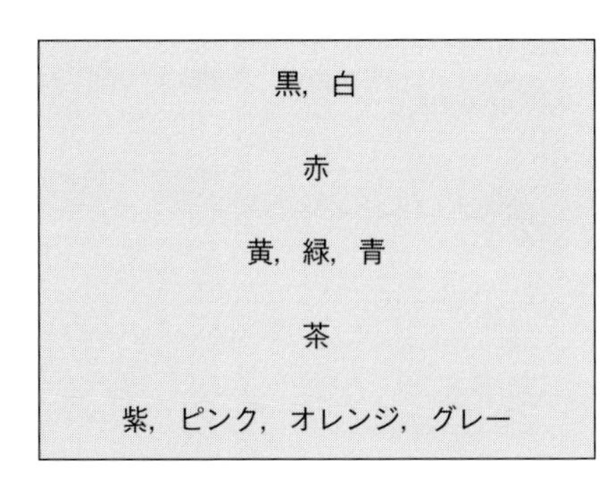

図 4.2　色名の階層（Berlin & Kay［1969］に基づく）

についての名前を教える方が簡単であることに気づいた。ダニ族は，焦点色についての名前をもっていなかったとしても，焦点色をより簡単に思い出せた。そこで，人々は利用できる名前がない時でも，Brown と Lenneberg が最初に見出したのとちょうど同じようなやり方で振る舞った。単語を利用できるからと言って，結局のところそれでもって何かができるわけではないようだ。Heider はダニ族の子どもたちの間での色の好みも調べて，今度も予想通りのことを見出した。子どもたちは非焦点色よりも焦点色を好み，焦点色についての単語をもっていなかったとしても，焦点色の方を容易に想起することが見出された。

色名の間でのこの系統性は何によって説明できるだろうか。すぐに思い浮かぶ候補は，色知覚システムの生物学である。網膜の桿体（かんたい）と錐体（すいたい），外側膝状体（がいそくしつじょうたい）として知られる脳の部位にある色に敏感な細胞は，異なる色周波数に違ったふうに応答する。ただし，反応分布には重なりがあり，視覚システムは差分を記録している。このことは，色は反対色の対（青と黄色，赤と緑など）の観点から処理されることを意味している。これが，濃い黄色のパッチに 30 秒間注目してから白い紙を見ると，青いパッチが見えるような錯覚が起こる理由である（Lennie, 1984）。詳細にこだわる必要はないが，視覚システムが他の色よりも一部の色により敏感であること，焦点色はシステムが最も敏感な色であることがわかればよい。そこで，色呼称研究は，視覚システムの生物学について私たちに教えてくれているのであり，私たちの知覚や認知が，どの単語を利用できるかということにどんなふうに影響を受けるのかを教えてくれているのではない（色覚の生物学と認知に関する最近の研究のまとめについては，Bae ら［2015］を参照)。1976 年までには Roger Brown は考えを変え，色呼称は，言語が認知にどのように影響するかについて，ほとんど何も教えてくれないと結論した。

したがって，言語を決定するのは生物学であり，言語が私たちの認知に影響を及ぼしているわけではない。いや，少なくとも，それは私が若かった頃に教わったことであり，今となっては何年も教えてきたことである。さらに最近の研究が明らかにしたところによると，生物学が私たちの色呼称をどのくらい制約するのかには限界があり，色用語の利用可能性は思考にある程度の影響を及ぼす。ニューギニアの狩猟採集民族であるベリンモ族は 5 つの色用語をもつ。特に，彼らは青と緑を英語話者がするようには分割しない。青と緑の範囲全体の大部分は「ノル（nol)」と呼ばれ，小さな一部分が私たちの黄色に対応する色と組み合わさって「ヲル（wor)」と呼ばれる。とはいえ，彼らは基本的に青と緑の範囲全体についてただ 1 つの語しかもたず，私たちが青や緑と呼ぶ焦点色に関わる課題が容易なわけではなかった。英語とベリンモの色名称スキーマを比べると，ベリンモ語話者は，（ベリンモ語の）色が基礎的な焦点色とされているものとどのくらい一致するのかにかかわらず，英語話者よりもカテゴリー間判断が容易だが，カテゴリー内判断は困難であることが見出された。ベリンモ族は Heider がダニ族と焦点色の研究で見出した結果を一切示さなかった。彼らは学習の促進も再認の優位性も示さなかった（Davidoff, 2001; Davidoff et al., 1999; Roberson et al., 2000)。実際には，今ではダニ族が本当に 2 つの色名しかもたないのかどうかについてさえ異論がある。つまり，生物学が認知を決定するという証拠は確かでない。実際，Davidoff（2001）は，知覚的カテゴリー化は言語相対性によって決定されると結論している。少なくとも，色の領域はいずれかの方向の強い結論を引き出すために用いるのに最適ではないと結論づけることができる。

言語処理は主に脳の左側に定位することがわかっているので，言語が知覚に及ぼす効果は左半球で顕著であることが予想される。Gilbert ら（2006）は，2 つの色が違う名前をもつ場合にターゲット色が妨害項目から素早く区別されるのは，色を左半球に提示した時のみであることを示した。右半球に提示された色に対する反応時間は，色名の影響を受けなかった。視野の左側（つまり，左右両方の目が見ているものの左半分）は右半球に接続しており，視野の右側は脳の左側に接続しているので，脳のどちらの側に何を出すかは容易に統制できる。したがって，右視野だけに色を提示することによって，脳の左半球に優先的に色を送り，色名をより強く表象させることができる。Gilbert らの結論によれば，私たちは母語のレンズを通して視覚世界の左半分ではなく右半分を見ている。

言語は記憶と推論に影響するか

結果が意外すぎて信じ難いような心理学実験も少しはある。私のお気に入りは，若齢者は高齢者を言い表した単語のリストを読んだ場合，他のものを読んだ場合よりも実験室から外に歩き出すのがゆっくりになるというものである（Bargh et al., 1996）。

さて，言語は行為や行動に影響を及ぼすことがある。これは Sapir-Whorf 仮説とまったく同じものではなく，人間の行動の複雑さと相互接続性を示すものである。これらのような微細な効果が存在することを念頭に置くと，言語が思考にまったく影響を及ぼさないとしたら驚きである。あなたがいま心理言語学についてわかっている通り，その効果は微細なものや議論の余地の少ないものから，大いに議論を呼ぶものにまでわたる。一般に，より多くの論争を生み出すのは文化差である。

まずあまり論争の余地のないものからはじめよう。言語が推論や記憶を促進したり歪めたりするという豊富な証拠がある。Elizabeth Loftus による目撃証言の有名な研究について考えればよい。最もよく知られた実験の 1 つでは，実験参加者は軽い自動車衝突の短い映像を見せられた。その後，彼らは質問紙に回答することになっていた。半数の実験参加者に対する質問の 1 つは「自動車がぶつかった（hit）時，どのくらい速く動いていましたか」であり，残り半数には「自動車が激突した（smash）時，どのくらい速く動いていましたか」と尋ねた。「ぶつかった」条件の実験参加者は時速 34 マイルと推定したのに対して，「激突した」条件の実験参加者は時速 41 マイルと推定した（Loftus & Palmer, 1974）。映像を見たあとで質問に答えてもらったので，言い回しが事故の知覚に影響を及ぼすことはありえなかった。言い回しは記憶や記憶についての判断に影響したのに違いない。だが，同じ実験参加者に，1週間後，映像についてさらに多くの質問を尋ねた。質問の1つは，「割れたガラスを見ましたか」であった。「激突した」条件に参加した実験参加者は，「ぶつかった」条件の参加者よりも，「はい」という答えが有意に多かった（14%に対して32%）。映像には割れたガラスはなかった。質問の言い回しは人々の記憶を歪めていた――誘導質問は誘導に成功した。このことの法における重要性はいくら強調しても足りない。言語と思考の研究は単なる学術的関心の対象ではなく，公正と不正の差になることがある。

言語が記憶に影響するというアイデアは，1932年，Carmichaelらによって単純だが効果的なやり方で最初に明らかにされた。彼らは実験参加者に，たとえば，小さな直線で結ばれた2つの円などの単純な線画を見せた。半数の実験参加者にはそれぞれの絵にあるラベルを与え，残り半数には別のラベルを与えた。つまり，実験参加者の一部は線画を見るとき「ダンベル」というラベルを与えられて，他の半数は「眼鏡」というラベルを与えられた。ある半数は細い弓なりののこぎりを「三日月」というラベルで見て，他の半数は「Cの文字」というラベルで見る等々であった。のちに，実験参加者には見たものを記憶に基づいて描くように求められた。みなさんが結果を推測できているだろうと私は確信している。実験参加者が描いた絵は，彼らが与えられたラベルの影響を受けており，絵はラベルの方へ近づく傾向があった。単に使えるラベルをもつことが何かを思い出すことを簡単にすることがある。無意味な形を見せられた実験参加者は，たとえ恣意的なラベルを与えられたとしても思い出すのが簡単であった（Santa & Ranken, 1972）。

単語は私たちが問題を解決する能力を助けることも，妨げることもある。問題を解く時，人はよくいやいやながら「箱の外で考える（think outside the box）」。これは私の嫌いなビジネス用語の1つだが，**機能的固着**（functional fixedness）（Duncker, 1945）として知られる現象を表すのに特に適している。人は物の伝統的な機能に固着すると，それらを新しいやり方で使うことを考えるのを嫌がる――新しい使用法が問題を解くのに役立つ時でも。古典的な実演では，机の上にロウソク，釘入れの箱，ひも，画びょう，輪ゴムなどのさまざまな材料が乗っているところを実験参加者に見せる。そしてロウソクを壁に取り付けて床に燃えかすが落ちないような工作をすることを実験参加者に求めた。実験参加者はたいへんな苦労をして非常にすばらしい工事を行った――私がはじめてこれを試した時のことを思い出す。Isambard Kingdom Brunel〔イギリスの著名な土木・造船技師〕は称えられるべきだ（残念ながら私の工作は1～2 分後に倒壊し，燃えるロウソクが床に落ちた。その時，健康と安全は優先されていなかった）。最も簡単な解決法は，箱を画びょうで壁に留め，その上にロウソクを立てるというものである。実験参加者は箱をそんなふうに捉えるのは非常にいやだったようだ。おそらく，入れ物としての箱の機能に固着していた。確かにそれが箱の通常の機能なのだ。箱の機能の目立ち具合いを操作することによって，問題の解決をやさしくしたり難しくしたりすることもできる。材料がすべて箱の中にあったとしたら，そのことは材料が箱の脇に置かれている場合よりも入れ物の機能を強調する。箱に「釘」というラベルをつけることは，収納機能をさらにいくぶんか強調し，実験参加者に箱について別の捉え方をさせなくする（Glucksberg & Weisberg, 1966）。

私たちが使う言語は，どんな種類の情報にアクセスするかにも影響することがある。ある研究では，中国語と英語のバイリンガル話者に，人についての説明を読んでもらったあとで，彼らが読んだ人について記述するように求めた（Hoffman et al., 1986）。説明の一部は中国語で書かれ，一部は英語で書かれていた。説明を読んだあとで，実験参加者は説明されていた人についての質問紙評定文を埋めなければならなかった。評定は使用されていた言語によって違っていた。英語で考えている時のバイリンガルの人々は英語のステレオタイプを適用したのに対して，中国語で考えている時の彼らは中国語のステレオタイプを適用した。たとえば，中国語では１つの単語で，家族には献身的だが少々よそよそしい社会的スキルの人々を記述できるが，英語はいまあげたすべての単語を必要とする。このステレオタイプについて考えるのには英語よりも中国語での方が簡単であり，この簡単さは評定を歪める。

この研究からの結論は，言語や単語は私たちの記憶，判断，推論に影響を及ぼしうるというものだが，この主張はおそらく驚くほどのものではなく，オリジナルの言語相対性仮説よりも確実にずっと弱いものである。言語は種々の概念の表出しやすさについて異なっている。さらに強力な知見は，これらの言語観の違いが推論する能力の違いを生じる場合であろう。このアイデアの最初の研究は，Carroll と Casagrande（1958）によるものである。彼らは英語とナバホ語の文法的な違いの影響を調べた。ナバホ語は，話題にしている物体の形と堅さによって動詞の形が変わる点において英語と異なる。たとえば，「運ぶ」を意味する動詞の末尾は，ロープを運ぶか，ステッキを運ぶかによって変わる。そのため，Carroll と Casagrande の主張によれば，ナバホ語話者の子どもは，英語話者よりも，物体の形と堅さにより多くの注意を払うはずである。すべての子どもがバイリンガルだったので，英語優勢の子どもが物体を分類するやり方とナバホ語優勢の子どもが分類するやり方を比較した。ナバホ語を話す子どもは，英語を話すグループに比べて，色よりも形に基づいて物体を分類することが多かった。

時間についての考え方も，言語の形式に影響を受けるように思われる。私たちは空間的なことばを使って時間を記述する。英語では，左右のメタファーを使って時間の前後の進みについて語るが，北京語では上下のメタファーを使う。先行する出来事は「上」にあるものとして記述され，後の出来事は「下」にあるものとして記述される。英語話者は水平に並べた対象を見た時に時間についての判断（3 月は 4 月の前に来るか）を行うのが速く，北京語話者は垂直に並んだ対象を見た時に速かった（Boroditsky, 2001）。つまり，時間などの抽象的な領域についての考え方も言語の影響を受けることがある。

学校でもっと懸命に勉強していれば，今ごろは億万長者になっていただろう。Gavrilo Princip〔サラエボ事件を起こしたテロリスト〕がサンドイッチを取りに行かなかったならば，第一次世界大戦ははじまらなかっただろう。この種の構文は反事実的構文として知られている——過去の何かが違っていたとしたら，物事はそのあと違ったふうだっただろう。私たちが知っている通り，英語は反事実文を作るための単純な構文をもっている。専門的には，**仮定法**（subjunctive mood）として知られるもので，学校でのラテン語の非常に幸せな記憶を呼び起こしてくれる用語だ。この種の反事実文を中国語で作るのは，それほど簡単ではない。英語にあるような方式の仮定法の文法的標識がまったくないのだ。英語の単純な文と仮定反事実文の違いに注目してみよう。

学校で懸命に勉強しなかったので，私は億万長者にはならなかった。
（I did not work hard at school, so I did not become a millionaire.）
学校でもっと懸命に勉強していれば，私は億万長者になっていただろう。

（If I had worked harder at school, then I would have been a millionaire.）

これらの動詞変化は，何が進行しているのかを私たちが知るための大きな手がかりである——意味を大きく変えずに，関係語（then など）を抜くことができるほどである。動詞変化は中国語ではそれほど使われない。代わりに，中国語はこれらの関係語や文脈に大きく依存する。Bloom（1981）の仮説によれば，これらの手がかりがないことは中国語母語話者が反事実的に推論するのを難しくする。彼は中国語母語話者が反事実文をどのくらい容易に理解できるかを英語母語話者のグループと比較して，中国語話者にとって実際により困難であったことを見出した

先に私は，異なる言語は異なる語順を用いると述べた——英語などの言語は動詞，すなわち，行為を目的語の前に置く（“the pig chased the rat”）。他の言語は動詞を目的語のあとに置く。この語順はしゃべらない時の行動に影響するだろうか。しないように思える。日常発話で用いる語順は，コミュニケーション課題（ジェスチャーを使って出来事を記述する）や非コミュニケーション課題（一連の絵を使って出来事を再構成する）の成績によって測定されるような非言語的行動には影響しない。英語，中国語，スペイン語（目的語後置言語）の話者は，トルコ語（動詞後置言語）の話者などと同じ種類の記述——動作主－受動者－行為——を生み出す（Goldin-Meadow et al. 2008）。この記述の順序は，主語－目的語－動詞という語順に対応する。Goldin-Meadow ら（2008）の主張によると，この順序は出来事を表すのに自然な系列である。動作主は，どちらかと言えば抽象的な行為よりは，対象や受動者と認知的に密接に結びついている。この順序は，自然発生の手話で見られる順序とも一致する。この研究は，強いバージョンの Sapir-Whorf 仮説に反する。言語は私たちの考え方を制約するのではなく，私たちの考え方には深い類似性が存在しており，これらの類似性が言語に反映されることを示唆する。

結論として，Sapir-Whorf 仮説が正しいか間違っているかについての簡単な答えはない（と言ってもそこに驚きはない）。強いバージョンの仮説（言語は思考の形式を決定する）と弱いバージョンの仮説（言語はある課題での記憶や推論に影響することがある）を区別することが有効である。強いバージョンの仮説にはほとんど支持は与えられないが，弱い形の仮説については明らかに相

当量の証拠がある。だが，言語の方が世界を反映するのであり，世界に対処するために脳が構造化される仕方を反映するのである。

言語の使い方には現実的な意義があるのか

私がずっと若かった頃，博士課程の指導教授が私に次のような問いかけをしたのを思い出す。「ある男が自動車事故に遭い，地元の救急隊が駆けつけた。外科医は『私はこの人を手術できない。彼は私の息子だからだ』と言った。外科医はその男の父親ではなかった。これはどういうことか」。私は自分が無知で若輩者だからなのか，自分ですら1980年代前半の大多数の人々と同じ性別ステレオタイプ選好を抱いていたためなのかはわからないが，答えをひねり出すのに長い間かかった（あるいは，たぶんただあきらめて答えを尋ねた）。

私たちは単語が意味することについての事前概念をもっており，これらの事前概念は私たちの考え方に影響を及ぼすことがある。特定の単語は特定の事物の意味を含むように思われる。再び，これらの言外の意味が正当でない推論を導くことがあるかもしれない。先に，委員会のchairmanという単語についての有名な例に言及した。chairman（議長）と聞くと，話題になっている人は男性であると仮定する方にバイアスがかかり，chairpersonやchairなどのより中立的な句はそうではないと考えられている。この重要なトピックについての研究は驚くほど少ない。誰がいつ，性差別主義的な言語を使いそうかについては豊富な研究があるが，その認知的な効果についてはほとんど研究がない。だが，言語が思考に及ぼす影響が明確にあるとすれば，少なくとも，認知の限界ではそれが見られる――人が聞いたり読んだりしたことから（たいていは正当でない）推論を引き出すことについての章でそれを見ることになる――特定の語の使用が，ある推論を引き出す方にバイアスをかけるとしても，意外ではない。そして，大きな母集団において大きな差を作り出すのには，小さなバイアスで充分である。改善は性差別主義的な言語の回避と同じくらい簡単であることを考えると，そうすべきであることは私には自明であるように思われる（ただし，この論争の妥当性には限界がある。しかし，「主観を抑える」ことについて話し合うのを私はあきらめない）。

言語的スタイルの違いには，特に教育にとって重要な意味をもつことのあるものが他にもある。イギリスの社会学者 Basil Bernstein（1961）は，労働者階級および中産階級の子どもたちの教育達成の違いを彼らの言語の違いから説明しようとした。彼の主張によれば，労働者階級の人々は**制限つきコード**（restricted code）を用いるが，中産階級の人々は**精緻化コード**（elaborated code）を用いる。「制限つき」という用語は不適切な選択である。彼は労働者階級の人々は語彙が制限されているとか，中産階級の人々はより精緻な言語を使っていると言いたいのではなかった。彼が言いたいのは，労働者階級の人々は共有された文化に頼るところが大きく，コミュニティへの所属感を強化する類のことばを使用しがちであるということである。精緻化コードは仮定と前提に関してより中立的であるので，目の前の社会集団の外側でも理解されやすい。つまり中産階級の慣例に対処するのにより効果的なのだ。そして，特に，教育システムは，精緻化コードにおけるコミュニケーションおよび教育と連動している。重要なので述べておくと，私たちはここで方言の違いについて語っているのであり，方言の課す制約について語っているのではない。もう1つの有名な例だが，Labov（1972）はアフリカ系アメリカ人固有の英語（African American Vernacular English：AAVE）――合衆国の北部都市のアフリカ系アメリカ人の話す方言――を研究した。AAVE は貧しい言語システムであり，教育システムはこれをなくすように努めるべきであるという当時流布していた信念とは逆に，AAVE は他の方言と同じくらい言語的に豊かであり強力であることを Labov は明らかにした。

もちろん，人は異なる方言を話すが，いずれかの方言が貧しいとか，思考を制約するとか，ある形式の言語が他の言語よりも優れているといった証拠はない。しかし，権力がある人，教育システムを管理する人の話す方言が有利であるということは真実である。

私たちはカテゴリーで考えるよう強いられるのか

言語は，私たちがカテゴリー的には考えないとしても，カテゴリー的に話すように強いる。“the cat chased the rat”〔「ネコがネズミを追いかけた」，「ネズミに追いかけられたネコ」などの2つ以上の解釈がある〕といった悩ましい文を産出する時，追いかけているのはネコであり，追いかけられているのはネズ

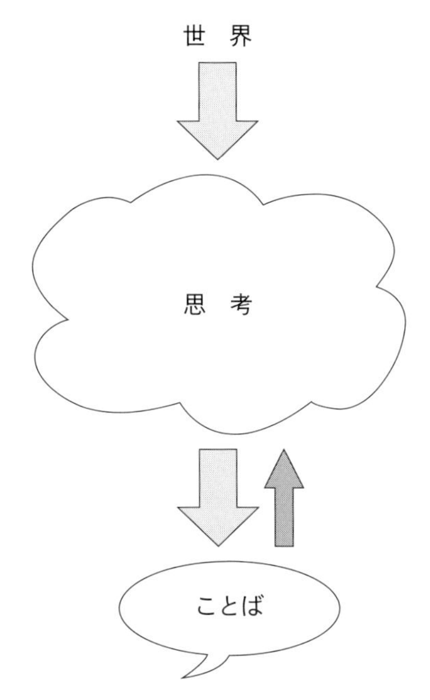

図 4.3　思考，心，世界の相互作用

ミであり，展開されている行為は追いかけることであるという信念を私は公然と支持している。もし自分に言い聞かせるとしても，同じようなことになるだろう。ここで，訳知り顔の誰かがやってきて私は嘘をついていると言ったり，ネコのような見かけの巨大ネズミがネズミのようにも見える小さなネコを追いかけていたのではないかといった疑いを抱くかもしれないが，大多数の人にとってはこの種のことを心配するには人生は短すぎる。私たちは脳が特定の仕方で――外的には知覚の意味で，内的には信念や思考の意味で――世界を分節化するから，物事はこうあるのだと言う。たとえ公然と両方に賭けたとしても（「ネコ－ネズミらしきものがネズミ－ネコらしきものを追いかけた」），私たちは世界にある物事を特定の仕方で分類している。それは，主に，世界－脳－ことばが順に入れ子になるようなやり方である。言語決定論の研究は時に言語が思考に影響しうることを示しているので，より正確なモデルはわずかなフィードバックを含むものとなる（図 4.3）。

図 4.3 はこのアイデアを示している。私たちは世界を分類し，私たちが作る

カテゴリーは恣意的なものではない。まったく驚くに値しないが，私たちが作るカテゴリーは私たちの生物学的構造と環境との相互作用を反映する（そう望むなら，図 4.3 に生物学的構造の箱を加えることもできる）。私たちはこの世界で生き延び，生活しなければならず，私たちの生物学的構造はそうすることと連動するようになっており，言語をコミュニケーションの一部として使う——そのため，私たちが作るカテゴリーの種類は，おおむね生物学的構造と世界との相互作用によって決定される。言語を学習している子どもは，自分が作っているカテゴリーの上に語を写像する——だが，単語がカテゴリーを洗練させたり，決定づけたりできないということを言っているのではない。大人にとってイヌであるものを指して「イヌ」と言い，世界を具体的な対象に分節化する傾向，対象全体を指すという原則，新しい単語はわからないものを指すという原則を組み合わせて，子どもがそのラベルはそのカテゴリーに合致するものであることを学習することを期待するのはまあよい。だが，イヌとネコを指して「彼らは哺乳類である」と言って，あとは生物学と認知にすべて任せて期待するのは，それとはまったく別のことである。

第5章 意　味

Meaning

ある学校に，よいスタートを切ることに失敗した新任教員がいた。彼は生徒に甘い顔を見せてしまったので，生徒がすっかり彼を侮ってしまったのだ（これを教訓にしたのだろう。彼は今ではすっかり辛辣になって，教員として大きく成功している)。すぐに彼のクラスは荒れるようになってしまった。ある日，校長が暴れている生徒たちのところへ行き，「なんだこれは（What is the meaning of this?)」と言った。校長のこのことばにどう答えればよかったのか，そもそも校長が何を言わんとしているのか，本当のところはよくわからない。こうして，気づかないうちに，私は「意味（meaning)」について再び言及していたのだ。

「意味」という単語は，私たちがその意味を知っていると考える多くの単語の１つであるが，考えれば考えるほど，それはつかみどころがなく，すり抜けていく単語でもある。意味は言語を支えている――それは言語産出のはじまりであり，言語理解の終着点である。また，意味は言語的，認知的，そして社会的なすべての活動を支えるものである。意味が存在しない私たちの生活というのは，想像ができない――言わせてもらえば，それこそ無意味なものだろう。

意味をもつものは何であろうか。単語はもっている。文ももっている。人生もきっと意味をもっている。文の意味というのは，文を構成する単語の意味が文法と相互作用することで生じる。しかし物体は意味をもつだろうか。会話はどうであろうか。人生についても意味があるかを論じる者もいる。心理言語学者は，意味とは何かなどはわかっていなくとも，それを研究する学問分野については喜んで名前をつけた。それを意味論（semantics）と言う。

意味の意味とは何か

大学にいる私の友人で，哲学と哲学者に対してひるむことなく疑問を呈する者がいる。彼は哲学や哲学者に話題が及ぶと，いつでも顔をしかめて，駄々をこねたような甲高い声で，「そうだね。でも，意味の意味ってなんだ？」と言っていた。

意味について行き詰まった時には，いつものように辞書を調べてみよう。そして，これもまたいつものように，失望する準備をしておこう。オンラインの無料辞書によると，意味とは以下のようなものだ。

1. 伝えられたり示されたりする何か。観念（sense），もしくは意義（significance）。
2. ある人が伝えたいと考える何か。
3. 了解可能な目標，意図，締めくくり。
4. 内的意義（inner significance）。

ここでは，私たちが見つけたものよりも，「意味」を辞書で探すという行為そのものの方が面白い。多くの人々は，何かの意味を，辞書を探すことで見つけ出す。すなわち，意味とは辞書における定義のことである。それでは，私たちはそれぞれ１つの心的辞書（mental dictionary）をもっているわけだが，ある単語の意味はその項目（entry）に収められていると考えてもよいだろうか。そして私たちが新しい単語を学ぶ時，新しい項目を作り出すのだろうか。そして，文の意味は，それらの項目が互いにどのように関連するかを示すことで，何とかそれらの項目すべてを結びつけているのだろうか。

こうした辞書による説明の問題点は，最終的にはただ循環するだけになってしまうということである。定義，という形で，単語は他の単語によって定義されている。ある辞書から，無作為に１つ，単語を取り出してみるといい。「意味」を取り出したとしよう。その定義の一部には，「観念（sense）」がある。では次に「観念」を調べてみよう。いくつかの定義があるが，その中に以下のものが見つかる。

伝達された意味。

なんと小さい循環論だろう。ほとんど，以下に示す Steven Pinker（2007）の例と同じ短さである。

無限ループ（endless loop）：名詞。「繰り返し」（loop），および，「無限」（endless）を参照。
繰り返し，無限：名詞。「無限ループ」を参照。

ここに中国語のわからない英語話者の男がいて，分厚い中国語の辞書〔中英辞書ではなくて，中国語の単語に対して中国語で説明が加えられているもの〕のある小さな部屋に彼を座らせたとする。そして何か中国語が書かれた紙をドアの下からこの男に渡す。この時，男は〔中国語の単語を中国語で書かれた辞書で調べることができるわけだが〕これらの単語の意味がわかったと言えるだろうか。もちろん，言えないだろう。この説明に明らかに欠けているのは，外の世界への言及である。外の世界と心理言語学および脳科学との橋渡しが，現代心理学が直面している大きな課題である。驚くべきことに，それは最近まで心理言語学者によってほぼ無視され続けてきた。道理でいつまでも同じサイクルの中で回っているはずである。

イヌとは何か

私の友人は哲学者（そして言語学者）について誤解をしていた。彼らは意味について非常に有用な分類を私たちに与えてくれているのだ。それは，意味のデノテーションとコノテーションの区別である。**デノテーション**（denotation）とは一次的な意味のことであり，誰もが（その意味でその対象を使うことに）賛同する主要な意味を指す。1つの単語のデノテーションには，疑義を差し挟む余地はない（とはいえ，ビル・クリントンが言った「それは『ある（is）』ということばの意味によります（It depends upon what the meaning of the word ‘is’ is)」と述べた時のように，ときどきわからなくなるものではあるのだが）[訳注1)]。私が「意味論（semantics)」について述べる時には，このデノテーションを意味している。これに対して，**コノテーション**（connotation）は二次的な意味のことである。私たちがもつ，その単語に対してのすべての関連要素を指している。

意味は，何らかの方法で世界の一部を指示（言及すること）していなくてはならない。このことについては同意が得られるだろう。真の問題は，この指示関係のあり方がどのようなものなのか，ということだ。非常に簡単に思えるものもある。この世に月は1つしかなく（まぁお待ちなさい，そこの物知りなあなた。ここではみんなが知っている私たちの月について話をしているのですよ），太陽も1つしかない。「月」と「太陽」の意味はとても簡明な方法で世界と関連している。これが「イヌ」になると，少しややこしくなってくる。なぜならイヌはこの世界に無数に存在するし，犬種も数多い。しかし少なくとも，イヌは極めて明確なカテゴリーを形成する（私たちはそれを自然種［natural kind］と呼んでいる）。「哺乳類」はさらにややこしい。しかし，次のようなとても有用な，トリックめいた方法でこれをかわすことができる。すなわち，ある対象を指差してこう言うのである。「うん，これは哺乳類だね」「いや，これは違う。哺乳類じゃない」。おそらく，その対象があるカテゴリーのメンバーに属するかどうかを判断できるルールがあり，意味は何らかの方法でそのルールと関わっているのだ。しかしここで，さらに抽象的な単語，「真実」や「正義」について考えてみよう。これらの単語が物体を指していないのは明らかだ。そして先ほどの指差しルールは，ここではもはや通用しない。同様のことが，形容詞にも言える。私たちは，何かを指差して，それが黄色であるとか，死んでいるとかいうことができるが，それが相対的（ある何かは別の何かと比較して大きいが，さらに別の何かよりは小さいだろう）で主観的（美は見る人の目の中にある，と言うではないか）[訳注2] なものであることは認めなくてはいけない。さらに，同じことは動詞にも言えるが，もっと難しいものになる。文法を構成するための単語については……ここで扱うのは止めておこう。

世界の中の事物や特性を指し示すことは，意味の重要な一側面である。意味

訳注1）1998年，クリントン大統領がモニカ・ルインスキーとの性的関係について，以前には「性的関係は『ない』」と明言していたが，次第に追い込まれ，「以前言ったことは嘘だったのか」という追及に対して回答したことば。

訳注2）“beauty is in the eye of the beholder”。英語のことわざで，美というのは見る人の意識の中に存在するのであって，客観的に存在するわけではない，ということ。日本語で言えば，蓼食う虫も好きずき。

についての知識は，私たちに，あるものがイヌかイヌではないかを判断させてくれる。しかしこれは，「イヌ」のような単語の意味を私たちがある種の判断ルールのような形で保持している，ということでは決してない。意味の心的な表象は，私たちに上記の判断をさせてくれるくらい充分に機能的なものではあるが，その判断ルールと心的な表象が同じものであることを意味しないのだ。

さらに，こうした指差し法には別の問題もある。私たちは世界に存在する事物が実際には何であるかをいつも知っているわけではない。古典的なものとしては，宵の明星（Hesperus）と明けの明星（Phosphorus）の例がある。昔のギリシャ人は，宵の西空に輝く明るい星のことを「宵の明星」と呼んだ。彼らはまた，朝，東の空に見える明るい星を「明けの明星」と呼んだ。今では，私たちはそれらが同じものを指していることを知っている。金星である。2つの単語は同じものを指している。しかし，古代ギリシャ人にとっては，それら2つが同じ意味であると完全には言い切れなかったようである。私たちは意味の2つの側面を区別する必要がある。すなわち，指し示されている，世界に存在する事物と，私たちの理解として世界を捉える観念の区別である。**内包**（intension），もしくは観念（sense）とは，私たちの内的で抽象的な事物の説明であり，私たちに世界における特定の事物を認識させるものである。**外延**（extension）もしくは参照（reference）は，指し示されている事物，もしくは一連の事物である。この区別からすれば，ギリシアの宵の明星と明けの明星

宵の明星

は，異なる内包をもっているが，同じ外延をもっているということになる。

この議論は，最初に感じるほどは哲学的なものではない。なぜなら，世界についての知識というのは変化するからである。少し前に，冥王星が惑星から準惑星に格下げされた。それは未だ同じものである（それは未だ同じ外延をもっている）。しかし，その内包が変化したのである。

では，イヌとは何だろうか。私は自分の実母に電話をして，そのことについて尋ねてみた。心理学者がすることに何か恐れを抱いているようで，思うに，彼女はこれをひっかけ問題だと疑っていたようだった。幾度かの再確認ののち，彼女は「四本足の動物。ペットとして飼われる。いくらでも言うことができるわ」と述べた。次に私は義理の母に同じことを尋ね，「小さい，家畜化されたオオカミ。飼い主への忠誠から，よく『人間のベストフレンド』と言われるわね」という答えを得た。思うに，どちらもそれほどよい回答とは言えない（彼女らがこれを読んでいないことを祈る）。しかし，彼女らが実際にイヌを見た時には，それがイヌだとわかることは間違いない。この例では，少なくとも，意味についての暗黙的知識は，明示的知識よりも確実に優れていると言える。しかし私は人々の「イヌ」の定義に夢中になりはじめていたので，親切な心理言語学者にも聞いてみて，次の答えを得た。「辞書を引けばわかるよ」。それでも止められずに，別の人にも聞いてみて，次の答えを得た。「四本足で歩く動物で，しっぽをもっている。そのしっぽは，喜んだり，周りに面白いものがあると振られる。家畜化することができる。群れで生きるのが望ましい（ただし，必ずしも他のイヌが必要ではなく，たとえば，人間といることもできる）。その瞬間，その瞬間を生きているところがある。遊ぶのが大好き。群れに対してひどく忠実で，恐れずに群れを守ろうとする」。まったく，心理言語学者に尋ねる前に，こっちに尋ねればよかった。とはいえ，これは要するに，四本足の吠える動物で，ペットとして飼われているということである。

このことを，逆の方法で見てみよう。そうしてみると，私たちは物事について語るのに好みの方法があるということがわかるだろう。もし155ページの写真を示して，これは何ですかと誰かに尋ねたら，最も彼らの言いそうなことはなんだろうか。

彼らのほとんどは「イヌ」と答えるだろう。「動物」ということはあまりないだろう。「哺乳類」と答えることはもっと少ないだろうと思う。そしておそらく，犬種を答えることもあまりないだろう。「イヌ」と言うのが，ほとんどの場面でその対象のことを話すのにちょうどよい特定性をもっているようだ。つまり，情報量に不足なく，他のものと「イヌ」を弁別させるという面（「動物」や「哺乳類」では〔分類が大きすぎて〕その機能が弱い）と，〔少ない語を多くの場面で使いまわせるという意味で〕一般性と経済性の高さという面の両極の間で，「イヌ」ということばは極めてよいバランスをもっているのだ。

このレベルにあるもの（「イヌ」「ネコ」「椅子」「車」）のことを，**基礎レベル**（basic level）（Rosch, 1973, 1978）と呼ぶ。基礎レベルの上に，私たちは1つ，もしくはそれ以上の上位カテゴリー（superordinate category）（「哺乳類」「動物」「家具」「乗り物」）をもち，基礎レベルの下に，基礎レベルのカテゴリーのメンバーもしくは下位カテゴリーをもつ（「プードル」「シャムネコ」「オフィス用の椅子」「安楽椅子」「フォルクスワーゲン」「クライスラー」）。この下位カテゴリーはさらに分割されることもあるだろう。私たちは基礎レベルでカテゴリー分けを行い，そして基礎レベルで考える傾向がある。基礎レベルから上位カテゴリーへ移ると，弁別性の点で大きなロスがある。しかし下位カテゴリーに移ると，下位カテゴリー間での細かい弁別を行うことになるが，それはほとんどの場面で不必要であり，得るものは多くない。基礎レベルにあるもの同士は，少なくとも横顔ではそっくりに見える傾

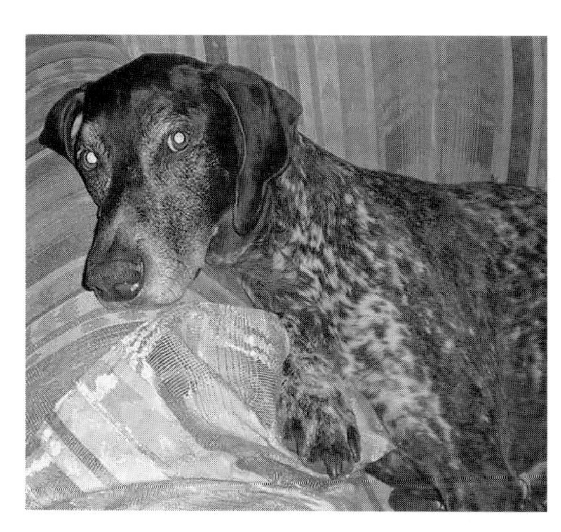

ママ，これは何？　友達のフェリックス

向がある〔つまり，下位カテゴリーまで下がらなくても基礎レベルのメンバー同士はそれなりに似ている〕。基礎レベルにあるものは，いくつかの心理学的なアドバンテージをもっている。たとえば，通常，子どもは基礎レベルでの呼び名を学ぶこと，心の中でイメージを作る時に，上手く作れる範囲の中で最も高いレベルにあるものが基礎レベルであること（ためしに，上位カテゴリーの「動物」をそれよりも具体化させずに心の中でイメージしてみてほしい），日常生活でほとんどのものは基礎レベルでの呼び名で探すことができること，そして私たちは他のレベルよりも基礎レベルの処理を素早く行うことができること（Jolicoeur et al., 1984; Rosch et al., 1976），などがあげられる。また，物語について誤って覚えている時，人々はその物語の中の下位カテゴリーの用語を基礎レベルの名前に置き換える（Pansky & Koriat, 2004）。もちろん，基礎レベルはその人の熟達の度合いによって変化する。かつての私のカモメについての知識は，基礎レベルがカモメや鳥というよりも〔より詳しい記述法である〕種になっていた。

このことは，カテゴリーが曖昧であることを否定するものではない（この章と次の章の境界が今まさに曖昧になっているように）。カテゴリーのメンバーであるか否かはその基礎となる概念によって決定されるが，そのことを突き詰めれば意味の領域にさらに深く迷い込むことになる。

意味はネットワークで表現されるか

イヌは動物だ。セッターとプードルはイヌの種類だ。動物に当てはまることはすべてイヌにも当てはまるし，イヌに当てはまることはすべてセッター，プードル，シェパード，ロットワイラーに当てはまる。Collins と Quillian (1969) は，いったんあるレベルについての情報を特定してしまえば，それよりも下のレベルでは再び特定する必要がないことを示した。彼らは，意味ネットワークとして知られる意味記憶のモデルを提案した。彼らのモデルでは，知識は階層構造で保持されている。その階層構造の中で，概念はリンクでつながれたノード〔結節点〕として表現される。ノードはリンクによって接続されている。そしてそれらのリンクはある値をとることができる。このモデルの中で，最も一般的なリンクは ISA リンクだ。ISA が意味するものは一目瞭然である（「～である（is a）」もしくは，もう少し長くしたければ，「～の一例である」）。属性は，可能な限り上位のノードに保持される。したがって，「羽をもつ」はすべての鳥に当てはまるが，すべての動物に当てはまるわけではないので，「鳥」ノードに保持される。このことは図 5.1 を見ると容易に理解できるだろう。

モデルは，ただ洗練されているだけではなく，実験的証拠によってサポートされた時に，一層印象深いものとなる。この種の階層的モデルをどのように検証することができるだろうか。「カナリアは鳥である」のような文を真偽判断することを考えてみよう。ネットワークの中を，カナリアノードからスタートして，鳥ノードへ上がっていったとしよう。この 2 つのノードは ISA リンクで結ばれているので，この文は真である。「カナリアは動物である」はどうだろうか。先ほどと同様に考えればよいのだが，今回は 2 つのノードの間の接続を確認するのに，先ほどよりも長い移動を必要とする。そこで重要な予測として，「カナリアは動物である」を真偽判断するのにかかる時間は，「カナリアは鳥である」を真偽判断するよりも長い，ということが導かれる。「カナリアは黄色い」はどうだろうか。簡単である。「黄色い」という情報はカナリアノードから直接検索されるので，比較的早く真偽判断できるはずである。「カナリアは羽をもつ」はどうだろうか。この情報を検索するためには，鳥ノードまで昇っていかなくてはならない。そのため，時間がかかるだろう。「カナリアは肝臓をもっている」については，動物ノードまでの道のりを上がらなくてはいけないので，より時間がかかると予測される。

Collins と Quillian はこれらの予測を**文の真偽判断課題**（sentence verification task）によって検証した。この課題は非常にシンプルである。コンピュータスクリーンに「カナリアは羽をもつ」のような文を提示し，参加者に見せる。そして参加者に，もしこの文が真（正しい）ならばあるキーを押すように，もし偽（誤り）ならば別のキーを押すように指示する。ここから，その判断に参加者がかける時間を測定することができる。文を読むこと，キーを押すことにある程度の時間はかかるとしても，それは文字数がほぼ同じならばどのような文に対しても一定になるだろうことは明らかである。それゆえ，反応時間の違いは，判断にかかる時間の違いを反映していると言える。

この文の真偽判断課題から得られた結果は，上記のモデルを支持した。要点

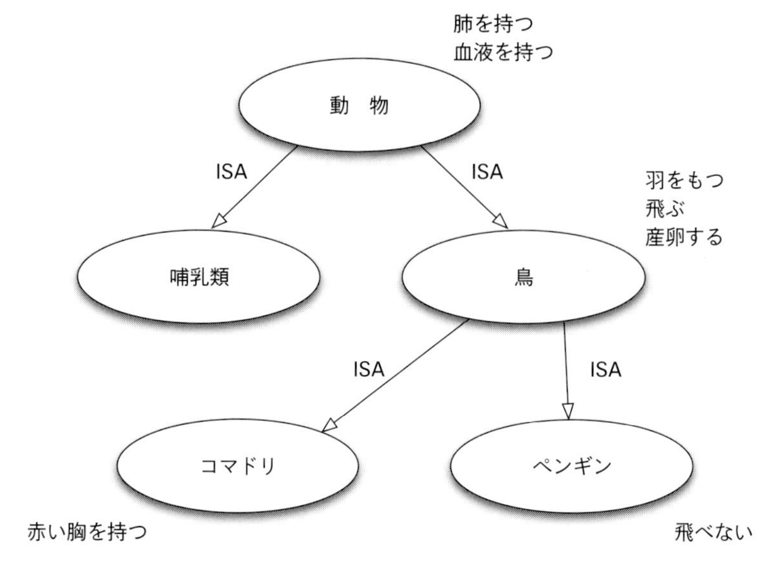

図 5.1　Collins and Quillian 型の意味ネットワークの一部
（属性の継承を示している）

は，モデルにおける階層を移動しなければならない距離が長いほど，真偽判断すべき情報を得るのに時間がかかり，その情報を含む文が真であるという判断にも時間がかかるということである。文（「魚は羽をもつ」）が偽であることをどのように判断するかについては，いくらか追加の仮定を設ける必要がある。その情報が見つかるまでどんどん上位のノードを探索していき，その後，適切なノードが見つかるまで今度は下がっていくのかもしれない（魚ノードから動物ノードに上がっていき，その後，別の枝へ下がっていき，羽をもっているのは鳥だとわかるのだろう）。もしくは，その情報を手早く見つけることができなければ，その時点でその文は偽であると判断するだけかもしれない。

ここでこの初期の意味ネットワークモデルに時間を割く価値がある理由は，現在では誰も単語意味についてのすべての情報がこのように保持されているとは考えていないにもかかわらず，意味というのは概念の相互結合によって表象されるという考え方は現在も根強く生きているからである。このモデルにいくつかの問題点があることは明らかである。鳥やカナリアというような自然種を指す単語についてはとても上手くいくが，私たちが昔から知っている真実や正義についてはどうだろうか。これらはネットワークのどこに位置するのだろう。さらに，「カナリア」と「羽」，「カナリア」と「肝臓」を比較して考えてみよう。最初の2つの単語は常に文の中で一緒に出現する。そのことを私たちは強く**連合する**（associated）という。しかし「カナリア」と「肝臓」はほとんど一緒には使われない（これらの単語が同じページで使われるのをこれまで見たことはなかったように思う）。これらの単語は非常に弱い連合強度をもっている。この文における単語間の連合強度というものを統制した時，階層における距離に応じて反応時間が伸びるという効果は弱まる。しかしなくなるわけではない（Conrad, 1972; Wilkins, 1971）。他の実験結果は，判断にかかる時間は認知的距離〔ここでは，分類学的な距離を意味している〕とは関連していないことを示した。私たちは，哺乳類は動物よりも牛に近いにもかかわらず，「牛は哺乳類である」よりも「牛は動物である」について早く判断することができる（Rips et al., 1973）。また，文の中の2つの事物が何らかの形で関連している場合，それが無関連であった場合よりも，その文を偽であると判断することが難しくなることが知られている。

　松は教会である。
　松は花である。

どちらも偽であるが，2つの単語の関連性が私たちに2つ目の文を偽であると判断させることを難しくする。それゆえ，判断が遅くなるのである（Wilkins, 1971）。さらに，扱う項目があるカテゴリーにおいて典型的であるほど，そうでない場合に比べて，判断が早くなる。このことを典型性効果と呼ぶ。

　ペンギンは鳥である。
　コマドリは鳥である。

どちらも真である。しかしコマドリの方が，ペンギンよりも，「よい」鳥である。すなわち，コマドリの方がより典型的な鳥である。したがって，1つ目の文よりも2つ目の文に対してより素早く真偽判断ができるのである（図5.1）（Rosch, 1973）。

　もちろん，私たちが直すことができるような，かなり明確な修正すべき点もモデルにはある。最も明らかな修正点は，おそらく，このモデルをネットワー

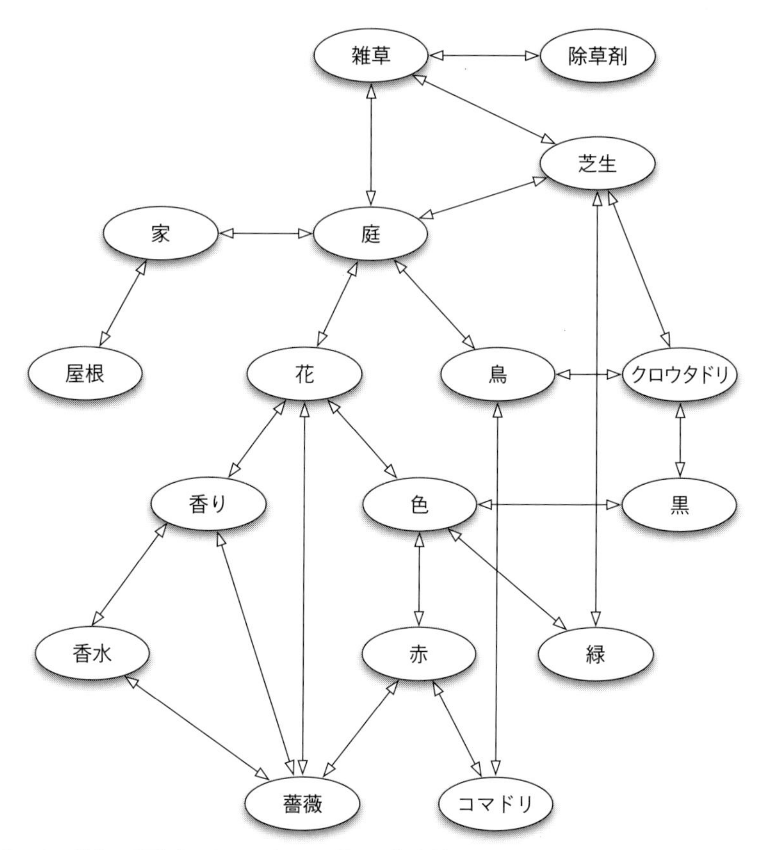

図 5.2　著者の意味ネットワークの一部――物事はすぐにもつれる

クと呼んでおきながら，実際にはネットワークではないという点だろう。もっと事物の間に多くのリンクを作ることもできるし，たとえば，コマドリノードはペンギンノードよりも鳥ノードに近くなるように結合の長さを変えることもできる。また，私たちはこれまで真偽判断が生じるメカニズムについて本当は語っていなかった。何がリンクを移動するのであろうか。最初の章を思い返してみれば，第一候補は，活性化，すなわち私たちの心的ネットワークに宿る心的エネルギーである。リンクが長いほど，活性化するのに時間がかかる。活性化は，活性化したノードから発し，接続されている他のすべてのノードへ広がっていく。これらの修正を行ったのが，Collins と Loftus（1975）の，意味処理における活性化拡散ネットワーク（spreading activation network）モデルである。

これらのモデルの詳細を説明するのにそれほど時間はいらない。私たちはすでに重要な原則について了解している。知識は情報の相互結合ネットワークによって表象することができ，そのネットワーク通って活性化が拡散していく(図 5.2)。

意味的特徴とは何か

数多い明白な欠点などは置いておくとして，これまで私たちが議論してきたモデルは，目立たないけれども一般に重要な性質をもっている。これらのモデルは，何かの意味を，それよりも単純な意味の単位を組み合わせることによって説明しようとする。Collins と Quillian のモデルはこのことをある程度上手くやっている。すなわち，「羽をもつ」「飛ぶ」「肝臓をもつ」のような情報はそれぞれのノードに保持されており，意味はより小さな意味の単位に分解することができるということだ。

意味というのは，意味のより小さな単位の組み合わせによって最もよく表現されるというこの考え方を，意味記憶の理論の基盤として採用することができる。私たちはこうしたアプローチを分解理論（decompositional theories）と呼ぶ。ある領域では，この理論はとても上手くいく。言語学の古典的な例に親族名称（kinship terms）というものがある。あなたの親族をあなた自身から見てどのように定義できるかを考えてみよう。意味には〔複数の定義の仕方があるという面で〕いくらかの冗長性がある。すなわち，もしあなたが祖先の性別，世代，母方か父方か，を知っていたら，私たちが誰について話しているか知ることができる。女性，母方，二世代上，とわかれば，それが私の母方の祖母であるリリアンだとわかる。男性，父方，二世代上，とわかれば，それは私の父方の祖父のウォルターだ。これら3つの要素の組み合わせによって，私自身，両親，4人の祖父母を表現することができる。これは節約的だ。事柄，すなわち，私たちが組み合わせる，いわゆる特徴（feature）を単に増やすだけで，同じ方式を兄弟姉妹や，もっと祖先まで遡って拡張することができる。

意味的特徴の考え，すなわち，少ない数の特徴をさまざまに組み合わせて単語の意味を表現することは，有効かつ強力である。この方式は2つの大きな利点をもっている。1つ目は，これでほとんどの単語について，その意味について悩まなくてよくなるということである。ここで悩まなくてはならないのは，よほど少ない意味的特徴をもった意味だけである。2つ目の利点は，それが経済的であるということだ。特に対立する立場から言わせれば，それが理論としての正しさに必要不可欠というわけではない。しかし，経済的であることは理論としてエレガントである。また，経済的であることで，完全に消すことはできないが，心的辞書における循環問題を縮小することができる。これらの利点のおかげで，言語と翻訳についての人工知能アプローチにおいて，こうした特徴ベースのアプローチは一般的である。Yorich Wilks（1976）は，80の特徴を組み合わせることで600の単語の意味を捉えるコンピュータシミュレーションについて述べた。たとえば，コンピュータプログラムのLISP〔プログラミング言語〕を英語〔もちろん，ここでは日本語〕に訳してわかりやすくすると，「飲む」という動詞の意味は「生物によって，液体に対して行われた，その液体をその生物の穴を通してその生物の中に入れる行為」となる。このことの妥当性は問わないでおこう。これは特徴をコンピュータプログラムに入れるように翻訳したものを，さらに翻訳して英語に戻したものだということを思い出そう。重要なのは，シンプルな少数の特徴を組み合わせることで複雑な概念の意味を捉えることができることであり，実際それは上手く働くということだ。

すべての言語の単語の意味は，おおよそ60程度の，すべての言語に共通する少数の特徴の組み合わせで記述することができると主張する言語学者もいる。このアプローチの主唱者はAnna Wierzbicka（1996，2004など）である。彼女は，さまざまな言語の意味の複雑性は，すべての言語に共通の特徴へと還元できることについて説得力のある洞察をしている。その特徴には，私，あなた，誰か，言う，真，起こる，動く，生きる，死ぬ，今，に該当する項目が含まれている。現在のところ，この方法による言語の記述が，人間が日常生活の中で実際に意味を算出する方法だとは言えない。しかしこの方法はこのアプローチの実行可能性を示しており，いかにして意味を個々の言語の制約を超えて拡張することが可能かを示している。こうした普遍性はこれらの特徴が思考の原子である可能性をほのめかすものである。

意味的特徴の別の大きな利点は，それが文の意味を組み立てる方法を私たちに与えてくれることである。文の意味はもはや個々の単語の意味ではなく，意味的特徴を組み合わせた意味になる。こうした組み合わせアプローチは，多義性への対処やなぜ特定の単語の組み合わせが私たちに異質さを感じさせるかについての説明を与えてくれる。“ball”という英単語は多義的である。ここでは3つの発話に含まれている。

Felix picked up the ball in his mouth and ran towards goal.
（フェリックスはボールを口で拾ってゴールへ駈け出した。）
The pet owners' annual ball was held in the field this year.
（今年広場ではペットオーナーたちの年1回のダンスパーティが開かれた。）
The house kicked the ball.
（家がボールを蹴った。）

「小さくて丸い物体」の意味の“ball”は，それを拾い上げる生物とのみマッチしている。「ダンスパーティ」の意味は，それがある場所で行われることとのみマッチしている。そして無生物はどちらの意味でも行為を遂行できないので，最後の文は異質な感覚を与えるのである。

意味的特徴はどのようにして文の真偽判断課題の成績を予測してみせるだろうか。いくつかの修正によって，その予測は極めて上手くいく。Rips ら（1973）は意味的特徴を2種類に分けた。**定義的**（defining）と**特性的**（characteristic）である。定義的特徴は単語の定義の本質部分のことである。鳥は産卵し，羽をもつ。特性的特徴は，たいていの場合は真だが，常に真ではないような特徴を指す。鳥は多くの場合，飛ぶことができるが，それは本質である定義的特徴ではない。「ペンギンは鳥である」という文の真偽判断を行わなくてはならない時，何が起こるだろうか。Rips らの説明によれば，文の真偽判断課題を行っている最中，私たちはまず文の中の2つのキーワードの全体的な特徴の類似度を比較する（「ペンギン」と「鳥」）。もし非常に大きなオーバーラップがあるとすれば（「コマドリ」と「鳥」のように），私たちは真と反応する。そして，もしオーバーラップが小さければ（「ツチブタ」と「鳥」の間のように），私たちは偽と反応する（もちろん，その人が「ツチブタ」を知っているという前提だが）。しかし，「ペンギン」と「鳥」，「松」と「花」のように，オーバーラップの量が中程度の単語ペアというのも存在する。このケースでは，定義的特徴だけを精査する比較の第二ステージへ移行することになる。

特徴理論は，ネットワークモデル，および，これから説明しようとしているコネクショニスト・モデルと多くの類似点をもっている。コネクショニスト・モデルは特徴理論とネットワークモデルをつなげるものである。特徴理論とネットワークモデルを区別することは難しく，おそらくは不可能であり，今ではそのために努力することにあまり価値がない。しかし，意味についての特徴ベースの説明は数多くの問題に直面している。その最たるものは，イヌとツチブタについては特徴を並べればすむが，私たちのよく知る真実や正義についてはどうか，という点だ。さらには，いくつかの単語はどのような定義的特徴も有していないように見える。最も有名な例は「ゲーム（game）」だ（Wittgenstein, 1953）。すべてのゲームが共通してもっているものは何だろうか。私たちが考えるすべてのことについて，反例が存在しうる。対戦相手がいることだろうか。ソリティア〔トランプの一人遊び〕がある。楽しいということだろうか。悪い試合の日のサッカー選手やチェスのグランドマスターにそのことを言ってみよう。この難しい問題への１つの反応は，定義的特徴の考えすべてを捨ててしまうことだ。そして，「ゲーム」というカテゴリーのメンバーが単純に互いに似ているように，家族的類似性によってカテゴリーへの所属を定義する，ということだ。つまりゲームの例で示されるような定義的特徴が存在しない概念が存在するという問題点は，実は特徴理論の問題とは言えないのだ。私たちは単に定義的特徴が必要だという考えをなしにして，概念同士のオーバーラップの総量に目を向ければよいだけだ。

私たちにはまだ直面している問題が残っている。意味的特徴とは本当はどういったものなのか，それらをどのように組み合わせて真実や正義といった意味を作るのか，という問題だ。しかし，このことについてはそれほど気に病むことはない。私たちは，Wierzbicka の言語学における仕事で，それが原理的に可能だということを知っている。必要なのは，人間のもつ意味的特徴が，「羽をもつ」「大きい」「肝臓をもつ」といったような，きちんとしたわかりやすい言語学的対応物なのだ，という考えから離れることである。意味的特徴がそのようなものであると考える理由は少しもないし，逆に，そうではないと考える理由は数多くあるのだ。また，ある意味的特徴が単に「～における特徴である

この写真には（イギリスでは）珍しい鳥がどこかに写っている。さもなければ，それはツチブタかもしれない

(on)」または「～の特徴である（of)」といったものであると考える理由もない。たとえば，ある意味的特徴は，0から1の間の値をとるというような性質のものかもしれない。こうした特徴は，すべて後ほど説明するコネクショニスト・モデルの特徴なのである。しかし，私たちのもつ特徴がどういったものなのかがわからないし，それを言葉で表現するのはそれほど簡単ではない，という点は繰り返し指摘する価値がある。私たちは自分の頭の中に何があるかを知らない。関連するポイントは，意味的特徴には知覚システムと結びついているものもあるので，悲惨な自己参照ループから抜け出す手段を私たちに与えてくれるという点である。この点では辞書に勝る。私たちは思考というものを巨大なネットワークだとみなすことができる。単語は他の単語や特徴と結びついており，さらには，多くのレベルの結合を通して，視覚情報，音，触覚情報，匂い，味などを伴うさまざまな表象と結びついている。単語が表象されるのに，ここであげたすべての結合が必要というわけではない。ただ他の単語と結合しているだけの単語もあるだろう。

私は意味の理論が今ではすべて解決済みだという印象を与えたいわけではない。単語の意味はより小さな単語の意味に分解できるというのが分解意味論だが，この分解意味論が意味についての説明として最もよいと，すべての人が同意しているわけではないことをはっきりさせておくべきだろう。これとは異なる見方の中で，最も主導的なものは，非分解意味論である。これは，すべての単語に，単語と一対一で対応する概念があり，私たちはそれを知っている，という考えである。分解アプローチと非分解アプローチを実験的に分離することは非常に難しい。とはいえ，現在の研究を進める推進力となっているのは圧倒的に分解アプローチである。また，なぜ非分解アプローチが知覚と関連しているのかについて，すぐに答えを出すのも難しい状況だ。

こうした記述というものは，曖昧で思索的であるが，コネクショニスト・モデルはそうした考えが実際に上手くいくことを示してくれる。

私たちはどのように意味記憶の中を探すのか

ここまでで，「ライチョウは鳥か？」のような疑問に答える１つの方法は，私たちのネットワークを上がったり下がったりすることであるとわかった。「ライチョウ」を見つけたら，それが最終的に「鳥」とつながっているかどうかを見るのである。しかし，記憶を探すことはネットワークを上がったり下がったりすることにすぎないという考え方に，いくつかの問題があることもすでに見てきた。

私たちがペンギンや新しい動物にさえ，それらが鳥かどうか判断しなくてはならない時，それらを理想的な鳥と比較すると言われる。理想的な鳥とは，クロウタドリ，コマドリ，スズメのような特定の鳥を指すのではなく，すべての鳥の平均的特徴によって抽象化がなされている。すなわち，かなり小さく，飛ぶことができ，短い脚，短いくちばし，中ぐらいの長さの尾などである。事実，理想的な鳥は，まったく同じではないのだが，クロウタドリ，コマドリ，スズメによく似ているのである。この「平均的」鳥のことを，**プロトタイプ**（prototype）と呼ぶ。すべてのカテゴリーはプロトタイプをもっている（Rosch & Mervis, 1975）。たとえば，乗り物のプロトタイプは車に似たものである。何かが，あるカテゴリーのメンバーなのか否かを決める際には，そのカテゴリーのプロトタイプと比較する。プロトタイプと近いほど，容易に「メンバーである」と判断できる。コマドリは鳥のプロトタイプにとてもよく似ているので，素早い判断をすることができる。しかしペンギンは似ていないので，判断に時間がかかる。人々が，あるカテゴリーの事例をあげるように言われた時に

モリバト。姿は鳥のプロトタイプに極めて近いが，やや大きい。思うに，鳥の中で最も頭の悪いやつは，ハトの中にいる。というのも，彼らはときに飛び方すら忘れ（典型的な鳥というのは，飛ぶものだ），それを思い出すまで，空中から落下し始めるのだ

は，プロトタイプに近いものを最初に言う傾向がある。しかし，すべての概念がプロトタイプをもっているわけではない。この考えは，事例の間で，ある程度のバリエーションがある具体物のカテゴリーでしか上手くいかない。真実という概念のプロトタイプについて考えても仕方がないだろう。また，宝石のようなカテゴリーでは，すべての事例がプロトタイプにとても近いということになってしまい，なぜ私たちがカテゴリーというものをもっているのか，わからなくしてしまう。ペンギンは，プロトタイプからは離れていたとしても，やはり鳥なのである。では，「鳥」の定義とは何か。プロトタイプのことでないのは明らかである。

あるカテゴリーの事例を人々に尋ねるというこのアイデアは，それ自体が興味深い課題となりうる。なぜなら，それは意味記憶の構造とそこからの情報の探し方を教えてくれるからである。ここで，この小さな実験をやってみよう。楽器をできるだけたくさんあげてみてほしい。もしこの課題を楽しめたら，同じことを哺乳類，宝石，世界の国々でもやってみよう。この課題で最初に私の心を打ったのは，楽器には明確なプロトタイプがないことである。私があげた楽器のリストは，以下のようにはじまる。

> ピアノ，ギター，バイオリン，ビオラ，チェロ，ドラム，ベースギター，オルガン，シンバル，タンバリン，トランペット，トロンボーン，フルート，ピッコロ，クラリネット，オーボエ，ハープ，ダブルベース，木琴

もう飽きてしまった。全体的に，楽器の順番がランダムではないことに気づく

だろう。途中で方針を変更するまでは，似ているものは隣同士になるというように固まっている（私が別の種類の楽器であるハープに方針を変更するまでは，フルート，ピッコロ，クラリネット，オーボエというように，管楽器が一群を形成している)。

意味記憶の中を探すことは，動物が食料を探す方法に似ていると主張する研究者もおり，互いに同じ基盤となるモデルを使うことができる（Hills et al., 2012)。前に写真で示したハトが，私がもっと小さい鳥のために与えた種をどのように貪り食うかを考えてみよう。実際，彼（もしくは彼女）はあまりに多く食べるので，私は種を与えるのを止めてしまった。しかし愚かなハトは，毎朝その芝生を掘り起こしてみるのである。しかし，彼女（もしくは彼）はやみくもに探しているわけではない。彼（もしくは彼女）は芝生の１つの区画をとことん探してから，別の区画へ飛んで，また探すのである。意味記憶の中を探すことは，これに似ている。そのため，私たちは塊で思い出すのである。

意味記憶の中を探すことは，意味記憶の構造，記憶の中に保持しているもの，そしてその探し方に依存する。ある特定のカテゴリーの事例をすべてあげるというシンプルな課題は，多くの神経心理学的障害の診断ツールとしても有用である。その中には，アルツハイマー病も含まれる。

神経心理学は意味について何を教えてくれるか

脳は，分厚いケース，すなわち頭蓋骨に覆われた繊細な器官だ。脳にダメージを与えうる数多くのおそろしい出来事があるが，最も多いのは脳損傷である。その中には，特に，弾丸などによる外傷，自動車事故による脳損傷，さらに脳卒中が含まれ，脳のある部分への血液供給が断たれてしまう。脳の細胞は酸素の欠乏に非常に敏感なので，その部分の細胞は酸素を含んだ血液の供給がないと急速に死んでしまうのだ。後ほど，脳に降りかかる災難についてもっと広く述べたいと思うが，ここでは**深層失読**（deep dyslexia）として知られる障害に焦点をあてたい。深層失読は読みについての深刻な問題で，これまではきちんと読むことができていた成人が，左脳の一部にダメージを受けることで生じる（Marshall & Newcombe, 1966, 1973)。数多くの症状によって特徴づけられ，その中には，DAT，NITE，SMOUTH，GRAT といった，発音可能な非単語（よく**疑似単語**と呼ばれる）を声に出して読むことに大きな困難をもつものを含む。後の章で述べるように，健常な人々はこうした疑似文字列の読みには困難を感じず，それらをどのように読むかについて多くの人々の間で同意も得られている。また，深層失読をもつ人たちは，名詞の方が形容詞よりも，形容詞の方が動詞よりも読みやすいと感じる。彼らは，たとえそれが非常によく使われる単語で，文字数も少ないとしても，of，in，their，where，some などの文法的な単語を読むことに特に困難を感じる。また，彼らは単語の視覚的形態に基づくようなエラーも見せる。perform というところを perfume と言ったり，single を読んでくださいと言われたのに signal と言ったりする。また，派生語についてのエラーもある。これは，ある単語を読むのに，その単語から文法的に派生した別の単語を言ってしまうもので，performing の代わりに performance，entertainment の代わりに entertain と言ってしまう。おそらく，もう驚かないだろうが，彼らはまた混合エラーと呼ばれるエラーも犯す。これは，実際に言った単語が，本来言うべきだったターゲットの単語と，意味と音の両方の点で関連しているものだ（たとえば，last と言うべきところを late）。

深層失読のこうした側面は，別の後天的な障害である音韻失読と極めて類似している。しかし，深層失読は，非常に興味深い，**意味性錯読**（semantic paralexia）として知られる種類のエラーによって特徴づけられる。ある人が意味性錯読を犯す時，読もうとしていた単語の意味と関連のある単語を言ってしまう。いくつかの例をあげることで，このエラーについて理解してもらえるだろう。

娘（daughter）を「姉妹（sister）」と読む
殺す（kill）を「憎む（hate）」と読む
薔薇（rose）を「花（flower）」と読む
軍曹（sergeant）を「兵士（soldier）」と読む

彼らはイメージしにくい概念を指す単語よりも，イメージのしやすい概念を指す単語を思いつきやすい。**心象性**（imageability）とは，どれくらい簡単にその単語が指すものの心的イメージを作れるか，というものである。目をつむって，椅子にくつろいで座った状態で，「ケシ」「雲」「イヌ」という単語のイメージを作ってみよう。同じように,「正義」「真実」「知識」についてもイメージしてみよう。あなたがイメージを作る時に感じた容易さの違いが重要な点なのだ。

意味性錯読はそれ自身が充分にミステリアスなようだが,これらの症状の本当に興味深い点は,それが常に深層失読と併発することだ。もしある患者が意味性錯読を犯すはっきりとした特徴をもっていたら,必ずその患者は非単語,文法語の読みが困難であり,さらに視覚的形態に基づくエラーなどを犯す(患者ごとにどのタイプのエラーが多いかなどはまちまちだろうが)。なぜこうしたことが起こるのだろうか。一見,意味性錯読は視覚的形態や品詞の種類に基づくエラーといった種類のエラーとは,完全に異なるように見える。これらがすべて同時に起こる明らかな理由はない。このパターンに説明を与えるのに,研究者はしばしば苦しんできた。深層失読は後天的な読みの障害の中で最も深刻な障害の1つである。ある研究者は,深層失読は,通常の読みを行うためのシステムが大きくダメージを負ったことによって生じると主張した(Morton & Patterson, 1980)。このアプローチは非常に妥当だが,具体性を欠いていた。そしてなぜ上記のエラーが併発するのかを説明していなかった。他の研究者は,まったく異なるアプローチを採用した。彼らは,深層失読が,通常は読みを担当する脳部位の欠損を伴う大きなダメージを左脳に負った時に生じることを指摘し,深層失読というのは,通常の読みシステムがダメージを負った上で懸命にもがいている状況を反映した結果とはまったく異なって,普段は優位ではない別のシステムの働きを反映したものであることを指摘した。1つには,通常の読みシステムである左脳の読みシステムが事実上除去された時には,普段はより効率的な左脳の読みシステムによって抑制されている右脳の読みシステムが前面に出てくる(Coltheart, 1980; Zaidel & Peters, 1981)ので,深層失読はその働きを反映しているという示唆がある。この仮説はいくつか魅力的な面をもっていた。なぜなら,右脳は非常に限られた方法だが読むことができ,その反面,多くの意味的なエラーを犯すことが知られていたからだ。しかし,この仮説は深層失読の症状をすべて説明できるわけではない。特に,意味性錯読に加えて他のすべての症状が同時に生じることについて説明できていない。

私たちは深層失読における読みの困難さのパターンを説明する上で,まだそれほど先に進んではいない。さらに踏み込んだ説明では,意味についての洗練されたコンピュータ・シミュレーションを採用しており，私たちがどのように意味にアクセスするのかを説明している。コンピュータ・シミュレーションを用いるのは，問題を明確にするためでもあるし，分解意味論に基づいた強力なシステムが，通常の読みのプロセスだけではなく，脳へのダメージがそのシステムを阻害する機序について示すためである。注意されたい。この次の内容は難しいので，何回か読み直す必要があるかもしれない。しかし，読み返す価値のあるものである。

Hinton と Shallice（1991）は読みについてのコンピュータ・シミュレーションを行い，印字された単語から私たちがどのように意味を得るかに焦点をあてている。彼らはコネクショニスト・モデルを用いた。そのモデルでは，単純な原理で動く多くのユニットが層ごとに並んでいる。ある層におけるそれぞれのユニットは，1つ上のレベルのすべてのユニットと結合している。一番低いレベルの層には28ユニットがあり，**書記素**（grapheme）に対応している。書記素とは，ある単語の意味の違いを生み出しうる，印字された言語の最小単位のことである。おおまかに言えば，c，o，a，tなどの文字のことである。Hinton と Shallice は，アルファベットの26文字ではなく，28書記素を用いた。これは，単語の中の文字の位置についての情報を表現したかったからである[訳注3)]。したがって，この一番低い位置にある入力レベルは，印字された単語の視覚的な情報を表現する手段として用いられたわけである。

アウトプットレベルは68ユニットであり，個々のユニットは意味的特徴と対応していた。ここでの意味的特徴とは，「哺乳類」「羽をもつ」「茶色の」「2次元で表現されることが多い」「柔らかい」「獰猛な」などのものである。現在では，人間が用いる意味的特徴が実際にこのような言語で表現できる形だと考える研究者はいないが，背後にある原理は同じである。これらの特徴は，たとえば，cat（ネコ），cot（折り畳み式ベッド），cow（雌牛），rat（ネズミ），

訳注3）ここでは，入力レベルのユニットとして，アルファベット26文字を用いたのではなく，「1番目に登場するb」のように，単語の中の位置とアルファベットを組み合わせたものを「書記素」として用いた。したがって，すべてのアルファベットが登場するわけではない。具体的には，1番目に登場する｛b, c, d, g, h, l, m, n, p, r, t｝，2番目に登場する｛a, e, i, o, u｝，3番目に登場する｛b, c, d, g, k, m, p, r, t, w｝，4番目に登場する｛e, k｝の合計28ユニットを用いた。これらを組み合わせることで，3～4文字の40単語を構成し，シミュレーションに用いたのである。

bed（ベッド）などの短い文字数の 40 単語を符号化するのに充分であった。たとえば,「ネコ」の意味は「大きくても 2 ヤード〔72 センチ〕ほど」「3 次元で表現されることが多い」「足をもつ」「動く」「哺乳類」「獰猛な」「肉食動物」などの意味的特徴が正の活性化値をもち，他の特徴は正の活性化値をもたないことで表現される，という具合だ。この考えでは，私たちが何かを読む上で，適切な文字を活性化させることは，書記素に対応するインプット・ユニットを活性化させることであり，読んだ対象の適切な意味を浮かび上がらせることは，意味的特徴のユニットのパターンを活性化させるということなのである。

コンピュータ・プログラム上のモデルは，与えられたインプットに対してほぼ適切なアウトプットを出力するように訓練される。この種のモデルでは，出力されるアウトプットは正解のアウトプットと完全には一致せず，ほどほどに正確な出力をするのみである。というのも，実際に出力された活性化パターンが，他の単語における意味的特徴の活性化パターンよりもターゲットのものに近くさえあれば，それでモデルはターゲットの意味に「アクセス」できたことになるからだ。モデルは，バックプロパゲーション（誤差逆伝播）法として知られる学習アルゴリズムで訓練される。この方法については以前に触れた。ネットワークにおけるそれぞれの結合は重み，もしくは，結合強度をもつ。モデルに単語を入力する時，インプット・ユニットを活性化させるが，その活性化はこれらの結合を通ってアウトプット・ユニットに伝わっていく。仮に，すべての単語が直接，意味的特徴につながっている，非常にシンプルなネットワークが手元にあると考えよう。「CAT」というスイッチを入れた時に，CAT ユニットから「足をもつ」「動く」「哺乳類」などの意味的特徴ユニットまでの結合強度が＋ 1 になっていれば,「足をもつ」「動く」「哺乳類」などの意味的特徴が正しく活性化する。一方，CAT のスイッチを入れた時に活性化してほしくない「甘い」「味が濃い」「木製」などへの結合強度は，0 になっていればよい。

Hinton と Shallice のネットワークは，これらの文字のインプットに基づいて，40 単語の正しい意味的特徴のアウトプットを学ばなくてはならなかったので，これよりももっと複雑であった。CAT（ネコ）のインプットに対するアウトプット・パターンは，COT（折り畳み式ベッド）のインプットに対するアウトプット・パターンと，文字の多くを共有しているにもかかわらず，大きく異なっていなくてはならないのだ。さらに，こうした単語についてモデルが学習するためには，入力と出力の間を媒介する中間レベルのユニット（隠れユニットと呼ばれる）が必要なのだ。Hinton と Shallice はその中間ユニットに 40 ユニットを用いた（正確な数は重要ではない）。それは，ネットワークが 4000 近くの結合をもつことを意味する。このことが，高性能コンピュータが簡単に利用できるようになるまで，この種のアプローチが実際には進めることができなかった理由の 1 つだ。ネットワークは最初，（+0.3 から −0.3 の間の）ランダムな結合強度を与えられてスタートする。そして最初はめちゃくちゃな出力を行う。これを訓練することで適切なパターンを出力するようにしていくが，おおよそ以下のような方法で行う。特定のインプットに対するネットワークの実際のアウトプットと，本当に出力すべきアウトプットとを比較し，次回は今よりも少し出力すべきものに近づくよう，徐々に結合強度を変更する。そして，次のインプットに移る，ということを通じて，すべての入力を繰り返しモデルに提示していく。この全体プロセスを，よい成績とされる特定の基準を超えるまで，おおよそ数千回は繰り返す。こうすることで，ネットワークは提示された単語それぞれに適切な意味的出力を行うようになる。これで，ネットワークは読むことを教えられた，ということになる。

こうした徐々にエラーを減らしていく学習方法は，人間の学習方法としてある程度妥当ではあるが，人間が行うすべての学習がこのバックプロパゲーションによって行われるとは考えられていない。重要な点は，このバックプロパゲーションは，モデル作成者が，手作業でモデルのすべての側面を作ることなしにネットワークを構築する手段を与えてくれている，ということだ。実際，こうした複雑なネットワークを手作業で作ることはほとんど不可能だ。

実際のモデルはもっと複雑なのだ。〔ここまで説明してきたモデルには〕完全には満足できない部分がある。それは，意味的特徴のユニットがどう活性化すべきかについてあらかじめこちらが決めてしまうという，かなり独断的な方法を用いているところだ。もし，意味的特徴のユニットが互いにどのように関わるべきか，たとえば，哺乳類は動くことができるがガラス製ではありえない，ということをシステムが学習することができれば，より良いモデルだと言えるだろう。しかし，こうしたことをモデルに明示的に教えるというのは，どうも変な感じがする。むしろ，こうしたことが情報同士のつながりから自然と生じてほしい。言い換えれば，こうした**相互依存性**（interdependencies）を意味的特徴ユニットに備えさせたい。また，すでに述べたように，ネットワークは上手く動作する構造を初めからは備えていない。そのため，モデルは類似したインプット同士を混同しやすい。膨大な学習をこなさない限り，cat と cot のような視覚的に非常に類似した単語について，類似した意味的特徴の出力を行ってしまう傾向がある。こうした理由から，Hinton と Shallice は別のユニット層を導入した。それは意味的特徴とのみ結合されており，「クリーンアップ・ユニット（clean-up units）」と呼ばれる。実際には，意味的特徴ユニットとクリーンアップ・ユニットの間にはフィードバック・ループがある（図 5.3）。このタイプのネットワークは**再帰的ネットワーク**（recurrent network）と呼ばれ，システムがより効率的に学習でき，単語の意味的表象についての規則性を学習することによって，独自の意味的構造の発展を行えるようにする。

ここにきて，私たちは単語を読むことを学び，独自の意味的表象を構築することができるシステムを得た。非常に限られた方法だけだとは言え，それは成人の読み手として機能するものだ。いかにして脳へのダメージをシミュレートすることができるだろうか。ネットワークの**破壊**（lesioning）と呼べる方法がいくつかあり，それは脳が損傷を受けるのとまさに同じものだ。ネットワークの結合のうちの一部を無作為に 0，もしくはランダムな値にリセットすることができる。もちろん，阻害することのできる結合のタイプにはさまざまなものがある（インプット・ユニットから隠れユニットへのもの，隠れユニットからアウトプット・ユニットへのもの，そして意味的特徴からクリーンアップ・ユニットへのもの）。クリーンアップ・ユニットと関わる結合へのダメージが最も興味深いのだが，具体的にどこを破壊するかというのはそれほど重要ではない。

Hinton と Shallice のようなコネクショニスト・モデルの利点は，**漸次縮退**（graceful degradation）と私たちが呼ぶ現象を，このモデルが示すことである。もしあなたが，コンピュータのトランジスタを 1 つ取り去ってしまうと，コンピュータはまったく動かなくなってしまうだろう。これは漸次的とは言えない。しかし，もしあなたが訓練済みのコネクショニスト・ネットワークをもっていて，そこにほんのわずかなダメージを与えたとしても，普段との違いに気づかないだろう。ダメージを徐々に大きくしていくと，ネットワークはエラー

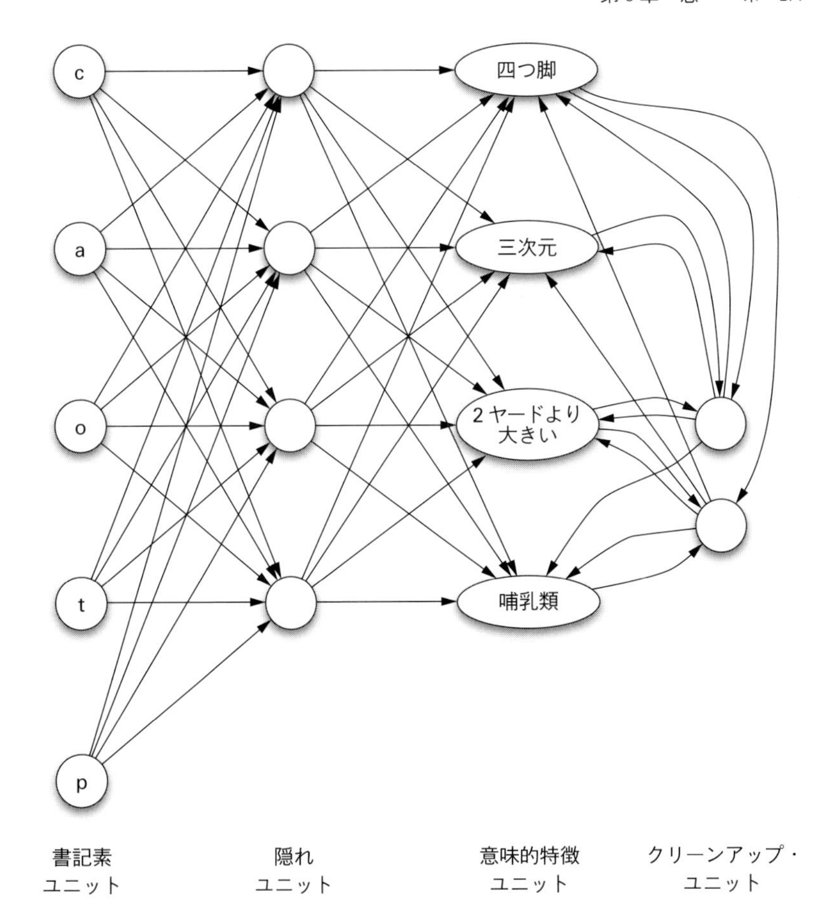

図 5.3 深層失読についての Hinton と Shallice のコネクショニスト・ネットワークモデルの一部分を単純化したもの

モデルの複雑さと構造，すなわち，その構築方法ついてわかるいくつかのアイディアを示している。単語の外見を表象するのが書記素のインプットレベルであり，学習を可能にする要の部分が隠れユニットのレベルであり，単語の意味を表象するのが意味的特徴の出力レベルである。意味的特徴はクリーンアップ・ユニットと双方向で結合しており，意味システムが経験によって構造を発展させていくことを可能にしている。

を起こし始める。さらに，これから見るように，そのエラーはランダムに起こるわけではない。さらにダメージを大きくしていくと，エラーもどんどん増えていく。もちろん，モデルが急におかしな振る舞いをはじめるポイントが存在するし，ランダムに振る舞うようになってしまう時点もあるだろう。さらには，すべての結合を 0 にセットすればモデルはまったく動かなくなる。しかし，こうしたモデル性能の縮退は漸次的なものである。

もし Hinton と Shallice のモデルに中程度のダメージを負わせたとしたら，深層失読における意味性錯読のようなエラーを示すことになる。たとえば，「折り畳み式ベッド（cot）」の単語と対応する視覚的インプットを行うと，モデルは「ベッド（bed）」の単語（もしくは，少なくとも折り畳み式ベッドに最も近い単語）と対応した意味的出力をする。ネコ（cat）にはイヌ（dog）かもしれないし，肋骨（rib）には臀部（hip）かもしれない。

この結末はそれほど驚くべきことではないかもしれない。結局，ネットワークは視覚的形態と意味を連合するように訓練され，ダメージはそのマッチングを阻害するのだ。破壊されたネットワークが，ランダムではなく，体系立って意味的エラーを起こすことは事実であり，そこが興味深いところである。しかし，それだけではない。モデルは cat に cot，dog に log という視覚的エラーをも起こすのだ。これは驚くべきことである。なぜ単語の視覚的形態が関わってくるのだろうか。

この説明は，人間が意味を表象する方法を解き明かしている。クリーンアップ・ユニットによって意味的特徴間の構造が発見されることを思い出してほしい。この構造が重要だ。意味的特徴があるかないかというシンプルな考えから，ここで，もっと複雑で興味深い考えへと移行しよう。私たちのもつ意味空間の構造は，視覚的類似もしくは意味と視覚の両方を使うためのベストの構造である。あなたが食器のボールをもっていて，そこにビー玉を落とすとしよう。ボールの内側のどこかに落ちたビー玉は，最終的にはどこに行きつくだろうか。もちろん，ボールの底だ。あなたがビー玉をボールの内側のどの位置に落として，それがどこに当たっても，転がっていって底にたどり着くのは明白だ。このボールの底のことを，**アトラクター**（attractor）と呼ぶ。Hinton と Shallice のシミュレーションにおける意味空間は，同じように構造化されて終わるようになっている。意味空間を，ある地形だとして，飛行機からそれを見ていると考えよう。山々によって区切られた多くの谷と共に，地面がうねっている。もし飛行機からサッカーボールを落としたら，それは落下して，転がって，近くの谷の中で一番低いところに行きつくだろう。それが最も近いアトラクターだ。その谷の一番低いところが意味的アトラクターであり，サッカーボールが視覚処理からのインプットである。脳へのダメージが果たす役割は，この地形を変えてしまうことである。最初は，意味の谷の間にある丘や山々を侵食する。この浸食は，ボールが行きつく先を変化させうる。「ネコ」を見た時，ボールは「ネコ」の意味と対応する意味的アトラクターへ行きつくべきだが，地形へのダメージは，それが別の意味の場所へ行きつくかもしれないことを意味している。ボールの落ちる位置が重要ではないことに注意してほしい。重要なのはアトラクターである。地形の中で，近い位置にある谷が意味と深く関連するであろうことは明らかだ。したがって，「ネコ」のボールが同じ場所に落ちたとしても，ダメージを受けた地形は「イヌ」や「ネズミ」の谷へとボールを追いやってしまうかもしれないのだ。

ここで行った，なぜ意味的エラーが生じるかという説明は，明快で直観的にわかりやすいと思うが，意味的エラーが生じる理由と共に視覚的エラーが生じる理由については，明らかになったと言い難い。これを理解するキーポイントは，ボールが落ちる位置が重要ではなくて，それが行きつく先が重要であることを充分に認識することだ。近接した位置に一緒に落ちたボールであっても，結果として非常に離れた位置に行きつくこともあるのだ。キーとなる洞察は，（cat と cot のような）視覚的に類似した表象を，最初は意味空間上でかなり近い位置に置くことをモデルが学習するという点だ。クリーンアップ・ユニットはボールが適切な谷に落ちるように保証する。それはまるで地形が大きな谷を複数もっていて，谷同士が尖った山頂で区切られているようである。そしてボールはその山頂に直接落ちていくのだ。谷の底から離れた位置に落ちることもあるが，重力の働きによってボールは適切な谷の底に導かれていく。しかし繰り返しになるが，システムへのダメージはボールが最初に落ちる位置を侵食し，ボールが同じ位置に落ちたとしても，間違った谷に落ちるようにしてしまう。しかしながら，最初に落ちる位置が近いという理由で，本来の単語と視覚的形態において関連した単語の谷に落ちたり，意味的に関連した単語の谷に落ちたりするのだ。もちろん，意味と視覚的形態の両方と関連した単語がアトラクターになる方がより有力である。こうして，数多くの混合エラーが生まれるというわけである。

「ランドスケープ（landscape）」は，これまでの地形によるアナロジーよりもはるかに複雑なものだ。これを視覚的に提示することは不可能である。それぞれの意味的特徴は連続的に変化する活性化値をもっているので，意味的ランドスケープは私たちがもつ意味的特徴と同じ数だけの次元数をもっていることになるのだ。それは現代物理学の非常にすばらしい理論の 1 つのようである。こうした，あなたを困惑させがちなモデルの特徴を説明するために，意味空間における最初の着地点と，視覚的，意味的にも関連したアトラクターへの移動というアナロジーを用いたのである。こうした説明は，2 次元もしくは 3 次元空間内だけで通用するものである。しかし，この振る舞いは多次元空間の幾何学の帰結として生じるので，多次元の場合にも同様に考えてよい（だから私はあえて心理言語学は難しいと言ったのだ）。

モデルは深層失読の他の重要な側面を説明することができる。それは心象性効果（imageability effect）である。これは，関連する概念の心的イメージの形成が容易な単語ほど正しく読まれやすいというものである（「抽象」よりも「薔薇」の方がイメージしやすい）。このアプローチでは，高心象語は，低心象語よりも，その意味を支える意味的な特徴をより活性化度の高い状態で保持していると考える。より具体的でイメージしやすい単語は，より意味的な表象が豊富である。モデルにおいては，ポスト（post）という単語がその意味を特定するのに 16 の特徴を必要とするが，過去（past）は 2 つしか必要としない（「持続時間がある」と「時間を意味する」のように表現される）。多くの意味的特徴によって支えられている意味的表象は，ダメージに対してより耐性が高く，単語の発声を生み出す次の処理段階へ高い活性化値を伝えることができる。より少ない特徴でしか支えられていない意味的表象はダメージに対して耐性が低く，低い活性化値を次に伝えるようになる。

特定の神経心理学的障害についてのものでありながら，このモデルの説明に時間を割いてきた。なぜならば，心がどのように意味を扱うかをわかりやすく納得いく形で説明するために，意味的特徴アプローチをいかに発展させることができるかを，このモデルが示しているためである。もしこのモデルを人間の認知全体に拡大するならば，意味的表象はさらに複雑になるが，同じ原理が適用できる。そこでの意味的特徴はより膨大な数になり，以前述べたように，もはや言語と一対一対応できるようなわかりやすいものではなく，抽象的な特徴となるだろう。意味的特徴は知覚システムとも関連し，現実世界の意味システムへと「接地」する。また，単語の意味は意味的アトラクターと対応している。言語獲得の際，子どもは意味的特徴を抽象化し，彼らのアトラクターは徐々に成人話者のものと類似するようになっていく。すべての人の意味空間がまったく同じというわけではないことに注意されたい。必要なのは，コミュニケーションするのに充分なだけ，私たちのアトラクターが一致していることである。以前に導入した分類では，アトラクターは意味のデノテーションである。意味空間の形の違いは，私たちにコノテーションの違いを与える。こうした変動性は，実のところ望ましいものである。私たちはみんなある単語について少しずつ違った連想をするが，このアプローチはその違いを捉えているのだ。あなたはもしかしたらタランチュラが大好きな人かもしれない。そんな考えは，私にとってはぞっとするようなものである。しかし，私たちはそれについて話すことだけはできるし，同じものについて話しているということには，自信をもつことができるのである。

認知症でうまくいかないことについてどのように説明できるか

意味的特徴アプローチは，他の神経心理学的障害についても簡明な方法で説明する。アルツハイマー病で最もよく知られる「認知症（dementia）」という用語でくくられる神経変性疾患は，数多くの心理学的問題を引き起こす。認知症の正確な原因は未だわかっていないが（認知症にはさまざまなタイプがあり，おそらくは原因もさまざまである），基本的なパターンは同じである。認知的・運動的機能の進行性消失がそれである。アルツハイマー病の患者の脳には神経細胞の脱落が起こり，老人斑と神経原繊維変化の沈着が見られる（そこでは，神経細胞が１ヶ所に集まり，互いにもつれ合い，死細胞とタンパク質の沈着によって覆われている）。アルツハイマー病の初期の症状には，計画を立てることの困難や記憶喪失を含み，記憶喪失については特に最近学んだことを忘れることが多い。言語はかなり早い時期から認知症によって著しい影響を受け，名前の想起の困難や語彙の消失が起こる。文法ルールについては比較的よく保たれる。こうした語彙の消失や物の名前が思い出せなくなっていくことが，ここでの関心の対象である（名前を思い出すのが難しくなるのは加齢による当たり前の側面だから，心配無用だ）。誰もが知っている物の名前を言う（name）ことを求めると，中程度の認知症患者はすぐに言うことができず，苦しむことになる。こうした名前を回答すること（naming［命名］）[訳注4] の困難や語彙の縮小を，何によって説明できるだろうか。もし認知症が進行性の神経細胞の消失と関わっているならば，脳細胞の消失とは，ある人の意味的特徴の消失を意味する，というのが最も明白な説明のように思われる。

研究者たちは，Hinton と Shallice のモデルと多くの特徴を共有するコネクショニスト・モデルを用いることで，意味的特徴の進行性消失の影響をモデル化してきた。Tippett と Farah（1994）は，32 の意味的特徴ユニットを中心に置いたモデルを構築した。これらの意味的特徴ユニットは片側にある 16 のユニットに結合されており，それらのユニットは，発声されるべき名前を表現していた。さらに，もう片側にある 16 のユニットにも結合されており，これらのユニットはある少数の物体の視覚的特徴を表現していた。このモデルは，ある物体と対応する入力パターンの活性化が，適切な意味的特徴ユニットを活性化させるように，さらには，その意味的特徴ユニットの活性化が，今度はその物体に対応する名前のユニットを活性化させるように訓練された。同様に，モデルは名前ユニットを活性化させることで適切な意味的表象を活性化できるようにも訓練された。訓練の後，無作為に意味的特徴ユニットを除去することによって，モデルはダメージを負わされた。すなわち，**破壊された**（lesioned）。

もう予想ができるだろうが，意味的特徴ユニットの破壊は命名を損ない，成績は漸次的に低下していく。ダメージの量が少ない時には命名能力を損なうが，完全にその能力が破壊されたわけではない。ダメージの量が増えれば，命名課題の成績は落ちていく。しかしコネクショニスト・モデルのすばらしさは，思いもよらなかったもの同士が，いかに関連しうるのかを教えてくれる点だ。破壊されたネットワークは，出現頻度の高い名前よりも低い名前に対してより大きな困難を生じたのだ（ここでの出現頻度は，モデルの訓練の段階で，より多く登場したものが高頻度，少ないものが低頻度，というようにモデルに実装される）。ダメージを受けたネットワークは，視覚的インプットパターンの明確さに非常に敏感になっていた。もし，劣化した画像に対応して微弱なパ

訳注 4）日本では，事物の名前を回答すること（naming）に対して「命名」という訳をあてることが多い（「呼称」をあてる場合もある）。本来，命名とはこれまで名前のなかったものに新しい名前を付与することだが，上記の慣習に基づき，本書では事物の名前を回答することを指して「命名」と訳することがある。

ターンが提示されたら，命名課題の成績は悪くなる。そして，認知症患者の命名課題の成績は，実際，写真の画質に左右されることが知られている。命名課題の成績は，モノクロ写真よりもカラー写真でよく，さらには，線画よりもモノクロ写真の方がよいのだ。最後に，命名課題の成績は，名前の音を少しヒントとしてあげると向上させることができる。認知症患者の成績は，単語の最初の音をヒントとして与えると向上する（lion ならば /l/。こうしたテクニックは**音韻プライミング**（phonological priming）として知られる）。このように，シンプルなモデルが，洗練され現実的な振る舞いを生み出すことができるのだ。やはりその中心となる考えは，認知症患者の語彙の消失や命名の困難さの問題は，意味的特徴の進行性消失によって生じるということなのである。

意味記憶はどのように構造化されているか

意味についての神経心理学的欠陥として最もユニークなものの１つは，1984年に Warrington と Shallice によってはじめて詳細に研究された事例である。彼らは，患者の JBR が，命名課題において，生物を対象とした成績よりも無生物を対象とした成績がよいことに気づいた。動物の名前を言うよりも乗り物の名前を言う方が成績がよいわけだ。しかし彼の困難は命名課題だけに留まらなかった。彼は，無生物を指す単語を理解するのよりも，生物を指す単語を理解するのが苦手だし，写真とその名前を正しいペアにする課題や単語について正しいジェスチャーをする課題でさえ，同様の傾向を示した。このような，あるカテゴリーメンバーを対象とする時に成績がよく，他のカテゴリーメンバーを対象とする時には成績が悪いという結果のパターンを，**カテゴリー特異的意味障害**（semantic category-specific disorder）と呼ぶ。後に，これとは逆のパターン，すなわち無生物よりも生物に対して課題成績がよい患者が出現した（Warrington & McCarthy, 1987）。これらの知見への最もクリアな説明は，生物の知識と無生物の知識はそれぞれ脳の異なる部位に保持されているというものである。

こうした生物と無生物という区分は，まだ比較的多くみられるカテゴリー特異性だが（絶対数で言えばこれらの障害も少ない），もっと特異的な障害もいくつか見つかっている。ある患者は果物と野菜にだけ困難を感じているし

（Hart et al., 1985），他には固有名詞にだけ困難を抱える患者もいる（Semenza & Zettin, 1988）。

額面通りに受け取ると，これらの障害は脳の特定部位が特定のタイプの情報を保持するということを示唆しているように見える。生物の知識はこの部位，無生物の知識は別の部位にある，というように。しかしこの単純な説明が通用しそうにもないことは，すぐに明らかになった。JBR の命名課題の成績パターンは，最初に考えていたよりももっと複雑だったのだ。初めは，彼はそれが生物の一部であっても，体のパーツであれば好成績だった。また，いくつかの無生物，すなわち楽器，宝石，材質，食品については成績が悪かった。生物とこれらのカテゴリーのものの間にそれほど確実な共起関係があるとも思えない。生物の知識を保持している脳部位へのダメージが，どうして楽器や宝石についての問題を引き起こすのだろうか。

1つの説明は，カテゴリーの知識そのものというよりも，これらのカテゴリーは何かを共有していて，脳へのダメージがこの共有された特性の処理を妨害しているというものである。では，この共有された特性とはどういったものだろうか。生物，宝石，食品，楽器，そして材質が共通にもっていて，他の人工物がもたない特性とは何だろうか。1つの可能性は，最初のグループを私たちは主に外見で区別したり記述したりするのに対して，他の人工物のことは，主にそれを何に使うかによって記述するという違いがあることだ。非常にシンプルな例として，「キリン」を定義することを考えてみよう。おそらくは「長い首，長い脚，丸模様のある黒い皮膚，小さい角をもつアフリカの哺乳類で，森林の一番上から葉っぱをむしって噛む可愛らしい顔をもっている」のようなものだろう。これに対して，「椅子」の定義はどうだろうか。おそらくは「腰掛けと背もたれのついた家具の一種で，座るために用いられる」のようなものだろう。「ダイヤモンド」（「非常に硬く，よく反射する炭素の一形態」）と「ハンマー」（「何かを強く叩くための頭をもった，手で持つ道具」）も比較してみよう。私は何も，生物やそれに関連するものは，その感覚的特性でのみ定義される，人工物は機能でのみ定義される，と述べているわけではない。ただ，生物は感覚的情報に比較的多く依存している，と言っているのだ（Warrington & McCarthy, 1987; Warrington & Shallice, 1984）。この観察に基づく主張は，膨大な数の辞書の定義の分析によって支持されている。〔定義における〕知覚的特性と機能的特性の全体の割合は 8：1 だったが，無生物では知覚的特性の割合がぐっと下がり，約 1.5：1 となった（Farah & McClelland, 1991）。

さまざまなカテゴリーが別々の感覚的情報と機能的情報に依存しているという考えを，**感覚–機能理論**（sensory-functional theory）と呼ぶ。つまり，患者はダメージをカテゴリーそのものに受けたというわけではなく，それらのカテゴリーを支える感覚的情報，もしくは機能的情報へのアクセス能力にダメージを受けたということである。脳血流を利用した脳画像研究は，脳の側頭葉は生物と無生物に対して異なる反応を見せないが，他の部位では知覚情報と非知覚情報に対して異なる反応を見せることを示している（Lee et al., 2002）。

もし議論がこれだけで終わってしまっていたら，それは心理言語学とは呼べないものだっただろう。アメリカの神経学者 Alfonso Caramazza は感覚–機能理論を強く批判した。彼が言うには，もしこの理論が正しいならば，生物についての課題を上手く遂行できない患者は，感覚的特徴の処理に問題があるため，生物についての課題はもちろん，感覚的特徴に大きく依存する他のカテゴリー（楽器，宝石，材質など）についての課題も上手く遂行できないはずだと述べた。しかしこの通りではないケースがある（Caramazza & Shelton, 1998）。動物が関わる課題に障害を抱えるが，食材には問題がない患者がいる一方で，食材が関わる課題に障害を抱えるが動物には問題がない患者もいる。動物が関わる課題に障害を抱えるが，楽器は大丈夫な患者もいる。動物についての知識が障害された患者もいるし，無事だった患者もいるが，その障害のされ方と植物についての知識は独立なものだった。もちろん，あるカテゴリーは，特定の種類の感覚的情報に他よりも強く依存するので，Caramazza が仮定するようにダメージを受けたのは感覚的情報を処理する能力全体なのではなく，ある特定の感覚情報を処理する能力なのだという説明はありうる。しかしそうしたアプローチを取るならば，より詳しく，説得的な説明を行う必要があるだろう。Caramazza と Shelton は次の点も併せて批判している。すなわち，感覚的情報の考えはある程度の一貫性をもっているが（感覚的情報というのは，単にある事物の見た目，味，匂い，感じ，音のようなもののこと），機能的情報のカテゴリーは一貫性を欠いているという指摘である。「それが何に使われるか」という概念は非常に限定されたものである。「森林の枝葉が茂った最上層に届かせるた

主に知覚的特徴がつまった塊

めの長い首」についてはどうだろうか。また,「砂漠に生息する」はどうだろうか。彼らは,動物を処理する時と,他のカテゴリーを処理する時では,実際に異なる脳部位が活性化するという脳画像研究を引き合いに出した。非常におおまかに言えば,動物についての知識は左側頭葉の下部のより後部に保持されており,道具の知識はより側面の部分,側頭葉,後頭葉,そして頭頂葉が出会う部分に保持されている(Caramazza & Shelton, 1998; Vigliocco et al., 2004)。別の説明として,**領域固有知識仮説**(domain-specific knowledge hypothesis)がある(ありがたいことに,よく使われる省略型 DSKH がある)。これは,生物と無生物の区別は明らかに進化的に重要であるため,脳はこれらを処理する別々のメカニズムをもっていると主張するものである。つまり,この説明によれば,異なるカテゴリーの知識というのは,脳の異なる部位によって処理されるということになる。生物と無生物の区別に関する遺伝的な基盤についてのさらなる証拠は,「アダム」と呼ばれる 16 歳の少年についての研究から得られている。彼は生まれた次の日に脳卒中に襲われた。彼は生物についての情報を,再認および検索することに大きな困難を抱えている。脳へのダメージが非常に早期に起こったため,学習によって得られた情報が,この脳へのダメージによって影響されたという可能性を排除することにつながったのである。私たちは生まれながらにして,生物と無生物についての知識を異なる神経システムによって保持するようになっているのである。

明らかに,私たちは脳がどのように知識を表現しているのかについてもっと学ばなくてはならないだろう。どこかに何かが保持されているということ自体が有益なのか，面白いことなのか，私にはわからない。しかし神経科学は，人間の知識がどのように構築され，保持されるのか，その原理について多くのことを教えてくれるのだ。

意味についての統計モデルとは何か

世の中のすべてのものは他のすべてのものと関連づけられている，という考えは一般向けの科学の本などでそれなりに流行している。意味ネットワークモデルを用いる心理言語学は，その考えを最初に――少なくとも，初期に――取り入れていた。コネクショニスト・モデルがどのように意味について説明するかを，これまで2つのレベルで説明してきた。より低次のレベルでは，私たちは意味的特徴をもっており，それが意味の諸側面を捉えるものであり，思考の原子，もしくは，「原始的基礎（primitive）」になるのだと述べた。これらの意味的特徴は膨大な心的ネットワークの中で相互結合し，一方では単語と結合し，他方では感覚的表象と結合している。特徴同士もまた，特徴間の構造や規則性を私たちの心理メカニズムが発見できるような形で相互結合している。この発見する能力によって，私たちは意味的表象を，もっと高次なレベルである山頂と谷をもつ多次元地形として捉えることができる。その観点から言えば，単語の意味というのは，意味的アトラクターと対応している。

これと非常によく似た考えをもつアプローチに，**潜在意味解析**（latent semantic analysis）と呼ばれるものがある（Landauer & Dumais, 1997）。このアプローチの基本的な考え方は，意味は同じ文脈における共起から生じるというものである。乳児の頃から，私たちはことばに触れ続けている。ある単語は別の特定の単語と頻繁に共起する傾向をもち，ある単語は別の単語とときどき共起する傾向をもつ。ほとんど一緒に出現しないか，まったく一緒に出現しない組み合わせもある。たとえば，「医者」と「看護師」，「パン」と「バター」，「イヌ」と「ネコ」は強く連合している。「陽子」と「木琴」は，私がこれを書くまでは，ほとんど共起することはなかっただろう（この2つの単語をGoogleで検索すると，5300件以上のページがヒットすることがむしろ驚きだが）。どのような単語についても，一定範囲内にある他のすべての単語との共起頻度を同定することができるのだ。

主に機能的特徴がつまった塊

Landauer と Dumais（1997）は，百科事典に含まれるすべての単語について，他のすべての単語と百科事典の同じ項目内で何回共起したかを計算した（コンピュータを用いた。このアプローチは計算速度が高いコンピュータなしには考えられない）。この百科事典は 30,473 項目を収録しており，総単語数は 450 万語以上，登場した単語の種類は全部で 60,768 語であった。この共起情報は，60,768 行×60,768 列の巨大な行列として表現することができる。それぞれのセルはある単語ペアが同じ百科事典の項目に何回共起したかを示している（木琴と陽子のスコアはおそらく 0 だろう）。次に，彼らはこれを〔行列圧縮の手法を用いて行列の列数を〕300 次元に落とした。これらの 300 次元において似たパターンをもつ単語は類似した意味をもつということになる。さらに，その中で非常に似たパターンをもつ単語同士は，実際に非常に似た意味をもっているはずである。すなわち，同義語関係であるはずだ。不幸にも，「木琴」は同義語をもっていないが，オンラインの同義語生成システムを利用すると，「幸福な（happy）」の同義語には「幸運な（blessed）」と「幸せな（blissful）」が含まれ，「惨めな（miserable）」の同義語には「悲惨な（abject）」と「不幸な（wretched）」が含まれることがわかる。このモデルによって生成された同義語は，出版されている同義語リストと非常によく対応していた。私たちは，意味が類似した単語が先行していると，その単語を素早く再認することができる。もし直前に「パン」を見ていたら，「バター」という単語を速く同定できるということだ。どれくらい再認がスピードアップするかは，どれくらい2つの単語が連合しているか，すなわち2つの単語の距離に依存している。ウェブ上の文章に含まれる300万語をこの種の多変量解析で分析した結果が，再認における〔スピードアップなどの〕利点の程度を非常によく予測することがわかっている（Lund et al., 1995）。

このアプローチは意味の諸側面を捉えているが，これが人間における意味の起点となっていると言うにはかなりの飛躍がある。説明のために何かが抜けているようだ。そう，実世界（the real world）だ。人はただ単語の羅列を聞くことだけから言語を学ぶことはできない。子どもたちは周囲の状況に多くの注意を向けている。実際，私たちも皆そうしている。意味は他の単語との連合以上のものである。意味は，知覚，そして行為を基盤（grounding）としている。この主張は，意味空間の形が共起情報によって修正されることを否定しない。それはおそらく，クリーンアップユニットが意味空間を構造化する方法に影響する際の情報源の1つなのだろう。この種の統計解析は興味深く有益であるし，単語と単語がどのように結合されるかについて，多くのことを語っているように思える。しかし，単語と世界がどのように結合されるかについては，語っていないのである。

基盤化とは何か

最良の辞書でさえ，循環的になる項目は収録されているものである。しかし，辞書編集者がいかに気をつけていても，結局のところ，単語の定義は他の単語に基づいて行うしかない。同様の制限はコンピュータのデータベースにも当てはまる。どんなにすばらしい構造で，どんなに大きなデータベースであろうとも，リアルタイムで環境中から何らかの方法——ロボットに目や耳をもたせるような——で情報を得ない限りは，まともなロボットを作ることは非常に難しいだろう。人間は意味を世界と完璧につなげるという点で特別な存在だ。これまで何度か，私たちの内的表象は私たちの知覚，行為，そして感情に**基盤化されている**（grounded）と述べてきた。概念というのは世界とまさに直接つながっている（Barsalou, 2003, 2008; Glenberg, 2007）。私たちの知性はそれ単独では働かない。それらは，世界の中に埋め込まれて（situated）働く。この観点から見れば，概念と意味はただ抽象的で非感覚的（amodal）なものではなく，実世界の物体についての思考，たとえば，視知覚系と関連したものなのだ。さらに，状況的認知（situated cognition）の考え方に従えば，概念というのは，普段考えられているよりも不安定であり，文脈や状況によって変化する。Barsalou（2003）は実験参加者に2つの課題を同時に遂行させた。ある手作業を遂行する様子を手を使ってイメージさせる課題と，概念の特性を参加者に説明させる課題だ。遂行している行為が説明している概念と一致している場合には，参加者はその概念の特性の中から行為と関連した特性をより多く述べた。たとえば，引き出しを開けるという行為を遂行していたとすると，彼らはタンスという概念について内側に衣類が見つかるだろうと述べることが，他のことを述べるよりも多かった。

世界についての心的状況が非常に具体的な形態をもつことを裏づける証拠がいくつかあり，そこでは知覚と行為の表象の間に直接的なつながりがあることが示されている。私たちが「蹴る」という単語を聞いた時，脳では何が起こるだろうか。左側頭葉に位置し，単語の意味へのアクセスに重要な役割を果たすことで知られるウェルニッケ野を脳画像法で見てみると，活性化してクリスマスツリーのように光っていることがわかる。もしそうでなければ心配するところだ。また，左半球の前方に位置して発話と関わることで知られるブローカ野についても，一定の活性化が見られた。ここには思考は言語なのだ，という行動主義者の考えの名残がある。しかしこの結果はそれほど驚くに値しない。驚くべきなのは，機能的核磁気共鳴画像法（fMRI）のスキャンでは，脳の運動制御に関わる脳部位に活性化を認めたことだ。そしてそれは，脚の運動制御を司る脳部位だったのだ（Glenberg, 2007; Hauk et al., 2004）。それはまるで，私たちが「蹴る」という単語を聞いたときに，心の中で少し蹴ったかのようである。同様に，「つかむ」という単語を聞くと，手の運動制御を司る脳部位の活性化を認めることができる。そして「リンゴを食べる」と聞くと，口の運動制御を司る脳部位が活性化するのだ（Tettamanti et al., 2005）。この運動野の活性化は非常に早くピークに達する。単語認知と意味の処理に関わるとして従来考えられてきた脳部位の活性化のピークは20ミリ秒以内である（Pulvermüller et al., 2003）。このピークの時期は非常に早いので，単に参加者がその単語を聞いて，意識的にその行為をイメージしたり，頭の中で繰り返したりしたという可能性を排除してくれる。言語についての思考や理解が，それらの概念を処理するのと同じように脳部位の活性化を引き起こすという考えは，**身体化**（embodiment）と呼ばれる。言語は世界に基づいており，その基盤化が知覚と行為を処理する脳部位の活動を引き起こす。まさにあなたが思った通りだ。

第6章 単語認知と失読症

Words

話し言葉，書き言葉の両方を理解する最初のステップは，語で何かを行うことである。語は言語の基本的要素である。

私たちは必ず厳密に一語一語に基づいて，言語を理解していると主張したいわけではない。ときどき私たちはある語を同定するのに別の語からの情報を使うことがある。「The cat chased the **ouse」（**の部分で音声が不明瞭になる。ネコが**を追った）という文を聞いたら，おそらく最後の語は「house（家）」や「louse（シラミ）」ではなく「mouse（ネズミ）」であると考えるであろう。語の同定に周囲の情報がどの程度影響するかは，この分野における最も重要な論争の１つである。しかし，ネズミかシラミかをはっきりさせるためには，その発話における他の語を同定する必要がある。語の認知は，主としてボトムアップまたは**データ駆動型**（data-driven）の処理であると言える。私たちは，視覚的にあるいは聴覚的に，目の前にあるものを元にしてそれを理解しようとする。データ駆動型処理の代わりとしてトップダウンの処理があるが，この処理は私たちがそれを同定する際に一般的な知識を用いたり直観に頼ったりする。いくらかの役割はあるかもしれないが，明らかにトップダウン的処理それ自体は，言語を理解する上で，ひどく非効率的な方法であるだろう。私たちは他の人が言っていることを無視することで上手くいくわけではなく，自分が考えるから他の人が意味することがわかると主張するつもりもない（私の経験では多くの人々はこの方法をとるだろうが）。だから，語を認知し，言語を理解することは主にデータ駆動型であると言える。もし疑問があるとするなら，トップダウン型処理の役割は何かということである。

とりあえず，その語が何かを知るのに辞書を使う必要はないが，処理の残りは明らかではない。私が「語で何かを行う」と言うことによって，この章をはじめたことに注意してほしい。すでに「認知する」,「理解する」,「同定する」といった語を実際に説明することなしに，少しずるい形で使用してしまっている。ここでこれらの考えを少し紐解いてみよう。聞いた時，あるいは読んだ時の私たちの目標について考えてみよう。すなわち，目標は文の意味表象を構築でき，私たちがそれで何かをするために使うことができるくらいに，語から充分な意味を得ることである。語を**認知する**（recognising）〔米語ならば recognizing〕とは，何らかの方法で語に馴染みがあるという判断をしたことである。たとえば，NIGHT（夜）は語であり，その語を以前に見たことがあるとわかり，さらに NITE は語ではないとわかる。厳密に言うと，認知することにはこれ以上何かをする必要はない，だいたいは知っている語を判断することができ，それ以上のことはしない。語を**同定すること**（identifying）は，その語が何であるかについていくらか関与すること，充分に何らかの反応をはじめることができることを意味する。語を**理解すること**（understanding）は語の意味にアクセスしていることを意味する。語を**命名すること**（naming）は，語の音にアクセスすることである。すなわち，次々にそれを声に出して言う，あるいは心の中で言うことである。私たちは読んでいる時には自動的に必ず語の音にアクセスするのだろうか。ここで心理言語学者がとても好む用語がある。**語彙的アクセス**（lexical access）とは，私たちの心的辞書，レキシコン，さらに語について獲得されているであろうすべての知識――その意味，音，外観，そしてそれについての統語的な情報にアクセスすることである。

心理言語学者は，語の処理を研究する上でいくつかの課題を用いている。そして，こうした課題は私がすでに行ったこれらの区分と関連している。最も多く使われている課題の1つは，**語彙性判断課題**（lexical decision task）である。コンピュータ画面の前に座り，文字列が前で光っているところを想像してほしい。この文字列が単語であると思ったらあるボタンを押し，非単語であれば別のボタンを押さなくてはならない。そこで NIGHT か NITE を見るかもしれない。研究者たちは，人が判断するのにどれだけの時間を要するか，どれだけの間違いをするかを測定する。語彙性判断では，あなたは語の意味や音にアクセスする必要はなく，単にそれが馴染みのあるものかどうか――あなたが単語として知っているもののセットにそれが含まれているかどうかを言うだけである。あなたは音や意味にアクセスする**かもしれない**けれども，そうする必要はない。語彙性判断とは対照的に，**命名課題**（naming task）では，スクリーンに提示された単語を見たら，あなたはそれを声に出して言わなくてはならず，研究者はあなたが話し始めるのにどれくらいの時間がかかるかを計測する。命名する上であなたがしなくてはいけないことは，それを発音することである。意味にアクセスする必要はないし，その単語が馴染みのあるものかどうかさえ決めなくてよいことを意味している。たとえ意味にアクセスしたとしても，命名する前にそれが起きているかどうかはわからない。他にも課題はあるが，これらの2つは，語の処理について述べていく時に含まれる問題点――意味へのアクセス，語の音，そして親近性の処理が異なるタイミングで起こる――を示している。私たちは自分が測定していると思っているものを明確にしなくてはならない。

多くの研究者は，単語の処理において「魔法の瞬間」があることを信じている。その瞬間とは，単語を認知しているが，まだ意味へアクセスしていない段階である。もう少し正式に言うと，人が単語に対して何らかの反応を起こすくらいには充分に活性化しているが，意味にアクセスをはじめる前の段階である。Balota（1990）が指摘する通り，この過程は合理的であるように聞こえるが，直ちにどのようなことが起こるだろうか。私たちは必ず意味にアクセスできる前に語を同定しなくてはならないのか。いや，その必要はない。なぜなら，私たちは語についての情報がやってくるのと同時に意味についての何かにアクセスし始めることができ，この意味は同定プロセスに影響を与えるのかもしれない。このアイデアが正しければ，語彙性判断と命名からの結論について，とても慎重でなければならない。というのは，これらの判断は意味によって影響されているかもしれないからだ。

ここで語の処理は簡単なものではないことがわかっただろう。研究に使用する課題が何であるのか，どのような仮定をするのかについて，とても慎重でなければならない。語の命名をはじめた時にその語の意味にアクセスしている，あるいは意味にアクセスする前にそれが馴染みがあるどうかを決められるとは仮定できない。「意味にアクセスする」というフレーズでさえ，落とし穴に満ちている。私たちが「トラ」という語を聞いたり読んだりした時，その意味にどれだけアクセスしているのか。それについて知っているすべてのことにアクセスしなければならないのか。どれだけの足があり，どれだけの縞があり，どれだけのヒゲがあるのかを自動的に必ず検索するのか。私は語の処理の次のような2つの特徴が私たちの生活を楽にすると考えている。ほとんどの場合はまあまあ充分やっているので，入力される語に対して最低限のことしかしていない。語の入力において統計的あるいは確率的な要素しか得られないときは，ほとんど当てずっぽうにやっている。語の処理の研究領域の1つの問題は，私たちが真実だと信じるようになった比喩によって支配されていることである。私たちは辞書を調べるかのように語彙を探索することについて話し，その上，辞書の検索を元にした語彙アクセスのモデルをもっている。

私たちは語の認知しやすさにたくさんの要因が影響し，どれだけ速く読めるかについても個人差が大きいことを知っている（Adelman et al., 2013）。明らかに，知覚的な刺激の明確さは関係する。静かな場所でとてもはっきりと発声された大きな声に比べたら，とてもうるさい場所で小さな声でもごもごと話された語は理解が難しいであろう。先にも言及した通り，単語の出現頻度は語の処理において非常に重要な変数である。日常語の方が理解しやすい。最初にその語に出会った年齢（獲得年齢と呼ばれる変数）は，他の要因とは独立した形で重要で，より早い時期に獲得した語はより速く処理される。近い過去に見た語は同定しやすくなる。最後に，私は意味的プライミングについて言及しなくてはならない――ある単語に意味的に関連する語が先行して提示された場合，その語を同定するのがより容易になる（たとえば，「医者」と「看護師」のように）。

どのように発話された語を認知するのか

あなたが知らない言語で話す人の話を聞いてみたことがあるだろうか。話されている語を聞き分けることすらできないだろう。たとえばスペイン語やフランス語のように自分が少しだけ知っている言語であっても，私にはそれが難しく，それらの言語の母語話者が普段話す速さで話しているのを聞くのは試練の体験だろう。私は時おり思いがけない語がわかることがあるが，ほとんどは音の列にすぎない。赤ん坊が言語を学習する時にも同じ問題――分節化（segmentation）がある。話し言葉の音は通常は不明瞭に，一緒になって発音されるものである。もちろん，ときどき休止はあり，特定の音のあとには小さな切れ目がある（これらは閉鎖子音と呼ばれる。p，b，t，d のような音では空気の流れを非常に短い時間閉じる必要がある）。しかし，発話はとても速いが，私たちは非常に効率的に処理している。もし，がやがやした声やシーッという声，楽音や母音が混じった系列が提示されたら，1 秒あたり 1.5 音よりもゆっくりとした速さで提示された場合に限り，音の順序を識別することができる。しかし，私たちは 1 秒あたり 20 音の速さの発話，時にはもっと速い発話を理解することができる（Warren & Warren, 1970）。発話の処理は得意なのだ。

発話の基本的な単位は，**音素**（phoneme）と呼ばれる。音素は意味を区別するための言語の最小単位である。/p/，/b/，/r/，/c/ といった音はすべて音素である。なぜならこれらの音が入れ替わると違う語になってしまうからだ（たとえば，pat［軽く叩く］が bat［バット］，rat［ネズミ］が cat［ネコ］になってしまう）。慣習により，私たちは音素を斜線で /p/ のように囲む。音素は言語によって異なる。/l/ と /r/ は英語では異なる音素であるが（lot［くじ］と rot［腐敗］の違いからわかるように），日本語ではそうではない。英語ではしない区別を他の言語で行うこともある。次のことを試してみてほしい。口の前に手を置いて，pin（ピン）と言う。あなたは p という音に伴って息を感じることができるはずである。今度は spin（回転）と言う。今度は息を感じることはないだろう。物理的にこれらの音は異なっている。pin の中の p は**気音で発音する**（aspirated）が，spin の中の p は**気音がない**（unaspirated）。しかし，この違いは英語では決定的なものではない。タイ語や韓国語のようないくつかの言語では，この違いは決定的である。p が気音で発音されるかどうかは語の意味を変える。

この点は音素が大きく変化し，さらにそれが発話の処理を困難にするもう 1 つの要因であるという事実を示している。もう少し複雑になると，正確な音はその周囲の音によって変化する。たとえば bill（請求書），ball（ボール），able（有能な），rub（こする）といった語の中の /b/ という音素はすべて音声的には少しずつ異なっている。この現象は，**構音結合**（co-articulation）と呼ばれる。この現象は，何らかの音を発する時に構音器官が動き，次の音を生み出すための準備を行う（そして，実際は前の音を産出しながら位置を変える）ために生起する。構音結合は，ある音がその音自身の情報のみを提供するのではなく，他の音の情報も与えてくれることを意味するので，いくらかの手助けになるかもしれないが，音には別のばらつきの源がある。もちろん 2 人の人がまったく同じように話すことはない。年齢や性別，方言などの系統的な差に加え，個人差もある。音が文脈に依存して変化するこれらすべての方法は，発話の理解を非常に困難にしている。これらの要因は，テンプレートに基づいた音の理解，すなわち，私たちはそれぞれの音を内的な理想化された音素と比べている，というモデルを排除する。なぜなら，入力される音は非常に多様だからである。

発話がとても多様であるにもかかわらず，私たちはその違いに対して敏感ではない。もちろん私たちは発話の全体の特徴を同定できる。発話者が誰か，発話者の年齢や性別も充分特定できるかもしれない。しかし，異なる音素として音のすべてのばらつきを聞いているわけではない。英語話者の耳にとっては，気音で発音された p も気音のない p もただの /p/ である。その中間の音を聞いたならどのようなことが起こるのだろうか。私たちはその音をある 1 つのもの，あるいは別のものとしてカテゴリー化する。聞こえるものを単純化するのだ。

中間の音についてのこの点を，もう少しゆっくりと考えることは価値がある。たとえば /p/ と /b/，あるいは /t/ と /d/ の音のペアを考えてみよう。この連続体（たとえば /p/ と /b/ の間）の終点の差は**有声開始時間**（voice onset time）と呼ばれる。**有声**（voiced）の子音（/b/，/d/）は，唇が閉じる（/b/）あるいは舌が上の歯茎につく（/d/）と同時に声帯が震えはじめる（喉の上に指をあてると震えを感じることができる）。有声子音の有声開始時間は 0 ミリ秒に近い。無声子音（/p/，/t/）では，声帯が震えはじめるまでに少しの遅れ（60 ミリ秒程度）がある。有声開始時間のこのわずかな違いのみが /p/ と /b/，あるいは /t/ と /d/ を区分する。しかし，有声開始時間が 30 ミリ秒のような中間の音の場合は何が起きるのだろうか。/p/ と /b/ の中間のような音が聞こえるのだろうか。

いや，そうではなく，/p/ か /b/ のいずれかにしか聞こえない。中間は存在せず，同じ音素のすべての変形は同じように聞こえる。この現象は**カテゴリー知覚**（categorical perception）として知られている（Lieberman et al., 1957）。私たちに聞こえるものは，人によっても状況によっても異なる。有声開始時間が連続体の 0 ミリ秒の端に近いほど，/b/ とカテゴリー化しやすくなり，60

ミリ秒の端に近いほど，/p/ とカテゴリー化しやすくなる。しかし，どこか中間において中間の状態というのは存在しない。出だしの時間の連続体において，突然 /b/ から /p/ へと聞こえるようになる。同じことが /d/ と /t/ においても起こる。カテゴリー間にはっきりとした境界はあるが，それは固定されたものではない。連続体の一方の端から繰り返し音を聞かせて，音を同定する検出器を疲労させることによって境界を上下させることができる。たとえば，/p/ という音を数回聞いたあとでは，連続体の中間の音は /b/ と同定されやすくなる（Eimas & Corbit, 1973）。音のカテゴリー知覚は，生後 1 ヶ月の赤ん坊にも起こるので（Eimas et al., 1987），学習で得られたスキルというよりも脳がそのように配線されている結果であろう。カテゴリー知覚は人間独自のものではない。南アメリカの小さなかわいい齧歯動物であるチンチラは，ta と da のような音節をヒトと同じようにカテゴリー化する（Kuhl & Miller, 1975）。カテゴリー知覚の現象は発話に限られたことではなく，音楽家は音程をカテゴリー的に知覚するようになる（Siegel & Siegel, 1977）。

発話を聞く時に助けとなるような他のソースとしては，発話者が言おうとしていることについて私たちがもっている知識，文脈と呼ぶものがある。文脈の重要性は，**音素修復効果**（phoneme restoration effect）という有名な心理言語学的な現象によって強力に証明されている（Warren, 1970; Warren & Warren, 1970）。あなたは次のような文を聞く。

It was found that the *eel was on the orange.
（*eel がオレンジの上にあるのが見つかった。）
It was found that the *eel was on the shoe.
（*eel が靴の上にあるのが見つかった。）
It was found that the *eel was on the axle.
（*eel が車軸の上にあるのが見つかった。）
It was found that the *eel was on the table.
（*eel がテーブルの上にあるのが見つかった。）

これらの文は，最後の語だけが異なるように互いにつぎはぎされたテープで作られていた（最近はもっと簡単にデジタル方式でこの作業ができる。現代の機械のフル装備なしでこれらの実験を行っていた当時の研究者の忍耐力には驚嘆する)。アスタリスクは，テープから削除されて咳の音で置き換えられた発話の 0.12 秒の部分を表す。人々は最初の例文では peel（果物の皮），2 番目の例文では heel（かかと），3 番目の例文では wheel（車輪），4 番目の例では meal（食事）が聞こえたと報告する。人々はどこかに欠損があるようには聞かないし，咳の音をちゃんと正しい位置に配置することもできない。人々は存在しない音を確かに聞いている。この現象に対する唯一の説明は，語についての「トップダウンの」知識が発話の流れの知覚に影響しているというものである。正確な音が問題なのではない。騒音や楽音でも同じような効果を引き起こす。語の多くを削除しても，同じような効果を得ることができるだろう。とはいえ，人がどのくらい修復できるか，いつ修復できるかについては限界がある。音素を短時間の無音状態で置き換えるだけで修復できなくなる。人は無音に気がついてしまうからだ。

発話の知覚における文脈の影響は，発話に限られたことではない。私たちが見るものが聞くものに影響する現象は，マガーク効果として示されている（McGurk & MacDonald, 1976）。ヘッドフォンで ba という音が聞こえるのと同時に，誰かが ga という音を言っている映像を見ている状況を想像してみよう。あなたには，ba という音ではなく，聞くべき音と見ている音の間の音である da が聞こえる。マガーク効果は視覚と聴覚の知覚の交互作用を示している。私たちは話し手の唇の形の情報から（もちろん，無意識的に）彼らが話している音を推測するが，この情報が聞くものに影響を与える。

発話には大きなばらつきがあるにもかかわらず，私たちはそのばらつきを単純化する方法をもっている。私たちは音のばらつきのわずかな変化を扱うのではなく，音のカテゴリーを扱い，検索の範囲を狭めるために文脈を使用する。

発話の認知の 2 つのモデルを手短に検証しよう。それらのモデルは，私たちが発話を聞いた時に，語の音が知覚的な入力にできるだけ対応する語を活性化させるという基本的なアイデアを共有している。私は活性化の概念は強力なものであると先に述べているので，ここで扱う。

William Marslen-Wilson の**コホートモデル**（cohort model）は，発話が時間を通じて広がっていく方法を強調している（Gaskell & Marslen-Wilson, 2002; Marslen-Wilson, 1990; Marslen-Wilson & Welsh, 1978）。あなたが語を聞いている，もちろん一度にすべては聞けないので，音を順々に聞いている。素敵な応接間で老女が縫物をしているのを見ながら座っているところを想像してほしい。彼女は次のように言う。

> Be a dear and pass me some thread for my —
> (お願いだから，私に—のために縫い糸を取ってくれない)

さて，次に何が来るだろう。統語によっていくつかの制限がつけられる——形容詞か名詞しか意味をなさない。文脈は他の制限を与える。次に「象」という語が来ることはありえないであろう。次に続くことのできる候補の単語の**コホート**（cohort）はすでに大幅に減少している。次にあなたは最初の音素である /t/ を聞く。この知覚的情報の小さな単位は莫大な違いを生み出し，候補のコホートから数万の語を消すことができる。どの語が来るだろう。私はコホートの中にいま残っているいくつかの妥当な候補，たとえば tablecloth（テーブルクロス），tapestry（タペストリー），togs（衣服），tea cozy（ティーポットカバー）（もちろんこの中のいくつかは他のものに比べてありえないかもしれないが）などについてのみ考えることができる。もし次の音が a（tapestry のように）であれば，コホート内には tapestry のみが残っていると考えられる。彼女の tapeworm（サナダムシ）に必要な糸を要求しているという可能性は，文脈によってあらかじめ排除されている。このようにして，コホートからの候補の削除は素早くできるので，話し言葉の同定は非常に速く効果的である。

すべての話し言葉にはそれが一意的に定まるポイントがある。すなわち，知覚的な情報のみに基づいて，「自分が聞いている語は tapestry であって，tapeworm や tabulation（表）ではない」と絶対的な確信をもって言えるポイントである。このポイントは，**ユニークネス・ポイント**（uniqueness point）と呼ばれている。私たちは，それぞれの単語のユニークネス・ポイントはどこかを，いわゆる**ゲーティング課題**（gating task）を用いて調べることができる。この課題で，実験参加者は徐々に大きくなっていく（おそらく 20 ミリ秒区切りで）語の分節を提示され，自分が聞いている単語が何かを答えることを求められる。実験参加者はユニークネス・ポイントの後はその語を正しく理解できるようになる。ゲーティング課題は，文脈の重要性を示している。単独で提示された単語を同定するのには平均で 333 ミリ秒必要であるが，適切な文脈の中にある単語を聞くと 199 ミリ秒しか要しない。つまり，私たちは「ラクダ」という単語を単独で提示された場合はゆっくりと同定するが，「動物園で子どもたちがラクダに乗った」という文の中にある時はより速く同定する（Grosjean, 1980）。

コホートの中では何が起こっているのか。あなたが聞いたものが非常に稀な音声形式（xy-）であったなら，語のコホートは非常に小さなものになるが，もっとありふれた音声形式（sp-）であったならば，候補のコホートは非常に大きなものになる。そのため，コホートサイズが語の認知時間に影響を与えることは，驚くには値しない。すなわち，コホートが大きければ認知に時間がかかる。さらに，これらすべての近隣語の相対的な出現頻度が重要である。ターゲット語が specious（まことしやかな）である場合，special（特別な）や speech（発語）のような，よりありふれた語によって邪魔をされるかのようである。そのため，低頻度の近隣語しかもたない高頻度語は，その逆の場合よりも速く認知される（Goldinger et al., 1989；Marslen-Wilson, 1990）。

語の認知の活性化に基づいたモデルによるこの広いアプローチは，TRACE として知られているコンピュータ・シミュレーションで実行されている（McClelland & Elman, 1986）。TRACE モデルでは，3 つのレベルの処理ユニットが存在する。それぞれのユニットは非常に単純で，他のすべてのユニットからそれにつながっているユニットへの活性化を単純に増幅させ，他のユニットへと活性化を伝える。最も低いレベルは音声的特徴，中間レベルは音素の集合，そして最も高いレベルは語の集合である。たとえば，すでにみたように /b/ は有声の特徴をもち，/p/ は無声の特徴をもつ。子音は同じポイントで声道を収縮させることによって産出されるが，/s/ と /sh/ のようないくつかの音は耳障りで，ホワイトノイズ〔あらゆる周波数成分を同等に含む雑音〕の破裂を含んでいる。これらの音声的な特徴の詳細をここで述べる必要はないが，重要な点は，音素をより低次のユニットへ分解することが可能であり，2 つの音素がその特徴によってどのように区別されるかを特定することができる（たとえば，/b/ と /p/ であれば有声か無声かで区別できる）ことである。

コネクショニスト・ネットワークが大量の相互結合を示すという原則に従うと，1 つのレベルのそれぞれのユニットは，上のレベルのそれぞれのユニットにつながっている。しかしながら，これらの結合については 3 つの重要なポイントがある。第一に，結合は双方向的である。このことは，活性化はボトムアップ的に加えて，語レベルから音素レベルや音声的特徴へと下方向に伝えることができることを意味している。第二に，結合は興奮性あるいは抑制性のいずれかであることである。興奮性の結合はユニットの活性化レベルを次のユニットにおいて増加させるが，抑制性の結合は活性化レベルを減少させる。そのため /t/ という音素は TAKE（取る）や TASK（課題）に対して興奮性の結合をもっているが，CAKE（ケーキ）や CASK（桶）に対しては抑制性の結合をもっている（図 6.1）。第三に，レベル内のそれぞれのユニットは同じレベルにある他のすべてのユニットと抑制性の結合をもっている。このモデルを働かせるためにすべきことは，語に対応する入力の音声的特徴を活性化させることだけである。そして，唯一の単語ユニットのみが活性化した状態（すなわち，システムが語を「認知した」状態）になるまでネットワークの中を活性化が上方向，あるいは下方向へ伝わるのを見ているだけである。私たちが無声の子音で，歯の上に舌がつくような音声的特徴に対して活性化を行うと，/t/ という音素が充分に働きはじめる。この活性化が TAKE や TASK に広がり，

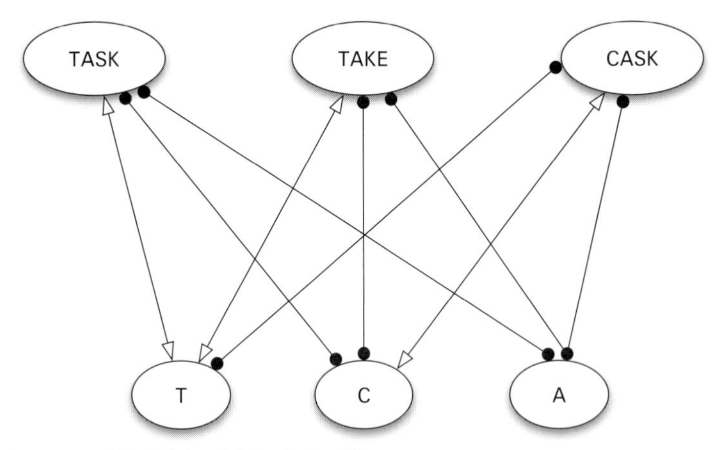

図 6.1　TRACE 式のネットワークの一部

この部分は単純な最初の文字位置についての複数の結合を示している。T は TASK と TAKE の両方の最初の位置にあるので，「最初の T」のユニットはこれらのユニットと双方向的な促進性の結合を持っている。CASK において T は最初の位置にないので，T はこのユニットとは抑制性の結合をしている。反対のことが「最初の C」のユニットにおいてもあてはまる。A はこれらの語の最初の位置にはないので（もちろん 2 番目の位置にあるが），「最初の A」ユニットとは抑制性の結合である。

CAKE や CASK のように適合しないパターンは抑制されるであろう。その少しあとに /s/ という音が聞こえてきたら，TASK は競合相手である TAKE を抑制し始める。結果的にたった 1 つの単語が残る。TRACE に似たモデルは相互作用的活性化競合（interactive activation and competition）を略して，IAC モデルと呼ばれる。競合はこのネットワークにおいては非常に重要な側面である。ユニットが自分自身に対する証拠を積み上げるのと同時に，競合相手の抑制も開始する。まさに金持ちはますます金持ちになり，勝者がすべてを手にする。

活性化はボトムアップであると同時にトップダウンでもあるので，不完全，あるいは間違いが起こるという証拠もこのモデルは扱える。このモデルに /p/ と /b/ の中間の音素が提示されたとする。音声の特徴は 50% 活性化する。しかし，その音には -LUG が続く。PLUG（プラグ）だけは単語であるので活性化するが，その時に下のレベルにある /p/ のユニットを活性化させる。さらに特徴レベルへと活性化が下方向に伝わっていく。BLUG は単語ではないので，/p/ と /b/ の音は非常に類似しているが（音声特徴は異なっている），/b/ はほとんど勝ち目がない。つまり，トップダウンの活性化が下層レベルに広がることによって，文脈が影響する。そして，常に勝者がいる必要があるので，このモデルは中間値を嫌う。私たちは /p/ か /b/ のどちらか勝ち残った方しか聞こえないので，このモデルは音素のカテゴリー知覚をも説明することができる。

これらのモデルは活性化に基づくモデルの威力と，モデルが実際に作用するのを示すため，コンピュータ・プログラムにあなたのモデルを実装することの有効性を実証している。しばしば，シミュレーションからあなたが予測しない事柄が脱落する。音素修復や音素のカテゴリー知覚のような現象は，トップダウンの活性化と競合の原理によって生じる。説明は上手くいっているが，念のためコンピュータ・プログラムで証明するに越したことはない。言うまでもないが，心理言語学においては異議を唱えられなかったモデルはない。ここでの論点の主要な点は，まさに，いつ文脈が影響するかということである。文脈は直接的に最も早い段階である知覚的な処理の段階で影響するのか，それともそれよりも後の知覚したものすべてを統合しようとする段階で影響するのだろうか。音素修復は真の知覚的な効果なのか，それとも類推を反映しているのか。

トップダウン処理の多くにとってベストの時期ではない

カスケード式の活性化：これを家で試してはいけない。水はグラスの口からまだ流れている間にさえ，すでにボウルの中にあふれている

私たちは人々が報告するものを信じることができるのか。東海岸の見方では知覚はボトムアップであり，文脈は処理の後期の段階で影響すると考えている。一方，西海岸の見方では，文脈は初期の段階で影響を与えうると考えている。この問題の結論はまだ出ていない。

実装された TRACE モデルは，おそらく実際に起こっていることのほんの断片にすぎない。語のユニットは今度は同様の方法で意味特徴ユニットに結合するだろう。すなわち，語へと拡散した意味が文脈に適した語への活性化を高めるよう影響し，そのことが次に文字レベルへと伝わってゆく，というようにである。活性化がシステムを通して絶え間なく「重層的に伝えられる（cascading）」

離散型処理：より無難な解決法。高いグラスは空で，低いグラスはちょうどいっぱいで，空のボウルに中のものを注ぐ準備ができている〔カスケード式処理と離散型処理については 8 章を参照のこと〕

この種のモデルにおいては，あるユニットがそれ自体の根拠を見出すと，即座に結合している他のすべてのユニットに活性化を送る。そこには，私たちが語を認知しても他の特性にまったくアクセスしない魔法のような瞬間は存在しない。

私は「文脈」についてはやや曖昧にしてきた。おそらくそれは私たちがもっている知識の総体であり，知覚にトップダウン的に影響を与えうるものである。だから，音素を同定したい時には，どんな単語の可能性があるか，候補となる単語は自分が聞いていることの統語構造にどのように一致するか，会話，状況，天気など，いま言われたり，読んだりしていることの範囲を限定できるようなありとあらゆる私たちの知識が文脈である。文脈はあまりに巨大すぎるという問題がある。私たちは本当に自分の知覚をあまりにも安易に無視したいのだろうか。ライオンが私のオフィスのドアに向かって吠えていたら，自分の知覚に基づいて行動し，走るべきなのか，それとも立ち止まってこの出来事はありえないので，自分の知覚がいかに間違いうるかについて，食べられている間に自分自身納得すべきなのだろうか。

どのように読むのか

私は確実に話すよりも読む方に多くの時間を割いているが，この点で間違いなく一風変わっていると自覚している。書くことは文化と思考に大いなる影響を及ぼす。すなわち，自分の思考と記憶の外部記録を作り，貯蔵しておくことが可能になったため，私たちは自分の認知能力を莫大なものにすることができた。書き言葉なしに，文明が進歩し，精巧な技術も発達させることができたとは想像できない。実際に，書くことの発明は先史と歴史を隔てるものである。

それにもかかわらず，学生たちはしばしば，心理言語学では2つの非常に特殊なトピックが不釣り合いな量を占めている，という印象をもつ。次の章で触れる予定だが「ガーデンパス」として知られている種類の文を私たちがどう理解するのか，そして，成人が単語をどのように読むか，の2つである。私もこの制約について以前は気にはしていたが，映画『博士の異常な愛情』のように，気にするのを止めて単語認知を愛することを学んだ。私たちが1つの単語をどのように読んでいるかを理解すれば，単語全般をどのように読んでいるかについて何かがわかるだろう。語の認知は比較的行いやすい研究であるのも利点である。さしあたって必要なものはコンピュータだけであり，これで精巧なプライミング実験や語彙性判断実験を行うことができる。それらは実行が容易なので，多くの研究がすでにある。そのため私たちは何が起こっているのかを知っているし，もし答えがわからなくても，争点については知っているので，単語認知は心理言語学の主要トピックのよい例となる。もちろん，読みは単独の語を読むよりもより多くの語を含むので，あまり図に乗らない方がいいだろう。実世界では，一連のテキストを目の前にしており，それは，必要であれば前に書いてあることを振り返りながら，テキストをあちこち飛び移れることを意味する。また，目は一度に1つ以上の単語の情報を受け取ることができるので，語を理解する上でかなりの助けになることも意味している。読んでいる時に，目の最も感度がよい場所である**中心窩**（fovea）の外側の網膜に映った単語の情報も受け取ることができる，という証拠が多数ある（Kennedy & Pynte, 2005 など）。

印刷された語を理解することは，話し言葉を理解することとは別の種類の問題がある。語は通常は（ひねくれた心理言語学的な実験以外は），必要な時間だけ目の前で固定されて変化しない。しかし，私たちはかなり効果的な方法で，印字されたページから情報を引き出すためにどこに目を動かすかを決定しなくてはならない。私たちが確実に知っていることは，（脳損傷がない）健康な成人にとって読むことは聞くことに似ていて，そうしないではいられないし，しなくてはならない。いったん語を聞いたら理解せずにはいられないのと同じように，いったん語を見たら途中で読みの処理を止めることを選択できない。読みが強制的であることはストループ課題で非常に明確に示されている(Stroop, 1935)。ストループ課題では，印字されている語のインクの色を答えなくてはならない。簡単に思えるかもしれないが，語が色の名前で，それがインクの色と異なっている時には，インクの色と一致している時よりも時間がかかる。(赤のインクで印字されている) RED の色名を答えるのは簡単であるが，(赤の色で印字されている) GREEN を答えるのは難しい。あなたは語を読むのを止めることができないし，しようと思っていることに意味が干渉してくるのを止めることもできない。

無理なく発展してきたであろう発話と異なり，書き言葉は人間の歴史において何度か発明されてきたようである。発明は中近東，中国，古代メソアメリカのマヤ文明においてはほぼ確実に起こっているだろう。発話がジェスチャーから進化してきたのと同様に，書き言葉もやはり何らかのより単純なシステム，おそらくは数字を記録する手段から発展してきたのではないかと考えられる。

I II III IIII IIIII

中近東の言語では，もともとは概念を表す絵が用いられていた。紀元前3000 年くらい，あるいはそれ以前の，古代シュメールの楔形文字が最初なのではないかと考えられる。有名な古代エジプトの象形文字システムはおそらくそのすぐ後に発達し，クレタの象形文字システムがさらにそのあとに発達している。これらの初期システムは絵が意味を伝えているが，絵と意味との関係は徐々に遊離していき，いくつかの記号が音を表すようになっていった。

西洋の書き言葉を変えた大きな発明は，アルファベット法則が広く採用されたことである。アルファベット法則では，書かれた記号が個別の音を表す。アルファベットはおそらくはエジプトの象形文字システムが起源であるが，フェニキアの書き言葉のシステムの中心的な部分となった。フェニキアは，現代のシリアとレバノンの沿岸領域あたりに位置していたが，海上貿易の重要な拠点であったので，アルファベットは東の地中海領域に広がっていった。フェニキアのアルファベットは言語の子音だけを表していたが，ギリシアではこれを採用し，さらに母音も追加した。ローマのアルファベットはギリシアシステムを継承し，ローマ帝国が西洋圏にアルファベットシステムを拡大した。現代の西洋の言語はグレコ・ローマンのアルファベットに基づいていて，現代の中国，韓国，日本の言語は古代中国の絵のシステムに基づいている。

この複雑で多中心的な進化の遺産は，今日，言語ごとに書き言葉を割り当てられるように，異なる手段を使っていることである。中国語のような言語では，それぞれの語に異なる記号か，語と関連した記号の組み合わせがあるので，あなたは（多かれ少なかれ）各語を１つ１つ学ぶ必要がある。このような言語は**表語文字**（logographic）の言語と呼ばれる。中国語の辞典には 45,000 を超える記号があるが，それらのほとんどはまれにしか使われず，4,000 以下の記号の知識で読み書きは充分にできる。それぞれの文字が音に対応する**アルファベットシステム**を使用する言語の複雑性とは対照的である（もちろん英語は 26 文字しか使用しない)。文字を音に対応づける方法はさまざまである。ヘブライ語やアラビア語の子音の文字は子音のみを表しているが，読む時には母音が挿入される。ほとんどのアルファベット言語では（英語も含むが)，子音と母音の両方を表す。しかし，これらのアルファベット言語の中でさえ，文字と音との対応の詳細は異なっている。セルビア・クロアチア語のような一部の言語では，それぞれの文字にたった１つの音が対応し，その逆もまた同様である。私たちはこのような言語を**規則**（regular）言語と呼んでいるが，表面的正字法をもつ言語と呼ぶこともある。フランス語のような言語では文字と音との対応は規則的ではあるが，いくつかの音は異なる文字の組み合わせをもつ（o，eau，au，eaux など)。英語では音と文字との関係は複雑で，異なる文字の組み合わせで表現される音もあれば（to，too，two，threw を考えてみよう)，異なる音が対応している文字もある（hat，hate，father の中の a を考えてみよう)。規則性のなさは英語の綴りの学習をことさら困難にしている。

読みの二重経路モデルとは何か

Xhjhhgz は非単語でまったく興味深いものではない。これを発音することはできない。代わりに gat，smeat，nouse という例を考えてみよう。あなたはこれらを声に出して発音することができる。これらは英語の語でありそうだが，そうではない。私たちは gat，smeat，nouse のように発音可能な非単語のことを疑似単語（pseudowords）と呼んでいる。これらは単語に似ているがそうではない。コメディアンのスタンリー・アーウィンは疑似単語でまあまあ本物そっくりに話し，コメディの効果のために Unwinese という彼独自の言語を用いた。さらに，これらの疑似単語を発音するよう求めたら，人々はみな同じ発音をする。人が今まで見たことのないものをどのようにして読めるかに対する最も明白な説明は，一文字ずつ発音を作り上げるというやり方で，それぞれの文字を音に変換しながら，それらの音を組み合わせるというものである。

BEEF（牛肉）のような語を考えてみよう。あなたはこの語を今までに見たことがないとする。これをどのように発音するだろうか。同じことを疑似単語に対しても行う。文字を音に変換し，B EE F と言うことができる。あなたの発音は極めて正しいであろう。BEEF のような単語は，文字がすべて最も一般的に発音されるので，規則（regular）語と呼ばれる。

BEEF から STEAK（ステーキ）に目を向けてみよう。もしこの語を見たことがないとしたら，あなたはどのように発音するだろうか。EA の一般的な発音は，speak（話す），leak（漏れ出る），bleat（メーと鳴く）のように ee である。ゼロからはじめるとあなたは STEAK をおそらく steek のように誤って発音するだろう。STEAK のような語は，文字や文字のペアが一般的な発音をもっていないので，不規則（irregular）（あるいは例外）語と呼ばれる。英語は不規則語がたくさんある。steak は決して最悪ではない。aisle（通路），ghost（幽霊），psychology（心理学）はどうだろう。次のような古い冗談を聞いたことがあるかもしれない。

　ghoti はどう発音するのか？

これを見たことがないのであれば，少し考えてみよう。答えは fish である（enough の gh，women の o，rational の ti）。

ここで，英語を読むことについて 2 つの重要な観察結果がある。私たちは不規則語を発音できるし，新奇の疑似単語を発音することもできる。これらの能力に対する明白な説明は，読みは 2 つの過程を含んでいるということだ。語を文字ごとに処理することによって，疑似単語（および原則として規則語）を読むことができる。それぞれの文字を音に変えていく過程は書記素－音素変換（grapheme-phoneme conversion: GPC）と呼ばれている。書記素－音素変換は不規則な語では働かない。私たちは不規則語を暗記するしかない。

私たちは音読のモデルをあまり苦労せずに作った。これが二重経路モデルで，特に Max Coltheart によって長年支持されているものである（Coltheart, 1985; Coltheart et al., 2001）。二重経路モデルは，印刷された文字から音へと至るまでに 2 つの経路があると主張している（図 6.2）。第一の経路は速い直接的な経路で，印刷されたものが私たちの心的辞書つまりレキシコン内の見出し語を活性化させる。見出し語が活性化すると，辞書の見出し語に関連している語の意味や音を含むすべての情報にアクセスする。この直接的な経路は**語彙経路**（lexical route）と呼ばれ，読み能力の高い読み手やよく知っている語に対しては速くて非常に効果的である。第二の経路は文字と音との対応を用いる間接的な経路で，**非語彙経路**（non-lexical route）と呼ばれている。読み能力の高い読み手にとってこの経路は時間がかかるが，未熟な読み手はこれに依存しており，GPC を用いて一文字ずつ語を形成する音を読み，その音を使って語彙にアクセスする。2 つの経路は絶え間なく競っており，読み能力が上がる

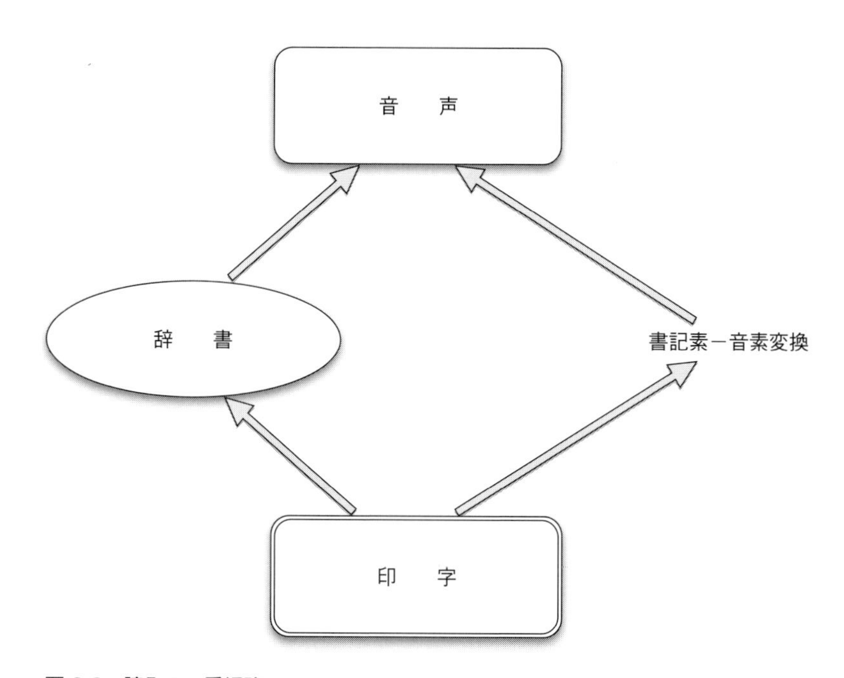

図 6.2　読みの二重経路モデル

につれて語彙経路の方がより速くなると考えることができる。規則語を読むのは非常に速いが，それは直接的な経路と間接的な経路の間に矛盾がないからである。しかし，不規則語においては2つの経路が矛盾した答えを出し，その矛盾が読みを遅くする。こうして，私たちが規則語を読む方が，同じ頻度の不規則語を読むよりも速い理由が説明できる（Baron & Strawson, 1976）。

脳損傷は読みについて何を教えてくれるか

もし2つの読みの経路があるとしたら，それらは脳の違う部位にあると考える方がより妥当であるように思える。そうすると，たまたまどちらか1つの経路を司る脳の部位が損傷を受けても，もう片方のルートは損傷していない人がいて，それとは逆のパターンで損傷を受けた人もいると考えられる。より具体的に言うと，脳損傷の結果，語彙経路が損なわれても非語彙経路は損なわれない人がおり，また一方では，非語彙経路が損なわれても語彙経路は損なわれない人がいるはずである。このように2つの能力が別々に損なわれるようなパターンは，**二重解離**（double dissociation）と呼ばれる。ここでは成人の**後天性**（acquired）失読症について述べていることに注意されたい。以前は読みがよくできていたのに，脳損傷，だいたいは脳卒中の結果として，読みの能力が損なわれた成人についてである。このような人たちとは対照的に，主に児童において読みの学習が困難な人たちがいるが，彼らの障害のことを**発達性失読症**（developmental dyslexia）と呼ぶ。

このようなパターンはどのようにみえるだろうか。語彙経路は語の発音に直接的にアクセスする直接経路であり，不規則語を正しく発音するためには不可欠であることを思い出してほしい。語彙経路に損傷がある人々は不規則語を読むのが困難であろうが，規則語や疑似単語を扱うことはできるはずである。なぜならこれらの語は非語彙経路で読まれるからだ。このようなパターンの障害は存在し，**表層失読**（surface dyslexia）と呼ばれる（Marshall & Newcombe, 1973）。患者 MP（Bub et al., 1985）は非単語を読むことにおいてはほぼ完璧であり，これは彼女の非語彙経路が完全に保たれていたことを示している。しかし彼女は不規則語の読みはよくできなかった。高頻度の不規則語の 85% を正しく読むことができたが，低頻度の不規則語は 40% しか正しく読むことができなかった。これは語彙経路に深刻なダメージがあることを示している。表層失読は，GPC を用いる非語彙経路を通して不規則語を読もうとする時，予測されるタイプのエラーが起きる。彼らは不規則語を規則化しようとする。すなわち，不規則語を規則語のように発音しようとする。そのため，steak を steek，island を eyesland，broad を brode のように発音するエラーが起こる。これらは**規則化錯読**（regularisation errors）と呼ばれる。最も劇的な例としては，表層失読の人は規則語である speak を読むことはできたが，よく似てはいるものの不規則語である steak は読めなかった。

語彙経路は損なわれていなくて，非語彙経路に損傷がある時はどうだろう。この類の障害をもつ人たちは，実在語（たとえば，SLEEP など）は読むことはできるが，疑似単語（たとえば，SLEEB）は読むことができない。このタイプの読みは，**音韻失読**（phonological dyslexia）と呼ばれる（Shallice & Warrington, 1975）。WB として知られている患者は，音韻失読の最も著しい症例である（Funnell, 1983）。WB は非単語をまったく読むことができなかったが，このことは GPC 非語彙経路が完全に破壊されていることを意味する。しかし単語の 85% は読むことができたので，彼の脳損傷は語彙経路をほぼ傷つけていないことを示している。

しかしながら，音韻失読には，解釈をやや複雑にする困った観察結果が存在する。第一に，非語彙経路がいくらか保たれている大多数の患者は，発音が単語に似ている非単語については読みの成績が一般的によくなっている。同音疑似語と呼ばれる疑似単語は NITE，BRANE，FOCKS のような例を含む。この発見についての最も明確な説明は，語彙経路と非語彙経路との間に何か漏れがあることである。もう 1 つの発見は，音韻失読者が心像性（imageability）の低い低頻度語を読むのが特に困難なことである。そのため，彼らが文法的な語を読むのが特に困難であることは何ら意外ではない。また，彼らにとって語の末尾が難しく，屈折している語を読むのが困難である。音韻失読は深層失読に似ているが，意味性錯読はない。実のところ，深層失読は患者が脳の外傷のあとでいくらかの能力を取り戻すのと同じように，音韻失読に変化することがある。最も劇的な例としては，ある音韻失読の人は sleep という語を読むことができても，非常に類似した非単語である sleeb は読むことができなかった。

脳損傷の結果としてこれらの 2 つのタイプの失読症が存在することを考える

と，脳の異なる領域は読みの異なる面に関係があるに違いないと言える。読みの異なる側面に対応する脳領域の特化について，さらなる証拠はFiebachら（2002）による脳画像研究によってもたらされている。彼らは単語と疑似単語に対して語彙性判断を行った時に，脳がどのように活性化するかを検討した。提示された刺激の種類によって脳の異なる部位が輝いた。すなわち，単語は非単語に比べて側頭回として知られる脳の隆起部分に，より強い活性化をもたらした。一方，疑似単語は前頭領域と皮質下領域に，より強い活性化をもたらした。この脳画像のデータは必然的に二重経路モデルを支持するものであろうか。データは二重経路モデルと一致しているが，二重経路モデルを確証していると言うのは少し強硬すぎる。この結果は，少なくとも2つの処理成分をもつどのような読みのモデルに対しても一致する。これから見ていくトライアングル・モデルでは，書記素－音素経路と意味経路との間に処理の分担があると考えている。現状では，イメージングと神経心理学的な知見ではこれらのモデルの区別はつけられない。

二重経路モデルの問題は何か

音韻失読について，やや具合の悪いいくつかの観察を除いては，ここまでのデータはとてもよく二重経路モデルを支持している。しかし，それほど単純な読みのモデルでは上手くいかないことがすぐに明らかになった。単純なモデルに対する3つの主な障害物は，非単語の読みに対する語彙効果があること，すべての種類の単語が等価ではないこと，基本的なモデルにあまり上手く合致しないタイプの後天性失読症があることである。

すべての非単語が等しく作られてないことは，Glushko（1979）の独創的な実験によって証明された。Glushkoは非単語の発音に対する単語の近隣語効果を検討した。近隣語とは，ある単語あるいは非単語に非常に似通った語のことである。実験的な場面においては，ある単語の1文字を他の単語に入れ替えたような2つの語のことを近隣語と呼ぶことができる。この定義に従えば，gaze（じっと見つめる），maze（迷路），laze（怠ける）はみな近隣語である。非単語のTAZEについて考えてみよう。この語にとって上記の単語はみな近隣語である。これら近隣語について重要なことは，みな規則語であることだ。非単語の TAVE とは対照的である。TAVE は gave（与えた），save（救う），rave（わめく）といった規則語を含む多くの近隣語をもっているが，高頻出でとても有力な語である have という唯一の例外的な近隣語ももっている。他のすべての面では類似しているにもかかわらず，一貫した語彙的近隣語をもつ非単語（たとえば TAZE）の方が，一貫していない競合する近隣語をもつ非単語（たとえば TAVE）よりも速く読まれる。単語が非単語の発音にどういうわけか影響しているが，この事実は単純な二重経路モデルでは説明できない。Glushko は近隣語間の規則性が単語の発音に影響することも示したが，このことは，もし読みのスキルが高い読み手が直接的に語彙の見出し語にアクセスすることによって単語を発音するならば，説明するのが難しい。GANG（群れ）は極めてわかりやすい規則語の近隣語（rang［鳴った］），sang［歌った］），bang［ズドンと発砲する］，hang［つるす］）をもっているが，BASE（基礎）は一貫しない，いやな近隣語（少なくともイギリス英語では vase［花瓶］）と規則語の近隣語（case［場合］）をもっている。近隣語間の競合は規則語の命名を妨害するかのようだ。なぜか関連語の発音は規則語の発音に影響するが，この現象を単純な二重経路モデルでどのように説明するかは非常に難しい。

非単語はすべて等しくないことは，他のいくつかの実験でも示されている。最も意義深い研究の 1 つは，Kay と Marcel（1981）のものである。彼らは単語の先行提示が非単語の発音の仕方に影響することを示した。あなたが yead という語を声に出して読まなくてはならない場面を想像してみよう。1 つの条件では head（頭）という語が先に提示され，もう 1 つの条件では bead（ビーズ）という語が先に提示されている。yead の読み方は先に提示された語の発音によって影響される。非単語は，あたかも前に提示されたものからの**類推**（analogy）によって発音されるようである。実際に，この類推という考えは，数ページ前の時点であなたが smeat と nouse という非単語を読むように求められた時に，すでにひらめいていたかもしれない。特に後者は house という単語に非常に似ている。もちろん内観はあまり信用できないが，私が nouse を発音する時には，はっきりと house という語を思い出し，それにならって発音すると思う。読みの類推モデルは，非単語の読みに対する語彙の影響の程度が明らかになってきた 1970 年代の後半から出てきた。この考えは私たちは非単語を GPC によって読むのではなく，類推の元として使える類似した単語を見つけることによって読めるようになるという考えだ（Glushko, 1979; Henderson, 1982; Kay & Marcel, 1981）。私たちは単語を用いて読んでいるのだから，この種のモデルには実際にはたった 1 つの経路しかない。そして，この考えはあとで示すように，のちにとても重要になっていく。

単純な二重経路モデルにある他の問題は，深層失読をどう扱うのかが明らかではないことだ。さらに，モデルに当てはまらないタイプの他の失読症があるのがもっとよくない。WLP という患者は自分が理解していない単語を発音することができた。この障害は**意味的ではない読み**（non-semantic reading）と呼ばれている（Schwartz et al., 1979）。彼女は書き言葉の意味を検索するのに非常に大きな困難を抱えていた。書かれた動物の名前を適切な絵に合わせることも完全にできなかった。しかし，彼女はそれらの名前を声に出して読むことはでき，重要なことに不規則語の読みはよくできた。つまり，彼女は不規則語の名前を検索するために，何とかして語彙を調べているに違いないのだが，単語の意味にはアクセスしていない。

非単語の読みに対する語彙の効果，語の発音における近隣語の効果，そして深層失読と意味的ではない読みについての説明は，モデルにいくつかの過程を加えることで可能となる。二重経路モデルはこれらすべての知見を適合させるために，少なくとも 2 つの方法で修正すべきである。第一に，非単語の読みにおける語彙の効果は，非語彙経路が音素よりももっと大きなサイズのユニットのために，綴りと音の対応についての知識をもっていると仮定すれば説明できる。特に，私たちは Glushko の結果は，GPC 規則に加えて，非語彙経路が語の末尾についての知識——心理言語学者は**韻**（rimes）と呼んでいる——をもっていると仮定すれば説明できる。韻は，-ave，-eak，-ouse，-ead などの押韻を生む語の末尾の一部である。もしシステムがこれらの知識にアクセスする準備が整っているのであれば，類推で読むことは容易であろう。第二に，私たちは直接的な語彙経路を 2 つに分けることによって，深層失読の解離を説明することができる。その解離は，適切な意味にアクセスできるが正しい音にはアクセスできないケースと，正しい音にはアクセスできるが意味にはアクセスできない，意味的ではない読みのケースとに見られる。私たちが必要な経路は，1 つは印字された文字から意味にアクセスすることなしに直接的に語彙へ，そして音へと行く経路であり，もう 1 つは音を通って意味にアクセスする経路

近隣語。すべての語は良い近隣語が必要である

である（Patterson & Morton, 1985）。

このモデルは扱いにくいものとなり，当初魅力的であった単純性は失われてしまった。Hinton と Shallice タイプのネットワークを組み込まない限り，このモデルで深層失読のすべての症状をどのように説明するかについても不明確である。修正した二重経路モデルを元にした計算モデルは**二重経路カスケード・モデル**（dual-route cascaded model：DRC モデル）と呼ばれ，このようなシステムが実際にどのように働くかについてのいくつかの示唆を与えてくれる（Coltheart et al., 2001）。このモデルは 2 つの中心となる仮定をもっている。1 つは，活性化がネットワーク内を段階的に伝わっていくことだ。これは標準的なコネクショニスト・ネットワークでも仮定されていることで，たとえば文字のようなユニットが活性化した途端，そのユニットとつながっているユニットが活性化をはじめる。2 つ目の中心仮定は，非語彙的読みシステムと語彙的読みシステムとの間で処理の配分が行われていることである。語彙的読みシステムは 2 つの経路にわかれていて，一方は綴りの表象が直接的に音の表象につながっており，もう一方の経路は意味を介在している。このモデルは読みの実験で得られた幅広い知見をシミュレートすることができる。そして，このモデルのいろいろな部位に損傷を与えることで，さまざまなタイプの失読症を引き起こすことができる。

読みのトライアングル・モデルとは何か

データの複雑性によって複雑なモデルが必要となり，語彙経路と非語彙経路との間に処理の配分をせざるを得ないようにみえる。コネクショニスト・モデルの研究者はこの配分は必要ないと議論してきた。最も影響力のあるコネクショニスト・モデルは，その全体の構成の形状から，トライアングル・モデルとして知られている（Harm & Seidenberg, 2004; Plaut et al., 1996; Seidenberg & McClelland, 1989）。トライアングル・モデルは，活字，意味，音の関係を理解するための枠組みを提供しており，お互いに結合している，書字，意味，音韻のユニットによって成立している。しかしながら，すべての研究は書字と音韻との経路，つまり活字から音への経路について行われてきた。

モデル研究者は，トライアングル・モデルを，読みと語の認知の伝統的モデルに代わる急進的な案とすべく，次のような2つの強い主張を行った。1つ目の大胆な主張は，この枠組みの記述から推論したように，この説明には語彙は存在しないというものである。それぞれの単語がそれぞれの見出しをもち，単語の意味や発音を知る際に見出し語にアクセスするための中心的な貯蔵庫は存在しない。語の発音は，音韻ユニットの活性化のパターンである。語の意味は，意味ユニットの活性化のパターンである。そして活字形は，書字ユニットの活性化のパターンにすぎない。そのため，私たちは語彙を調べることによって，文字列が単語か非単語かを判断することはできない。なぜなら，語彙は存在しないからだ。入力された文字列が，ネットワークにおいて生み出した活性化パターンがどのようなものであるかだけによって，私たちは判断できる。2つ目の大胆な主張は，不規則語と疑似単語をそれぞれ発音するためにわかれた語彙経路と非語彙経路は存在しない，というものである。代わりに，文字列の入力が提示された時には，すべての綴りと音との対応についての統計的知識のシステムが作動する。そして，コネクショニスト・モデルでは，すべての知識はユニット間の結合の重みづけによって符号化されている。

この種の設計方式を用いた，書字から音韻への処理のシミュレーションを，今やあなたは非常に馴染みがあるものと認識するだろう。ある単語の特定の位置にあるそれぞれの書記素（文字）を表す（そのため，cat［ネコ］の /k/ は

tack［留め金］の /k/ とは異なるユニットで表される）105 ユニットの入力プールは，それぞれの音素（音）を表す 61 ユニットの出力プールとつながっているが，その中間にある 100 ユニットを含む「隠れ層（hidden layer）」を通過する。この隠れ層は，見てきたように，この種のモデルが効果的に学習するために計算上必要なのである。すべてのユニットは上層にあるすべてのユニットと結合している。このモデルは 3,000 近くの単音節の語のコーパスで，すべてが正しく発音できるまで，バックプロパゲーションのアルゴリズムに基づいて訓練された（この過程は約 300 回の繰り返しを要している。つまり，全体の過程が 300 回は行われたことを意味している。コーパス全体を通して，あるいは完全な単語のサンプルにおいては，より頻度の高い語は訓練のために多く提示されている)。このコーパスは規則語と不規則語の両方を含んでいることを理解しておくのは重要である。

この訓練されたモデルに，非単語を提示して発音させたら何が起こるだろうか。Plaut ら（1996）は充分に訓練されたネットワークに 100 を超える非単語を提示した。ネットワークは人間と同じくらいの確率で「正しい」発音をした（人間が非単語に対してするだろう発音と同じことを意味する)。ここでの重要な結論は，単一経路が人間に似た規則語，不規則語，疑似単語の発音を生み出すことである。どのようにしてこれが可能となるのか。結合は綴りと音の対応に関する完全な知識の全体を符号化しているので，非常にすばらしい類推モデルである。このネットワークモデルは，他の読みの現象，たとえば人が低頻度の不規則語を読むのが著しく遅いという規則性と頻度の交互作用についても，よく説明した。

充分な理解がモデルの適用範囲を広げるのではあるが，他のシミュレーションでは，表層失読がこの設計方式でどのように起こるのかを探究した。書記素－音韻経路の損傷は表層失読に似たエラーを引き起こすが，適合はあまりよくない。特に，その経路への損傷は，低頻度の不規則語の読みの成績を充分に低下させることはなく，規則語の読みが損なわれすぎてしまい，規則化の間違いを充分に生産することができなかった。これらの問題から，Plaut ら（1996）はシステムの他の部分へのダメージが表層失読を生む可能性，特に，表層失読の読みは，意味的なサポートとともに発達した書記素－音韻経路が損傷を受けず，切り離された反応の結果を反映しているという考えを検討することになった。結局，子どもたちは綴り－音のマッピングを分離して学習しない。すなわち，意味をもつ単語と関連づけられた綴り－音のマッピングを学習するのだ。そのため，彼らは単語に対応する音韻ユニットへの活性化パターンが意味からの付加的なサポートをもたらすような，別のネットワークを学習させた。ネットワークの訓練が終わったあとで，彼らは意味からのサポートを切り離したところ，損傷を受けたネットワークは表層失読にとてもよく似た反応を示した。モデルのメカニズムという点からみると，モデルが学習するにつれて，不規則語を担当するようになっていく意味的な経路と，規則的な綴りと音の対応に特化してゆく（それだけに専念するわけではないが）書記素－音韻経路との間に処理の配分が起こっているようだ。意味が不規則語に対応する音韻的パターンを接合しているかのように見える。この考えは，進行性認知症の人が通常は表層失読にもなるという観察結果によって支持されている。おそらくその理由は，通常，不規則語を読む際に助けになる意味的な接着剤が，システムが意味特徴を失っていくにつれて，徐々に離れていくからであろう（Patterson et al., 1994)。

トライアングル・モデルは，通常の読みを説明することにおいてもよい仕事をしている。そして，意味－音韻経路の崩壊という観点で表層失読を説明できる。トライアングル・モデルにおいて，書記素－意味－音韻経路の一部としてHinton と Shallice（1991）のモデルを取り入れることは簡単であろう。音韻失読はどこに適合するだろう。音韻失読は音韻情報の表象そのものの損傷によって起こると考えられている。この考えは，一般的な音韻欠損障害として知られている（Farah et al., 1996; Harm & Seidenberg, 1999, 2001)。明らかに，単語は非単語よりもより安定した音韻表象をもっている。単語の音のパターンはたくさんあり，非常に親近性があり，意味からのサポートを受けている。そのため，音韻失読は，音韻表象そのものが弱まっている時に起こる。単語に対応する音韻表象は常に意味的なサポートに頼ることができるが，定義上，非単語はそのようなサポートは受けられない。一般的な音韻障害仮説は，音韻失読の人は非単語の読みができないだけではなく，音韻を含む他のさまざまな課題においてもほとんど常に成績が悪いという知見によって支持されている。たとえば，彼らは非単語を声に出して繰り返すことや，単語の音を操作するような課題はよくできない。

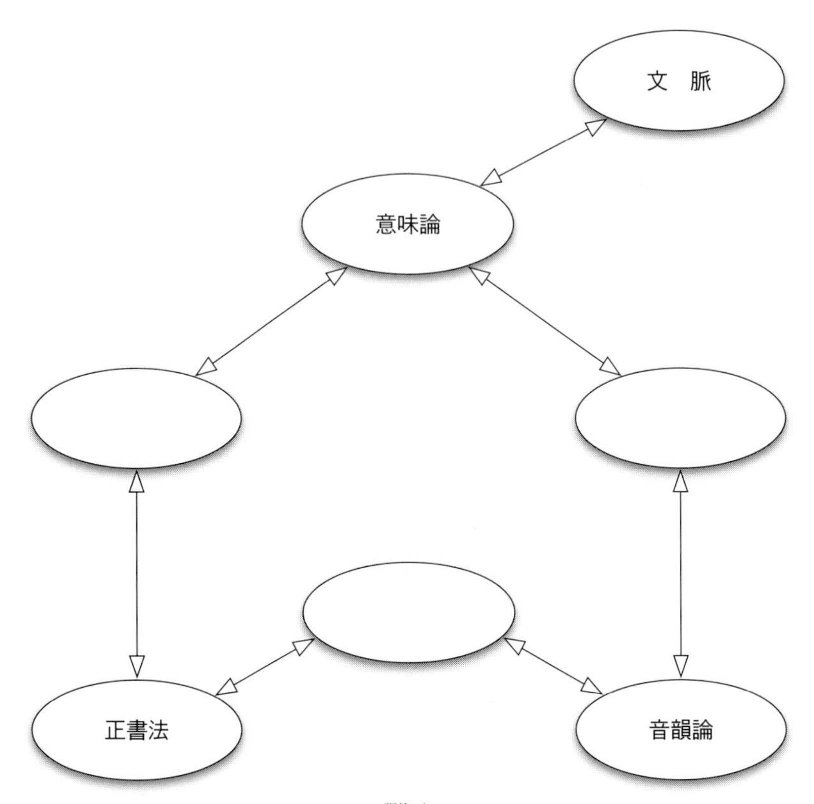

図 6.3　読みのトライアングル・モデル 訳注 1)

このように，読みについては二重経路カスケード・モデルとトライアングル・モデルという 2 つの異なる明確な説明がある。あなたは，どちらが正しいのか知りたいだろう。研究者たちは，よい理論は反証可能，つまり間違っていることを証明できるべきである，と長年にわたって経験してきた。つまり，よい理論は予測しなければならない。そこで，二重経路モデルとトライアングル・モデルを区別するために，私たちは異なる予測が確認できなければならない。トライアングル・モデルは間違っていると証明されうる現象を予測しなければならず，二重メカニズム・モデルは何か異なる現象を予測しなければならない。一方のモデルでは正しくて，他方のモデルでは間違っている現象がなけ

訳注 1）正書法（orthography）とは言語を書き表す正しいつづり字法をいう。

ればならない。残念ながら，人生はそれほど単純ではない。これらのモデルでは，実世界のデータとモデルの予測とがどれだけ適合しているかについては，いつも疑問の余地がある。読みの処理のすべての側面を取り込もうとするモデルはない。そのため，予測とデータとのずれを許すのにはいささか寛容でなければならないが，どこまでが合理的なのか。二重経路カスケード・モデルは複雑ではあるが，著者たちはトライアングル・モデルよりは広い範囲の現象を説明していると主張する。しかし，単語の読みの正確さについてはよく説明ができているが，単語の命名に要する時間についてはあまりよく説明できていない。そして両方のモデルは単音節の語の読みに限定されている。さらにもう一度，それぞれの意見は深く確立されていて中立的な審判が続けられる必要はあるが，トライアングル・モデルには確実に相手を打ち負かす簡潔さと単純さがある（図 6.3）。

語を理解するために発音する必要があるか

次のような文を普通に黙読してほしい。

> ベンはきちんと整備された小さなうねに種を植えた。そして彼はジョウロを取ってきて，バラに水を与えた。

何が起こるかわかるだろうか。あなたが話すように単語を読み上げる内的な音声を「聞く」だろうか。内的な声はどのような役割を果たしているだろうか。私たちはときどき声に出して読むが，ほとんどの場合は黙読している。黙読の目標は単語の意味にアクセスすることであるが，私たちは読んでいるものの音にアクセスしないといけないのだろうか。おそらく 2 つの方法で，音は黙読に含まれている。たとえばトライアングル・モデルの設計様式を考えると，意味が書記素によって活性化する時に付随的に音韻も活性化させるというのは，意外ではない。さらに興味深いことに，私たちが意味を理解する時に音にアクセスする必要があるかもしれない場合がある。この考えは**音韻媒介**（phonological mediation）と呼ばれている。

音韻媒介についてのいくつかの実験的証拠がある。カテゴリー判断課題では，コンピュータのスクリーン上に語が提示されると，その語が特定のカテゴリーに属しているかどうかを判断するよう求められる。たとえば，「果物」というカテゴリーを与えられて，pear（ナシ）という単語を見ると，「はい」というボタンを押さなくてはならない。pair（対）という単語を見るとする。この単語は「はい」と反応しなければならない語と同音異義語であるが，この語に対して「いいえ」と答えなければならない。pair のような同音異義語に対して，より多くのエラーが起きる。まるで単語の発音がなぜか意思決定過程に干渉するかのようである（Frost, 1998; Van Orden et al., 1988, 1990）。この種の干渉を理解するために注意してほしいのだが，音韻の活性化が意味的な意思決定過程に干渉できるためには，比較的早期に起きているに違いない。

意味にアクセスすることができるようになるために，音にアクセスしなければならないという考えは，実際のところ，今まで議論してきたモデルのどちらにも適合しない。この効果はそれを証明する実験の細部に敏感のようだ。たとえば，実験参加者が速く反応しなくてはならない時により大きな干渉が見られる。この効果は低頻度の同音異義語に限られているようでもある（Jared & Seidenberg, 1991）。さらに，カテゴリー判断課題のような，ある特定の課題においてのみ干渉を観察することができる。失読症患者で単語を読むことができないのに，意味がわかる人たちがいる。彼らは印字された単語の定義を完璧に答え，絵と名称を合わせることもできるが，語を発音することはできない（Coltheart, 2004）。書記素－意味のルートが，読みのスキルが高い読み手にとって通常は最も速い経路であるが，ある実験条件ではそうならないかもしれない。その考え方によって，音韻媒介を明らかに支持する結果を説明できる。意味ユニットを活性化させる 2 つの経路がある。1 つは直接的な書記素－意味経路であり，もう 1 つは通常はとても遅い書記素－音韻－意味の経路である（音韻から意味へのリンクはなくてはならない。なぜなら私たちは聞いた単語を理解できるからだ）。そして，ある特定の実験条件，たとえば低頻度の同音異義語を用いたカテゴリー判断課題においては，pair と pear の両方が活性化するので，意味レベルで葛藤が起こる。この葛藤が干渉の原因となり，反応を遅らせたり，エラーを起こしたりするのだ。

速読は有効か

「かつて私はもの忘れがひどかったものです」という宣伝文句と一緒に，新聞の日曜版には，より速く効果的な読み方を約束する広告がありふれている。これらの広告は（コースにふさわしい料金で）速読コースがより速く読むことを教えてくれると保証する。私は1秒に1ページくらいの速さで読むことを学習できるという主張を見たことがあるが，もし本当なら，通常の読みの速さは1分あたり200～350語の範囲であるので，かなりの増加である。平均的なページに500語くらい含まれているとすれば，通常は1分以上かかることが1秒でできることを意味する。もしこの主張が事実であれば，こうしたコースはお得な買い物だろうと思う。

たくさんの人々が何の犠牲も払わずに，今までよりも少し速く読むことを学習できるのは事実である。ときどき私たちの集中力は揺らぐし，目は必要以上にページに留まることがある。すべての能力と同じく，読みの能力は連続体上にあり，他の多くの物事と同じく，ほとんどの人は少しは能力を上げることができるだろう。当然ながら，時にはゆっくり読みたい時もある。よい詩をそれぞれのことばを味わったり，内なる耳で聞いたりすることなしに，できるだけ速く読み飛ばすことに，何の意味があるだろう。

残念ながら，心理言語学的知見によれば，あなたは犠牲を払わずに読みのスピードを大幅に上げることはできず，どれだけ理解しているか，どれだけ覚えているかが犠牲になる。Just と Carpenter（1987）は，速く読める読み手と通常の読み手に2つのテキストを読んでもらった。一方は理解が「簡単」であると考えられるもので（リーダース・ダイジェスト誌の記事），もう一方は「難しい」ものであった（サイエンティフィク・アメリカン誌の論文）。両グループに理解度をテストするための質問を行ったところ，通常の読み手の方が速く読める読み手よりも，両方の文章において15％高い成績になった。実際のところ，速く読める読み手は，テキストを通して拾い読みするように求められた，また別のグループよりもやや成績がよかっただけだった。もっと公正に言うと，速く読める読み手はテキストの全体的な要点は理解していたが，細部は成績が悪かった。目は読むために，単語を適切に処理するために機能する――

これは意味にアクセスして，テキストの残りの部分とその意味を統合させる処理を始めることを意味する。単語は網膜の最も感度が高い部分である中心窩近くに「到着」し，その意味がわかるようになるまで，充分な時間そこに留まる必要がある（Rayner & Pollatsek, 1989）。この説明は，速く読める読み手は目が固視していなかったテキストの部分にあった質問に正しく答えられなかったことを示したJust と Carpenter の付加的な知見によって支持されている。

とは言え，テキストに対する記憶や理解を向上させることを学習できないというわけではない。しかし，そのためには少しではなく，もっと努力が必要である。最も有名な方法は PQ4R テクニックとして知られている（Thomas & Robinson, 1972）。この方法は，本を読む最も理想的な方法として教科書の中で数人の有名な認知心理学者から推薦されているのを見たことがあるので，有効に違いない。教科書や論文を読んで理解し，できるだけ多くのことを記憶しなくてはならないとしよう。最初にあなたはそれを**下見する**（preview）。つまり，文章を概観し，内容を一通り調べ，何が書いてあるのかを知り，各章のイントロダクションと結論を見て，図や表にさっと目を通す。速読は，単にどんな内容かを知るために速く拾い読みするという意味においては，有効である。そしてあなたはそれぞれのセクションに対していくつかの**問い**（question）を立てる。その作品を読むための目標に関連した問いを立ててみながら，見出しを問いに言い換えよう（ちょうど私が本書の中で，あなたに役立つよう行ったように）。それからあなたは文章をセクションごとに注意深く自分の質問に答えてみながら**読んで**（read）いくべきである。次にあなたは，いま読んだものをよく考えるべきである。あなたがすでに知っていたものとあなたがいま読んだものを関連づけてみよう。いま読んだものを本当に理解しただろうか。もしそうでなければなぜ理解しなかったのか。あなたが理解できなかった文章をあまり恐れることなしに再読してみよう。なぜなら難しい文章は，理解するのに何度も読む必要があるかもしれないからだ。理解できなかったところを明確にするために，どこか他の箇所で何かを調べる必要があるかもしれない。そしてそれぞれのセクションを読み終えたら，読んだものを**再生**（recall）してみよう。あなた自身に対して自分のことばで表現してみるのである。あなたの質問に対する答えは何か。終わったら，主要なポイント，議論，結論を列挙しながら，**復習する**（review）べきである。終わったら，再度，文章をざっと通して読んでみる。1時間後に，そして可能であれば翌日に繰り返してみよう。それから何度も戻ってみよう。この手法はまったく速読ではない。私はこの推奨された手法に従うだろうか。もちろんそんなことはしない。

この世のすべてと同じように，努力なしに何かを得ることはできない。そうは言っても，驚くべき量の読書をする人たちについて私はしばしば読むことがある。私はマイクロソフトの創業者であるビル・ゲイツが1日に2冊の本を読むというのを読んだ記憶がある。私は彼がそれだけの本を買えるお金があることに言及しないが，そのような読み方ができるだけの時間があるのをうらやむ一方で，彼がどうやって読んだ本を覚えているのかが不思議である。

アルファベット法則とは何か

子どもにとって会話は自然に学習されるが，読みの学習はほぼ確実にそうではない。多くの子どもが話し言葉に困難を感じるよりも読みの獲得に苦労している。私の読みの学習の経験で覚えていることは，教室の周囲に張られたアルファベット文字のイメージで，a の文字の上にはリンゴの絵があり，他の文字の上にも他の絵があっただろう。私は Z の上に何があったのかまったくわからない。また，どうしたわけか，アルファベットの文字を後ろから順番に繰り返すことができるような非常に大きな記憶装置があった。何とかして私はアルファベットを逆唱することから，科学的な論文を読んだり，このような本を書いたりできるところまでになった。

文字に対する面白さに加えて，私は読みを学ぶことをぼんやり覚えている。私は黒ネコの絵とその下に CAT と印刷されたものを見た覚えがある。そして「c…a…t…」――「cat」と綴ることを教えられた。簡単だ。しかし簡単ではない。このように学習するためには，子どもはいくつか大切なことを知っている必要がある。

1　話された単語の cat が3つの別の音からできている。
2　これらの音は印刷された文字と対応している。
3　印刷された単語である CAT は3つの別の構成部分からなる。
4　そして，もちろん子どもは c は C と同じであり，セリフ〔活字のひげ飾り〕がある活字書体のCもセリフがない活字書体のCも同じであり，大きなインクのシミのように見える私の雑な殴り書きのcも同じであることなどを知っている。

「知っている」とは，子どもがこの知識について説明できることを意味するのではない。何らかの方法でこの情報を使える能力をもっているにすぎないことを意味している。

ここでの中心的な考えは，音は文字に対応しているということである。これはアルファベット法則（alphabetic principle）として知られている。いったんそれを知ってしまうと，あなたは長いことやっていける。以前にCOTという語はおそらく見たことはないだろうが，構成要素の音をどのように発音するかを知ってさえいれば，綴ることができるし，認識することもできる（最初にそれを認知するために1文字ずつ読まなければならないかどうかについて，ここでは気にしないことにしよう）。アルファベット法則を学習し，習熟することは読みについて学習することの主要な成果である。

しかしながら，子どもはアルファベット法則を学習せずに，読み書きのできない状態からできる状態へと移行する。読みの発達はいくつかの段階を経ているようだ（Ehri, 1992, 1997）。幼い子どもがしばしばアルファベット法則をまだ獲得していない前アルファベット段階を通過するが，それにもかかわらず，いくつかのアルファベットの形態を機械的な暗記によって学び，語を理解できる。そんなわけで，彼らはyellow（黄色い）という語を認知するかもしれないが，中間に2つの背の高いもの（l）と最後に繰り返すくねくねしたもの（w）があるからだろう。この段階の子どもは語のパターンに概念を関連づけているが，特定の単語とは結びつけていない。ある有名な例では，子どもがCrestという練り歯磨きの商品名を認識できたが，ある状況ではtoothpaste（練り歯磨き），別の状況では“brush teeth”（歯を磨く）とCrestをさまざまに「読んで」いた。この段階は短く，決して普遍的ではないし，明らかに，読み能力のある読み手のような直接的アクセス（印字が概念よりも語に結びついている）にはほど遠い。部分的なアルファベット的な読み段階においては，幼い子どもはいくらかの文字の名前と音との対応についての知識，特に単語の最初と最後の文字についての知識をもっている。子どもは単語の発音をすべての音の構成要素に分節化することはまだできない。アルファベット段階に達している子どもは，文字と音についての充分な知識，それらがどう対応するかについての知識をもっている。そのため彼らは以前に見たことのない語も読むことができる。徐々にたくさんの練習をしながら，統合的なアルファベット段階では，子どもは成人のように読むようになる。単語は書記素－音素変換の必要なく直接的に読み，たくさんの綴りユニット，特に韻（rhymes：rimes と呼ばれることもある）が多くの単語にとって共通であることを意識するようになる。非常に読み能力の低い読み手は，第三段階を，あるいは第二段階ですら越えることが難しいだろう。

音韻意識とは何か

アルファベット法則を使用するためには，cat と話された語が 3 つの音から成り立っていること，そして，もちろんそれらの音が何であるかも知らなければならない。音についての知識と音を操作できる能力は**音韻意識**（phonological awareness）と呼ばれており，実際には次のような 2 つの性質が関連している。あなたは音を分解したり，操作したりできなくても，2 つの語が韻を踏んでいること（horse［ウマ］と course［コース］，あるいは knight［騎士］と fight［戦い］）を理解することができるだろう。私たちはこれを潜在的な意識と呼ぶ。一方，音に何かを行えることが必要となる，より洗練された種類の意識を，顕在的な意識と呼ぶ（Gombert, 1992）。

多くの課題が音韻意識を必要としている。いくつかの例をあげよう。

1. fun（楽しみ），doll（人形），cat（ネコ）の最初の音は何か。
2. bat（コウモリ）と ball（ボール），cat（ネコ）と ham（ハム）で共通する音は何か。
3. cat（ネコ），most（最も多い），shelves（棚）にはいくつの音があるか。
4. stand（立つ）から最初の音を除くとどのような語が残るか。
5. stick（棒）から 2 番目の音を除くと何が残るか。
6. rack（ラック）の初めに t の音を加えると，どんな単語になるか。

読み書き能力（literacy）と音韻意識には非常に密接な関係がある。読み書きができない成人は音韻意識の課題の成績がよくない。南ポルトガルの農業地域出身の読み書きができない成人の一群は，単語の冒頭に音素を加える，あるいは単語の冒頭から音素を取り除くといった，音を操作する課題に特に困難を感じた。一方，成人期にいくらか読み書きの訓練を受けた人は，はるかに成績がよかった（Morais et al., 1986）。さらに，あなたが予測する通り，問題なのはアルファベット的言語における読み書きの能力である。アルファベット的な読みシステムと表語的な中国語システムの，両方の読み書きができる成人の中国語話者は，これらの課題を難なく行うが，アルファベット的ではない表語的システムのみを読み書きできる人々には，これらの課題ははるかに困難であった（Read et al., 1986）。

文字使用以前の幼い子どもは，音韻意識課題の成績が非常に悪い。さて，この因果の方向はどうなっているのかが問題である。音韻意識が読み書き能力に先行するのか。それとも，アルファベット的言語の読み書き能力が音韻意識を導くのだろうか。音韻意識が先に来るといういくつかの知見はあるが，研究者たちはこの答えに同意しない。音韻意識課題について子どもを訓練すると，読みの能力を増進させる（Bradley & Bryant, 1983; Hatcher et al., 1994）。子どもたちは読みを学習し始める前に，語頭や語尾のような発話のユニットを意識することができるようだ（Goswami & Bryant, 1990）。これらすべての知見は示唆的であるが，他の研究者らは，これらの研究ではテストされた子どもたちの現状レベルでの読み書き能力を考慮に入れなかったと主張し，慎重な姿勢を促している。実際に，音韻意識の因果的な役割について議論している研究はすべて，すでにいくらかの読み書き能力をもっている子どもを対象としていて，必然的に顕在的な音韻意識を含むすべての課題においては，課題の性質，文字の名前，音の性質において，何らかの教示や訓練が必要であった（Castles & Coltheart, 2004）。

関係する論争として，子どもが最初にそれぞれの文字とそれに対応する文字との対応関係を学習するのか，それとも彼らはもっと大きなユニットと音との対応関係を最初に学習するのかというものがある。幼い子どもは読みはじめる前に確実に音節に気づいている。4 歳の子どもははっきりと教示されれば，聞いた単語の音節数をとんとんと叩くことができる（Liberman et al., 1974）。子どもたちは最初に頭子音と韻を見つけることを学習するという可能性がある（Goswami, 1986, 1993）。**頭子音**（onset）とは単語のはじまりである。tank（戦車）のTやchurch（教会）のCHがそうである。**韻**（rime）は語の末尾部分で，韻を踏む部分である。先にあげた2つの単語の-ankや-urchがそうである。論争は，韻に注目する早期の能力か，それとも語を音素に分節化する能力のどちらが，早期の読み能力をよりよく予測できる因子なのかに集中しているが，未だにほとんど合意が得られていない（Bryant, 1998; Goswami, 1993; Muter et al., 1998）。Goswami（1993）は，幼い子どもは特に韻を使って類推によって読みをはじめると主張するが，多くの研究では，幼い子どもは読みを学習できるようになる前に，書記素－音素の解読能力を必要とすることが示されている。知見の有力な部分は，幼い子どもは語を頭子音や韻よりも音素に分割する方が簡単だということである（Seymour & Evans, 1994）。結果の違いは，研究者たちが使用した材料と子どもたちに与えた特定の教示の違いによっておそらく説明できるであろう。

読みを学習する最もよい方法は何か

私がアルファベットを逆順に（ZからAへと）学習することによって読みを教わった，という幼い頃の記憶は正しくないかもしれない。しかし，どの音がどの文字に伴うのかを学習するのははるかに意味がある。リンゴの絵の下に大文字のAとともに「AはApple（リンゴ）」，クマの絵の下に大文字のBとともに「BはBear（クマ）」，「CはCat（ネコ）」といったように。この方法ははるかに意味がある。

子どもが読みの学習をはじめる年齢に違いはないようだ。読みを教えるのが7歳まで遅れたとしても，子どもはすぐに追いつく。別の面から見ると，あまり早く教えることもまた長期にわたる利益をもたらしそうにない。読みを教えるには2つの異なる方法がある。一方の極には，それぞれの単語全体でどのような音がするのかを子どもに教える方法がある。この方法は**全単語法**（whole-word method），あるいは**ルック・アンド・セイ法**（look-and-say method）〔単語を見て言うのを繰り返す〕と呼ばれている。その対極には，文字を音にどう当てはめるかを教えてから，単語をどのように音へと分割するかを教える方法がある。この方法は**フォニックス法**（phonics method）と呼ばれている。

もちろん，どちらの方法も単独では機能しない。cat，bat，rat，cats，rats が何かを共有していることを指摘せずに，それぞれの単語を別々に教えるのはおそろしく非効率的であろう。ghost，aisle，island の綴りを学習するために，単語をそれぞれの構成要素の音に変換すると大失敗を招くだろう。問題は，まずどちらのメカニズムを私たちが強調するかである。フォニックス法の方がかなり優れていることを示した研究がいくつかある。また複数の異なる研究結果を統合したメタ分析は，読みをどのように教えるべきかに関して行われたすべての研究において，フォニックス法の方がよいという同じ結論に達した（Adams, 1990; Ehri et al., 2001）。実際に子どもが読みを効果的に学ぶ鍵は，アルファベット法則を発見すること，すなわち，文字が特定の音と対応しており，この原則の発見を早めるものは何でも読みの発達を早める，という考え方である。他の方法はどこでもほとんど上手くいっていない。Philip Seymour と Leona Elder（1986）は（ともにダンディー市の出身だが），アルファベット法則の説明をしないで教えた 5 歳児クラスの読みの成績を調べた。その結果，これらの子どもたちは教えられた単語しか読むことができず，まさに失読症の読み手に似たたくさんの読み間違いをした。

スコットランドのクラックマナンシャーの Rhona Johnston による最近の研究が，子どもの読みの学習についての 7 年間にわたる比較によって，統合的フォニックスが読みを教える際の最も効果的な方法であることを示した時に，学会誌上は騒然となった。さらに，この方法は長期的な優位性をもち，他の方法で教えられた子どもよりも，この方法で教わった子どもの方が数年後においてもまだ読みが優れていたのである（Johnston & Watson, 2007）。統合的フォニックスは，文字が見せられる前に文字の音を強調するようなフォニックス指導を推し進めた形式である。子どもたちはいくつかの文字と，それらの文字がどのような音であるのかを教えられる。それからさまざまな方法で混ぜ合わせていろいろな単語をどのように作るのかを教えられる。たとえば，子どもたちは P，T，S，A という文字と /p/，/t/，/s/，/a/ という音を教えられ，これらを組み合わせることによって tap，pat，taps，pats などの単語ができることを教えられる。子どもたちはそれから音とアルファベット文字との対応を教えられる。子どもたちは最初に新しい単語の発音を教わるのではなく，それぞ

B はとてもとても古いバナナ

れの文字から単語を1文字ずつたどりながら読まなくてはならない。教師は正確さよりも流暢さを強調する。この方法は，最初の学年の最初の数ヶ月に教えられて，読みの基礎となりうる。イギリスでは2007年から，統合的フォニックスが読みの教育において推奨される方法になった。

Snow と Juel（2005，p.518）が「早期の読みの教育において，小さなユニットに注目させることはすべての子どもたちにとって有効であり，誰にも害はなく，一部にとっては非常に重要である」と書いている。心理言語学において全員が同意するのは稀だが，このトピックは例外の1つである。子どもができるだけ早くアルファベット法則を発見できるような方法で，読みを教えるべきである。

私は前章で，言語によって音を印字に変換する方法が異なることを示した。私たちは，アルファベット的言語の中にさえ，音が文字の上に位置づけられる規則性に違いがあることをすでに見てきた。フィンランド語やセルビア・クロアチア語では，ある文字は常に1つの方法で発音され，ある音は常にある特定の文字に対応する。言い換えれば，これらの種類の言語において単語は常に規則的である。しかし，英語において不規則語はたくさんあり，対応ははるかに複雑である。そのため，私たちは正書法深度[訳注2)]と呼ばれる連続体上に言語を並べることができる。この連続体上でフィンランド語は浅い端にあり，ギリ

訳注2）正書法深度が深いほど文字と発音が対応しない。

シア語とドイツ語は中間，英語は深い端にある（Goswani, 2008; Seymour, 2005）。言語は音節構造の複雑性においても異なる。フランス語や他のロマンス語では音節構造は主に子音－母音であり，単純で一貫しているが，英語や他のゲルマン系言語においてはもっと複雑であり，子音－母音（たとえば，table の中の ta），子音－母音－子音（たとえば，Pat）が混合し，子音のクラスターを含む音節もある（strap は最初に 3 つ子音のクラスターをもっている）。この複雑性の違いを考慮すると，フランス語を話す子どもたちが英語を話す子どもたちよりも早く音節の概念を獲得するのは意外ではないだろう（Seymour, 2005）。そこで，私たちは二次元の格子に言語を位置づけることができる。

	浅い	深い
単純	フィンランド語, ギリシア語, イタリア語, スペイン語, ポルトガル語, フランス語	
複雑	ドイツ語, ノルウェー語, アイスランド語, オランダ語, スウェーデン語, デンマーク語, 英語	

この格子の左上が子どもにとって一番，音韻的能力と読み書き能力を獲得しやすく，右下が一番難しくなるはずであるが，実際にその通りであろう。英語は非常に難しい。なぜならすべてが重なるからだ。複雑な音節と深い正書法に加え，非常に多くの音節をもち，単語や文に強勢を置く方法も複雑で不規則的である。英語を話す子どもは結局，規則語のための書記素－音素方略ばかりでなく，yacht や cough のような単語のために全単語方略を，light，right，fight のような単語のために音韻の類推方略を学ばなくてはならない（Ziegler & Goswami, 2005）。同様の困難さを招く，書くことと語を綴ることは言うまでもなく，私はともかく読みを学んだことに驚いている。

発達性失読とは何か

1896 年に William Pringle Morgan というサセックス在住のイギリス人医師が，Percy という 14 歳の少年の症例について書いている。彼は他の学業領域の成績は普通だけれども，読み書きの学習においてはかなりの困難を感じていた。Pringle Morgan は，脳損傷の形跡や他のはっきりとした説明を見つけることができず，Percy は単語の「視覚的な印象を貯蔵しておく」ことができないと結論した。Pringle Morgan はこれを「先天的単語盲」と命名した（Critchley,

1970)。

読みを学習することは話すのを学習するようにはいかない。それは簡単ではなく，ある子どもたちにとっては他の子どもたちよりもはるかに困難なことだ。他のスキルと同じように，能力は連続体となっており，能力のある読み手とそうではない読み手がいることが予想される。読みが非常に困難である子どもは**発達性失読**（developmental dyslexia）を患っている。Percy は発達性失読のあらゆる特徴をもっていた。すなわち，読みの学習が困難であり，単語を綴ることが困難であり，他の学業領域においては平均的な成績で，脳損傷の徴候や読みの困難さを説明できるような他の障害はない。

発達性失読の性質については，議論がいくつかある。それは単に非常に読み能力が低いのか（その場合は量的な差異である），それともそうではないのか（その場合は質的な差異である)。ダーラム大学の Julian Elliott は，「失読症」という用語の妥当性を問う 2005 年の論文で，特に注目を受けた（Elliot & Place, 2004)。彼のもともとの主張は，失読症に関してあまりにも誤解や思い違いが多いので，失読症という用語が事実上役に立たなくなったというものであったが，この主張はジャーナリストならやりかねない仕方で「失読症は存在しない」と翻訳されてしまった。Elliott らには一理ある。「失読症」という用語は，実際に一部の人々たちによって，読み，書き，理解において何らかの困難を抱えている人たちという意味に拡大解釈されてしまった。それは文法や記憶の問題，極端な場合には，子どもの学業的な到達度と，親が子どもが取るべきと考えている成績との解離までも含んでいる。子どもが他の理由で学業的に優れていないのかもしれないことを保護者が受け入れたくないという含みもあって，過去には失読症は「中流階級の疾患」として片づけられたのはこのような理由による。

杓子定規に言えば，発達性失読は読みが困難であるという点で，他と混同している可能性もある。単語を的確に綴って書くことの学習の障害は，発達性書字障害（developmental dysgraphia）と呼ばれている。残念ながら，発達性書字障害と発達性失読はいつも一緒に生起するので，私たちは両方を指して「失読症」という用語を使うことができる。もちろん発達性失読が存在するのだから，この論争と混同はとても残念なことである。しかし，私が扱おうとしている定義は実に厳密である。それは，読み能力と知能指数の非言語的測度との著しい解離である。「失読症」という用語のさまざまな使われ方と測定法のために，人口あたりの罹患率が推定しにくいが，だいたい 4% から 10% の間であろう。発達性失読は生涯にわたって影響を与えることに注意してほしい。最近では子ども時代に診断されるように注意が払われてきているが，イギリスにはまだ発達性失読と診断されていない成人が何十万人といるに違いない。

後天性の読み障害にはさまざまなタイプがあるので，発達性障害にもさまざまなタイプがあるのかどうかという疑問は自然に起こる。Castles と Coltheart（1993）は発達性失読の 2 つの亜類型を同定した。発達性表層失読者は，不規則語に対して特異的に障害をもつ。非単語の読みと書記素を音素に変換する彼らの能力は比較的高いが，直接アクセスする読み経路を構築するのが困難である（今のところは直接経路と間接経路があるかどうかという疑問はさて置いて，明確にするために私はこのように言っておく。しかし，すぐに別の解釈に戻る予定である）。発達性音韻失読者は，書記素－音素変換，つまり非単語の読みと新規単語を綴ることが困難である。しかしながら，彼らは知っている規則語と不規則語は，単語全体で直接アクセスする経路によって読むことができる。この完全な書記素－音素変換と不完全な書記素－音素変換，音韻スキル対完全な語全体で処理する書字スキルという区分は，失読症に限られた話ではない。読みスキルの標準範囲内にいる成人でさえ，これらのスキルに頼る程度にはばらつきがある。Baron と Strawson（1976）は，比較的書字スキルに優れているが比較的音韻的なスキルが低い「中国語の読み手」と，比較的音韻的スキルに優れているが書字スキルが低い（そして，もちろん，両方のスキルが優れている者もいる）「フェニキア人」を区別した。したがって，標準的集団内であっても，非常に軽症の音韻失読の人と，非常に軽症の表層失読の人を特定することができる。

発達性失読の原因は何か

研究者たちは発達性失読のいくつかの原因を提案してきた。最初に，障害のタイプが複数あることから，発達性失読のタイプは複数あり，原因も複数あるかもしれないことを明確にしておくべきである。異なるレベルの説明もあることも覚えておくべきである。その結果，たとえば遺伝的な障害によって子どもたちが音を表現するのが難しくなるかもしれない。

失読症は他の非言語的なスキルに比べて，読みと綴りに選択的な障害があることを指摘しようと骨折ってきたが，読みの障害は，他の関連する問題群と関係しているようである。読みの障害に苦しむ人々は，気が滅入るほど長いリストになる付加的な問題に，私たちが思っているよりもずっと苦しんでいる。そこには，統合運動障害（dyspraxia）（運動プランの障害），ぎこちなさ，音声処理の障害，きれいに文字を書くことの障害，発声の障害が含まれる。どれもが失読症の子どもの生活を楽にしないだろうが，しかし，それらが純粋な失読症に必然的に関連している程度は明確ではない。発達性失読が家族内で伝わる強い証拠があり，失読症に関係があるとされる染色体の位置を仮説的に同定した研究者もいる（Fisher et al., 1999; Pennington & Lefly, 2001; Schumacher et al., 2007）。これらの事柄すべてを，矛盾がないようにつなげる厳密な方法については今後の課題であるが，失読症の遺伝的原因，または少なくとも遺伝的傾向は理にかなっていて，付加的な症状群と関連している可能性があることも非常に妥当である。

少なくとも一般的な考えでは，失読症の起源に関する最もよく知られた理論は，視知覚の障害をもつために生じているというものである。視知覚の障害をもつ人は，似たように見える文字，たとえば p と b，m と n を混同しがちであり，ページ中に文字が躍っているように見えるとしばしば報告する。これらの観察は，失読症患者が活字を凝視する時，目を固定し続けるのが困難であるとするならば，もしくは活字を事細かく詳細に解像するのが困難である，またはその両方であるとするならば，説明できるかもしれない（Lovegrove et al., 1986）。脳イメージング研究では，失語症患者の後頭部の活動の増加が観察されたが，脳のこの領域は多くの下位レベルの視覚処理が行われているので，おそらく活字を理解しようと試みるために必要な余分の作業があることを反映している（Casey et al., 2001）。他の下位レベルの説明では，失読症は聴覚的処理の障害から起こっていると言っている。失読症患者は音の変化を素早く処理するのが困難であり，発話はまさにその例である（Wright et al., 1997）。さらに他の説明では，失読症患者は小脳に軽度の損傷をもっていると言っている。脳のこの領域は，自動処理，知覚と行動との協応，運動の制御と協調を司る（Nicolson et al., 2001）。小脳は脳の底の方の小さな隆起であり，脊髄が脳に入る中脳の後ろにある（図 1.3 に戻ってほしい）。脳イメージングによって，健常者と失語症患者の小脳には処理に差があることが示されている（Ramus et al., 2003）。

視覚的障害，聴覚的障害，その他の障害を結びつけようと試みる理論では，失読症患者は脳の**巨大細胞**（magnocellular）の知覚的経路に損傷があると考えている（Stein, 2001, 2003）。これらの経路は大きな細胞が特徴であるが，コントラストや動き，急速に変化する刺激に素早く対応する。視覚的処理についてはほとんど明確に理解されているが，聴覚的処理システムに類似したものがあるのかもしれない。さらに，これらの経路は小脳へ文字列を入力する。そこで，ここに失読症についての多くの現象と観察を統合することのできる候補となる理論がある。遺伝的な異常が巨大細胞経路の機能障害をもたらし，小脳の異常な発達が運動制御の障害をもたらすのと同様に，急速に変化する視覚的・聴覚的処理に困難をもたらすのである。巨大細胞理論は広範なデータをみごとに統合するが，発達性失読の唯一の説明とはなりそうもない。なぜなら，失読症の人すべてが，明らかな視覚処理の障害をもっているわけではなく，この経路の機能障害があっても失読症にならない人もいるからである（Skoyles & Skottun, 2004）。

生物学的なレベルの他の説明は，**側頭平面**（planum temporale）の役割に焦点をあてるものである。側頭平面は，言語処理において非常に重要な役割を果たすことで知られている，大脳皮質の左半球にあるウェルニッケ野の中心にある構造である。側頭平面は通常は右半球よりも左半球の方が有意に大きいが（5 倍くらい大きく，脳で最も左右非対称な領域である），この非対称性が失読症の人は小さい（Beaton, 1997）。側頭平面の損傷は音韻（音の）処理の障害と関連していて，特にリアルタイムでの音処理に障害がある。4 名の失語症患者の死後の解剖によりこの非対称性が発見されたが，発達中のニューロンが脳の中で最終地点に移動する際には，胎児の発達の移行段階の異常と一致した構造の異常をも示した（Galaburda et al., 1985）。また，発達性失読における読みの障害は，音の処理の初期の障害に続いて起こる。

Castles と Coltheart（1993）は，発達性失読は表層性と音韻性の 2 つの下位タイプにわかれると主張したが，多くの研究者たちは，失読症は表層性と音韻性を両端とする連続体であると考えている（Manis et al., 1996; Wilding, 1990）。表層性の端に近い者は不規則語の処理に障害があるが，非単語や書記素－音素変換にはあまり障害がない。音韻性の端に近い者は逆のパターンを示すだろう。中間にある者は，両方の種類の障害をもつ。表層性の端にいる子どもは，読み年齢をマッチさせた統制群の子どもたちとさまざまな課題で類似の成績をあげる。すなわち，子どもたちは，「わずかに」不規則語を読むのが困難であるようだ。何らかの理由で，彼らは健常な子どもたちよりも読みを学習するのが非常に遅いかのようだ。すなわち，彼らは読みの発達が遅れているのだ。しかしながら，音韻失読の徴候がある子どもは，読み年齢をマッチさせた統制群と比べると他の障害も見せる。彼らは音韻意識，非単語の読み，音韻的に異なる単語を選ぶなどの音韻的スキルを必要とするさまざまな課題に障害があり，短期記憶が減少した（Bradley & Bryant, 1983; Campbell & Butterworth, 1985; Goswami & Bryant, 1990; Metsala et al., 1998）。

この考えは，発達性音韻失読が一般的な音韻障害に起因しているとするもので，一経路のトライアングル・モデルにおいて，後天性音韻失読が一般的な音韻障害に起因するというのと同様の考え方である。このシステムの働き方は，まさに読みのコネクショニスト・モデルで示されている（Harm & Seidenberg, 1999, 2001）。これらの著者たちは，モデルに読みの訓練をする前に音を表象する音韻ユニットに損傷を与えることによって，発達性音韻失読の症状が生じる様子を示した。発達性表層失読の症状は，たとえば，訓練の不足，効果的でない訓練，ネットワークに対する視覚的な入力の低下（実世界の視覚的な損傷に似ている）といったいくつかの方法で生成できるだろう。彼らは，読むことを学習することへの著しい妨害を引き起こすのに充分深刻な音韻障害をもっている可能性があるけれども，同時に発話の知覚や産出に干渉するほどは深刻ではないことも示した。

そして，それが，私の悪いところなのだと思う。私には軽度の一般的な音韻障害がある。私は新しい単語を学んだり，音を操作したり，非単語を反復して思い出したり，外国語を学習するのが難しいので，子どもの頃発話のセラピーが必要だった。また，全人生において私は常に多くの本当に多くの，あらゆる種類の発話エラーをしてきた。単語への非常に強力な意味的なサポートのおかげで，ありがたいことに，非常に上手くやってゆくことができる。

ここに，これまでのすべてを統合できるかもしれない説明がある。2 つのタイプの生物学的な障害がありそうだ。1 つは視覚的処理の障害，もう 1 つは音韻処理の障害を含むもので，おそらく何らかの遺伝的な障害に起因している。表層失読と音韻失読の連続体が，読み能力の遅滞と一般的な音韻障害からどのように起こりうるかを示す，計算論的モデルがある。

まだ残っている明確な問題は，発達性失読をどのように治療すべきかである。最初に指摘するのは，遺伝的な傾向があるからと言って，その人が完全な失読症に成長することを意味するわけではないことである。「リスクがある」家族においては，音韻スキル測度の得点が連続体の上にある。幼い子どもにとって，スコアが高いほど，のちに失読症になっていく可能性が大きくなる（Pennington & Lefty, 2001; Snowling et al., 2003）。その上，一般的言語能力がよいと，特に初期の語彙発達がよいと，部分的に音韻障害が相殺される。しかしながら，障害は音韻意識課題においては顕著なままであり，正常な読み手として分類された子どもであっても，非単語の読みや綴りに何らかの障害があるだろう。そのためリスクがある家族には，広範な軽微の言語障害があるのかもしれないが，他のスキルが補うことができる。そのため，リスクがある子どもが同定されれば，幼い頃から付加的訓練をすることが支援となる。できる限り幼いうちから音韻意識を導入し，改善するような課題の一般的訓練が望ましい（Bradley & Bryant, 1983; Snowling, 2000）。たとえば，韻の判断が苦手な子どもに，hat（帽子）は韻に基づいて cat（ネコ）とグループ化する一方で，最初の音に基づいて hen（めんどり）とグループ化しなくてはならない課題で，個別に 2 年にわたって毎週訓練した。4 年後に，実験群は訓練を受けていない統制群に比べて，有意に読みと綴りの成績がよくなった。さまざまな音韻スキルを特別に訓練することは，疑いもなく，発達性失読の幼い子どもの（特に，失読症の連続体の音韻性の端に向かっているほど）読み能力を改善するための最良の方法であるが，この方法は一般的に読みが苦手な者のスキルを改善する最良の方法でもある（Hatcher et al., 1994）。訓練は幼い頃を過ぎても有効である。DF は表層失読の特徴をもつ読み能力が低い 10 歳の少年だが，多くの低頻度の不規則語の訓練のあとで目覚ましい改善が見られた。一方，SP は音韻失読の特徴をもつ読み能力が低い 11 歳の少年だが，音韻意識能力の訓練のあとで改善が見られた（Broom & Doctor, 1995a, 1995b）。

失読症の連続体の表層性の端にいる子どもたちにとっては，不規則語，特に低頻度の語の訓練は大きな助けとなる。視覚的障害が原因の失読症の者は，少なくともいくつかのケースでは注視の訓練によって巨大細胞システムを改善させると，助けになっている（Stein，2003）。視覚的な明瞭さを改善し，干渉を減少させる他の方法も役に立つかもしれない。実験的な証拠は現在のところはやや乏しいが，オレンジか黄色の紙，あるいは眼鏡の上に色つきのレンズを重ねてかけることが助けとなる者がいるといういくつかの事例的な証拠がある（Stein，2003; Wilkins, 2003; Wilkins & Neary, 1991）。

失読症の人は読み書き能力が要求される教育分野で不利なことは疑いがない。彼らの多くはある程度不利であろう。イギリスにおいて，失読症である人に対して差別するのは不法であり，教育者や雇用者は合理的に調整しなければならない。合理的な調整とは何かという疑問が当然起こる。

失読症の人たちに，過剰な補償や，無駄あるいは不適切な治療や調整を与えることは少しも役に立たない。いくつかの機関では，生徒たちは3時間の試験に対し，15分余分に「読むための時間」が与えられるかもしれない。この背後にある理由は何だろうか。大量の読みを含む複雑な試験では合理的であるが，短い試験問題ではいったいどのくらい助けになるだろうか。失読症者にとっては，障害は主に正しく書くことと綴ることの困難さとして表出する。余分な読み時間はどのくらい，その助けになるだろうか。彼らにとって最も助けになるのは，筆記を補助したり，マークする時に綴りの障害に配慮することであろう。同様に，教育者が与える教示はとても曖昧である。「この人は失読症者です。どうぞ配慮して下さい」と書かれた職場の張り紙はありふれているが，採点者はこのことに正しく配慮するためにどのようにすべきなのか。綴りの間違いを無視することだろうか。本当に必要としている援助を受けられないかもしれない失読症の人，および，最後には自分たちが不利な立場に置かれていることに気づくことになってしまう失読症ではない人たち，両方のために明確である必要がある。

私たちは曖昧語をどのように理解するか

次のような発話に共通しているものは何か。

bank に行くところだ。

なんて美しい pen でしょう。
それは ball だ。

とてもおもしろくないことは別として，これらはすべて**曖昧**（ambiguous）文である――これらはすべて複数の意味をもっている。最初の例では，銀行から生活費を引き落としに行ったのかもしれないし，あるいはいい天気の日に川岸に釣りに出かけたのかもしれない。2 つ目は，あなたの素敵なボールペンをほめているのかもしれないし，あなたが巧妙に作った羊を囲い込む区域をほめているのかもしれない。3 つ目は，公園で子どもたちが蹴っている小さくて丸いものをほめているのかもしれないし，バルコニーから見下ろしているダンスの豪華なショーをほめているのかもしれない。これらの文は，bank，pen，ball といった単語（そして他のたくさんの単語）が曖昧で，多数の意味，あるいは**語義**（sense）をもっているために曖昧である。

これらは書いても音でも曖昧な語であるが，いくつかの単語は聞いた時だけ曖昧になる。これらの単語は同音異義語（homophone）と呼ばれる。

なんて素敵な夜（night）だろう。

私たちがこの文を聞いた時に，私たちは，夜が本当に心地良いという意味，あるいは騎士（knight）がとてもかっこいい男性であるという意味に解釈できる。

そして，さらにややこしいことに，いくつかの単語は 2 つの異なる統語的なカテゴリーに属することができる。

がんばれ，飛行機は急に岸に向かっている。／がんばれ，飛行機は急に傾きそうである。（Hold on , the plane is going to bank suddenly.）
〔bank には名詞として「岸」，動詞として「機体を横に傾けて飛行する」という 2 つの意味がある。〕

単語がいくつもの語義をもっているこのようなタイプの曖昧さは，語彙的曖昧性（lexical ambiguity）と呼ばれている。次の章では，もう 1 つの種類の統語的曖昧性（syntactic ambiguity）を紹介する。統語的曖昧性は，統語的な構造が 1 つ以上の解釈ができる時に起こる。

語彙的曖昧性は，ユーモア，特に多くのだじゃれやことば遊びの最も重要な種の1つである。あなたの好きなインターネット検索エンジンに「世界一のだじゃれ」と打ち込むと，このような珠玉の作品を見つけることができる。

2匹のカイコがレースをした。彼らは引き分け／ネクタイ（tie）になった。

このジョークは，レースかゲームで同じ順位になること，あるいは衣服のアイテムを表す tie の語彙的曖昧性から面白さ（たいしたものではないが）が生じている。または，映画でジェームズ・ボンドの最良のしゃれを見つけることができるかもしれない（“I see you handle your weapon well.”［あなたは武器を扱うのがお上手ね。］この面白さは……おわかりですね）。あなたは Google で「世界で最もひどい 10 のだじゃれ」と打ち込むこともできるが，同じだじゃれがいくつもベストテンとワーストテンに入っていることを発見するだろう。まあいいが。

私たちの言語処理のモデルから見ると，今までのところ，同じ語，あるいはより正確には音韻あるいは書字ユニットの同じ活性化パターンは，意味特徴の異なった活性化パターン，あるいは2つの異なる意味的なアトラクターを指している。それにもかかわらず，私たちは間違いを犯して，誤った意味のまま終わることはほとんどなく，多くの場合はその語が曖昧であることにすら気づかない。私たちはどうやってそれほど簡単に正しい意味にたどり着けるのか。

私たちが正しい意味を素早く理解するためには，曖昧語の背景にある文脈を使うのは明らかである。次の文が与えられたとしよう。

私は bank に小切手を持っていくところだ。
釣り人は川の bank に釣竿を置いた。
私の鉛筆は折れてしまった——あなたの pen を借りてもいいですか。
農夫は羊を pen の中へ駆り集めた。

先行する導入なしで，あなたが曖昧性に気づいたとは考えられない。私たちが語彙的曖昧性をどのように処理するかについての最も初期のモデル——**文脈に誘導された単一読み語彙アクセスモデル**（context-guided single-reading lexical access model）（Schvaneveldt et al., 1976; Simpson, 1981 など）では，文脈が何とかしてアクセス過程を制限するので，普通は適切な意味のみがアクセスされるとしている。このモデルの問題点は「なんとかして」というところである。この時点では，文脈がこのような即時の強力な力をどのようにしてもつのかは理解されていなかった。発話の文脈は重要な問題である。文中の他の言葉だけではない。それは会話のなかで話した他のこと，あなたが見ていることすべて，あなたが見てきたことすべて，語についてのすべての知識である。文脈は膨大であり，文脈がどう働くかは実際のところ非常に謎めいているが，もしかするとどんな文脈も語彙的曖昧性を解決するのに関係する可能性がある。

もう 1 つの初期モデルは，**順次アクセスモデル**（ordered-access model）である（Hogaboam & Perfetti, 1975）。多くの曖昧語の異なった語義は，等しく一般的に使用されてはいないことにあなたはおそらく気がついているだろう。bank のように（金融機関と岸という意味があるが，意味の頻度の違いは言われるほどではない），pen は高頻度の語義（書くための道具）と低頻度の語義（動物の囲い）をもっている。頻度は個人的なものであるから複雑である。釣り人と金融家とでは，物事が異なったように見えるであろう。さまざまな人々にとっての語義の頻度平均について話をしよう。順次アクセスモデルによれば，私たちは曖昧語に出会うと最初に最も頻度が高い語義が文脈に対して意味をなすかどうかをチェックし，もし意味をなさない場合は次に頻度が高い意味を調べる。

初期の実験者には，これらのモデルの区別を発展させるための充分に敏感な手法がなかった。大きな進展は**異種感覚間プライミング**（cross-modal priming）と呼ばれる技法の開発によって生じた。この手法に基づく課題では，実験参加者は 2 つの事柄，すなわち，聴くことと見ることを同時に処理しなくてはならない。Swinney（1979）の実験では，実験参加者は次のような短い話を聞いた。

> 数年間，庁舎は問題に悩まされてきたという噂であった。男性は，（数匹の蜘蛛，ゴキブリなどの）bugs1 を彼の部屋の cor2ner で見つけた時に驚かなかった。

1 と 2 についてはあとで戻ることにする。ここでの曖昧語はもちろん bugs である。実験参加者の半数は，bugs の一方の意味を後押しするような「数匹の蜘蛛，ゴキブリなどの」という，強いバイアスがかかった文脈を含むバージョンを聞き，残りの半数は強いバイアスがかかった文脈なしに，「bugs を見つけた」とだけ聞いた。

同時に，実験参加者は自分の前にあるスクリーンで，単語または非単語を見て語彙性判断を行わなければならなかった。そこで，彼らは単語を見たらあるボタンを押し，非単語を見たら別のボタンを押すよう求められた。Swinney はこの判断にかかる時間を計測した。実験参加者が単語を見た時に起こることだけを述べよう。この実験ではいくつかの非単語は実験参加者が単語を本当に読まなければならないように用心させるために加えられたものであり，常に「はい」を押し続けることができなかった。ターゲットは ant（アリ：曖昧語のバイアスがかかった語義に関連している語），spy（スパイ：バイアスがかかった文脈においては不適切な語義に関連した語），そして sew（縫う：ベースラインとなる中性的な語），であった。

意味的プライミングは非常に頑健な効果があることを思い出してみよう。意味的に関連する語が提示されると単語の再認はより容易になる。もし bugs の両方の語義が活性化していたら，人々はベースラインよりも ant と spy の両方に対する反応が速くなるはずである。しかし，バイアスがかかった語義のみが活性化していたとしたら，ant に対する反応は速くなるが，不適切な語義である spy については sew と同じ速さになるであろう。Swinney はタイミングに依存した結果のパターンを発見した。曖昧語の bug の直後では（上の例の 1 で示されている）両方の語義が活性化している（ant と spy が両方とも促進されている）が，その後の 2 の時点，いくつかの音節が介在した後は，関係する語義である ant のみが促進されていた。この結果は，私たちが曖昧語に出会った直後はすべての語義が活性化するが，不適切な語義の活性化はすぐに消え去ることが示されている。語彙性判断ではなく命名に要する時間を測定した同様の実験でも，同じ結論となった（Tanenhaus et al., 1979）。つまり私たちは最初の時点ではすべての語義にアクセスするが，200 ms 以内で非常に速く文脈を使って意味を決定するのだ。

第7章 文章理解

Understanding

プルーストを読むことの喜びには，完全な散文や，人間とは何かを要約するかのような人物描写，はたまた数ページにわたるとてつもなく長い文など，さまざまなものが含まれるギネスブックによると，「本物の」長文の中で最も長いものは，ウィリアム・フォークナーの『アブサロム，アブサロム！』という小説の中の一文で，1,287 単語からなるものである（一応，ジェイムズ・ジョイスの『ユリシーズ』には 11,281 語からなる一文とそれに続く 12,931 語からなる一文で構成された主人公の妻モリー・ブルームの独り言があるが，これらを本物の文と呼んでよいかは私には判断しかねる）。何が言いたいかというと，誤解を生じさせていることかとは思うが，私たちは一度に複数の単語を処理しているということである。たいていの場合，話す際には一度にいくつもの文を話し，いくつもの文を聞き，いくつもの文を読んでいる。さらに，文というのはそれ単体で発せられるものではなく，前後の文と密接に関わり合うものである。私たちは物語を語り，会話をし，何かについての本を読む。

言語が伝える「何か」は無作為ではない。私たちは何らかの意図をもって話したり書いたりする。頭の中にはこの世界についての表象があり，その一部を他者に伝えるために言語を用いる。話し手は聞き手の中の何かに変化をもたらすために語る。たとえば聞き手に何らかの行動を取らせるためだったり，あるいは聞き手がまだ知らないであろうことを知らせるためだったり。話したり書いたりする際には自分が伝えたい表象を頭の中に描いており，聞き手ないしは読み手の役目はその情報を解読し，それをこの世界に関して私たちが共有している心的表象と照合し，それを受けてどのように立ち振る舞うかを決めることである。このように 2 つの心的表象をすり合わせることで，両者の共通認識をアップデートする言語的プロセスは**同調**（alignment）と呼ばれる（Pickering

& Garrod, 2004)。この同調というプロセスは完璧である必要はなく，ほぼよいという程度でかまわない。たとえば話し手が「フェリックスは逃亡中だ」と言う時，話し手は自分がイヌという種についてどう思っているのかだとか，フェリックスがフリスビーをキャッチするのが得意だとかいう知識を聞き手に伝える必要などない。単にフェリックスはイヌであり，犬小屋から逃げてしまったのでどうにかしなければいけないということさえ伝えればよい。同様に，聞き手は隠れたニュアンスまでくみ取ろうとして話し手の発する一語一語を分析する必要はなく，また，何かしらの行動に出る前に自分の世界知識を話し手のそれに完全に揃える必要もない。単に話し手の意図をくみ取ればそれでよいのである。話し手の意図がくみ取れたならば，話し手のことばを最後まで聞かずにその場を離れたってかまわない。言語の理解とは，たいていの場合，ほぼよいという程度でかまわないのである。このおざなりさによって，時おり，聞いたり読んだりしたことを間違って理解してしまうという現象が起きる。たとえば以下のように。

While Anna dressed the baby played in the crib.
（アンナが身支度をする間，赤ん坊はベビーベッドの中で遊んでいた。）

という文に出くわした時，多くの読み手／聞き手は赤ん坊がベビーベッドの中で遊んでいて（これは正しい），かつアンナが赤ん坊に服を着せた（これは誤り）と理解する。このような感じで，私たちは現実世界においては毎回完璧にすべてを分析しているわけではないが，（たいていの場合は）十分にうまくやっていっているのである。

私の経験では，どのように文を理解しているのかについての研究は，ほとんどの学生にとって心理言語学で最も難しく，最もおもしろくない分野のようである。この点について，恥ずかしながら学生たちに共感できると言わざるを得ない。私が思うに，本章で議論される研究については３つの難点がある。まず，専門用語が多すぎて（たとえば「縮約関係節（reduced relative）」や「関係節（relative clause）」など），それらがどういう意味なのか覚えていられない。次に，この分野で用いられる実験文は，たいていの場合，日常生活で使用するようなものとはかなり異なった，人工的で不自然なもののように感じられる。最後に，この点と関連しているのだが，そもそも何がおもしろいのかがよくわか

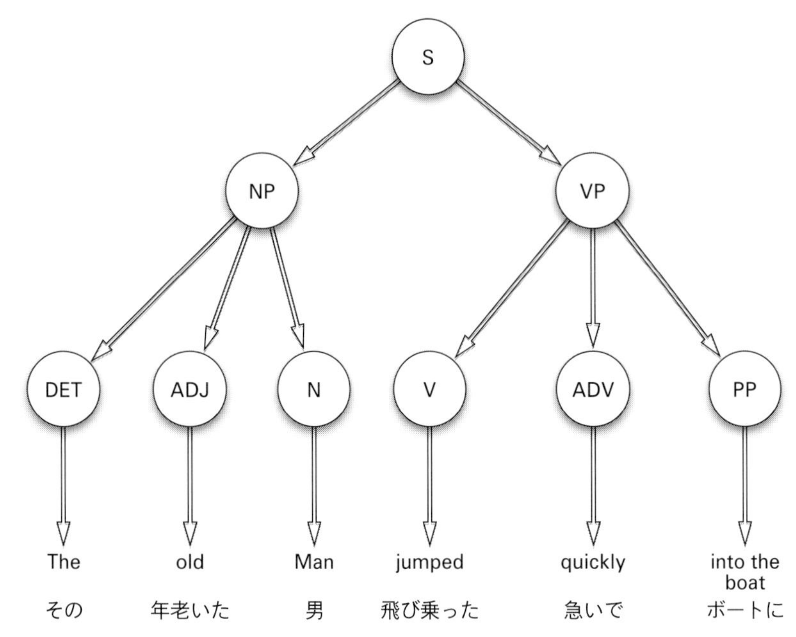

図 7.1 「その年老いた男は急いでボートに飛び乗った」という文の解析木
S＝文，NP＝名詞句，VP＝動詞句，DET＝限定詞，ADJ＝形容詞，N＝名詞，V＝動詞，ADV＝副詞，PP＝前置詞句

らない。私たちは明らかに関係節（これについては後で触れる）を処理できるし，そのことがなぜ問題になるのかがわからない。そのことに関して非常に興味をもつ研究者もいるが，かなり専門的――と言うか（誹謗中傷は意図していないが）ほとんど鉄道オタクみたいなものであり，私のような広く浅くタイプの学者が長々と時間を費やして取り組むような類いのものではないだろう。したがって，本章を書くにあたって，私は以下の点に留意する。まず，できるだけ専門用語を減らし，記憶に残りやすいように解説することを目指す。また，日常生活において私たちが，この分野で用いられるような文に実際に出くわし，困ったことになったりしているかどうか，しっかりと観察する。さらに，この試みが私たちの心の働きの解明につながるものかどうかを明らかにする。

文の統語構造を解析する心的処理は**統語解析**（parsing）と呼ばれる。文の統語構造を解析する際，私たちは文を名詞や動詞，形容詞などの構成素に分解し，それらがお互いにどのように関連するのかを分析する。“The old man jumped quickly into the boat."（その年老いた男は素早くボートに飛び乗った）という文の統語構造は，図 7.1. のような樹形図を用いて表現される。

統語解析を担う心的装置は，人間の文処理メカニズム（human sentence processing mechanism），またはそれを省略して HSPM と呼ばれる。HSPM は発話の意味を抽出し，私たちはその意味を自分の世界知識と合致する表象と統合することで，話し手の意図を理解すると考えられている。

文法的曖昧性とは何か

もし言語が曖昧さのないものであったならば，話ははるかに単純だっただろうし，本章もたいそう短くてすんだであろう。それに，私たちは文を聞いたり読んだりした際，即座にその文法的構造を適切に分析できていたであろう。さらには，その文がどういう意味なのかについての決定を先延ばしにしたり，すでに読んだ部分に戻って再分析したりするような必要もなかったであろう。

しかし人生はそんなに単純なものではない。誰かがラジオで話しているのを聞いているというシチュエーションを想像してみてほしい。The という単語を聞いたとしよう。ここまでは何の問題もない。次に "The old" という音連鎖まで耳にした。まだ何の問題もない。簡単だ。では，"The old man the" までだとどうだろうか。何だか様子がおかしい。続いて "The old man the boats"（老人たちはボートに乗り込む）というところまで聞いたとして……えっ，あぁ，わかった！（もしまだわからないなら，もう少し考えてみて）。

ここで，その文における man は動詞として理解されるべきであり，したがって，old は名詞として理解されるべきだとわかる。しかし，"the old man" と聞いた際には，誰しもが最初は man を名詞として，old を形容詞として解析することだろう。

語彙的曖昧性についてはすでに述べたが，統語的曖昧性は言語理解を困難たらしめているもう１つの厄介な曖昧性である。統語的に曖昧な文の中には，文の最後まで読んだり聞いたりしても，追加の情報なしには曖昧性を解消できない（すなわち，曖昧さのない解釈に落ち着くことのできない）ものもある。

I saw the Pennines flying to Dundee.

統語構造的にはこの文は曖昧である。読者はひょっとしたら即座に，特に深く考えずに「ダンディー市へ飛行機で向かっている最中にペナイン山脈を見た」という解釈にたどり着いたかもしれない。しかし，この文は「そこに立っていてふと見上げたところ，ペナイン山脈がダンディー市へ向けて飛んで行っているのを見た」という解釈も可能である。そのような解釈は，ファンタジーやサイエンス・フィクションの世界では不可能ではない。他にも，ペナイン家という家族がいて，彼らがダンディー市へ向かう飛行機の窓から外をじっと眺めているところを見かけたという解釈も可能ではなかろうか。それでは，次のような，少しドラマティックさに欠ける例はどうだろうか。

Visiting relatives can be boring.

この文は，親戚を訪ねるのは退屈だという意味にもなるし，訪ねてきている親戚が退屈だという意味にもなりえる。私の経験上，どちらの解釈もほぼ真実である。

この種の文に関して言うと，その文自体には曖昧性を解消するのに役立つ情報は含まれていない。私たちは文脈からどの構造がより適切なのか，すなわち，どの解釈が意図されているのかを判断しなければならないのである。

もっと厄介なケースがある。上述のような，文内だけでは曖昧性が解消されないようなものに加えて，私たちは，もしくは私たちの HSPM は，ある時点までに読んだないしは聞いた文の解釈に対して，複数の統語構造を付与できるような一時的構造曖昧性についても頭を悩ませねばならないのである。そのような文では，後で入力される語によって曖昧性が解消され，1 つだけの解釈に到達することになる。さて，実際にはどんな文であっても，ある時点までは曖昧さを含んでいる。たとえば，文の最初の単語である“The—”を聞いた時点では，次にどのような語が後続するのか，また，その文がどのような統語構造をもつのかに関して，無限というほどの可能性がある。たとえば“the dog”であったり，あるいは“the brown dog”，“the brown dog chased”，“the brown dog was chased”などであったり。とりあえずこのような些末な類いの一時的曖昧性は脇に置いておいて，重要なケースについて見ていこう。

I saw the man with the binoculars.

という語の連鎖まで聞いたとしよう。この時点では次のような曖昧さがある。「私はある男性を見て，その男性は双眼鏡を持っていた」という解釈と，「私は自分の双眼鏡で，その男性を見た」という解釈が可能となり，曖昧な構造である。ある時点では，そしてその時点というのがここでは非常に大きな問題なのだが，これらの２つの構造のいずれかを選択しなければならない。その後，この一時的曖昧性は（たとえば以下の例文のように）後続要素によって解消されるかもしれない。

I saw the man with the binoculars that I had just picked up.
（私は自分が先ほど手に取っていた双眼鏡を持った男性を見かけた。）
I saw the man with the binoculars use them to swat a fly.
（私は双眼鏡を持った男性が双眼鏡を使ってハエを叩くのを見かけた。）

このような場合とは異なり，先行文脈によって曖昧性解消が可能な場合もあるだろうし，逆に文の最後まで曖昧性が解消されない場合もあるだろう。私たちはその時その時で最善を尽くさなければならない。

少なくともこの種の曖昧文に関して言うと，それほど理解が困難だとは思わないだろう。HSPM は，私たちに意識させることなく曖昧文に統語構造を付与

ダンディー市への飛行中ペナイン山脈を見た

し，たいていの場合，曖昧さや複数の可能な構造間の競合にすら気づかせないであろう。では，次の文を一度に一語ずつ，素早く，先読みせずに読んでみてほしい。前もって言っておくが，この文は簡単ではない。用意はいいだろうか。

The horse raced past the barn fell.

この文を以前に読んだことのないほとんどの人は，最後の語まで読んだ時，「何だって」と思わず声に出してしまうだろう。文末の fell（転んだ）が，そこにあってはならないもののように思えるからだ。びっくりした挙げ句，この文の文法性を疑うかもしれない。そのような思いを抱きつつ，読者は文を読み直し，その構造を再分析したかもしれない。では，この文を読み進めた際に何が起こったかと言うと，私たちはまず「ある馬がいて，その馬は納屋の前を走らされた」と分析したに違いない。その解釈は，最後の語である fell が入力されるまでは問題ない。しかしながら，fell が入力された際には，それを含めた解釈ができるように，文構造を再分析する必要が生じる。したがって，私たちは当該の文が「納屋の前を走らされた」という解釈であると判断することとなる。理解いただけただろうか。正しい構造（文中の語をすべて含めたもの）を得るまでに少々時間を要する読者もいることだろう。

かなりの確率で初期解釈を誤ってしまうような，この種の一時的構造曖昧性を含む文を**ガーデンパス文**（garden-path sentence）と呼ぶ。この種の文を読み進めていくにつれて，私たちは袋小路に追いやられていったのである。上記の例文では，いわゆる縮約関係節（reduced relative clause）が含まれている。関係節とは名詞を修飾する節である。上記の例文だと，horse が名詞で，“raced past the barn” が関係節である。関係節はしばしば that や which といった関係詞と呼ばれる語に先行される。仮に，

The horse that was raced past the barn fell.

のように関係詞が伴っていたとしたら，読者はその関係詞のもつ情報を利用して曖昧性を解消し，何の苦もなく文の意味を理解していたであろう。逆に言えば，私たちが関係詞を省略して発話したとしたら，そのことが原因で問題が生じるのである。私たちをガーデンパスに追いやるのは縮約関係節だけではないということを述べておこう。たとえば，“the old man the boats”（老人たちは

ボートに乗り組む）は縮約関係節を含まないが，ほとんどの英語母語話者がガーデンパスに追いやられる。

ガーデンパス文について少し述べておこう。ガーデンパス文を読んだ際，奇妙な文だと思う人もいれば，非文法的な文だと思う人もいる。そのような人は，「そんな風に話す人はいないよ」と言ったり，「そこにはカンマを入れるべきだよ」と言ったりするだろうし，私もそのような意見に共感を禁じ得ない。しかしながら，実際にはそのように話していることもあるだろうし，その頻度は私たちが思っているよりも多いかもしれない。この章を書くのを中断した時，私は陰うつな心持ちで，初稿を書いている際の滅入った気分で，デイリー・テレグラフ紙の経済面を見て，“Treasury Reveals Biggest Growth Forecast Cut since Records Began”（財務省は，記録開始以来，最大の成長予測削減を発表した）という文に遭遇した。cut という語まで読んだ時点では特に問題はなかった。もし，私たちがどのように言語を理解しているのかを理解したいならば，ガーデンパス文で観察されるような曖昧性に対処できるようになる必要がある。すなわち，ガーデンパス文は HSPM がどのようなシステムであるのかを知るために役立つツールなのである。

このように曖昧性に関してざっと触れることで，心理言語学者が興味をそそられるような，相互に関係した多くの問題について知ることができたように思う。私たちはどうやって曖昧性を解消しているのか。曖昧性を解消するにあたり，どのような情報を利用しているのか。曖昧性に出くわした際，可能な複数の解釈を保持し，結論を得るのに十分な情報を得た時にようやく曖昧性を解消しているのか。はたまた，曖昧性が生じた際，その時点で最も可能性の高い策に賭けるのであろうか。そして，もしそれが誤っているとわかれば，逆戻りして再分析するのであろうか。さらには，何を根拠に最善の策に賭けるのであろうか。

どのように一時的曖昧性に対処しているのか

ひょっとすると，先に見たガーデンパス文の例文から，もう答えをもらっているかもしれない。結局のところ，ガーデンパス文に出くわすと，文の**再分析**（reanalyse）を余儀なくされるという非常に強い印象を受ける。“The horse raced past the barn” まで聞くと，その音連鎖を，名詞句（the horse），動詞（raced），前置詞句（past the barn）として分析し，それらを組み合わせて統語構造を構築し，それをもとに意味を抽出する。しかし fell が後続するとそれを統語構造にうまく組み込むことができないので，立ち止まり，逆戻りし，再分析を行って今度は縮約関係節として正しい解釈にたどり着く。

時間軸に沿って入力される文の統語構造をどのように解析するのかについて，2 つの主要なモデルが提唱されている。**ガーデンパス・モデル**（garden-path model）によると，私たちは統語的に最もありそうな構造を選択し，後続要素によってそれに誤りがあることが示されて再分析を余儀なくされない限り，その分析のまま解析を進める。一方，**制約依存モデル**（constraint-based model）によると，私たちは入力される文の構造を分析するために複数の情報源を利用する。以下では，HSPM がガーデンパス文のような統語的曖昧文に出くわした際の処理に関して，2 つのモデルの違いが如実に現れるということを念頭に置きつつ，これらのアプローチについて詳細に説明する。

ガーデンパス・モデルによると，私たちは 1 つだけ統語構造を構築する。このことは，一時的曖昧性が生じた際，HSPM は複数ある候補のうちの 1 つを選択していることを意味する。HSPM がどのようにして瞬時に 1 つのみを選択するのかについては後述することとする。曖昧性解消が正しかった場合には文の解析は先へ進んでいく。一方で，その選択が後に入力される統語的，意味的，あるいは語用論的情報と矛盾することがわかった場合には，後戻りして再分析を行うことを余儀なくされる。ガーデンパス・モデルは，最初の段階では統語情報のみを利用し，次の段階で意味や語用論的情報といった非統語的情報をも利用するという，二段階モデルである（Frazier, 1987; Rayner et al., 1983）。

制約依存モデルによると，解析器（parser）は，複数の統語構造を並列的に活性化するために制約（constraint）と呼ばれる複数の情報源からの情報を利用する。制約とは，解析に影響を及ぼしうるすべてのものを指す。たとえば統語的選好性であったり，世界知識であったり，会話のトピックについての語用論的情報であったり，はたまた複数の可能な統語構造の間で，どちらがより使用頻度が高いかなどといった情報まで含まれる（Boland et al., 1990; Taraban & McClelland, 1988）。

ガーデンパス・モデルと制約依存モデルには 2 つの大きな違いがある。まず

１つ目は，解析が二段階に分けて実行されるかどうかという点で，２つ目は非統語的情報が初期分析に影響しうるかどうかという点である。

統語的曖昧性をどのように解消しているのかという疑問は非常に細かく，ひょっとすると退屈であるようにすら思えるかもしれない。だがしかし，実際にこの疑問は，心のデザインについての最も根本的な問題の１つに迫るものなのである。私たちはたくさんの小さなボックスからできていて，それぞれのボックスでは独自のことが行われていて，決してお互いに干渉せず，厳密に管理された体制を形成しているのだろうか。これは東海岸の考え方である。もしSteven Pinker の本を読んだことがあるなら，今述べたようなことはすんなりと頭に入っていったであろう。あるいは，何でもありなのだろうか。心は，絶えず他人の仕事に干渉する協調的な個人によって構成される，ゆったりとした自由参加型社会のようなものなのだろうか。ちなみに心に関するこのような考え方は西海岸風でありコネクショニスト風である。

どのように句を付加する場所を決めているか

最初に統語構造を構築するにあたって解析器はどのような統語的情報を利用するのであろうか。ガーデンパス・モデルでは，解析器は**最少付加**（minimal attachment）と**遅い閉鎖**（late closure）という２つのバイアスをもつと想定している。これらについて説明するには少々込み入った話が必要となる。

最少付加の原則によると，新たに入力された要素は，当該言語の文法が許容する中で最も単純な統語構造となるよう，既存の統語表象に付加されることとなる。無論，「単純」という語は公式な定義が必要である。より厳密に言うならば，最少付加の原則は，新たに入力された要素は既存の部分的な統語構造に最も少ない数のノードをもって付加されるよう要求する。**ノード**（node）とは，統語構造における１つの点であるが，これを説明するには図表および統語構造の分析方法についての多少の知識が不可欠となる。

遅い閉鎖の原則によると，新たに入力された要素は，もし可能ならば，現在処理中の節または句構造に組み込まれることとなる。もう１つの前提としては，現在処理中の節は文の主節ということになる。仮にこれら２つの原則間で競合が生じた場合には，最少付加の原則が優先されることとなる。では，図

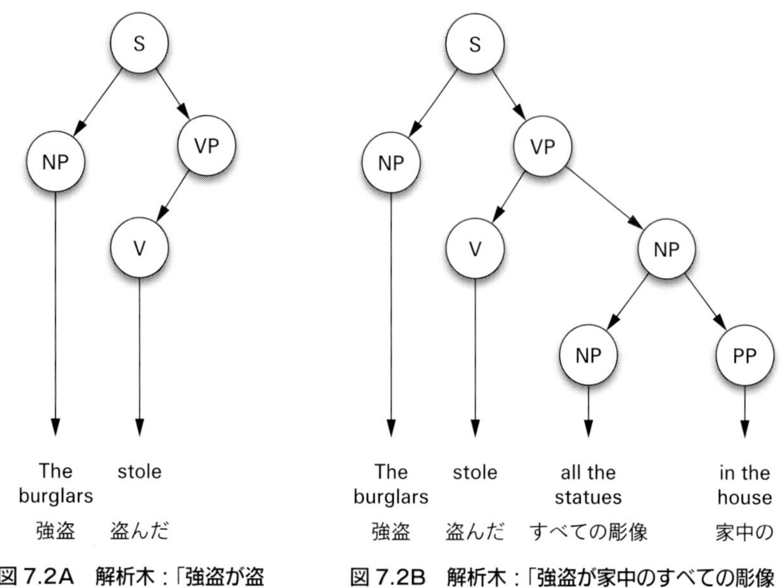

図 7.2A　解析木：「強盗が盗んだ」

図 7.2B　解析木：「強盗が家中のすべての彫像を盗んだ」

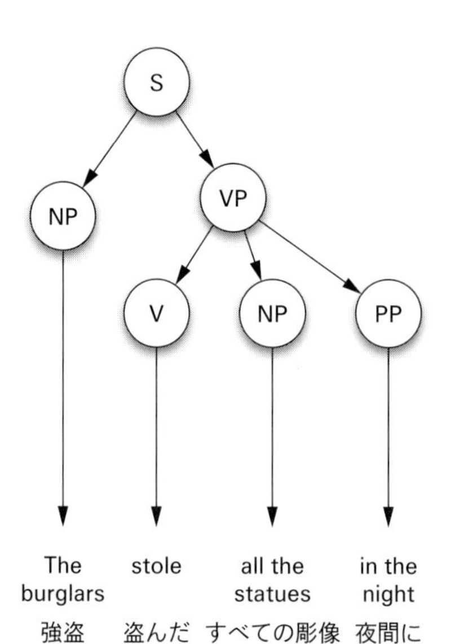

図 7.2C　解析木：「強盗が夜間にすべての彫像を盗んだ」

これは解析木になんてよく似ていることか

7.2A，7.2B，および 7.2C に示す図を用いて説明してみよう。楽しんでほしい。

これらの図は，木を逆さまにしたように見えるので（枝は通常の木と異なり下向きに伸びるけれども），解析木（parse tree）と呼ばれる。解析木は文の統語構造を図示するのにはとても有用である。“The burglars stole—”という語の連続ではじまる文を考えてみよう。“The burglars”は名詞句であり，stole は動詞である。また，stole はその特質から，名詞句が後続することを知らせる。この時点では曖昧性は生じない。しかし，“all the statues in the—”という語が後続したらどのように構造を構築するであろうか。実はこの後に house が続いた場合と night が続いた場合とで統語構造が異なってくる。

“in the house”の場合，それは“all the statues”と直接結びついて“all the statues in the house”という名詞句を構成することになる（図 7.2B 参照）。一方で“in the night”の場合には，それは前置詞句として動詞と結びつくこととなる（図 7.2C 参照）。

図 7.2B と 7.2C はどちらがより単純な，すなわちどちらがより最少付加の原則に則した構造であろうか。シンプルにノードや丸の数を数えてみよう。前者は７つの，後者は６つのノードをもっている。したがって，最少付加の原則によると，後者の，動詞句構造の方が好ましいシンプルな構造である。この予測は重要となるため，後でまた触れる。

統語解析を研究するにあたっての有用な技術の１つとして，文字列を読んでいる間の人の眼球運動を測定するというものがあげられる。現在では人がどの場所をどれくらいの時間見ているのかについて知るための機材がたくさんある。なかでも，眼球に赤外線光を当て，その反射を測定することで人がどこを

眼球運動追跡装置
Photograph © Ben Tatler

見ているのかを知るという方法が好まれている。眼球運動を測定する研究により，上述の2つの原則に違反する文は，処理が困難であることが明らかにされている。

下記の1番目の例文は大変わかりやすいものであるが，2番目のものはそうではない。

The criminal confessed that his sins harmed many people.
The criminal confessed his sins harmed many people.
（その犯罪者は自分が犯した罪が多くの人を傷つけたと告白した。）

2番目の文を読んだ際には少々理解に困難を感じたのではないだろうか。その理由は，上記の文の最初の部分（the criminal confessed his sins）を処理するにあたって，最少付加の原則が，sins が confessed の直接目的語となるような，最も単純な構造を構築するように文処理装置に要求するため，sins が節末の要素であると分析することとなる。それゆえに，sins の後には新たな文か，and，or，あるいは because といった接続詞が後続すると予測することになる。

問題となる文の最後の部分である“harmed many people”は，それが入力された時点で一時的曖昧性が解消されるという理由で**曖昧性解消語**（disambiguating word）と呼ばれるが，既存の単文節構造とは合致しないものであり，その競合を解消するためには後戻りして再分析を行わなければならない（ガーデンパス・モデル的に言うと，第二処理段階に移行するということになる）。Rayner と Frazier（1987）は読文時の眼球運動を測定し，この手の文が実際に一時的な困難さを生じさせることを明らかにした。これらの文を読んだ人は，1 番目の文に比べて 2 番目の文で，曖昧性解消領域および文全体の読み時間が長かった。1 番目の文に関して言うと，that が曖昧性を回避させる役割を果たしており，読者は“harmed many people”の部分を読むのに困難を感じないため，曖昧性解消領域での読み時間が 2 番目の文の方で相対的に長くなる。

遅い閉鎖の原則に違反する文が処理が困難であることを明らかにした研究も見受けられる。遅い閉鎖の原則によると，下記の 2 番目の文では，文処理装置は“a mile and a half”を主節の構成素として分析するため，それを jog の目的語として付加しようとすると予測される。しかし，“seems a short distance”が後続すると，その分析が誤りであることが明らかになる。Frazier と Rayner（1982）はこの文を読んでいる際の被験者の眼球運動を測定し，1 番目の文では this が曖昧性を解消するため，2 番目の文の方が処理が困難であることを発見した。

Since Alice always jogs a mile and a half this seems a short distance to her.
（Alice はいつも 1.5 マイルはジョギングするので，彼女にとってこれくらいの距離は短く思える。）

Since Alice always jogs a mile and a half seems a short distance to her.
（Alice はいつもジョギングしているので，1.5 マイルは彼女にとっては短い距離に思える。）

上述のように最少付加の原則および遅い閉鎖の原則と合致するデータは報告されているが，意味的な知識によってガーデンパスが回避されるようなことはあるのだろうか。Ferreira と Clifton（1986）によるとどうやらそうではないらしい。次の 2 つの文について考えてみよう。

The defendant examined by the lawyer turned out to be unreliable.
（弁護士によって調査された被告は信用ならない人物であることが判明した。）
The evidence examined by the lawyer turned out to be unreliable.
（弁護士によって調査された証拠は信用ならないものであることが判明した。）

文頭の「The noun examined―」という語の連続は，“the defendant examined the evidence”のような単純な直接目的語構造である可能性と，“the defendant examined by the lawyer”のような複雑な縮約関係節構造である可能性があり，曖昧である。しかし，少し考えたならば，どちらの構造の可能性が高いかは，その名詞の性質を考えれば明らかなのではないだろうか。確かに名詞がdefendantsのような有生名詞の場合には，それが主語・目的語のいずれにもなる可能性があるため，上述のような曖昧性が生じるであろう。しかし，evidenceのような無生名詞の場合にはどうであろうか。“the evidence examined”と聞くや否や，きっと縮約関係節的な構造を予測するであろう。なぜならば，evidenceは何かを調べて回る主体になることはできないし，むしろ何かによって調べられる対象だからである。したがって，上記の2つの文のうちで前者は処理が困難かもしれないが，後者に関しては，私たちの世界知識が曖昧性を回避してくれると考えられる。あるいは，仮に解析器が意味的情報を早い段階から利用できるのであれば，曖昧性の回避は可能なはずである。だが，FerreiraとCliftonはこれら2つの文が同様に処理が困難である，すなわち，どちらも同程度にガーデンパス化することを発見した。この結果は，私たちがごく初期の統語解析に関する決定を統語情報のみに基づいて決定していることを示唆している。一方で，意味的情報というものは，袋小路から抜け出す手助けにはなるものの，曖昧性を回避する役割は果たしていないということを示唆している。

脳の電気的活動（「脳波」）を分析した結果は，この「二段階」のアイデアを支持している。電極を人の頭皮に装着すると，さまざまな事象に対して脳内で生じる電気的活動を測定することができる。この時に測定される電位は**事象関連電位**（event-related potential：ERP）と呼ばれる。言語刺激をどのように処理しているかについて理解するのに有用であると考えられる2種類の脳電位がある。そのうちの 1 つは，事象の発生後（たとえば刺激の入力後など），約 400 ミリ秒後に観察される陰性電位である N400 であり，意味的逸脱を検知した際に観察される。たとえば次の文における ostrich を読んだ／聞いた際には明瞭な N400 が観察されることであろう。

When Alice pressed the switch nothing happened, so she realised she had to change the bulb in the ostrich.
（アリスがスイッチを押した際，何も起こらなかった。そこで彼女はダチョウの中のバルブを交換しなければならないことに気づいた。）

もう 1 つは，統語的逸脱を検知してから約 600 ミリ秒後にピークを迎える陽性電位である P600 と呼ばれる成分である。P600 が観察される典型的な文は次のようなものである。

Alice persuaded to dig it.

上述の ERP 成分を指標として文処理の時間的な流れを明らかにしようとした研究も見受けられる（Ainsworth-Darnell et al., 1988; Friederici, 2002; Osterhout & Nicol, 1999 など）。たとえば，Osterhout と Nicol は下記の例文のように，何の問題もない文，意味的に逸脱した文，統語的に逸脱した文，意味的にも統語的にも逸脱した文を実験参加者に提示した。

The new species of orchid will grow in tropical regions.
（そのランの新種は熱帯地域で育つだろう。）
The new species of orchid will sing in tropical regions.
（そのランの新種は熱帯地域で歌うだろう。）
The new species of orchid will growing in tropical regions.
The new species of orchid will singing in tropical regions.

Osterhout と Nicol は，1 番下の意味的にも統語的にも逸脱した文では，意味的に逸脱した文（2 番目の文）と同程度の振幅をもつ N400 と，統語的に逸脱した文（3 番目の文）と同程度の振幅をもつ P600 の両方が観察されたと報告した。さらには，統語的逸脱および意味的逸脱に対して，それぞれ脳の異なる部位が反応を示していたことから，Osterhout と Nicol は意味処理と統語処理とが独立していると主張した。

しかし，上述の Osterhout と Nicol（1999）の主張に懐疑的な研究者は多い。脳の異なる部位に異なる種類の言語的知識が貯蔵されており，各部位が特定の処理を担っているということと，意味的処理と統語的処理とがお互いに影響を及ぼし合わないということは別の話だからである（Pickering, 1999）。

複数の制約はどのように働くのか

制約依存モデルでは，HSPM がどのように文を処理するかに関して，複数の種類の言語的情報が同時並行的に働きかけると想定されている。意味的情報は処理の早い段階から利用され，統語的情報よりも強いバイアスとなることもある。次の 2 つの文を使って考えてみよう。

> The thieves stole all the paintings in the museum while the guard slept.
> （その窃盗団は守衛が眠っている間に美術館内のすべての絵画を盗んだ。）
> The thieves stole all the paintings in the night while the guard slept.
> （その窃盗団は，その夜，守衛が眠っている間にすべての絵画を盗んだ。）

Taraban と McClelland（1988）は実験参加者がこれらの文を読むのにどれくらい困難さを覚えるかを測定するにあたり，自己ペース読文という課題を用いた。この課題では，実験参加者がキーを押すたびに新たな語が提示され，彼または彼女が各単語および文全体を読むのにどれくらい時間がかかったかが記録される。文を読むのにかかった時間が長ければ長いほど，その文を理解するのが難しかったということがわかるといった具合である。上記の 1 番目の文では “all the paintings in the museum” は名詞句を構成しており，2 番目の文に比べて相対的に複雑な構造であるため，最少付加の原則に基づくと，こちらの方が処理が困難であると予測される。

しかしながら，実験の結果はその予測とは逆で，2 番目の文の方が読み時間が長いというものであった。Taraban と McClelland は，最初の文の語（thieves, paintings, museum）の組み合わせからなる意味的情報がより複雑な構造を選択するよう解析器を誘導したと主張した。Taraban と McClelland は，統語的バイアスよりも意味的バイアスの方が重要であり，解析器にとって問題なのは

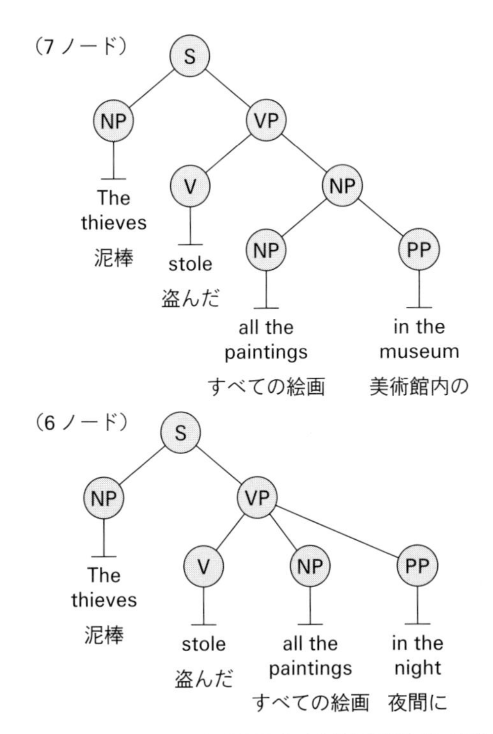

図7.3　Taraban & McClelland (1988) における名詞句および動詞句の付加構造

抽象的な統語的原則への違反ではなく，意味的な予測への違反だと主張する。制約依存モデルは動詞のもつ情報が最も重要だと考える。動詞を見ればその動詞によって表される行為の主体となりそうな名詞や，その行為が及ぼされそうな名詞についてある程度の予測がつくからである。たとえば “the thieves stole all the paintings in the—” という文の続きを考えるよう尋ねてみたら，ほとんどの人は “in the night” や “in the day” のような一般的な状況を示す語よりも，“in the museum” や “in the gallery” のような，絵が置いてありそうな場所を示す語を選ぶであろう（図7.3）。

Taraban と McClelland は，さらに，先行研究で最少付加の原則を支持するデータが得られたのは，それらの研究で用いられた実験文内で統語的バイアスと意味的バイアスとがごちゃまぜになっていたためだと主張した。上記の実験文のように統語的バイアスと意味的バイアスとが拮抗している場合には，意味的情報の方が重視されるというのである。

実際に，適切な意味的文脈があれば，ガーデンパス化は回避されうる。下記のような，似たような 2 つの文を例に考えてみよう。

The teachers taught by the Berlitz method passed the test.
（Berlitz 法で教わった教師は試験に合格した。）
The children taught by the Berlitz method passed the test.
（Berlitz 法で教わった子どもは試験に合格した。）

非文法的な文だと見なす人の数から言って，1 番目の文は 2 番目の文よりも処理が困難であると考えられる。一般的に言って，子どもは教わる立場で，教師は教える立場である。それゆえに 2 番目の文の統語構造は一切処理に困難さを生じさせない。一方で，1 番目の文では，教師が何らかの理由で誰かに何かを教わるという状況を想像せねばならず，このことが処理負荷を増大させることとなる。同じような現象が次のような文で，他の測定法を用いて観察されている。

The archaeologist examined—
The fossil examined—

fossil（化石）は有生物ではないため，調査の対象とはなっても，調査の主体になることはない。そのような強い意味的手がかりが利用可能な場合には，読者は下記のような縮約関係節を含む文であってもガーデンパスに陥らないことを示す眼球運動データが報告されている（Trueswell et al., 1994）。

The fossil examined by the archaeologist was important.
（その考古学者によって調査された化石は重要なものだった。）

意味論によると，ニュートラルな文脈などというものは存在しない。私たちは世界のあり方についての知識や予期をもっているからだ。上の例で言うと，教師というものは教育を施す者だといった具合である。前提としなければならない事柄が多ければ多いほど，その文を理解するのは困難になる。この考え方は強力であり，古くから馴染みのある下記のガーデンパス文が，なぜ困難なのかという問題に解決の光明を投じてくれる。

The horse raced past the barn quickly.（その馬は納屋の前を走らされた。）
The horse raced past the barn fell.（納屋の前を走らされた馬が転んだ。）

英語の母語話者なら，2 番目に比べて 1 番目の文の方がはるかに理解が容易だと思うだろう。1 番目の文では，私たちは 1 頭の馬についてのみ考えればよい。一方で，2 番目の文では，複数の馬が走らされており，転んだのは納屋の前を走らされた馬だと考えることでようやく意味を理解できるものである。そうでなかったら，話者はわざわざ納屋には言及しないであろう。したがって，2 頭以上の馬がいるような状況を思い描かねばならず，そのために 1 番目の文に比べて理解に労力が必要となるのである。

統語解析に影響を及ぼしうる情報の種類に限りはあるのだろうか。眼球運動を指標とした研究によると，私たちはあらゆる種類の情報を利用して統語構造を構築しているようである。現実の言語理解場面では，私たちに与えられるのは聴覚的または視覚的に入力されてくる文だけではない。目に見えているものも，また豊かな情報源となりうるのである。たとえば次の文を読んだとしよう。

Put the apple on the towel in the box.

この文は「タオルの上にあるリンゴがあるので，それを箱の中に入れなさい」とも解釈できるし，「どこかにリンゴがあるので，それを取って箱の中にあるタオルの上に置きなさい」とも解釈でき，この文のもつ情報だけではこの曖昧性は解消できない。ガーデンパス理論によると，後者の解釈の方がより単純な構造であるため，まずはそちらの解釈が選択されると予測する。しかし，Tanenhaus ら（1995）は，どちらの解釈を選択するかは眼前の視覚情報次第であることを明らかにした。Tanenhaus らの実験の一指示対象条件では，タオルの上に置いてあるリンゴと，箱の中に入っているタオルとが同一画面上に一度に提示され，二指示対象条件ではタオルの上に置かれたリンゴと，ナプキンの上に置かれたリンゴとが同一画面上に一度に提示された。実験参加者は一指示対象条件では文の内容とは無関係な，箱の中のタオルを長時間見つめていたのに対し，二指示対象条件では，同様に文の中では指示されていない物体であるナプキンを見つめることはほとんどなかった。“on the towel” は一指示対

タオルの上にリンゴを置く。
とても簡単に思える

象条件でのみリンゴを置く場所として解釈されたのである。一方で二指示対象条件では apple の修飾語として解釈されている。この実験結果が示すように，視覚情報は文の構造曖昧性の解消に役立てられている。さらに，Sedivy ら（1999）による同様の実験では，私たちはこの種の情報をとても早い段階から利用していることが明らかにされている。

入力されてくる文の統語的表象を構築するにあたって，さまざまな種類の情報を並列的に利用していることを示す証拠は今やたくさんある。では，意味的な情報はガーデンパスの回避に役立たないという Ferreira と Cliftion（1986）の実験結果は一体何だったのだろうか。このような明らかな矛盾に対し，どのような説明が可能であろうか。Trueswell ら（1994）は，曖昧性解消時の意味的情報の効果が見られなかったとする先行研究では，実験文として用いられた文中の意味的制約の強度が十分ではなかったと主張している。意味的制約はガーデンパス化を回避させる役割を果たしうるが，それは意味的制約が十分に強力な場合のみだというのである。利用可能な情報の現実味が（上述の視覚世界実験のように）強力であればあるほど，その情報による統語解析への効果が出てきやすくなるということも追記しておこう。

文理解という研究領域における，研究間の比較を大変困難なものとしている原因が 2 つある。1 つは，各研究で用いられている文のもつ意味的制約の強度がそれぞれで異なるということ（そしてこの強度というものは独立に測定するのは難しい），もう 1 つは，使用している実験方法が研究者によって異なるということである（眼球運動測定，事象関連電位，文法性判断課題，自己ペース読文課題など）。さらには，1 つの測定法の中にも複数の測定項目があることもある（たとえば眼球運動測定に関して言うと，総読文時間，読み直し回数，第一次停留時間など）。したがって，誰かの実験結果が気に入らない場合，逃げ道はたくさんある。議論はまだ尽くされておらず，ガーデンパス・モデルと制約依存モデルの，どちらがより妥当であるかはまだ定かではない（多くの研究者はそうは思っていないようだが）。しかし，いつまでも決着を先延ばしにはできないし，実際，著者は制約依存モデルの方が説得的であり，かつ強力であることを示す証拠を発見している。

新たに語が入力された際には，既存の構造にそれを組み込み，統語表象をアップデートする。このような認知的操作を私たちは素早く，それでいてたいていの場合は難なくこなしている。HSPM はあらゆる種類の情報，特に意味的，語用論的知識，さらに言うなれば，各動詞のもつ情報を利用している。一時的構造曖昧性が生じた際，活性化のレベルに差をつけはするが，可能な構造の表象はすべて保持される。単語認知のモデルである TRACE モデルでは，曖昧性の解消にあたっては可能な候補と候補との間で競合を生じさせると想定している（MacDonald et al., 1994）。競合の結果，最も活性化レベルの高い構造が選択されることとなるが，このことには 2 つの意味がある。1 つ目は，活性化レベルのかなり低い構造が実は正しい構造だったことがわかった場合には，HSPM は一瞬あっけにとられることになる。これがおそらく，私たちがはっきりとガーデンパスに陥ったことを認識した際に起こっていることだろう（Tabor & Hutchins, 2004）。2 つ目は，競合する構造がともに活性化レベルの高いものであるために，競合が激しい場合には処理が困難になるということである。このように考えることは筋が通っているし，私たちは実際に体験している。

このようなアイデアはモジュール性という大きな問題にどのような問いを投げかけるであろうか。もし制約依存モデルの考え方が本当に正しいのならば，言語処理とは飛び入り自由の処理，または Spivey（2007）の用語を借りるならばがつがつした処理である。どういうことかと言うと，HSPM が活発に可能な解釈候補を探し，できるだけ多くの情報をできるだけ早く得ようとむさぼり読み，ことばの皿の上に残されたものを知ろうと先読みをするような処理である。

理解したことの中の何を覚えているか

先ほど読んだイントロダクション部分の中で何を覚えているか考えてみてほしい。使われていた単語をすべて思い出せるだろうか。まずありえないだろう。では，文の統語構造についてはどうか。これもまた，まずありえないだろう。ひょっとすると，聞き慣れない単語や（たとえば**同調**［alignment］など），奇妙な文を一字一句違わず覚えているかもしれないが，基本的には覚えているのは大意だけだろう。

このことは古くから実証されている。たとえば Sachs（1967）は，以下の文を含む物語を実験参加者に提示した。

> He sent a letter about it to Galileo, the great Italian scientist.
> （彼はそのことについて，偉大なイタリアの科学者であるガリレオに手紙を送った。）

それから任意の時間が経過した後で，彼らがその文と下記の 3 種類の文とを区別できるかどうかを調べた。

> He sent Galileo, the great Italian scientist, a letter about it.
> A letter about it was sent to Galileo, the great Italian scientist.
> Galileo, the great Italian scientist, sent him a letter about it.

Sachs はオリジナルの文が提示されてから 0，25，50 秒経過した後（この間，それぞれ 0，80，160 音節分，物語は進んでいる），実験参加者の記憶をテストした。その結果，最初の 2 つの文に関しては，実験参加者は 25 秒後にはすでにオリジナルの文との間の区別がつかなくなっていることを発見した。一方で，オリジナルの文とは異なる意味をもつ 3 つ目の文に関しては，実験参加者は一定の時間が過ぎても区別することができることが明らかになった。この結果は，私たちは文の意味が抽出できたらすぐに言い回しや統語構造などは捨て去り，意味のみをしばらく保持しているという直観を支持している。

私たちが耳にする情報は，時おり，重要だったり，なぜだか妙に記憶に残るものであったり，あるいは単におかしいものだったりする。学生は授業で学んだことを2，3日後まではよく覚えているが，その内容に再び触れないと，5日後には忘れ去ってしまう（Kintsch & Bates, 1977）。また，学生は講義の中で最も重要なポイントよりも周辺的なことの方をよく覚えているという，教員にとっては気の滅入るような結果が同研究によって明らかにされている。学生が最もよく覚えていたのは連絡事項とジョークであった。教員はこのことを肝に銘じておくべきである。

この結論は先に論じた目撃証言の研究のものと合致している。

文の処理とは，すなわち，意味の要点を抽出するためのツールにすぎないということである。話者の意図するところがわかってしまえば，単語が何であったかや，統語構造の詳細などには関心はなくなるのである。重要なのは話者が伝えたい意味であり，自分の世界知識に照らし合わせようとするのは，あくまでその意味なのである。

どのように文脈を利用しているのか

たいていの場合，語順の情報は記憶に残っていないと言われても別に驚かない。結局のところ，言語理解のゴールとは，文の統語構造を構築することではなく，それを使って一時的に文の意味を取り出すことである。すなわち，語の意味がどのように関連するかを理解し，その意味をすでに獲得している知識と関連づけ，次に何をするかを決定することである。問題となるのはより大きな絵である。この，より大きな絵をどう描くのか，そしてその絵は何に見えるだろうか。

自分にほとんど，あるいはまったく馴染みのない分野の，上級者向けの教科書を試しに読んでみよう。大変な困難を覚えるに違いない。では，その本を閉じてみよう。どれくらい内容を覚えているだろうか。おそらくほんの少しであろう。言いたいことはおわかだろうが，読んだり聞いたりしたことを理解するには，何らかの文脈や背景知識が必要なのである。よい教科書を書くためのスキルの1つは，当該分野の初学者にとって，退屈にならないよう配慮しつつ，十分な先行文脈を提供できるレベルにすることである。そして，ある分野でよい学生となるためのスキルの1つは，あなたの知識の足りないところに気づき，その文脈を見つけることである。

伝統的な心理言語学的実験により，文章を理解するにあたっては先行知識が，すなわち文脈を知っていることが重要だと示されている。かなり初期の頃に実施された実験で，まさにこの点が明らかにされている。次の文章を読んでみよう。

やり方はきわめて単純である。まず，全体を 2 つのグループに分けること。もちろん，全体の量によっては分けなくてもよい。もし，設備の不足により他所に赴かねばならないといった場合，それはまた別の話であるが，そうでなければもう準備オーケーだ。やりすぎないことが重要である。すなわち，一度に扱う量は多いよりも少ない方がよい。短期間の運用ならば，このことはそれほど問題ではなさそうだが，厄介事は簡単に起こりうる。そして過ちは高くつく。最初は，全行程は複雑なように思えるだろう。だが，すぐに何でもなくなるだろう。この作業から解放される日が近い将来訪れるとは思えないが，それは誰にもわからない。一通り終わったら，再び全体をグループ分けすることになる。それから，しかるべき場所に収納する。ゆくゆくは，それらは再度使用され，上記の行程が繰り返されることとなる。しかしながら，それが生活の重要な部分なのだ。

一体何の話かおわかりになっただろうか。また，話のどの程度を思い出せるだろうか。このように何の文脈もなしに与えられると，この文章の中の最大で 18 のアイデアのうち，平均してたったの 2.8 個しか思い出せない（Bransford & Johnson, 1973）。ここで，前もってこの文章が洗濯についてのものだと知らされていたらどうだろうか。理解度や記憶への残り具合は格段によくなるだろう。実際に，文脈を前もって与えられた場合には平均して 5.8 個のアイデアが思い出された。興味深いことに，文章を読んだ後に文脈を与えても上記のような効果は見られず，文脈を与えなかった場合と同程度の 2.7 個しか思い出されなかった。

先行文脈はたっぷりである必要はなく，たとえば Dooling と Lachman（1971）によって明らかにされたように，物語のタイトルだけで十分な場合もある。Dooling と Lachman が被験者に提示した物語は次のようなものであった。

宝石を質に入れて資金を調達し，私たちの英雄は彼の計画を妨げようとするいかなる嘲笑も，ものともしなかった。「目に見えるものが真実とは限らない」そう彼は言っていた。「四角いテーブルではなく，卵の方がこの未踏の惑星を適切に表しているのだ」とも。それから3人の頑強な姉妹が証拠を探しに出かけた。時には果てしない静けさの中を進み，また，時には荒れ狂う山や谷を越えて進んだ。そうするうちに月日は流れ，あまりに長引く旅路に，疑り深い者たちはこの世界には果てがあり，そこを越えると恐ろしいことが起こるといった噂をするようになった。しかし，ある日とうとう，どこからともなくありがたい天使たちが現れ，この旅が歴史的な成功を収めたことを告げたのである。

読者はこの物語もまた上記の物語の時と同様に内容の理解に困難を覚えたことであろう。しかし，仮に事前にこの物語のタイトルが「クリストファー・コロンブスのアメリカ大陸発見」であることを知らされていたならば，すんなりと理解できたであろう。3人の姉妹とは船であり，荒れ狂う山や谷とは海のことであり，果てとは平らであると考えられていた地球の端であり，ありがたい天使たちとは陸地が近いことを知らせる鳥たちであったのである。繰り返しになるが，ここでも先行文脈は，物語を読む前に伝えられた時のみ役に立った。

これらの物語はとても奇妙で，また，不明瞭なものになるように意図されていると感じる人もいるだろう。しかしながら，先行文脈というものは，Anderson と Pichert（1978）の実験で用いられた物語のようなありふれた内容のものを理解するにあたっても，決定的な影響を及ぼすのである。

2人の少年が学校をさぼる。木曜日には母親が不在だということで，2人は片方の少年の家に向かう。その少年の家庭は裕福だ。古い家屋だが，通りから引っ込んだところにあり，魅力的な庭をもつ。しかし，いかんせん古い家屋であるため，欠陥もある。たとえば屋根は雨漏りしているし，地下室はじめじめしていてカビ臭い。その家庭は裕福であるため，持ち物も高価な物ばかりだ。たとえば10段階変速の自転車やカラーテレビ，希少価値のあるコインなどである。

被験者はあらかじめ，泥棒か不動産業者のいずれかの視点でこの物語を読むように教示された。あらかじめ指定された視点により，読者の物語に対する記憶に違いが生じた。たとえば，不動産業者の視点で物語を読んだ被験者は屋根が雨漏りしていることをよく覚えていたし，泥棒の視点で読んだ者は高価な物のリストを記憶に留めていた。実験では途中で視点を入れ替えるという操作が加えられ，先に不動産業者の視点で読んでいた被験者は今度は泥棒の視点で物語を読んだ。この視点の転換により，被験者はそれまでは記憶に残らなかったものまで思い出せるようになった。このようなポジティブな効果は，文脈は物語を読む前に与えられないと効果がないという上述の研究成果と矛盾するように思われるかもしれない。しかし，これらの間の相違点は物語の困難さと奇異さという観点から説明が可能であろう。先の2つの物語は難しすぎて，文脈を後で与えても役に立たないのである。しかしたいていの場合は文脈というものは，先にでも後からでも，与えられれば役に立つものであるし，視点の転換というものもいろいろな情報を覚えておくのに有用なのである。

言外の意味をどのようにくみ取るのか

私の友人には真意を決して語らない達人がいる。そのため，彼の真意を理解するのには少しばかり知識と労力が必要となる。彼は遠回しな表現の達人で，心の中では no と思っているならば yes と言うだろう。しかし，彼がそういう人間だとわかっていれば，彼の真意は no だと，回りくどいやり方で何とか理解することができる。しかし，それをするには大変な手間がかかる。彼のことばと彼の意図は一致しないのだ。

私たちはさまざまな方法で，読んだり聞いたりしたことばの字義通りの意味以上の意味を理解する。つまり受け取ったことばの先にあるものを**推論**（inference）するのである。その推論は根拠がある時もあればない時もある。また，あたかも自動的に現れたかのように容易に推察されることもあれば，相当苦労しないと真の意図を推論できないこともある。

Sulin と Dooling（1974）による実験で劇的に明らかにされたように，文脈は恩恵にも呪いにもなりうる。その実験では次のような文が被験者に提示された。

> ジェラルド・マーチンは自らの政治的野心を満たすべく，既存の政府を徐々に弱らせようと努めた。彼の国の国民たちはほとんどが彼の活動を支持した。国が当時抱えていた政治的な問題は彼の得意とする分野であったため，マーチン

は比較的容易に政権交代をなし遂げた。いくつかの派閥は既存の政府に忠実であったため，マーチンにとっては邪魔な存在であった。彼はそれらの派閥と直接対峙し，彼らを黙らせた。彼は無慈悲で統制の効かない独裁者になった。彼の政策は結局，祖国の衰退を招いた。

半分の被験者には上記の物語がそのまま提示されたが，残りの半分には「ジェラルド・マーチン」が「アドルフ・ヒトラー」に置き換えられて提示された。物語を読んで少し経ってから被験者にはいくつかの文が提示され，それらが直前に読んだ物語の中にあったかどうかが尋ねられた。提示された文の中には実際に物語の中にあったものもあれば，そうでなかったものも含まれていた。「アドルフ・ヒトラー」で読んでいた被験者は，「ジェラルド・マーチン」で読んでいた被験者に比べてはるかに多く「彼は特にユダヤ人を嫌っており，彼らを迫害した」という文を物語中で読んだと間違って答えた。このことからわかる通り，文脈とは必ずしもよい影響ばかりではないのである。文脈は私たちが実際には聞いていないことまで思い出させることがある（目撃証言がいかに不確かであるか，また，私たちが誘導尋問により記憶を捻じ曲げてしまうことを思い出してほしい）。私たちのもつ世界知識とは間違いを誘発するものなのである。

推論には３種類ある。論理的推論，橋渡し推論，精緻化推論である。**論理的**（logical）推論は最も面白味のない推論である。たとえば私が「ボリスは独身だ。」と言ったとしたら，聞き手はボリスには妻がいないと容易に推論できるだろう。**橋渡し**（bridging）推論は，その文章への理解を首尾一貫したものに保つために，すべてのものは他のものとつながっていることを確実にするように行うものである。私たちは意味をなさないものはないという前提のもとで，ことばを理解しようとしている。仮に私が次のように言ったとしよう。

ボリスは昨日散髪した。彼はそれに満足だった。

「彼」は誰を指すのか。無論，ボリスである。そのことを理解するにあたり，新情報と旧情報を結びつけるために橋渡し推論を行っているのである。私たちがどのように代名詞を把握しているのかについては次節で扱う。

言外の意味をつかもうとする際，私たちは**精緻化**（elaborative）推論を実行し，述べられていない何かを推測するために世界に関する知識を使用する。上述のジェラルド・マーチンの例は，私たちが精緻化推論によって惑わされうることを示している。私たちは自分が耳にしたことを描写する詳細なモデルを構築するために推論を行う。しかし，実際に読んだり聞いたりしたことをきちんと覚えてはいないため，実際に述べられていることと精緻化推論の結果とを区別することが難しいとしても何も不思議ではない。Bransford ら（1972）の実験結果はこのことをよく物語っている。その実験では，次の文が提示された。

Three turtles rested on a floating log and a fish swam beneath them.
（3 匹の亀が流木の上で休んでおり，1 匹の魚が彼らの下を泳ぎ回った。）

それから程なくして次のような文が提示された。

Three turtles rested on a floating log and a fish swam beneath it.
（3 匹の亀が流木の上で休んでおり，1 匹の魚がその流木の下を泳ぎ回った。）

ほとんどの被験者たちは，2 つ目の文が 1 つ目の文と同じものであると判断した。というのも，亀たちが丸太の上に乗っているということは，亀たちの下を泳ぐ者は必然的に丸太の下を泳ぐことになるからである。私たちが覚えているのは，耳にした単語ではなく，耳にしたもののモデルなのである。そしてそのモデルとは，そのモデルを構築するために行ったすべての推論を含んだものである。しかし，上記の文の構成要素のうち，2 つの単語のみを変えてみよう。

Three turtles were beside a floating log and a fish swam beneath them.
（3 匹の亀が流木のそばに居て，1 匹の魚が彼らの下を泳ぎ回った。）

読者は誰もこの文を上記の “beneath it” 文と同じものだとは判断しないであろう。なぜならばその推論は誤りだからである。

精緻化推論の潜在的な数がきわめて膨大であることは明らかである。Sulin と Dooling はジェラルド・マーチン物語の中にもっとヒトラーを連想させるような情報を滑り込ませ，被験者を混乱させることもできただろう。文章の内容を意味のあるものに保てるように私たちが自動的に橋渡し推論を行っていることを示す証拠は相当あるが，精緻化推論が自動的に行われるのはその必要がある時のみである。ミニマリスト仮説によると，私たちは精緻化推論を行う回数を極力少なくし，かつ，その内容を可能な限りシンプルなものにしようとしている（McKoon & Ratcliff, 1992）。これまで見てきた，人間の推論についての研究はどれも間接的で，テキストに関する人間の記憶について調べたものであり，しばしば紛らわしい妨害項目や，ミスリードを狙った質問が使用されていた。刺激の提示からテストまでの時間が長くなればなるほど誤答数は多くなる。次の2つの文について考えてみよう。

その家政婦は裁縫師になるべく学んでおり，練習が必要だった。そこで彼女は作成中のスカートを出して，針に糸を通した。
その女優が14階から突然落ちた時，監督とカメラマンは近接写真を撮る準備ができていた。

被験者にはこれらの物語と同時に語彙性判断課題が課された。この課題では，被験者は実際に存在する単語が提示された際には一方のボタンを，非単語が提示された場合にはもう一方のボタンを押すよう求められ，実験者は単語が提示されてから被験者がボタンを押すまでの反応時間を測定する。1つ目の物語におけるターゲット単語は「縫う」で，2つ目に関しては「死んだ」であった。「縫う」は物語中の「糸を通す」や「針」と意味的に強く関連しており，その結果，それが実際の単語であるかどうかの判断はその物語によって順当に促進される。では，「死んだ」に関してはどうだろうか。「死んだ」は物語中のどの単語とも強い意味的関連性はもっていない。「死んだ」という単語が表す事態は，物語の内容から言ってとても理にかなっているし，きわめて起こりうるものではあるが，必ずしも必然ではない（その女優は死ななかったかもしれないし，ハリウッド映画ではよくあるように，落下の途中で助けられたかもしれない）。このような文脈による「死んだ」への促進効果は見受けられない。さらなる証拠として，Singer（1994）があげられる。Singer は次のような文を提示した。

The dentist pulled the tooth painlessly. The patient liked the method.
（その歯科医は歯を痛みなく抜いた。患者はその方法が気に入った。）
The tooth was pulled painlessly. The dentist used a new method.

(その歯は痛みなく抜かれた。その歯科医は新しい方法を用いた。)
The tooth was pulled painlessly. The patient liked the new method.
(その歯は痛みなく抜かれた。その患者は新しい方法が気に入った。)

文の提示終了後に実験参加者にはプローブ文が提示され，その内容が，先に提示された文の内容と合致するかどうかを判断するまでの時間が測定された。プローブ文は「歯科医が歯を抜いた」であった。1 番目の文は，プローブ文と単語がだいぶ重なっていたことから，被験者が「イエス」と答えるまでの時間は短かった。2 番目の文では，その意味を理解し，文の整合的な表象を維持するためには，被験者は歯科医が歯を抜いたという橋渡し推論を行わなければならない。実験の結果，被験者は橋渡し推論を行い，1 番目の時と同じくらいの速さで「イエス」と反応することが明らかになった。このことから，私たちはこの種の推論は即座に，自動的に行われうることが示唆された。しかしながら，3 番目の文だと精緻化推論が要求される。歯科医の存在は明確には述べられておらず，したがって私たちは歯と歯科医と患者を結びつけるモデルの構築に労力を割かねばならなくなる。これらのことから，橋渡し推論は，文章を読む際，整合性を保つために自動的に行われるもので，精緻化推論は必要性が生じた際に行われるものであると言えよう。

なぜ世界のモデルを構築することが重要なのか

この研究すべてには，重要だがかなり明白な目的がある。それは，私たちが世界のモデルを構築することを可能にすることである。発話者の発言を解釈することにより，その人のもつ知識の表象を形成することが可能となる。進化論的観点から言ってもモデルがあることの利点は明らかである。もし「左手の 2 つ目の山の中腹にあるほら穴にはサーベルタイガーが生息している」とか「数マイル行った右手にあるオアシスには本当に美味しいケール〔キャベツの原種〕が生えている」とか聞いたならば，そのような知識を自分で見つける必要がなく，労せず，時には相当なリスクも負わずに自分のレパートリーに加えることができるのである。

モデルは世界を描写するだけでなく，予測をも可能とする。予測は状況をコントロールするにあたって非常に重要である。たとえばほら穴の近くにサーベルタイガーが生息していることを知っていれば，山の近くに行くと身に危険が迫る恐れがあることを予測することが可能となる。

言語があることの利点は至って明らかであるため，わざわざそのことについて語ることもない。しかし，そのために言語について学ぶ重要性が忘れ去られてしまう恐れがある。言語は名前を覚えるのも面倒な統語規則を私たちに与えるためだけのシステムではない。私たちは言語を使って重要な何かを行っているのである。

言語を使って何ができるのか

これまで述べてきたように，意思疎通や思考の手助け，遊びや社会とのつながりの維持など，言語にはいくつもの機能がある。しかし，私たちが言語を使うことの理由は，主として，聞き手ないしは読者に何らかの影響を与えたいからであろう。話者には目的があり，聞き手はその目的が何なのかを理解しようと努める。すべての発話は，どんなに些細であっても，目的をもったある種の発話行為である（Austin, 1976; Searle, 1969）。Searle は**発話行為**（speech act）は大きく分けて以下の 5 つのカテゴリに区分されると主張した。

1. 主張（Representative）：話し手は自分が真実だと思っていることを強く主張する（例：「フェリックスはいたずら好きなイヌだ」）。
2. 指示（Directive）：話し手は聞き手に何らかの行動を取るよう働きかける（例：「フェリックスはよいイヌか」と私があなたに尋ねる場合，私はあなたから何らかの情報を引き出そうとしている）。
3. 表出（Expressive）：話し手は自分の心理的状態を伝えようとする（例：「フェリックスにはガッカリだ」）。
4. 宣言（Declarative）：話し手は事態の変化をもたらす（例：「お前はクビだ」）。
5. 約束（Commissive）：話し手は後に起こす行動について確約する（例：「私は明日，フェリックスに骨を買ってやると約束する」）。

これらのカテゴリは一切重ならないものとは見なすべきではない。というのは，

2つのカテゴリにまたがるような発話もありうるからである（「フェリックスにはガッカリだ」という発話には私の心理的状態も信念も含まれる）。しかし，言語に何ができるのかについて考えるにあたって，それらがたいそう役に立つものであることは間違いない。発話には，その字義通りの意味とそれが及ぼす影響との間に隔たりがあることがよくある。そこで言語哲学者である J.L. Austin はあらゆる発話行為には，彼が**力**（force）と呼ぶところの3つの効果があると考えた。たとえば次のような一見単純そうな要求をしたとしよう。

今夜，仕事から帰る途中，ネズミの毒薬を手に入れてくることはできますか？

この発話は明らかに，聞き手が，仕事帰りにネズミの毒薬を購入するようにとの要求として解釈することを狙ったものである。Austin は，話し手の発話が聞き手に行動を起こすように働きかける効果のことを，**発話内の力**（illocutionary force）と呼んだ。しかし，よく考えると，上記のような解釈は発話の字義通りの意味とはまったく違っている。この発話は，字義的には，仕事帰りにネズミの毒薬を手に入れる能力を聞き手が有しているかを問うている。Austin はこの字義通りの意味を**発話の力**（locutionary force）と呼んだ。この発話の字義通りの意味と実際に意図された意味とが（すなわち発話の力と発話内の力とが）一致することはありうる。たとえば仕事帰りにネズミの毒薬を手に入れると申し出ていたのに，骨折をして動けなくなった，などである。最後に，発話はさまざまな効果をもちうることを述べておこう。話し手は聞き手に他にも面倒事を押し付けて，聞き手をイラつかせるかもしれないし，聞き手は話し手のことを，無垢なネズミを皆殺しにするような卑劣で冷酷な人間だと思うかもしれないし，聞き手は話し手が自分を毒殺するつもりだと信じているかもしれないし，あるいは素直にネズミの毒薬を手に入れに出かけるかもしれない。上記のような効果は，意図されているものもそうでないものもあるが，その発話のもつ**発話媒介の力**（perlocutionary force）と呼ばれる。

字義通りの意味と意図された意味との間に隔たりがある発話は，かなり頻繁に見られる。翻って考えると，そのような隔たりは，話し手が聞き手に行動を促すようなこの種の**間接的要求**（indirect request）に最も明白に見られる。これまで気づいていなかったかもしれないが，“Can you pass the wine?” は間接要求である。このフレーズは厳密には，聞き手に，ワインを話し手に渡すことを要求してはおらず，字義的には聞き手にその能力があるかどうかを尋ねているにすぎない。上記の発話を受けて「ハイ」と答えてそこで終わるといった返事は男子学生のお約束のジョークである。間接的要求は丁寧さにもつながる。丁寧になればなるほど，より間接的になる。

Pass the wine!（そのワインをよこせ！）
Can you pass the wine?（そのワインをこちらにもらえますか？）
Could you please reach over and hand me the wine?
（そのワインに手を伸ばして私の方へ渡していただけますか？）
Could you please think about passing the wine?
（そのワインをこちらに渡すことをご一考いただけますでしょうか？）
My glass is only half full.（私のグラスには半分しか入っていません。）
The wine's lovely.（そのワインはすばらしい。）
Look at the pattern the moonlight creates shining through my empty glass.
（空になった私のグラスを通って輝く，月明かりが作り出す模様を見てごらんなさい。）

間接的要求の中には慣用句になるほど普及したものもある。"Can you—" はこの種の間接要求の１つであり，"Can you pass the wine?" を字義通りにワインを取って渡す能力について問うものと解釈するのがたいそう不自然であるほどである。しかし，間接性がもはや慣用句的でなくなり，聞き手が話し手の真意について精緻化推論を行うことを余儀なくされるような例も上記のリストには含まれている。

聞き手が字義的な意味から意図された意味を計算しなければならないようなこの種の会話中の推論は，**会話の含意**（conversational implicature）と呼ばれる。私たちがどのように字義的な意味と意図された意味との間の隔たりを発見しているのか，また，どのように間接性を解消しているのかについて，言語哲学者の H.P. Grice（1975）は，会話に参加している人間たちはお互いに協調しているという考えを提唱した。成人の会話は意味や目的をもったものであるべきである。異論はあるかもしれないが，単に天気について話し合うという会話にも，ある程度は，確かに会話目的があり，そのような会話というものは規則に従って行われなければならない。しかし，規則とはどのようなものであろうか。Grice は，私たちは話す際には「**協調性の原理**（co-operative principle）」に従い，会話が適切に成り立つように貢献していると主張した。Grice によると，私たちは以下の 4 つの会話公理に従っている。

1. **関連性の公理**（Maxim of relevance）：会話における自分の発話を，会話の目的に関連したものにすること。
2. **量の公理**（Maxim of quantity）：発話の情報量は要求されているだけの量にし，それ以上にはしないこと。
3. **質の公理**（Maxim of quality）：真実のみを発すること。間違っていると思っていることを言わないこと。
4. **様態の公理**（Maxim of manner）：明瞭であること。不明瞭さ，曖昧さ，無秩序を避けること。

これらのうちでは関連性の公理が最も重要だと考えられ，他の公理はすべてこの公理に含意されると主張する研究者もいる（Sperber & Wilson, 1986, 1987）。これらの公理は話し手がそれらに即した発話をしている時よりも，それらから逸脱している時に最も役に立つ。関連性の大切さを考慮に入れると，次の会話はとても奇妙に思われる。

ビル：僕の新しい帽子，どう思う。
ベン：今日はなんて素敵な日なんだ。

ベンの発話はビルの発話を受けたものとはまったく思えない。ベンの発話がこれほど奇妙に思えるのは，私たちがベンの発話に何らかの意図を見出そうと努めるから，ビルの発話に関連づけようと努めるからである。なぜこのようなことができるのだろうか。私たちはベンがビルの新しい帽子が本当に好きではなく，その話題を避けようとしているのではないかという推論を働かせることもできる。話し手は一見 1 つ以上の公理に違反しているように思われるけれども，より深く掘り下げてみるとそうではないのではないか，と聞き手は考えるのである。私たちはこのような解離を，推論を行うことで解消しようとする——それが**会話の含意**である。周りの人の会話を立ち聞きしてみれば，会話の含意はとてもよく起きている。誰かの発話内容とそれに対する最も真っ当な返答との間に解離がある場合には，必ず会話の含意を行わなければならないからだ。

私たちは会話に対し多大な労力をかけて他者の発話の意味や意図を理解しようと努めている，と言いたいわけではない。そのようなことがないというわけでもない。著者には何度か，話し手の意図が言外にあったことに会話の数時間後に気づいたという経験がある。無論，遅すぎたのだが。しかし，多くの場合，私たちは会話を成り立たせるべく，無意識のうちに推論を行っているのである。

どのようにして新情報を旧情報に結びつけているのか

関連性とは，話したり聞いたりするものを，どうにかしてそれ以前に話したり聞いたりしたものに結びつけることを意味する。もし文が１つ１つ孤立して発せられ，それ以前に発せられた文とつながりのないものだとしたら，言語とは大して役に立たないものだったであろう。話し手と聞き手にはそれぞれ異なる課題がある。話し手は聞き手の理解を助けるべく，自分が新たに伝えたい内容をそれ以前のものに関連づけなければならない。一方で，聞き手は新たに受け取った情報を旧情報に統合しなければならない。

次の小話を見てみよう。

> Felix chased a cat. The cat found a small hole and he ran into it. The dog had to give up the chase. He sat outside the hole for a while looking disappointed. After five minutes he went off to chase some rabbits. It was sad to watch.
> （フェリックスは１匹のネコを追いかけた。そのネコは小さな穴を見つけ，彼はそこに駆け込んだ。そのイヌは追跡を諦めざるを得なかった。彼はしばらくの間，残念そうに穴の近くに佇んでいた。5 分後，彼は数羽のウサギを追いかけるべく立ち去った。見ていて寂しくなるものがあった。）

一般的にはおそらく大しておもしろい話でもないだろうが，心理言語学的には興味深い小話である。数文からなる物語において展開されるいくつもの出来事を，私たちがどのように把握しているのかについて考えてみよう。たとえば最初の「彼」であるが，これは一体誰を指しているのだろうか。ほとんどの人が自信をもって「そのネコ」だと答えるだろう。しかし，2番目の「彼」についてはどうだろうか。こちらに関してはイヌのフェリックスであろう。どこかで明示されたわけでもないのに，フェリックスがイヌだとわかるということもまた興味深い。物語の中でどの語がどの登場人物を指すのかを理解するには，**指示関係**（reference）の確立が必要となる。上記のような物語を読んでいる時，おそらく私たちはある種のメンタルモデルを構築し，それから物語の中の登場人物を表す主体をそのモデルの中に作り出し，そして誰が何だったのかを忘れないように絶えず注意しているのであろう。最初に述べられた語（フェリックス）は**先行詞**（antecedent）と呼ばれ，後にその先行詞を指すために用いられる別の語（he, the dog）は**照応形**（anaphor）と呼ばれる。

指示関係を忘れないようにするための1つの方法として，私たちはメンタルモデル内の主体の数を最小限に留めておくようにしている。いったん親愛なるフェリックスを導入した後は，“the dog”という表現をもって他の新しい登場人物を指すことはしない。the を使うのがポイントである。新しく登場するイヌに the をつけるようなことはまずしない。“a dog”ならば新たな登場犬の存在を含意し，一方で“the dog”ならば既出のイヌを指すことになる。

最も厄介なのは he や it といった代名詞である。物語の中の最初の he はネコを指していたが，そのすぐ後ろの he はフェリックスを指している。ある代名詞が何を指示するのかをどのようにして決定しているのだろうか。私たちは文中の情報に基づいていくつもの方略を用いていることがわかる。

下記の文のように，代名詞の指示対象（referent）となりうるものが1つしかないような単純明快な場合もある。

Felix was very happy; he caught a pesky rabbit.
（フェリックスはとても幸せだった。彼はうるさいウサギを捕まえた。）

私たちは照応形について，それと同じ統語的位置にある先行詞と照応関係にあることを好む。この方略は**並列関数**（parallel function）と呼ばれる（Sheldon, 1974）。

Bill sold Ben his car because he no longer needed it.
（ビルはもう必要がなくなったので，自分の車をベンに売った。）
Bill sold Ben his car because he needed it.
（ビルはベンが欲したので，自分の車を彼に売った。）

1番目の文では補文節の主語の位置にある he が，主文節の主語の位置にあるビルを指示しているので，理解が容易である。一方で2番目の文では，補文節の主語の位置にある he が主文節の主語を指示していないため，理解が困難になる。では次のような文ではどうだろうか。

Bill hated Ben so he kicked him.
（ビルはベンのことが嫌いなので，彼を蹴っ飛ばした。）

この場合，文の意味や先行詞と代名詞の相対的位置の情報が相まって，照応関係の確立は容易になる。性（gender）の情報もまた，照応関係の確立にとってわかりやすい手がかりである。次の例を見てみよう。

Alice told Bill to get lost because he had annoyed her.
（アリスはビルが自分を苛立たせたので，彼に出て行けと言った。）

この文の he および her が誰を指しているのかは迷いようもない。私たちは性の情報に即座にアクセスしているのである。眼球運動を指標とした研究では，男性と女性の登場人物が出てくるアニメ映画を見せると，被験者は代名詞の性の情報を利用して200ミリ秒以内にその代名詞が指すキャラクターの絵を見ることができることが明らかにされている。一方，登場人物のすべてが同じ性別の場合には，代名詞が誰を指すのかを理解するのにかなり長い時間がかかることがわかっている（Arnold et al., 2000）。

文の意味もまた有用な情報である。下記の2つの文では，文中の動詞のもつ意味情報を利用して，それぞれの代名詞がどの先行詞と照応関係を結ぶかを決定することができる。蹴るという行為を行う可能性が最も高いのは誰かを嫌っている誰かであろうし，また，対抗措置を取りそうなのは気分を害された方であろう。

Bill hated Ben, so he kicked him.

（ビルはベンのことが嫌いだったので，彼を蹴飛ばした。）
Bill offended Ben, so he sent him to Coventry.
（ベンはビルに気分を害されたので，彼を仲間はずれにした。）

先行詞が明示されたのが時間的に近ければ近いほど，代名詞は早く処理される。心理言語学者にとって，焦点化された言語要素というのは興味の対象となる。上記の文における指示対象は，その新近性と重要性から，当該の文に対する心的表象の中で最も活性化されていると考えることができる。次の文を見てみよう。

Bill was driving to Birmingham.
（ビルはバーミンガムに向かって運転していた。）

この後で“He became tired”と続いた場合，代名詞 he は今焦点化されているビルを指すので，とても容易に理解される。しかし，“It broke down”と続いた場合，代名詞 it は，おそらく焦点化されていないビルの自動車を指すため，大変奇妙に思えるだろう。先行詞に焦点があたっていなければいないほど，それを先行詞として心的表象の中から検索するのは困難となる（Sanford & Garrod, 1981）。仮に突然，こう言われたらどうだろう。

He ran back to his kennel and drank some water.
（彼は走って自分の小屋に戻り，少し水を飲んだ。）

言われた方は，再びフェリックスの話に戻ったことを理解するまでしばらくかかるだろう。

私たちが，照応形の先行詞を決定するためのいくつかの方略をもっていることは明らかである。では，どのようにして最適な先行詞を選んでいるのであろうか。どうやら複数の方略を並列的に使用しているようである。Badecker と Straub（2002）は，可能な先行詞のすべてを活性化させるためにあらゆる情報が並列的に貢献するといった，単語認知の相互作用的活性化モデルや統語解析の制約充足モデルに類似したモデルを提唱した。もしすべての情報が同じ先行詞を指示するならば，照応関係の確立は即座に，そして容易に実行されるであろう。一方で，情報の種類によって指示される先行詞が異なるならば，照応関係の確立には時間がかかり，ともすると意識的，注意的処理が必要とされるかもしれない。

また，旧情報と新情報を混ぜ合わせる際にも焦点が利用されている。物語や談話の中で新たな登場人物に出くわしたり，新たな出来事が起こったりすると焦点が移り変わっていくと考えられる。下記の物語は次のブッカー賞用の原稿である。

> フェリックスは毎朝遅くまで寝ていた。彼は起きてはシマリスを追いかけ，水を飲んだものだった。それから彼はキャベツ畑を歩き回り，また水を飲むのがいつもの行動パターンだった。ある日，1匹のネコが庭に入ってきた。フェリックスは野生化した。彼はネコをしつこく追いかけ回し，しまいにはそれは穴に逃げ込んでしまった。彼は穴の外でじっと待った。ようやくそれが自分には小さすぎることに気づき，彼は諦めた。彼はバケツから水を飲み，再び寝に戻った。私たちが家に着くとキャベツ畑が荒らされていた。バケツは空で，ネコはまだ穴の中にいた。それが思い切って穴から出るまでには，しばらく時間がかかった。

物語の焦点というものは移り変わるものであり，また，代名詞の指示対象を決定するのに何の苦労も感じないことに気づくだろう。たとえ上記の物語中の文をごちゃまぜにしても物語の全体の意味は保たれるだろう。しかし，焦点の流れは混乱し，照応関係の確立は非常に困難になるであろう。

> 彼はバケツから水を飲み，再び寝に戻った。それが思い切って穴から出るまでには，しばらく時間がかかった。ようやくそれが自分には小さすぎることに気づき，彼は諦めた。フェリックスは野生化した。彼は穴の外でじっと待った。フェリックスは毎朝遅くまで寝ていた。私たちが家に着くとキャベツ畑が荒らされていた。彼は起きてはシマリスを追いかけ，水を飲んだものだった。バケツは空で，ネコはまだ穴の中にいた。それから彼はキャベツ畑を歩き回り，また水を飲むのがいつもの行動パターンだった。ある日，1匹のネコが庭に入ってきた。彼はネコをしつこく追いかけ回し，しまいにはそれは穴に逃げ込んでしまった。

こんな風に話したり書いたりする人はいないだろう。私たちは話す時，出来事が起こった順に話そうとするのは当然のことだと思われるが，話し手というのはさらにその上を行こうとする。話し手は聞き手の理解が限りなく容易になるように努力するものだ。話し手と聞き手の間には，すでに共有知識としてもっている情報の中に，新情報が容易に入り込んでいけるようにしようという契約があり，この契約は**新旧契約**（given-new contract）と呼ばれる（Haviland & Clark, 1974）。この新旧契約に違反するような要素が新たに入力された場合には私たちは理解に困難を覚えるし，新たな要素と既存の要素との関係性が明白な場合には，そうでない場合に比べて，それらを含む文の理解は容易なものとなる。

どのようにして物語のモデルを構築しているのか

次の単純な小話を見てみよう。もう一度言うが，本当に単純な小話なので，あまり期待しないように。

> 芝生は花壇にまで達していた。薔薇の木はダリアの前にあり，後ろは柵となっている。柵に向かって薔薇の木の右手には何本かのスミレがある。左手にはヒナギクだ。スミレの後ろには大きなヒマワリがある。ビルがやって来てヒマワリに水をやっている。彼は誤って後ずさりし，……を踏みつぶしてしまう。

そんなにワクワクするような話ではないと確かに伝えた。だが，考えてみてほしい。ビルは何を踏み付けてお釈迦にしてしまうのかと。無論，スミレである。では，なぜそうだとわかるのだろうか。

しばし考えを巡らせてみよう。私の場合だが，私はその物語を映像化した。まったく同じことをしてはいないかもしれないが，読者も物語によって描写された世界を表象する，ある種のモデルを構築したはずである。この種のモデルにはいくつかの異なる名前がつけられている。**状況モデル**（situational model），**メンタルモデル**（mental model），あるいは単にモデルである。簡潔であるし，これまでもそう呼んできたので，本書ではメンタルモデルの呼び名を採用する（メンタルモデルについては，Johnson-Laird, 1983 等参照）。

というわけで，メンタルモデルは，私たちが読んでいる，あるいは話題にしている物事の表象である。メンタルモデルは活性化されているすべての単語の意味からなり，関連性がわかるような形でそれらの単語は結びつけられている。最も活性化された単語の意味が容量に限りのある短期記憶に留められる。モデルがどのように構築されるのか，そして単語の意味がどのように結びつけられるのかに関する正確な記述は Walter Kintsch の**構成－統合モデル**（construction-integration model）に記されている（Kintsch, 1988）。そのモデルの最も重要な部分は，物語の中のすべての要素を結びつける命題ネットワークである。**命題**（proposition）は，命題形式に変換することのできる最も小さな意味の単位である。命題とは「フェリックスは眠る」だとか，「ネコは走る」「穴の中にいる」「フェリックスは追いかける」などといったものである。これらのすべての命題は，文章全体の意味を表象するネットワークに結びつけられる。読者が文章を理解した後，残っているのはこの命題ネットワークであり，表面的な詳細のほとんどは省略されている。

命題ネットワークは徐々に増加しながら構築される。すなわち，新たに要素が入力されるたびに私たちはそれを既存のネットワークへと統合する。最も新しい情報で，かつ最も重要と考えられる命題のいくつかを，ワーキングメモリの中で活性化させ続ける。ワーキングメモリの容量には限度があるため，一度に多くの命題を活性化させ続けることはできない。照応形が入力された際，その先行詞が活性化されている状態ならば，照応関係の確立は容易なものとなる。命題ネットワークを構築する際には矛盾が発覚することもあるが，以前説明したように，活性化と競合の拡張という処理によって矛盾は解消される。新たに構築されたネットワークは絶えず既存のネットワークに組み込まれ，その結果，命題ネットワークの規模は拡大していく。命題ネットワークが拡大するにつれ，ネットワークを検索し，それを用いて，「ビルは何に足を踏み入れたのか」という質問に答えることが可能となる。

このようなメンタルモデルを仮定することによって，言語理解研究分野におけるいくつかの重要な発見について説明することができる。命題の数が増えて文章の内容が複雑になればなるほど，メンタルモデルの構築には時間がかかるため，読むのに必要となる時間も長くなる。最も顕著な命題は，ワーキングメモリに長い時間保持される傾向にあるため，よく覚えている。というのは，そのような命題がネットワークを構築するのに最も役に立つからである。私たちは安定したネットワークを構築するとすぐに情報源を捨ててしまうため，推論されたものと元々の物語とをごちゃまぜにしてしまう。重要なのは命題がどのようにして結びついたのかではなく，どのように結びついているのか，なのである。構成－統合モデルはどのような物語が読みやすくて，逆にどのような物語が読むのが難しいかについても予測する。構成－統合モデルによると，ネットワークを構築しやすくしている文章や，鍵となる命題がワーキングメモリ内で活性化したままでいるように構成された文章は最も読みやすい。逆に，新たな内容がつぎつぎに展開するようなものや，内容をネットワークの中から検索して（**復帰検索**［reinstatement search］と呼ばれる処理によって）ワーキングメモリに入れる必要があるようなものは，読むのが困難である（Kintsch & Vipond, 1979）。ワーキングメモリ容量の個人差は読みの技術に影響する。容量が大きい人ほど読むことに困難さを覚えないのは明らかである（Daneman & Carpenter, 1980）。このことを踏まえて作家の人々に読みやすい文章を書くためのコツを伝授しよう。読みやすい文章を書くためには，第一に，重要な要素に焦点を当て続けることによって，読者がなるべく命題ネットワークを検索しないですむようにすること，第二に，可能な限り照応関係を明確にすること，第三に，最も重要な命題を活性化させ続けることによって，その焦点が読者を手助けするように文章の流れを構成すること，である。

言語の中のユーモアはどこからくるのか

脳の損傷によって私たちの言語理解能力にはさまざまな障害が起こりうる。文の解析能力への影響については次の章で扱う。活字の理解が発達的・後天的失読症によってどのように障害されるかについてはすでに紹介したが，当然のことながら，発話の理解に困難を生じさせるような脳の損傷が何種類もある。それらのうちで最も印象的な障害は，**純粋語聾**（pure word deafness）と呼ばれるものである。純粋語聾の患者は読むことも書くことも，そして話すことも自然にできる。しかしながら彼らは会話を理解することに大変な困難を示す。彼らは聴覚的に入力された言語を理解する能力が極端に低く，さらに，単語の復唱ができない。一方で，彼らは聴力には何の問題もなく，楽器や他の非言語音を同定することができる（Saffran et al., 1976）。彼らの抱える問題は会話のための前語彙的コードの構築にあるに違いない。

大変珍しい症例として，**語義聾**（word meaning deafness）と呼ばれるものがある。その症状は純粋語聾と似ているが，単語の復唱ができるという点で異なる。最初の症例研究は1890年代にエディンバラに住んでいた患者のものであった（Barmwell, 1897/1984）。より最近のものとしてはKohnとFriedmanによって1986年に発表された症例があげられる。語義聾の存在により，単語の音に関する情報へのアクセスが可能であり，その情報を後から繰り返すことができるにもかかわらず，意味を無視してしまうようなルートがあることが示唆される。次章では脳のウェルニッケ野に損傷を追うと，どのような症状が出るかについて紹介するが，この種の損傷を受けた患者は発話に顕著な困難さを示すのに加えて，他者の発話や会話を理解することにも困難さを示す。さらに，これらの患者は談話の一貫性を維持することも難しい（Christiansen, 1995）。そして，脳の前頭葉への損傷は，言語を統制すること，会話を成立させること，不適切な発話を抑制することなども困難にする。

しかし本節では，脳の右半球への損傷による影響に焦点を置きたい。脳の右半球に損傷を受けると単語の認識や文の解析に関する能力は損なわれないにもかかわらず，会話が理解できなくなる（Caplan, 1992）。特に，この種の損傷を負うとユーモアがわからなくなってしまう。ひとつユーモアのある物語でも書きたいのは山々なのだが，本節はどうしたら愉快になれるのかを解説するのが主眼ではない。一言でユーモアと言っても，どたばた芝居，駄洒落，シュール，知的，おふざけ，お下劣など，さまざまな種類がある。これらがすべて同じ1つのメカニズムから生み出されるものとは考えにくい。しかし，ちょっとジョークを言ってみよう。

> 偽医者が長生きするための霊薬だと言って水薬を売っていた。彼はその薬のおかげで強壮，達者で300年以上生きていると主張した。「彼は本当にそんなに歳をとっているのか」と，聴衆の1人が若い助手に尋ねた。「さあ，わかりません」と助手は答えた。

さて，次のどのオチだったら笑いが取れそうであろうか。

1. I've only worked with him 100 years.
   （彼と仕事をし始めてからまだ100年しか経っていませんから。）

2. I don't know how old he is.
（彼が何歳なのかは知りません。）
3. There are over three hundred days in a year.
（1 年には 300 日以上あります。）

一番可能性が高いのはもちろん 1 番目であろう。2 番目は前振りとつながってはいるが，面白味はない。3 番目に関しては，もう，つながってすらいない。右半球に損傷を負っている患者はおもしろいオチがどれなのかを当てるのがあまり得意ではない（Brownell et al., 1983）。実際，彼らは上の例で言うと 3 番目のオチを選ぶことが多い。彼らは暗示された意味を理解すること（無論，このことがユーモアの理解には不可欠である）や，妥当な決断をすること，さらに情報を統合することに特に困難を示す（Myers & Mackisack, 1990）。だからといって，左半球に損傷のある患者がユーモアを評価するのに困難さを示さないというわけではない。結局，言われていることが理解できないのであれば，それを言っている人を笑うことはできるかもしれないけれども，おもしろいと感じることはできないであろう。

右半球は何も，言語に関して言うとユーモアを理解するためだけに重要というわけではない。右半球には言語の語用論的知識が備わっていて，どのように言語が使用され，私たちが言語を用いて何をするのかを理解するのを手助けする役割を果たしていると考えられる。右半球への損傷は非言語的な情報の使用や，会話のルールに従うこと，さらには行間を読むことなどといった能力に干渉する（Kolb & Whishaw, 2015 参照）。右半球に損傷を負った人は，メタファーや比喩的な表現（時間は川だ，雨の雫が窓の上ではじけた，など）の理解に困難を示すが，これもユーモアの理解に明らかに関係しているように思われる。

Speaking

第8章 発話と失語症

私はいつの間にか心理言語学にはまりこんでいた。自分の何が悪いのか理解するために心理学に興味をもつようになったという人々がいるが，私の場合もそうであった。私はこれまでずっと，言おうとしていたことと違うことを言ってしまうことがあった。書くことはまったく問題ないのだが，話すとなると時々ひどいことになる。わけのわからないことを言い（このことで私の講義はおもしろくなるのだが），しばしば意図したこととは反対のことを言ったりする。第6章で触れた一般的音韻障害が原因で，このようなことになるのだと今は思っている。

たくさん間違えることの明らかな問題点は，聞き手が苦労することである。ことばを話す時は，理解する時に比べ，間違えることはほとんど許されない。話すということは大変なことなのである。聞いたり読んだりする時は，時おり気を抜く余裕がある。「ぶつぶつ cat ぶつぶつ chase ぶつぶつ dog」と聞こえても，“The cat chases the dog” だと理解できるし，ほとんどの場合当たっているだろう。話し手にはそのような余裕がない。話し手は “A cat chases the dog” と言わなければならず，聞き手がいつもあまり気にしないような取るに足りない細部にも気を配らなければいけない（私が話すと，しばしば「ぶつぶつ dog」と聞こえるらしいのだが）。

言ってみれば，読んだり聞いたりする時は，たいてい「確率的」に判断できる。つまり，不正確だったり，不完全だったりしても，聞いたり読んだりしたことを想像できるのである。内容を適切に理解しさえすれば，それで十分なのである。しかし，話す時には間違いは許されない。わけのわからないことを言って，聞き手が補ってくれるだろうと期待しながら，堂々巡りをするようなことはしない。

しかしそうは言っても，発話をする時に予期せぬことは起こる。何を言おうとしているかわからずに，話し始めることだってある。次に誰かと会話する時，自分が話している間，何をしようとしているのか分析してみてほしい。どのくらい先まで計画を立てて，話をしているだろうか。私の場合，まったく気まぐれで，状況によってかなり異なる。講演者を紹介したり，重要な発表を教室でするというような正式な場面では，話し始める前に一言一句を準備するかもしれない（そして，準備したことをなかなか思い出せなくて，注意深く用意した文言を台無しにするかもしれない)。コーヒーを飲みながらのくだけた会話では，どのように言うかなど意識的に考えずに話し始めるかもしれない。そして数杯飲んだ後には……。ほとんどの場合は，その中間である。何を言うかは大体わかっていて，どのようにはじめるかもわかっているが，言いたいことの最後にどのような文言を使うのかという細かいことまでは，必ずしもわかっているわけではない。

間違いから学べるのか

私が話をする時，どれだけ多くの間違いをするかということはすでに書いた。ここ何年か，私は自分の言い間違いを書き留めてきた。それは楽しい研究の仕方である。ワインバーに座って，おしゃべりをしながら，時々犯す言い間違いを書き留めるという作業は，語彙判断実験のコンピュータのプログラミングをする時間に勝る。

もちろん，(私が誰よりも多く言い間違いをしていると思うが)，話している時に間違えるのは私だけではない。話し言葉なんて間違いだらけである。もごもごと発音する。単語を間違える。音を混同する。文を混同する。意図したこととは反対のことを言う。時々ことばを口から出すのに，長いポーズがあったりする。これらの誤りを，言い間違いと呼び，バーでただ楽しく暇つぶしをしているわけではない。言い間違いから，言語産出について多くのことを学べるのだ。とりわけ興味深いのは，音や単語や文を混同した時の言い間違い（slips of the tongue）である。私は1日に平均6個か7個の言い間違いをしていると思う。この2〜3日の間に，私は “Swiss one”（スイスのもの）の代わりに “Is this the special Swish one?”（これは特別に豪華なものですか？）と言ったり，

“granite blocks”（花崗岩の塊）の代わりに“look, concrete blocks”（コンクリートの塊を見て）と言ったりした。

これは最も有名な言い間違いの1つである。

A maniac for weekends.（週末のためのマニア。）

話し手が言おうとしていたのは，“a weekend for maniacs”（マニアのための週末）だった（Fromkin, 1971）。ここでは何が起こっているのであろうか。weekend と maniacs という単語が入れ替わっているが，それだけではない。maniacs の複数形の接尾辞が，そのままの位置に残されている。maniac という単語が切り取られ，weekend があるところに置かれている。一方で，weekend は複数形の接尾辞を拾っている。だが，もう少しよく見てみよう。maniacs と weekends の複数形の接尾辞の発音を考えてみると，前者は /s/ で，後者は /z/ と実際には異なる。ここでは話し手は，/s/ の音で maniacs と言おうとしていたが，実際には /z/ の音で weekends と言ってしまった。つまり，複数形の接尾辞はそのまま動かなかったが，最終的にくっつけられた単語に合う形に変化したのだった。

この言い間違いの原因はかなりわかりやすく，どのように発話が準備されるのかがわかる。発話には，単語を見つけ出してくることとその単語を埋め込むための枠組みを作るという，2つの異なる処理があると考えるのが妥当である。この種の交換型の誤りは，単語を枠組み内の間違ったスロットに入れてしまっただけなのである。この枠組みがどのようなものなのかは次節で説明するが，複数形の接尾辞はこの枠組みの一部である。すなわち，複数形の形で単語を引き出すのではなく，単語だけを引き出し，複数形の印がついたスロットに単語をはめ込むのである。この例やその他多くの例に見られるように，単語と複数形の接尾辞は簡単に切り離すことができることから，このような処理が行われていると考えられる。しかし，複数形の接尾辞の音声学的詳細は，はじめは明確にされていない。そうでなければ，複数形の接尾辞がついているスロットに最終的に入った単語の発音に，接尾辞の発音を合わせられないからだ。単語がスロットに放り込まれてはじめて，複数形の接尾辞の発音の詳細が決められるのだ。たった1つの言い間違いから，これだけ多くのことを学ぶことができる。私たち研究者は，何千もの言い間違いを集め，これらの言い間違いのコレクション，もしくは**コーパス集**（corpora）から規則性を見出し，どのように発話が行われているのかを詳細に示すことができる。

非常にたくさんの種類の言い間違いがあるが，分類体系があると便利である。それぞれの間違いについて，発話のどの単位が含まれているのか，そしてどの誤りのメカニズムで起きた言い間違いかを検討することで，簡単に分類できる。発話の単位としては，個々の音（音素，さらに言えば，有声なのか無声なのか，発声器官が狭窄されているかどうかなどの音素の特徴），音節，単語，そして句がある。誤りが起こる過程としては，欠落，付加，代用，交換，予測，そして保続がある。私自身の言い間違いのコーパスから数例紹介すると，よりわかりやすくなるであろう。

- I still veel *v*ery full.　話者の意図："I still feel very full." Very の /v/ が feel の語頭で予測された。この種の言い間違いは，**予測**（anticipations）と呼ばれる。
- I'm suspicious of people who wear base*p*all hats on TV.　話者の意図："I'm suspicious of people who wear baseball hats on TV." People の /p/（ひょっとしたら suspicious）が baseball の /b/ と代用され，**保続されたり**（perseverated），あるいは長く続いたりした。この種の言い間違いは，**保続**（perseveration）と呼ばれる。
- I can't dis*g*ree with it.　話者の意図："I can't disagree with it." Disagree の a の音が欠落した。
- I want to *y*ook *l*ung.　話者の意図："I want to look young." 2 つの音が入れ替わった。この間違いは，下記で説明する頭音転換（spoonerism）と呼ばれるものである。
- Use my *towel* as a *back*.　話者の意図："Use my back as a towel." 2 つの単語が入れ替わった。
- There's already a *raw*.　話者の意図："There's already a rule." または，"There's already a law." Rule と law という 2 つの単語が混ざった。
- The *hedgerow* is looking good.　話者の意図："The rockery is looking good." Rockery という単語の代わりに，意味的に関連する hedgerow という別の単語を用いた。

- All sorts of *papers*.　話者の意図："All sorts of potatoes." Potatoes という単語の代わりに，音声的に関連する papers という別の単語を用いた。
- My tummy swolled up again.　話者の意図："My tummy swelled up again" と "My tummy has swollen up again" 2つの異なる句が混ざった。

これらの例から，自然な発話における言い間違いの種類と，それらの言い間違いが起こるメカニズムの範囲がわかる。これらの分類は，つまらないと思われるかもしれない。言い間違いのほとんどは，低レベルの音の間違いである。そして，およそ10%の言い間違いは，意図した単語とは異なる単語を言ってしまう単語の代用である。もちろん，交換や代用のように言い間違いのメカニズムに基づいて分類するだけでは，どのように言い間違いが起こるのかは説明できても，なぜこのような言い間違いが起こるのかの説明にはならない。なぜ言い間違いが起こるのかを説明するためには，さらに深く掘り下げ，音特徴，音，単語，そして句の相対的な活性化度について考える必要がある。

やはり，（心理言語学者ではない）皆さんが本当に知りたい言い間違いは，フロイト的失言についてである。Freud（1901, 1975）によると，これらの言い間違いは，無意識に抑圧されたか，意識的に抑制された願望が表面化する時に起こるものである。フロイト的失言は発話だけではなく，あらゆるところに見られるものである。忘却，失策行為（現在ではアクションスリップと呼ばれる），筆記，名前を思い出せない時，幼少期の出来事を忘れてしまった時，明らかに偶然の行為や出会いにも，見られるものである。Freud の描写の中にはかなり長く，とてもわざとらしく感じられる説明が何ページにも及ぶことが時々ある。簡潔で短い例を少し見てみよう。

- ある紳士が，最近夫を亡くした若い女性に，お悔やみの挨拶をしていた。彼は，「お子様に専念する（ドイツ語では widmen）ことが慰めになるでしょう」と言おうとしたが，widmen の代わりに，widwen という存在しない単語を使った。/m/ の代わりに，第1音節の /w/ が保続された，音韻的保続の言い間違いとすることができるが，「若くて美しい未亡人（ドイツ語では Witwe）は，じきに新しい性的快楽を満喫するであろう」という紳士の抑制した思考という観点から，Freud は説明した。部分的には Witwe の侵入による間違いだとしても，性的な動機づけがあったと想定する理由は存在しない。話し手は「未亡人になられてしまい，お気の毒です」と言おうと考えていたかもしれない。話し手に確認しなければ，わかるわけがない（Freud's Example 23, from Chapter 5, "Slips of the Tongue"）。

- 女性は，息子さんがどの連隊にいたのか尋ねられると，第 42 迫撃砲（ドイツ語では Morser）の代わりに，「第 42 殺人者（ドイツ語では Morder）」と答えてしまった。この間違いは，単純に音韻的な間違いだと説明できる（Freud's Example 26）。
- 「女性の性器の場合，多くの誘惑（ドイツ語では Versuchungen）にもかかわらず，失礼，実験（ドイツ語では Versuche）……」と教授は言った。この明らかに恥ずかしい間違いは，先ほどの私自身の "papers potatoes" の例のように，おそらくただ単に音韻的に似た単語が代用されただけである（Freud's Example 37）。
- バセドウ病の疑いがある患者に医者は，"You are about a head（ドイツ語では Kopf）taller than your sister"（きみは妹よりも頭一つ分背が高い）と言う代わりに "goitre（ドイツ語では Kropf で，日本語では甲状腺腫）taller" と言ってしまった。侵入思考を反映したのかもしれないが，音韻的な間違いである（Freud's Example 20）。

Freud が説明するようには失言が起きないと言っているのではない。ここで指摘したいのは，そのような失言は滅多にないということだ。私の何千という言い間違いのコーパスを見てみても，抑圧された性的な思考という観点から最も簡単に説明できるような例は 1 つもない。侵入思考が反映された言い間違いは，もちろんある。上記の最後の例は，この種のものかもしれない。言おうとしていたことではなく，何か考えていて，うっかり別のことを言ってしまうことは，誰にでも経験があるだろう。私のコーパスにある無害な例としては，「3 時間後」と言うところを，「12 時間後には昼食をとっているであろう」と言ってしまったものがある。これは，「12 時半に昼食をとろう」と考えていて，それは何時間後かを計算していたのである。ここでは，1 つの番号がもう 1 つの番号に代わっていて，バセドウ病の例では 2 つの単語の音が似ていることに気づくだろう。このことは，1 つの言い間違いには複数の原因がありうること，意図したことと心に浮かんだことがどこかで似ていると，代用が起きやすいということを示している。これは重要な点で，また後に説明することにしよう。

話し手が何を考えているのか，その結果どのように間違いが起きたのか，確信をもってわかることなど決してないだろう。私がこの本を書いている時に，現イギリス首相の Gordon Brown は下院のクエスチョンタイムで，「銀行を救済した」と言うべきところを，「私たちは世界を救済しただけではなく」と言ってしまった。金融危機は Brown 氏の運命の復活の場になったことと，世界各国のリーダーから賞賛されたことから，彼が心の中で考えていたことを推測するにすぎない。

フロイト的失言ほど有名ではないが，多くの人に馴染みがあるのが，**頭音転換**（spoonerism）である。これは 2 つの単語の最初の音が入れ替わるものであるが，もう少し大雑把に言うと，2 つの音の入れ替わりである。いくつか例をあげよう。

- “a bit of lawn mowing” の代わりに，“a bit of mawn lowing”。
- “I've stopped dripping sweat” の代わりに，“I've dropped stripping sweat”。
- “They decided it by a coin toss” の代わりに，“They decided it by a toin coss”。

頭音転換は，オックスフォード大学ニュー・カレッジの学長であった William Archibald Spooner 師（1844–1930）の名前にちなんでいる。Spooner 師は，とりわけこのような間違いをする傾向があり，秀逸な間違いには以下のようなものがあげられる。

- You have hissed all my mystery lectures.
- You have tasted the whole worm.
- The Lord is a shoving leopard.
- Three cheers for the queer old dean!

意図した発話は何だったか推測してほしい。それは，それぞれ “missed all my history lectures”，“wasted the whole term”，“loving shepherd”，“dear old queen”である。これらの間違いの中には，本当にSpooner師によるものか疑わしいものもある。でっちあげだったり，他人によるものだったり，意図的なことば遊びだったりするかもしれない。Spooner自身，自分が本当に発したのは“kinkering kongs their titles take”だけだと，はっきりと述べている。しかし，言い間違いは比較的よくあり，誰もが経験することなので，Spoonerが多くの言い間違いをしていなかったとしたら，それは驚くべきことである。言い間違いを収集することの難しさの1つは，言い間違いをする時に気づかないことである。もしSpoonerがとんでもない数の言い間違いをしていたなら，何かの病気を疑うべきである。最近のアメリカ大統領と同様，私は平均以上の言い間違いをする。自分の大量の言い間違いは，一般的音韻障害が原因である。

Garrettの言語産出モデルとは

言語産出とは単語を見つけ出し，印のついた枠組みに当てはめることだと，“maniac for weekends”の例で説明した。アメリカの言語学者Vicky Fromkinとアメリカの心理言語学者Merrill Garrettのそれぞれの研究から，言語産出の初期モデルの1つであるFromkin-Garrettモデルが生まれたが，このモデルでは，構文作成と語彙検索が区別されている（Fromkin, 1971; Garrett, 1975, 1976, 1980）。

単語を間違ったスロットに配置してしまうことに加え，言い間違いのデータに関して，さらに2つの重要なことがわかっている。そのことは，言語産出モデルに重要な制約を与える。まず第一に，2つの単語が入れ替わったり，1つの単語が別の単語の代わりに用いられたりする時，その2つの単語はいつも同じ種類の単語であることだ。単語は内容語（content word）と機能語（function word）に分けられる。内容語は言語の意味的な役割を果たし，名詞，動詞，形容詞，副詞が含まれる。膨大な数の内容語が存在し，時々（テレビからオタクまで）新しいことばを作る。機能語は言語の文法的な役割を果たす語で，限定詞（the, some, a），前置詞（to, at, in），接続詞（and, because, so），関係詞（that, which），疑問詞（where, how），代名詞（she, he, it, her, him）が含まれる。一般的に機能語は非常によく使われるが，数は少なく，新造語が追加されることはない。機能語は非常にゆっくりと変化する（今日になって，ようやく thee や thou〔古い人称代名詞〕が多用されなくなった)。内容語は別の内容語と入れ替わる。何年もかけて，何千もの言い間違いを収集したが，この規則に当てはまらないものは１つもない。例外が１つもないというのは，心理学においては非常に珍しいことである。それはどういうことなのか。内容語と機能語はまったく異なるタイプの語であるということだ。このことは，内容語と機能語が脳の異なる部分で処理されていることを示唆する脳イメージングの研究からも裏付けられている（Pulvermüller, 1999)。発話を行う時，内容語と機能語を異なる方法で処理しているのである。

第二点目は，音の間違いと単語全体の間違いは，異なる制約に支配されていることである。予測，交換，保続など，音声の間違いは，距離の制約を受けるが，単語の種類の制約を受けない。一方，単語の間違いは，単語の種類の制約は受けるが，距離の制約は受けない。いくつかの例を見てみよう。

- And ty the time（“and by the time”の代わり）
- Toin coss（“coin toss”の代わり）
- Make a dimmer（“make a dinner”の代わり）
- I got it wrong trying to get it right（“I got it right trying to get it wrong”の代わり。〔信じまいとしたけれど〕，本当だった)
- It cost seven thousand miles to take about ninety miles（“it cost seven thousand pounds to take about ninety miles”の代わり）

最初の３つの間違いは音の間違いであるが，これらの間違いからわかることは，間違いの源と侵入が起こる箇所は近いということである。一般的に音の間違いは，隣り合わせの単語や１つ先の単語であることが多い。そして，ほぼ確実に２つの単語は同じ節にある単語である。その一方で，(1 つ目の間違いの by と time のように）機能語と内容語や名詞と動詞のように，単語の種類による制約はない。だが，単語の間違いは，遠くにある単語を含む傾向にあり，内容語はいつも内容語と入れ替わり，名詞は名詞と，動詞は動詞と，形容詞は形容詞と入れ替わる。結論としては，音の言い間違いと単語の言い間違いは，異なるタイミングで起こるということだ。

Fromkin-Garrett モデルにおいて言語産出は複数のレベルで行われる。まず**メッセージレベル**（message level）では，あるメッセージを伝えようという意図が作られる。たとえば，ビルは昔そのネコを追いかけた，ということを伝えようという意図である。これらのモデルでは，この段階の表象の形式は明言されていないが，重要なのは，少なくとも Fromkin-Garrett モデルでは，メッセージレベルに個々の単語の詳細が記されていないことである。かなり漠然としているため，メッセージレベルは言語産出ではよく忘れられてしまうレベルである。これまでに私が紹介した概念を使って，少し推測することはできる。話し手の意図はある特定の物事や概念を指していることには間違いない。言語を理解する時に最終的に作り上げる表象と同じような表象からはじまると考えることができるので，命題ネットワークが関わっているはずである。しかし，意味ネットワークは，「複雑」である。まず第一に，物事というのは，相互にたくさんつながっていて，その中に私たちは生きているので，私たちの概念表象というのも語彙や知覚対象につながっている。そして第二に，ネットワークは伝導しやすいということがあげられる。概念について考えると，関連性のある概念は水平方向に活性化され（たとえば，ライオンについて考える時，トラについても少し考えるかもしれない），垂直方向にも（下は語彙に，上は知覚情報にと）活性化されることがわかっている。メッセージレベルとは，複数のアトラクターを同時に活性化させ，その活性化のパターンは時間とともに変化し，時々関連したインプットやアウトプットも活性化させる意味ネットワークと考えることができる。しかし，これはあくまでも推測であって，オリジナルモデルで想定されていることをはるかに超えている。風刺漫画にある「思考」の吹き出しのようなものだ。

その次に，**機能レベル**（functional-level）の表象を作成することになる。機能レベルでは，概念が選択され，選択された概念の関係が指定されるが，表象は統語的に詳細は規定されていない。機能レベルとは，以下のようなものである。

- 行為者：ビル
- 行　為：追いかける
- 対　象：ネコ，既知の
- 時　間：過去

次に，この表象を順番に並べる。すなわち，文の統語的な枠組みを規定し，位

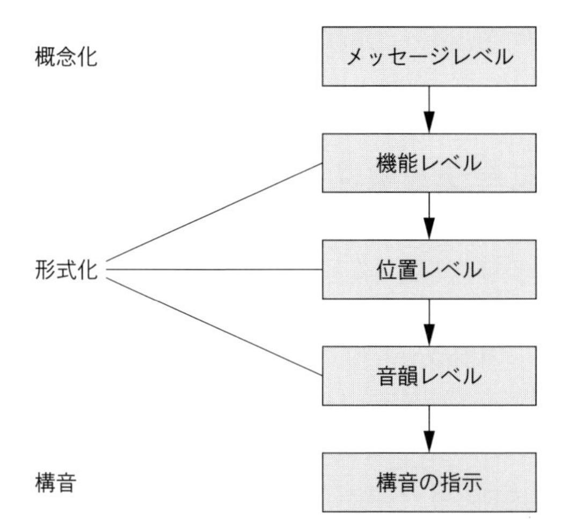

図8.1　Garrettの発話産出モデル
どの段階で概念化，形式化，構音の処理が行われるのかを示している（Garrett［1975, 1976］に基づく）。

置レベル（positional-level）の表象を作成する。

名詞1行為＋過去　限定詞－既知の－名詞2

それから，適切な内容語の音韻情報を枠組みに当てはめ，機能語の音韻形式を検索し，音韻レベル表象を作る。最後に，**音韻レベル表象**（sound-level representation）は，構音器官で発音できる形に変換される（図8.1）。

特定の概念を機能レベルに当てはめる時に，単語の言い間違いが起こる。機能レベルでは，統語的な詳細はまだ規定されていないので，距離は重要ではない。このレベルでは役割の種類が重要であるので，似た役割のものを混同する傾向にある。音の言い間違いは，距離が重要な音韻レベルで起こる。なぜならば，発話のために用意した情報も限られた量しか音韻バッファーには保持できないからだ。

複数の処理レベルがあるが，1つのレベルの処理が終わらないと次のレベルに移れないということはない。次の文に移る前に，機能レベル表象を作り，全文の命題レベル表象を作り，それから文の音韻レベル表象の形にするというわけではないのだ。間違いの中で音が影響し合う距離などを調べると，一度に作る音韻レベルは句であるように思われる。まだ前文の一部の音韻レベル表象を作っている間に，おそらく次のメッセージレベル表象を考えているであろう。

どのように単語を検索するのか

発話を組み立てる時に，内容語を見つけてくることが，私にとっては言語の最も魅力的な部分である。ある単語の意味の内的表象から，音声へと変換するまでの過程である。単語認知の過程を逆にすると，意味的アトラクターからはじまって，単語構成要素の音声という過程になる。この過程のことを，**語彙化**（lexicalization）と言う。まず最初に，正しい意味的アトラクターまたは概念を特定する。たとえば，言いたいことはイヌであって，子イヌやネコやプードルではないという処理である。そして二番目に，その単語の音声成分を検索しなければならない。それゆえ，語彙化には二段階の処理があることが明らかである。つまり，意味を特定する段階と，その後に音を特定する段階である。

この二段階処理という過程を理解すると，二種類の単語の代用による言い間違いの原因がはっきりするはずだ。先ほどあげた例の中には，意図した単語と逸脱した単語は意味的に関連があるものもあれば，音韻的に関連があるものもある。さらに例を付け加えよう。

- glass → cup
- red → white
- words → letters
- conform → confirm
- bed → bread
- risking → resting

意味的な単語の代用と音韻的な代用の区別は，Fay と Cutler（1977）に詳しく書かれている。Fay と Cutler は，音韻的な言い間違いを**音韻錯誤**（malapropism）と呼んだ。この語はシェリダン〔アイルランド出身の劇作家〕の 1775 年の戯曲『恋がたき（*The Rivals*)』の登場人物である Malaprop 夫人にちなんでいる。夫人は，あまりよくわかっていない感動的な単語を使おうとしてごたごたに巻き込まれ，（不適切でうっかりしたという意味の）malapropos からこう名づけられた。

I have laid Sir Anthony's preposition before her.
I laid my positive conjunctions on her, never to think of the fellow again.

シェリダンの1775年の戯曲以来，文学，演劇，テレビなどで，音韻錯誤は喜劇的効果を狙って使われてきた。私のお気に入りは，"What are you incinerating?"（何を焼却しているの？）（*Steptoe and Son* の中で，"insinuating"［ほのめかしている］と言うべきところ）と"We heard the ocean is infatuated with sharks."（海はサメに夢中であると聞いた）（*Laurel and Hardy* の中で，"infested"［荒らされている］と言うべきところ）である。音韻錯誤は，使うべき単語を知っているのに間違った単語を言ってしまうというよりは，むしろ無知による（あるいは，おそらく背伸びすることによる）言い誤りなので，ここでは単純に単語の意味的代用と音韻的代用という2種類の間違いとして扱う。意味的代用とは語彙の意味を選択する時に起こり，音韻的代用とは語彙の音を選択するために，この語彙の意味を使おうとする時に起こる，第5章で説明したHintonとShalliceのモデルとは逆の過程を考えてみると，わかりやすいだろう。

語彙化は二段階処理であることを，これまで少し簡略化して説明してきた。近年の言語産出の理論では，意味と音の中間の段階として**レンマ**（lemma）を加える（Levelt, 1989, 2001)。意味の表象から音には直接行かず，単語を特定し，意味的情報と統語的情報にはアクセスするが，音韻的情報にはアクセスしていない中間的な段階を通っている。意味的特徴と音素の間に何かが存在することに関しては，疑いの余地がない。研究者の間で議論となっているのは，それが何で，どのような情報と関連しているのかということである。なぜ，産出は単語認知と異なるのかと思うだろう。単語認知の説明のところで，なぜレンマの話をしなかったのかと。実は暗示的にはレンマの話をした。単語認知において，レンマとはそれぞれの単語の語彙項目である。極めつきのコネクショニストの考え方をとると，語彙項目を想定しないとしても，隠れユニットが必要である。つまり，意味と音を仲介する何かが必要なのである。

絵の命名をしている時の脳のイメージングの研究から，どのように単語を産出するのかについて，さらなる知見が得られる（Indefrey & Levelt, 2000,

2004)。大まかに言うと，産出では，脳の活性化は後頭部から前頭部に広がる。まずはじめに絵を見て，命名する時，もちろん最初には，視覚的処理とオブジェクト認知に関連した活性化が見られる。そして，活性化は後頭部から，左半球の側頭葉，特に側頭回と呼ばれる明瞭な隆起に広がる。この領域は，意味処理に関連があると考えられている。活性化はさらに，意味が単語の音韻体系と関連づけられるウェルニッケ野にまで伝わる。そして，最後に単語の音節，音素，韻律を準備する時，ブローカ野が活性化される。視覚的，概念的処理は，平均でおおよそ 175 ミリ秒かかる。適切な単語を見つけ出す過程は，150 から 225 ミリ秒で，音韻情報にアクセスする過程は 250 から 330 ミリ秒である。そして，単語の発音の詳細が整うのが，絵を目にしてからおよそ 450 ミリ秒後である。

絵の命名の実験結果は，二段階処理モデルと一致している。言語産出の研究をする上で役立つ方法の 1 つに，**絵・単語干渉**（picture-word interference）がある。命名する絵を提示する時に，語彙判断をしなければならない単語を聴覚的に提示する方法である。この方法で重要なのは，絵を提示するタイミングに呼応していつ単語を聞かせるのかを正確に操作できる点だ。複雑なことに，単語認知では，意味的関連のある単語は処理の速度が増したり，認知しやすくなるが，産出では意味的関連のある単語は干渉を引き起こし，処理が遅くなる。したがって，キリンの絵の上に「ライオン」と書いてあると，絵の命名が遅くなる。ひとまずは，あまり細かいことは気にせずに，絵と単語との間の意味的関連性と音韻的関連性が，どのような場合に効果をもつかについて考えよう。絵を見た直後は，意味が効果をもつ。ここではターゲット語（聞いて，反応をしなければならない単語）が絵と意味的に関連していなければならない。しかし，その後の過程で効果をもつためには，ターゲット語と絵が音韻的に関連していなければならない（Levelt et al., 1991）。これらは皆，絵を見てから 0.5 秒以内に起きていることである。

認知が相互作用過程であるという多数の根拠を，「第 6 章　単語認知」で示した。言語理解の種々のモジュール同士は情報が伝導しやすいので，文脈が単語認知や好まれる統語構造に影響を与えたりする。単語の産出はどうだろうか。証拠について検討する前に，相互作用についてもう少し深く考える必要がある。相互作用について話す時，**フィードバック**（feedback）と**カスケード処**

理（cascading processing）という2つの異なる考え方がある。フィードバックの方は説明しやすい。後で行われるレベルでの処理がフィードバックを与え，先行するレベルでの処理に影響を与えることである。借金をして増え続ける利子を払う時に，お金が足りず，さらに借金をし，そしてさらに多くの利子を払わなければならず，結果としてまたお金を借りることになる。これがフィードバックの働きである。幸いにも，言語処理のフィードバックはそれほど気を滅入らせるものではない。すでにコネクショニスト・モデルで見たように，たとえば，Trippett と Farah による対象をより雑に呼ぶ認知症の命名モデル，単語の聴覚的認知の TRACE モデル，Hinton と Shallice の意味と深層失読モデルなどがある。Hinton と Shallice のモデルでは，クリーンアップ・ユニットから意味特徴へのフィードバック結合により，意味的アトラクターが活性化する。

カスケード処理は，水が容器に一杯になるまで落ち，さらにそこから水があふれて下に落ちる屋内の滝のようなものである。いくつかの連結した処理のレベルからなるシステムで（ほとんどすべての認知心理学のモデルが想定するように），活性化がレベル間に伝えられるとするなら，1つのレベルからもう1つのレベルに移行する際に2つの方法が考えられる。1つは，それぞれのレベルで1つずつ処理を行う方法で，そのレベルで唯一のアイテムが選ばれるまで，次のレベルには移行できない。もう1つは，活性化を先々に伝えられる，**カスケード**（cascade）と呼ばれる方法で，先行するレベルの処理が終了する前から，次のレベルの処理をはじめられることになる。

簡略化した語彙化の例を使って，カスケード処理と離散型処理（discrete processing）について具体的に見ていくことにしよう。実際にはトラなのだが，大きいネコの写真を見ているとする（絵を見ているのではなく，何かを考えているところからはじめても問題はない。どちらの場合でもイメージを処理し，当てはまる概念［tiger］を特定する）。そして，この概念に当てはまるレンマ，すなわち意味的情報と統語的情報が示されたアイテムを探し始める。もちろん，その概念は TIGER のレンマを活性化するのだが，その他の大きいネコのように意味的にある程度重なりのあるレンマも活性化される。

2種類の言語産出のモデルは，次の段階で起こることにおいて異なる。離散型モデルは非常に単純だ。初期段階では，意味的関連のあるレンマが，ター

太ったネコ，というよりはダイエットをするまで太っていたネコ

ゲットのレンマと共に活性化されている。

概　念：TIGER（トラ）
レンマ：TIGER（トラ）　Jaguar（ジャガー）　Leopard（ヒョウ）
　　　　Cheetah（チーター）　Puma（ピューマ）　Panther（クロヒョウ）

処理はレンマが１つになるまで続き，たった１つのレンマが残る。

概　念：TIGER（トラ）
レンマ：TIGER（トラ）

そして，それからはじめて，レンマが対応する音素を活性化させ始める。それほど高くはないが，活性化拡散（spreading activation）により，選択されたレンマと音素が重なる単語も活性化される。

レンマ：TIGER（トラ）
音　声：TIGER（タイガー）　Trigger（トリガー）　Table（テーブル）

音韻表象が１つになるまで処理は繰り返され，tiger と発音する。

カスケード・モデルはもっと複雑である。意味表象が対応するレンマを活性化するが，すべてのレンマが直ちに音韻レベルに活性化を送り始める。１つのレンマが選択されるのを待つ必要がない。そのため，一時的には，すべての音韻表象が同時に活性化されていることもあるかもしれない。

概　念：TIGER
レンマ：TIGER　Jaguar　Leopard
音　声：TIGER　Trigger　Table　Jaguar　Jagged　Leopard　Leaping　Leper

重要な違いは，カスケード・モデルは，leopard がまだレンマレベルで活性化されているので，leper（ハンセン病患者）や leaping（飛び跳ねる）のような単語の音素もわずかながら活性化されるかもしれないと予測していることだ。何が同時に活性化されるのかについては，はるかに混然としている。

多くのモデルは，カスケード型の活性化とフィードバックの両方を含んでおり，TRACE はこの種のモデルである。特徴レベルから文字レベルへと連続的に活性化が送られ，いくつかの文字が同時に活性化されうる。単語を活性化させ始める前に，1 つの文字を絶対的確信をもって認識する必要はない。活性化されたすべての文字は，それらの文字が含まれた単語を活性化させ始める。それと同時に，活性化が語彙レベルから文字レベルへ，そして特徴レベルにまで戻ってくる。活性化は相互につながった巨大なネットワークの中で，絶え間なく変化し，どんどんと広がっていく。しかし，桁違いに大きい脳の神経ネットワークほどではない。

語彙化におけるフィードバックの証明は，言い間違いの詳細分析からも上がっている。親近性バイアスと類似性バイアスと呼ばれる，言い間違いを誘発するよく知られた 2 種類のバイアスがある。**親近性バイアス**（familiarity bias）とは，言い間違った結果は，あまり馴染みのないものよりも馴染みのあるものの方が多い傾向にあることをいう。親近性バイアスは音韻の間違いに，最もはっきりと見られる。

- A negative feedback leap ensues（“feedback loop” と言おうとして，feedback の ee の音が保続）
- I want to yook lung（“look young” と言おうとして，最初の子音が入れ替わった頭音転換）
- Washed up the peasant pooh（“pheasant pooh” と言おうとして，/p/ の音を予測）

ここでは3つの音韻の間違いが，leap（飛び跳ねる），lung（肺），peasant（農民）と実在する単語になっている。もちろん，音韻の間違いが単語になることは偶然かもしれないが，このようなことが起こる偶然の割合を計算することは数学的に簡単で，音韻の間違いが実在する単語である数は，偶然の割合をはるかに超えている（Dell & Reich, 1981; Stemberger, 1985）。さらに，非常に高速で提示した単語対を読んでもらうことで，実験的に言い間違いを生み出せる（たとえばBARN DOOR）。実験では，言い間違いが実在する単語になる可能性が正確にわかるよう，単語を操作することができる。もう一度言うが，音韻の間違いが実在する単語になる確率は，偶然に起こる可能性よりも高い（Baars et al., 1975）。この語彙バイアスは，スペイン語のように英語以外の言語でも観察されている（Hartsuiker et al., 2006）。

音韻の間違いは，語彙表象にアクセスした後，つまり言語産出過程の比較的遅い段階で起こることを考えたら，間違いが単語になりうるかどうかが，言い間違いが起こる可能性にどのように影響するのだろうか。何が原因で，これらの遅い段階での音韻の間違いが，実在する単語になるのだろうか。2つの説明が可能であるが，言語産出ではおそらく両方が少しずつ当たっているだろう。1つは話をする時，自分の言うことを（少なくとも時々は）モニターするだろう。自分の発話における間違いに，時々気づくこともある。なぜそのようなことがわかるかと言うと，人は時々止まって，誤りを訂正したり，音の交換の言い間違いの途中で止まり，間違いの後半部分を言うのをやめてしまったりするからだ。声に出す前に，言い間違いをしてしまいそうなことに気づくこともよくある。現象論は誤りうることはわかっているが，時としてこのような印象を受けることは間違いない。また，起こりそうな言い間違いが，ひどければひどいほど，気づいて止める傾向にある。言い間違いが実在する単語であると，間違いにより気づきにくくなる。もう1つの説明は，フィードバックである。活性化が語彙レベルから音韻レベルに送られ，活性化が高まるが，このようなことは非単語には起こらない。それは共鳴，アトラクターとなる単語，または特定の音素の組み合わせを提供する単語と考えられるが，どれもみな同じことである。TRACEと同様に，相互活性化方式を前提としている語彙化に関するコネクショニスト・モデルは，異なる種類の言い間違いを正しい比率で産出できる（Dell, 1986, 1988; Harley, 1993）。

類似性バイアス（similarity bias）とは，意図していた音素と侵入した音素が似ているほど，間違いが起こりやすい現象のことである。最もわかりやすい例は，単語の代用の言い間違いである。先にも説明したように，意味的な代用と音韻的な代用があるが，意図した単語と代用した単語が音韻的にも意味的にも似ている，次のような**混成**（mixed）の言い間違いもある。

- No meat by the front door（“mint by the front door” の代わり）
- Catalogue（calendar の代わり）
- Colon（comma の代わり）

混成の言い間違いも，偶然起こることはありうるが，偶然よりもはるかに多くの回数の言い間違いが見られる（Dell & Reich, 1981; Harley, 1984; Stemberger, 1985）。相互作用的なシステムでは，混成の言い間違いはフィードバックで説明するとわかりやすい。純粋に意味的な言い間違いや純粋に音韻的な言い間違いとは異なり，意味的な重なりと音韻的な重なりの両方から活性化を受けて侵入する可能性がある。親近性バイアスと同様，相互作用モデルが，発見される言い間違いの比率を説明できることが，言語産出のコネクショニスト・シミュレーションによって示されている。

語彙化での処理が，離散型なのかカスケード型なのかについては，フィードバックの有無よりも意見の分かれるところで，まだまだ議論の余地が残っている。**媒介プライミング**（mediated priming）に関して，多くの文献がある。これまでにわかったようにカスケード型システムでは，couch（カウチ）のような単語は意味を媒介に sofa（ソファ）をプライミングする。そして，活性化がシステム中に伝わるとすれば，sofa の音素を通して soda（ソーダ）にプライミングが起きるはずである。この媒介プライミングを簡単に説明できるのは，カスケード型の活性化だけである。絵の命名課題における媒介プライミングが，多くの実験で示されている（Cutting & Ferreira, 1999; Peterson & Savoy, 1998 など）。一方で媒介プライミングが得られない実験結果もある（Levelt et al., 1991）。この手法は，どのような刺激を使うのか，またプライムとターゲットの間にどれほどの関連性があるかに左右されるが，少なくともある条件下では，媒介プライミングが存在するという事実を，離散型モデルで説明するのは難しい。

有力な証拠から明らかなのは，語彙化は二段階で行われること，活性化は段階間で伝わること，後半のレベルが前半レベルの処理に影響を与えることだ（図 8.2，8.3）。

なぜ時々のどまで出かかっているのに思い出せないことがあるのか

このセクションを書き始める直前，私はばかげたことをしてしまった。100回は行ったことのある駐車場でのことである。カードをもって出口に行き，そのカードを挿入したところで，駐車料金を支払うのを忘れていたことに気がついた。何と愚かな。私のように忘れっぽく，注意散漫な人のことを指す表現が心に浮かんだ。「何とか博士」。かなり長い単語だ。イライラしてきた。一生懸命思い出そうとすればするほど，その単語が遠のいていくように思われた。

そして，2〜3 分後，「うっかり」ということばを思い出した。「うっかり」という単語は私の「舌の先」にあった。単語を知っているけれども，どうしても思い出せない状態のことを，**のどまで出かかる現象**（tip-of-the-tongue［TOT］state）と呼ぶ。人類が話すという行為をはじめた時からのどまで出かかる現象は存在したはずで，Freud が『日常生活の精神病理学』でいくつかのすばらしい例をあげているが，最初に系統的に研究したのは Brown と McNeill（1966）である。学生に以下のような低頻度語の定義を与えた。

- 角距離を測る時に使う航海計器。特に海上で太陽，月，星の高度を測る。
- 人間の形をしていたり，永続的存在の一時的現れであったり，今日ではコンピュータゲームにも使われる化身のこと。
- この世の終わりの研究について関心をもっている神学の一派。

これらの定義は決してやさしくはない。答えがわからなければ，少し立ち止まって考えてみよう。正解は，sextant（六分儀），avatar（アバター），eschatology（終末論）だ。このような課題を使うと，10% 以上が TOT になると言われている。この比率はかなり高いと思うかもしれないが，テストで極度に緊張しているというような感じではない。クイズ番組で，答えを知っているのに思い出せない出演者や，特にブザーを押し，いざ答える時に忘れてしまった出演者を見ればよい。クイズ番組は TOT の宝庫である（James & Burke,

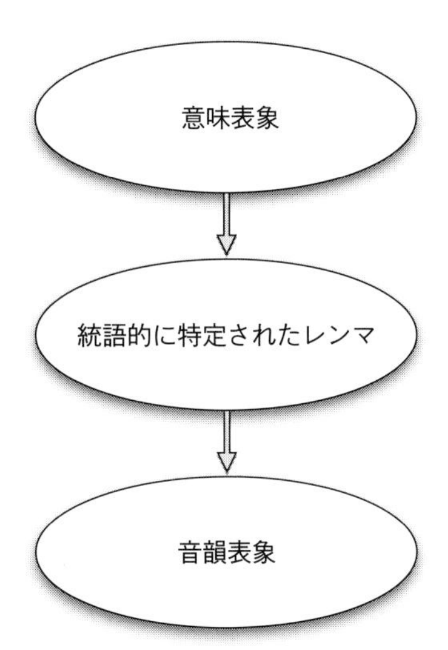

図 8.2　語彙アクセスの二段階モデル

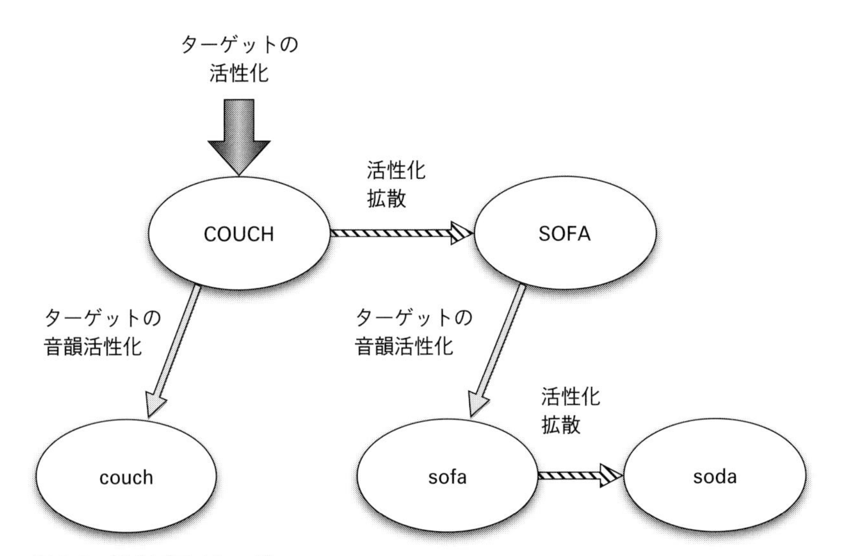

図 8.3　媒介プライミング

ここでは COUCH が意図した意味である。COUCH が意味的近隣語，すなわち COUCH に意味的に関連する単語，SOFA を活性化させる。それから，sofa は似た音の単語の SODA を活性化させる。カスケード型モデルでは，活性化が soda の音にたどり着くまでには，郵便のようにいくつかの媒介リンクを通らなければならないが，ある程度の活性化は到達するはずである。

2000)。

TOT は，知っているのにという強い感情を伴う。自然に思い出したり（思い出すのには時間がかかる。数週間，TOT が続くという経験を私はしたことがある），答えを教えられて，TOT が解消する時，その単語が正しいものでなければならないのは言うまでもない。また，TOT というのは，全か無の経験ではない。時には，単語の一部の情報を思い出せたりすることがある。何音節の単語だとか，どこにアクセントがくる（avatar の Da-de-de）ということはわかっていたり，その単語の一部の音，たいてい最初の音は思い出せたりする。しばしば，侵入語と呼ばれる別の単語が自然と心に浮かぶ。たいていは，意図した単語（sextant）の音韻的近隣語（phonological neighbours）の secant（割線），sextet（6 人組）や sexton（墓守）が侵入語になるが，アストロラーベ〔昔の天体観測儀〕のような意味的近隣語（semantic neighbours）が侵入してくることもある。年齢とともに TOT が増え，認知的加齢老化の特徴とされる（James & Burke, 2000）。

TOT は語彙化の二段階処理モデルに，明らかに一致する。単語の意味を選択する第一段階が完了したけれども，音素を検索する第二段階が終えられていないということである。なぜ第二段階でつまずいているのかについては，2 つの説明がある。1 つ目の**妨害仮説**（blocking hypothesis）では，侵入語が重要な役割を果たす。この仮説によると，侵入語は単に TOT の一時的副産物であるだけではなく，正しい単語を思い出す大きな妨げになっている（Jones & Langford, 1987）。それはあたかも，スクラムの中央にいる選手が，スクラムを組んでいる周囲のより強い選手たちで目立たなくなっているような光景である。すべての TOT において，侵入語が浮かんでくるわけではないと反論する人もいるかもしれないが，侵入語が妨害していることに気づく必要はない。

2 つ目の説明は**部分的活性化仮説**（partial activation hypothesis）である。TOT のほとんどは，低頻度語であったり，ストレスのある状況であったり，高齢であったりすることからわかるのは，意図した単語の表象が弱いため，ただ検索するのが難しいのだ。高次レベルから意図した単語まで，十分な活性化が送られないのだ。妨害仮説よりも部分的活性化仮説を支持する証拠の方が圧倒的に多い。1 つ目の証拠は，TOT 課題において，ターゲット語に音韻的に似ている単語を提示すると，TOT に陥る確率が減少することだ（James &

これは何でしょうか（正解はトラクター。名前が出てこなかった人は，私のところに来てください）

Burke, 2000)。妨害仮説であれば，確率が増加するであろう。2つ目の証拠は，バイリンガル話者はTOTを起こしやすいことだ。おそらく，バイリンガル話者は，モノリンガル話者に比べてそれぞれの言語を話す頻度が少ないので，意味と音の結合が若干弱くなるからであろう。結合を強化するだけの練習がないのである（Gollan & Acenas, 2004)。最後に，妨害仮説では，音韻的近隣語が多い単語，ターゲット語のように聞こえる単語は，TOTを起こしやすいという予測になる。なぜならば，ターゲット語を妨害する単語があるからだ。しかし，そのようなことはない。実際には，音韻的近隣語が多い単語は，TOTになりにくいのだ。音韻的近隣語が少ない奇妙な発音の単語ほど，TOTを起こしやすい（Harley & Brown, 1998)。簡単な例では，ballとgrowthはほぼ同じ頻度の単語だが，growthは音が似た単語が少ないのに対し，ballに音が似ている単語はたくさんある（2〜3例をあげると，call，fall，bell)。他の条件がすべて同じだと，ballのような単語の方が，growthのような単語よりもTOTになりにくい。近隣語が妨げになるのではなく，助けになるので，この助けがない単語は検索がより難しくなる。意味から音への活性化が何らかの理由で不十分な時，TOTに苦しむのだ（Burke et al., 1991)。

TOTそのものだけでも興味深いのだが，TOTは言語産出過程を調べるのにも役立つ。英語には文法的性（名詞が男性なのか，女性なのか，中性なのか）がないが，イタリア語など多くの言語には存在する。イタリア語話者がTOTになった時，思い出せない単語の性は引き出せるという証拠がある（Vigliocco et al., 1997)。性は単語の文法情報ということから，この結果は単語の音韻とは別に統語情報を検索できることを意味している（もちろん，探している単語が名詞なのか動詞なのかはわかるが，統語的文脈と産出過程も性を直接供給するというのは興味深い)。実験の結果というのは，研究者がどのように実験を行うかに左右されるので，この結果の厳密な解釈は賛否の分かれるところだが(Caramazza, 1997)，音素を検索する前に，意味的，統語的に特定されたレンマにアクセスするという考え方と一致する。

どのように文を作るのか

話す時は正しい文法を習得しなければならない。そして，それを正しく遂行しなければならない。たった今私がしたように，文の途中で立ち上がったり，歩き回ったり，溶けかけている雪に見とれたり，次は一体何を言おうかと思い巡らすなど，書く時にある余裕が，話す時にはないのだ。

発話のプランニングの単位の大きさはさまざまだが，単語交換の言い間違いデータから，節ごとに内容や意味を描写する傾向にあることがわかっている。しかし，音の言い間違いは，もっと小さい単位で起こっていることを考えると，一度にほんの 2〜3 個の単語の音韻情報の詳細を検索し，計画していると言える。絵・単語干渉研究によれば，音の類似性の効果は 1〜2 語だけである(Meyr, 1996)。おそらく，最も驚くのは，文の構造を決めるのに欠くことのできない役割を動詞が果たしているにもかかわらず，話し始める時に動詞をまだ検索していないことだ。さらに，絵・単語干渉パラダイムを使った実験では，動詞が文頭に近いと，動詞と音声的に提示された判断語の間に意味的干渉が起こる (Schriefers et al., 1998)。文産出の研究で役立つ別の手法として，簡単な絵を描写させ，話し始めるのにかかる時間を測るものがある。以下のような，2 つのレンマを含む複雑な名詞句ではじまる単文を作る方が，

The dog and the kite move above the house.
(犬と凧が家の真上を移動する。)

1 つのレンマからなる単純な名詞句ではじまる，似たような以下の文を作るよりも，時間がかかる。

The dog moves above the kite and the house.
（犬が凧と家の真上を移動する。）

文のほとんどを計画していないかもしれないが，第一段階のレンマは検索しているように思われる。それほど先までは行かないまでも，後半のレンマを検索する処理も始めるかもしれない（Smith & Wheeldon, 1999）。話し始める前に，言うことをすべて詳しく準備するのではなく，進んでいく中で，できるだけたくさん作っていくという点において，言語産出は**漸増的**（incremental）である。

話し始める時に動詞が何になるのか，いつもはっきりとわかっているわけではないが，動詞の選択が文を作る上で，最も重要な側面である。動詞から文の中身に何が来るのかわかる。以下の例が示すように，自動詞（目的語をとらない動詞）を選んだら，他動詞（目的語をとらなければならない動詞）を選んだ時とは，非常に異なる文構造を作る必要がある。直接目的語と間接目的語の両方をとる動詞を選ぶと，また別の文構造を与えることになる。動詞の受け身形を選ぶと，さらに別の文型を用意する。動詞の受動態を選ぶと，さらに別の文構造にゆだねることになる。

Felix sleeps.（フェリックスは眠る。）
Felix chases the cat.（フェリックスはネコを追いかける。）
Felix gave the cat a good fright.（フェリックスはネコをびびらせた。）
The cat was chased by Felix.（ネコはフェリックスに追いかけられた。）

多くの要因によって，どのように文をはじめるかが決められる。アメリカ人の心理言語学者 Kay Bock は，この分野の解明に多大な手がかりを与えた（Bock, 1982, 1987 など）。よりアクセスしやすい単語，すなわち検索しやすい単語は，文の前半に置かれる傾向がある。おそらく，当然のことだが，最初に心に浮かぶからだ（Bock & Warren, 1985）。アクセスしやすい単語というのは，高頻度で，より具体的で，そしてもちろん最近話題にした項目である。最近言及したことを文のはじめの方に配置するのは，古い情報と新しい情報をつなげるという利点があり，前の章で私が議論した旧情報と新情報の分類を充足するのに役立つ。通常，旧情報は新情報の前に配置するのである（Bock & Irwin,

1980)。繰り返し述べたように，文を単独で話すようなことはしないし，わざわざ聞き手の仕事を必要以上に難しくするようなことは（通常は）しない。他動詞と有生名詞と無生名詞を使っていたら，有生名詞を文の主語にするだろう。目的語を強調するとか，その名詞を他の名詞と区別するのでなければ，無生名詞を最初に置いて，受け身形の文を作るようなことはしない。

Felix knocked over his bowl.
（フェリックスは彼のボールをひっくり返した。）
It was the bowl（not the bucket）that Felix knocked over.
（フェリックスがひっくり返したのは［バケツではなく］ボールだった。）

物まねは最も誠意のこもったお世辞であると言われている。私たちが考えている以上に，物まねをしている。話す時，たまに相手のまねをし始めていることに気づかないだろうか。聞き手と同じような話し方をし始めていることに気づいたことはないか。同じ単語や，同じ言い回し，相手がたった今使った文型をも使うことがある（Schenkein, 1980）。

統語的プライミングパラダイムが，最も説得力のある形で，このことを示している。統語的プライミングは，ある特定の型の文に触れさせることで，話し手が選ぶ統語構造に影響を与えるというものだ（Bock, 1986）。一般的な手法は，文を声に出して読ませ，それから簡単な絵の描写を行う。自分の好きなように絵の描写をしてよいのだが，音読した文と同じ統語構造を使う傾向が見られる。ビルがベンに除草剤を渡している絵があるとしよう。励ますような園芸の場面を描写するのには，次の２つの統語構造のうちのどちらかを使うであろう。１つは前置詞目的語構文で，

Bill handed the weedkiller to Ben.（ビルは除草剤をベンに手渡した。）

もう１つは二重目的語構文である。

Bill handed Ben the weedkiller.（ビルはベンに除草剤を手渡した。）

適切なプライミングがあれば，どちらの構文を選ぶのかを左右することができる。この絵を描写する前に，以下の文のどちらかを音読する。

The robot sold a dodo to Carl.（ロボットはドードーをカールに売った。）
The robot sold Carl a dodo.（ロボットはカールにドードーを売った。）

前置詞目的語構文を聞けば，絵の描写をする時に，自然な発話で前置詞目的語構文を使う傾向が高くなるが，二重目的語構文を聞けば，二重目的語構文を使いやすくなる。プライミングしているのは，内在する統語構造のように思われる。ある特定の単語や，動詞の時制，数，相（aspect）を繰り返したことによるプライミング効果だという可能性は排除されてきた（Pickering & Branigan, 1998）。そのため，以下の 2 つの文は，前置詞目的語構文を使うようにバイアスをかけるのに，同じくらいの効果がある。

Bill bakes a cake for Ben.（ビルはケーキをベンに焼いてあげる。）
Bill took a cake to Ben.（ビルはケーキをベンに持って行った。）

動詞，時制，前置詞が異なるが，どちらの文も同じ構造をプライミングしている。存続するのは根底にある統語構造であることは明らかであることから，予想するかもしれないが，以下の 2 つの文の前置詞目的語構文のバイアスは同じではない。

Bill brought a book to Ben.（ビルが本をベンに持ってきた。）
Bill brought a book to study.（ビルが勉強する本を持ってきた。）

ここでは，同じ動詞と前置詞の to など，使われている単語は非常によく似ている。しかし，1 つ目の文は本当の前置詞目的語構文であるのに対し，2 つ目の文は名詞句構文である。2 つの文は非常によく似ているが，2 つ目の文では，前置詞目的語構文を使うようにバイアスをかけることはできない（Bock & Loebell, 1990）。プライミング効果を得るのに，同じ動詞や前置詞は必要ではない。語順だけでもプライミングは起きない。文から文へと引継がれているように思われるのは，単語同士の基礎にある関係に関する表象である。

このような統語的プライミングは，驚くほど長い時間持続する。プライムとプライムの影響を受けた文の間に少なくとも 10 の文を挟んでも，プライミング効果が観察されてきた（Bock & Griffin, 2000）。他人が産出するのを聞いたことのある構文に対しても，プライミング効果があることが実験的に示されている

(Branigan et al., 2000)。また，自然な発話だけでなく，コンピュータの画面上で読んだ文を思い出す際にも，プライミング効果があることが明らかになっている（Potter & Lombardi, 1998)。統語的プライミングは，ゆるぎない効果であるが，おそらく少なくとも3つの理由で起こるものだと考えられる。第一に，コミュニケーションを円滑にし，調整することである。つまり，第6・7章で私が説明したように，話し手と聞き手の間で協調してゆく過程を助けるためである。2つの文の形が似ていれば，理解しやすく，比較もしやすい。第二に，プライミングは人間の認知の著しい効果であることだ。プライミングできるものはほぼ何でも，プライミングの効果が出る。文法が例外である必要はない。第三に，人間というのは少し怠け者なので，統語構造を再利用するということである。近道を見つけるのが得意なので，これもまた，文法が例外である必要はない。

発話をする時に直面するもう1つの問題は，文の異なる部分が互いに一致する必要があることだ。以下のように，所有格と代名詞を正しい性に一致させる必要がある。

Bill gave all *his* money to Alice; she kissed *him* but kept all *hers*.
（ビルは彼の金をすべてアリスに与えた。彼女は彼にキスしたが，彼女のものはすべて取っておいた。)

だが，一致が特に厄介なのは，物の数が含まれてくる場合だ。

Bill was weeding in his garden.
Bill and Ben were weeding in their garden.
The man does his work.
The women do their work.

自然な発話において，時々，一致を間違える。私のコーパスから1つ例をあげよう。

What was her name?（“his name”の代わり）

しかし，少なくとも私のコーパスにおいては，一致の誤りは決して多くはない。今度は，Bock と Eberhard（1993）から例を1つあげよう。

Membership in these unions were voluntary.

文の異なる部分を調整することは厄介なことであるが，私たちはそれなりにうまくこなしている。間違える時，特に，一致させるべき文の主語よりも近くにある名詞と動詞を一致させる傾向がある。ここでは，単数の membership ではなく，複数の unions に動詞を一致させたために，was が were になってしまった。動詞が近い方の名詞に牽引されていることから，この種の間違いを，牽引エラー（attraction error）と呼ぶ。自然な発話ではあまり起こらないが，洗練された重要な一連の実験で，Bock らは文完成課題を用いて，高い率で牽引エラーを引き起こした（Bock & Cutting, 1992; Bock & Eberhard, 1993; Bock & Miller, 1991）。この実験の被験者は文の断片を提示され，その文を好きなように完成させなければならない。誤答率が高いので，一致の処理過程を研究するのに十分なデータが得られる。被験者は以下のような文の一部を与えられる。

The player on the court —
The player on the courts —
The player on the course —

“was very good” と続けたとしよう。もし一致の誤りをするなら，“were very good” となる。1つ目の文の一部は簡単で，一致の誤りはしない。2つ目は，動詞を制御する単語である player が単数なのに，距離的に近い名詞 courts が複数なので，一致の誤りが起こりやすい。牽引エラーである。最後の文の断片は最も興味深い。名詞 course は単数であるが，/s/ の音で終わっている。このような単語は疑似複数形と呼ばれるのだが，複数形の末尾の音が重要であるなら，もしかすると /s/ の音を，これは複数形であると産出システムが錯覚することはありうる。実際には，疑似複数形は牽引エラーを引き起こさない。一方で，men や mice のように s がつかない不規則複数形は，規則複数形（boys や dogs）と同じぐらいの誤りを産出する。ということは，繰り返しになるが，単語の音が重要なのではなく，複数形のもっと基礎にある抽象的形式が影響していることになる。

牽引の度合いは，動詞と混乱を生じさせる局所的名詞の表面的な距離ではなく，基礎にある統語構造によって決まる。このことは，Vigliocco と Nicol（1998）の洗練された実験によって実証された。ここでは，文の一部と続きを完成させるのに使う単語が与えられる，文完成課題の一変形が使われた。たとえば,

The helicopter for the flights + safe.

以下の典型的な例のように，動詞を加え，その動詞を文の主語 helicopter と一致させると，正解となる。

The helicopter for the flights was safe.

しかし，混乱させる複数形の局所的名詞 flights があるので，被験者は予想通り，以下のような一致の間違いをたくさんする。

The helicopter for the flights were safe.

その後，被験者は最初の刺激から，以下のような質問を作らなければならない。

Is the helicopter for the flights safe?

疑問形では，動詞（is）が混乱を引き起こす可能性のある名詞（flights）から離されることに気づくだろう。実際，局所的名詞は文の単数形主語の helicopter である。それゆえ，単語の表面的な近接性がすべてであるとするなら，以下のような一致の誤りは見られないはずである。

Are the helicopter for the flights safe?

しかし，そのような誤りが起こる。実際には，平叙文と同じぐらい多くの誤りが観察される。重要なのは表面的な語順ではなく，単語と単語の関係に焦点を当てた，基礎にあるもっと抽象的な統語的表象である。表面的な語順ではなく，基礎にある統語的表象における近接性が重要で，数の一致の誤りを招くのだ[訳注 1)]（草稿でこの文を書いた時，私は数の一致の誤りをしていたことに，今

訳注 1）原文は次の通り。It's proximity in the underlying syntactic representation, not the superficial order of words, that matters and that leads to number agreement errors.

気づいた。“words, that matters and that lead to” と書いており，“the underlying syntactic representation” ではなく，words と lead を一致させてしまった。おそらく一致の誤りは，結局のところいつも至る所にあるのだ)。

一致が円滑に行われるためには，2 つの相補的な処理過程が必要である (Bock et al., 2004; Eberhard et al., 2005)。まず最初に，話題にしている物の数を考慮する処理過程で Bock ら（2004）がマーキング（marking）と呼ぶものが必要である。それは 1 人なのかそれとも 2 人以上なのか。そして，その数に合わせて，動詞を単数または複数としてマークする。その後，話題にしているもののどんな特性にも考慮する必要がある。はさみ，トング，メガネ，ズボンのようなものを話題にしているとしよう。もう少し具体的には，1 丁のはさみやトング，1 本のメガネ，1 枚のズボンである。scissors，tongs，glasses，trousers は奇妙な単語である。メッセージレベルでは 1 枚のズボン one pair of trousers を考えているかもしれないが，いや普通はそうだが，trousers を複数形として扱うため，動詞を複数形にしなければならない。“the trousers are too long” といつも言い，“the trousers is too long” とは決して言うべきではない。ズボンに関して言えば，パンツも同じである。“here are your pants” であって，“here is your pant” ではない。ことをさらに複雑にすると，これらの単語の複数形は同形で，以下のように言う。

Here is your pair of pants.
Here are your pants.
Here are your two pairs of pants.
I have just glued your pants together, and here are two pairs of pants.

このような単語は，絶対複数（pluralia tantum）と呼ばれ（単数形は plurale tantum)，紛らわしい。これらの単語に関しては，主語の形態を，いわゆる形態論（morphology）の立場で考慮する処理過程（Bock らはモーフィング [morphing] と呼ぶ）とともに，マーキングの統語的処理を優先する必要がある。どちらの過程も間違えうる。絶対的複数は，下記のような牽引エラーを引き起こしたり，適切に変形できなかったりする。

The time to find the scissors are now.

興味深いことに，代名詞は名詞よりもこの種類の牽引エラーの影響を受けやすい。以下のような誤りが，より多く見つかる。

The key to the cabinets disappeared. They were never found again.

すでに予測していたことだが，文を組み立てる上で，代名詞と名詞は異なる扱いを受けることが，この違いから確認できる。

一致に関する最後の難しさは，質量名詞（mass nouns）にある。質量名詞は，砂，ほこり，水，家具などのように未分化な塊を指す単数形の名詞である。質量名詞は，粒子，分子，椅子などの可算名詞（count nouns）とはいくつかの点において容易に区別できる。たとえば，可算名詞の前には直接，数詞を置けるが，質量名詞の前には修飾語を加えなければならない（“a hundred grains” とは言えるが，“a hundred sands” とは言えず，代わりに “a hundred grains of sand” と言わなければならない。また，“we have too much water” と言わなければならないが，“we have too many molecules” と言える）。質量名詞は物の集合を指すが（砂はたくさんの砂の粒子で，水はたくさんの水の分子である），動詞は単数形を使わなければならない。“the sand is hot” は正しいが，“the sand are hot” は間違っている。砂，水，金属のように未分化な塊を指す質量名詞は，わかりやすいが，家具やナイフやフォークのような金物など，もっと簡単に個々を数えられる質量名詞は厄介である。一致を間違えないようにしなければならない。government や committee のように使用する単語の意味，すなわち，そのもの全体を指しているのか，それともそのグループのメンバーを指しているのかによって，動詞が複数形になったり単数形になったりする名詞は，さらに厄介である。

The committee have now taken their seats.（委員たちは今席に着いた。）

“the committee has now taken” のような場合もあるが，上のように言うべきだ。しかし，以下の文の方が望ましい。

The committee has come to a decision.（委員会は決定を下した。）

だが，have と has のどちらなのか，くよくよ考えて眠れない人はいないだろう。おそらく，この区別は次第に消えていっている。これについては，もうそれほど私は興味がない。気にしているけれども，これらの一致の決断は多くの場合，自動的ではない。特にパーティで聞き手が諦めて，他の人のところに行ってしまうまでに，どの意味で使われているのか，よく考える必要があるかもしれない。

どのように会話をコントロールするのか

遮ったり，口を挟むのが好きな人ももちろんいるが，ほとんどの場合，1 人だけが話をし，かなり円滑に会話が進む。おそらくもっと感動的なのは，話者たちの間に長い沈黙が存在しないことだ。どのようにして，同時にみんなが話すのを避けているのだろうか。いつ相手がようやく黙ってくれて，私に話しをさせてくれるのか，どのようにわかるのだろうか。

会話には構造がある。ビルが何かを言い，ベンが何かを言い，ビルが別のことを言うなどを，話し手が**交替**（turn）すると言う。交替の長さや伝える情報量はさまざまである。ある人が話している時に，もう 1 人の人は無反応でいる必要はない。同意のうなずきをしたり，相手を見たり，顔をしかめたり，「へぇ」や「何てこと」という反応をしたりして，話者との接触を維持し，共感を示したり（示さなかったり）する。この過程を**相槌（back-channel）コミュニケーション**と呼ぶ（Yngve, 1970）。

順番に話をするというのは，言うまでもなく明らかかもしれないが，どのように順番を上手に調整するのかは，あまり明らかにはなっていない。話が重なるのは，会話の 5% 未満である一方で，交替の時間はわずか 10 分の数秒である（Ervin-Tripp, 1979）。挨拶（「こんにちは」「こんにちは」），質疑応答（「お元気ですか」「具合がとても悪いです」），申し出と受諾（「ズボンを洗っておきましょう」「ありがとう」）のように，型にはまったやり取りをする 1 人目の話者と 2 人目の話者を様式化した**隣接対**（adjacency pairs）を使うと，発話の順序の交替はかなり簡単である。しかし，そうではない場合には，聞き手は意味的，統語的，韻律的な手がかりをいろいろと使い，話し手がいつ話し終わりそうかを判断する（Sacks et al., 1974）。一瞬の沈黙は，話者交替が起こる**移行適切箇所**（transitional relevant place）を上手に表しているが，話者交替の瞬間は平均してとても短いので，素早くそれを察知するか，別の手がかりも使わなければならない（おそらく両方使う）。一瞬の沈黙はどのみち簡単に無視される。沈黙が長かったり，劇的であってもなくても，「それから，彼は私を殺すと言って，そして……」と続ける話者は，発言権を譲らないだろう。人は複数の非言語的手段を使って，発言権を譲りたい，または話し続けたいということを示す。たとえば，声のピッチが次第に弱まったり，音声の強度が落ちたり，相手を見たり（話し続けたい時は視線をそらす傾向がある），ジェスチャーをしたり，「えーと」や「あー」，その他のことば（「いいよ」「オーケー」「うん」）で沈黙を埋めたりする。話し手が正しい手がかりを出せないと，必要以上に遮られてしまったりする。元イギリス首相のサッチャー女史は，無意識のうちに発話権を譲る合図を不適切なところで示してしまったために，記者によく遮られていたと言われている（Beattie et al., 1982）。そして，果てしなく続くかのようなモノローグで，発話権譲渡の手がかりを発するのを拒む人々がいる。

脳損傷はどのような影響を言語に与えるのか

脳卒中，病気，心的外傷などによる，大人の脳，特に左の大脳皮質への損傷は，話し言葉の障害，**失語症**（aphasia）になりうることを何度も見てきた。これらの障害は，脳のどの部分が損傷を受けたかで異なり，産出において最も顕著で，その場合，話し方がうまくいかない。

左脳のブローカ野とウェルニッケ野という 2 つの部位が，言語にとっては特に重要であることは，すでに明らかなはずだ（図 1.3 を参照）。フランス人医師の Paul Broca（1824 − 1880）が，現在彼の名前がついた部位の重要性を最初に発見した。現在の脳スキャンや断層撮影技術が出現する以前は，死体解剖が，脳のどの部位が損傷しているかを解明する唯一の方法だった。Broca は，左前頭葉の後ろにあるこの部位が，発話において特に重要な役割を果たしていることを，一連の死体解剖で明らかにした。流暢（りゅうちょう）に話せないすべての患者は，この部位に損傷を受けていたようだった。彼の最も有名な症例研究は，1861 年の本名がルボルニュ，ニックネームはタンという患者の症例だ。タンはこの名前と「数個の卑猥なことば」以外は話すことができなかったために，有名になった。タンは，進行した梅毒の影響で，現在ブローカ野と呼ばれる部位に大きな損傷を受けていたことが，死体解剖で明らかになった。

少し後で，プロイセン人医師の Carl Wernicke（1848-1905）は，異なる症状の言語障害を調査した。その結果，言語障害のあるすべての患者がブローカ野の損傷で苦しんでいるのではないこと，また，左側頭葉の部位への損傷が原因で言語理解に困難が生じることに気づいた。Wernicke は，脳内での言語処理モデルを描写した。そのモデルは，アメリカ人神経科医 Norman Geschwind の研究と合わせて，Wernicke-Geschwind モデルを生み出し，言語処理の複雑さや巧妙さを説明していないけれども，今日でもなお妥当な説明として受け入れられている。基本的には，言語産出は活性化が左半球の後頭部からウェルニッケ野を通って，ブローカ野，それから構音器官に送られる（Geschwind, 1972）。

ブローカ野の局所的損傷が原因で，ゆっくりで，ためらいがちで，ぎこちない発話になり，構音にも困難が伴う。このような特徴から，このタイプは**非流暢性失語症**（non-fluent aphasia）と呼ばれる。たとえば，

> あー…月曜日…あーパパとポールが…，そして，パパ…病院。2 人…あー…医者…そして，あー…30 分…そして，よし…あー…病院。そして，えー，水曜日…9 時。そして，えー，木曜日，10 時…医者。2 人の医者…そして，あー…歯。
>
> （Goodglass, 1976, p.238）

これとは反対に，ウェルニッケ野が損傷している人の発話は，

> うーん，これは…母はいません。ここで彼女を働かせています。よりよくなるようにここで練習していますが，彼女が見ている時，別の部分の 2 人の少年が。1 枚の小さいタイルを彼女のここでの時間。彼女はまた働いている。なぜなら，彼女も得ている。
>
> （Goodglass & Geschwind, 1976, p. 410）

ブローカ野に損傷を受けた人の発話とは反対に，ウェルニッケ野に損傷がある人の発話はたいてい早く，流暢であるので，このタイプの失語症を**流暢性失語症**（fluent aphasia）と呼んでいる。

ここでは何が起こっているのだろうか。ウェルニッケ野の損傷が原因の，流暢だが意味がわからない発話と，ブローカ野の損傷が原因の，流暢ではないが

意味が通じる発話を対比させ，ウェルニッケ野は意味を，ブローカ野は文法をつかさどると結論づけたくなる。ある程度までは正しいのだが，あまりにも単純化しすぎである。それぞれについて，もっと詳しく見る必要がある。

非流暢性失語症は，発音や文法の産出に困難を伴うのが特徴だ。ブローカ野は順番に並べたり，操作するのを担っているというのが，妥当な一般化だろう。どちらの活動も単語や，文を作成するのに必要な単語を産出するのに必要である。非流暢性失語症において最も衝撃的なのは，文法の欠如である。内容語が単独で羅列してあるだけで，ほとんどが名詞のように見受けられる。もしずっと昔のことを思い出せるなら，Bickerton の祖語に似ている。内容語は適切で，話し手が何を意図しているのかを推測することができるが，文構造が存在しない。文法が存在しなかったり，貧弱な発話を，**失文法**（agrammatism）と呼ぶ。失文法には 3 つの特徴がある。第一に文構造を作ることができないため，文にするというよりはむしろ，単語を並べた発話であるということ。第二に内容語，特に名詞は機能語よりも保持されやすいこと。第三に名詞を複数形にしたり，動詞の時制を変えたりする，単語の屈折語尾のような他の文法的要素が欠如していることである。非流暢性失語症の人の言語理解力は失われていないと，しばらくの間，考えられてきたが，意味的な手がかりがない時，複雑な文法は理解できないことがわかった（Caramazza & Berndt, 1978）。私が以下のように言い，

イヌがネコに追いかけられている。

そして，イヌがネコを追いかけている絵を見せたとしよう。読者の皆さんは，文が絵と一致していないことに気づくのに何の困難もないだろう。〔だが〕非流暢性失語症の人には難しい。なぜなら，おそらく常識という意味の手がかりがここでは役に立たず，その代わり統語的な処理をしなければならないからだ。非流暢性失語症は統語処理があまり得意ではない。さらなる実験では，失文法症の人は統語的知識を失ったのではなく，誰が何を何に対して行ったのかということを理解するために，統語的知識を運用するのが困難だということである（Schwartz et al., 1987）。

このように，失文法症の一連の症状は，すべて文法を産出し，理解することの困難に関係していることがわかる。これらの症状が首尾一貫しているか否

か，ある症状はあるけれど，他はないということがあるか否かについて（特に，産出と理解の両方にいつも障害が生じるか否かについて），激しい議論が過去に行われてきたが（Badecker & Caramazza, 1985; Caplan, 1986; Miceli et al., 1983），ブローカ野が統語処理に中心的な役割を果たしていることは明らかである。統語的処理には，文の枠組みの作成と文法的要素（機能語や単語の屈折語尾）の検索という別々の構成要素があることがわかっている。

流暢性失語症は流暢な発話が特徴的であるが，話者が意味することを理解するのは，しばしば困難である。流暢性失語症の人の言語理解は，いつも明らかに悪いか，非常に悪い。反対に，文法は比較的維持されており，機能語をたくさん使って，文法的に正しい文で話す。わかる限りでは，屈折語尾もたいていの場合，適切である。ウェルニッケ失語症の人は，しばしば自分の発話が異常であることが認識できず，自分の言うことを理解してくれない相手に対して苛立ちを示すこともあるかもしれない（Marshall et al., 1998）。流暢性失語症での障害は，文法の産出能力は維持されているが，単語の意味にアクセスし，正しいレンマを選択する能力は損なわれていることである。流暢性失語症の人は，単語の代用をよく行う傾向にあり（失語症研究では，**錯語**［paraphasia］と呼ぶ），それは大まかに言うと，脳への損傷がない人の単語代用に性質は似ている。しかし，流暢性失語症の人は，はるかに多くの代用を行う。なかには，**新造語**（neologism）を作って，単語の埋め合わせをする人もいる。新造語は，明らかに実在する単語をもとに作られたものと，そうでないものがある。以下にいくつかの例をあげる。

- Scroll（巻物）→ letters（手紙）（意味的な錯語）
- Pencil（ペンシル）→ pepper（ペッパー）（音韻的な，または形式的錯語）
- Thermometer（温度計）→ typewriter（タイプライター）（関連性のない錯語）
- Octopus（タコ）→ Opupkus（派生した新造語）
- ? → Kwailai（関連性のない新造語）

新造語でいっぱいの発話のことを，しばしばジャーゴン失語症と呼ぶ。これは，少年と少女がお母さんの背後からクッキーを取っていく絵の描写をしているジャーゴン失語症の人の連続発話の一例である（Buckingham, 1981, p. 54 より）。私が書き写しを勝手に簡素化したものである。

> You mean like this boy? I mean noy, and this, uh, neoy. This is a kaynit, kahken. I don't say it, I'm not getting anything from it. I'm getting, I'm getting dime from it, but I'm getting from it. These were ekspresez, ahgrashenz, and with the type of mahkanic is standing like this… and then the…I don't know what she goin other than. And this is deli this one is the one and this one and this one and…I don't know.

気づかないかもしれないが，あまり使われない単語の前では，私たちはきわめてまれに口ごもることがある。実際，TOT は珍しい単語の前での長い，時には非常に長いためらいと見なすことができる。ジャーゴン失語症の人も同じで，錯語や新造語を発する前に口ごもりがちである（Butterworth, 1979）。さらに，その人が言おうと推定される単語が低頻度である時に，新造語がよく見られる（Ellis et al., 1983）。新造語を造ってしまう症状のある人の手ぶりを見ると，ある程度までは正常である。

話しをする時，2 種類のジェスチャーを使う。強調のために，握りこぶしをコンコンと机に打ちつけたりするような，アイコン的でない（batonic）ジェスチャーと，発話している単語の意味とある程度関連しているアイコン的な（iconic）ジェスチャーである。たとえば，円の形のジェスチャーをしながら，堂々巡りについて話しているかもしれない。ジャーゴン失語症の患者の KC は，ジェスチャーの使い方はおおむね正常だが，新造語の前でジェスチャーをする時，ジェスチャーは普通にはじまるが，だんだんとなくなってしまい，不完全である（Butterworth et al., 1981）。このことから言えるのは，KC のような患者は，低頻度であるために困難を感じている単語のうち，少なくてもいくつか単語の意味はわかっているようだが，レンマや音韻情報を取り出すのに苦労しているようである。単語として認識されるのに十分な音素の活性化が時々あるが，その他の時は，十分な活性化がなく，関連性のない新造語の場合は音素の活性化は，ほとんどバラバラである。

失語症話者が直面している 3 つ目の困難は，名前を検索することで，**失名詞**（anomia）と呼ばれる。失語症をよく表している特徴として一般的であるが，実質的にすべての失語症に，ある程度の失名詞はついてくる。語彙化の二段階処理モデルを先に論じてきたので，2種類の失名詞があっても，驚きはしないであろう。レンマにアクセスする能力が損なわれているように思われる患者もいる。Howard と Orchard-Lisle（1984）は，物の命名に困難が生じている JCU の症例を描写している。JCU は，言語産出と理解の両方で，多くの意味的な間違いを犯していた。単語の最初の音素を教えると，命名の能力はかなり改善された。このことから，音声に関しては正常であることがわかる。すなわち，tiger（トラ）の絵を見せて，/t/ の音を提示すると，tiger と出てくる。紛らわしい合図を出されると，彼女はいとも簡単に迷ってしまった。たとえば，tiger の絵を見せられて，/l/ の音を提示されると，lion（ライオン）と言ってしまう。物の再認能力は優れており，意味能力を測るテストでは高得点を取っているが，リンゴが妨害項目で，玉ねぎの絵をエンドウのさやと照合しなければならないような，非常によく似たアイテムが使われる意味マッチング課題では，アイテムを区別するのに苦労していた。脳の損傷によって意味的表象が弱められ，いくつかの対立するレンマに活性化が伝わり，JCU は意味的に似たアイテムに混乱していたと説明できる。音韻的な手がかりが，良くも悪くも，この競合を解決するのに役立った。

このタイプの意味・語彙の失名詞を EST の症例と比べてみよう（Kay & Ellis, 1987）。EST もまた失名詞症の患者だが，JCU ができなかった意味的な課題はよくできた。意味的妨害項目には，まったく影響されず，検索できなかった単語について詳細を述べることができた。JCU は音韻的情報を検索するのに苦労していた。低頻度の単語がひどく，音韻的な手がかりはほとんど役立たなかった。意味的に似た単語を間違った音で産出するということもなかった。EST の問題は，JCU の問題とは明らかに異なる。EST はレンマにアクセスできるが，単語の音にアクセスするのが問題のように思われる。二段階処理モデルによれば，このパターンは予想通りである。正しいレンマにアクセスするのに困難をきたす患者もいれば，レンマにアクセスはしても，音韻にアクセスするのが困難な患者もいる。もちろん，両方に困難をきたしている患者もいるかもしれない。

失語症の語彙アクセス困難は，計算モデルで説明可能である。Dell ら（1997）は，相互作用的な二段階処理モデル（DSMSG モデルと呼ばれる）を使い，命名の誤りをシミュレーションした。活性化はカスケード式に意味特徴のレベルからレンマレベルに，そして音韻レベルに，あるレベルから１つ前のレベルへのフィードバックも含みながら伝わる。この基本的な構造に，今ではもう慣れたであろう。Dell らは，レベル間の結合強度（結合の重み）を減らしたり，活性化されたユニットの減衰率を増やすことによって，脳障害をシミュレーションした。いったん活性化されたユニットは，静止レベルに戻らなければならない。ユニットを，長い間ずっと強く活性化させておくことはできない。減衰は通常かなり速い。Dell らによれば，結合強度を弱めると，非単語を産出する回数が大幅に増え，意味的または音韻的な間違いが若干増える。一方で減衰率を上げると，意味的または音韻的な間違いが増え，減衰率を大幅に上げると，実在しない単語を産出する回数も増えた。したがって結合強度の低下と減衰率の増加が原因で起こる障害の程度によって，異なる層を作成することができる。Dell らは，21 人の流暢性失語症患者が産出した，意味的，音韻的，そして実在しない単語（ジャーゴン）の代用による間違いの正確な比率を測定した。そして，これらの間違いはすべて，この層のどこかに位置することを示した。最初のモデルでは，結合の重みはモデル全体で減らされていたが，意味レベルからレンマレベルとレンマレベルから音韻レベルと別々に，結合の重みを減らすと，失語症患者の実際のデータにより近くなる（Foygel & Dell, 2000）。とりわけ，改訂モデルは，意味的間違いだけをする患者と，音韻的間違いだけをする患者の説明ができ，絵画命名だけではなく，単語反復の能力についても説明できる（Dell et al., 2007; Schwartz et al., 2006）。さらにこのモデルは，変性脳疾患による進行性の失語症を患った２人の兄弟の発話パターンの説明もできる（Croot et al., 1999）。１人の発話パターンは，ユニット間の結合強度を弱めることでモデルと一致し，もう１人の発話パターンは，活性化の減衰率を異常なくらい高めることで，ぴたりとモデルと一致する。

言語産出は明らかに言語理解とは異なるが，健常者と脳の損傷を受けた人の両方の行動を，活性化が広がっていく相互作用的なネットワークという同じ原理を使って説明できる。

第9章 終わりに

End

この章では散漫な結論を整理し，他の興味深い点を話題にしたい。この章にテーマがあるとしたら，それは個人ごとに異なる。私たちにはありとあらゆる点で違いがあるので，もし言語能力に違いがなかったとすれば，驚くべきことである。実際，これまでに，そうであることをさまざまな形ですでに議論してきた。優れた読み手の人がいる。よどみなく話し，歯切れのよい人々がいる一方，生涯を通じてぼそぼそ話す人もいる。どもりながら話す人もいれば，ひどい話し方をする人もいる。子どもでさえ，言語の発達過程をさまざまに開始することがわかった。話し始める年齢がそれぞれ異なる。子どもが話し始める最初の単語には規則正しい変動があることさえわかった。幼児期の後期やそれ以降に言語を獲得し，そして言語技能を発達させ続けることがわかった。私は大変な努力をして5年前にやっと相当な書き手になったが，それであっても，私は思い違いをしているのかもしれない。何かが上手になるとすぐに，年老いて，蓄積していく毒素の被害をうけて，それを失い始める。脳損傷を引き起こす事故に巻き込まれた人々，複数回脳卒中を起こした人々，神経組織変性疾患にかかった人々など，もっと不運な人々も見てきた。心理言語学は，これらの多様な脳損傷からいかに学んだかを示してきたと思う。

本章は性別と年齢という2種類の差異を考察することからはじめたいと思う。

言語に性差はあるか

性差はしばしば議論の的になる。率直なところ，それらが引き起こす議論の量に驚くだろう。しかし，そのように目立ち，明らかな違いが他にもあることを考えれば，脳や行動に性差があるとしても，なぜ驚くべきなのだろうか。もちろん，私たちは性差の原因について結論を導く際，常に慎重でなければならない。差異のすべてとはいかないが，一部は文化差によって説明できるかもしれない。少年，少女は異なった期待や経験とともに，異なる育てられ方をしている。

これらを考慮してもなお，差異は頑健のようであり，脳の構造と性ホルモンの違いに端を発するものがある。言語に関して，女性の方が男性よりも優れていることは広く信じられており，これには根拠がいくつかある。平均して，女児は男児よりも言語技能の発達が早く，これに対して，男児は数理的および空間的発達の側面でわずかに優位に立つ（Kimura, 1999; Kolb & Whishaw, 2015）。女性は言語課題，記憶課題，数学的計算，細かい運動に優れた成績を示す傾向がある。一方，男性は数学的論証，ターゲットに物を当てるような運動課題，空間課題，特に心的回転を含む課題について優れた成績を示す。

言語の性差は認知的な差異の中で最も明白なものであるため，永年知られ，考えられてきた。女児は男児よりも平均して1ヶ月は早く話し始め，より流暢で，語彙も多く，言語的記憶も優れている。彼女らは読み書きがより優れており，女児において発達性失読症や吃音のような他の障害の発生率は男児よりも著しく低い。一般に，女児の発話は男児の発話よりも明瞭に発音される。女性は平均して男性よりも長い文を産出し，エラーも少ない。男性の脳には，大脳においてより大きな非対称性があるという証拠があり，女性には大脳半球間により多くの接続がある。脳梁部（2つの大脳半球を接続する神経繊維の束）は，女性に著しく大きい（Baron-Cohen, 2003; Kolb & Whishaw, 2015）。これらの知見は解剖研究，脳画像化や脳損傷の影響によっても支持されている。男性にとって，一方の半球への損傷は――左半球への損傷は言語に，右半球への損傷は運動・空間技能に――女性よりも顕著な影響をもたらす。女性にとって側性化（lateralisation）が少ないことが，わずかに処理を有利にしているかもしれない。おそらく，女性は両半球を使うことができ（少なくとも部分的には），この点では2つは1つに優るためであろう。発達上の差異の一部は，女児がより早く成熟することを反映している可能性がある。そして成熟速度のこの違いは，男児の側性化がより大きいことと関連があるかもしれない。というのは，発達が遅いほど，より顕著な大脳の非対称性の発達に利用できる時間が増すか

私のお気に入りの酒だが，神経の敵でもある

らである（Kolb & Whishaw, 2015）。必ずしもすべての人がこの結論に賛成しているわけではないことを付け加えておく。側性化が言語課題に与える影響に関する脳画像研究のメタ分析（多数の分析の分析）において，Sommer ら（2004）は，男女間で言語課題に対する側性化の影響の差は有意でないことを見出した。そして彼らはさらに，言語における側性化の差異が，認知的性差において大きな役割を果たしている可能性は低いと結論した。

一部の差異，特に老年期の差異は，文化的な原因をもつことが多い。もしくは，文化差に対する生物学的寄与という見解によれば，少なくともきわめて生物学的な原因がある。

男性は女性よりも相手の話を遮る傾向があり，また話し手が男性の場合より女性の場合のほうが遮ることが多いと聞いても何ら意外ではないだろう（Anderson & Leaper, 1998）。

言語能力における性差は心理言語学者にとって重大な結果をもたらす。私たちは実験においてジェンダーを統制するよう注意する必要があり，少なくとも考慮する必要がある。一方の群がすべて男性で，他方の群がすべて女性であるような実験を行うと，トラブルを招くことになる。

加齢は言語に影響を与えるか

残念なことに，加齢につれて衰えるのは関節や骨だけではない。加齢による認知的影響は通常は比較的わずかであるが（少なくとも初期には），いつかは老年期がはじまる。一部の認知課題では，40 代から衰え始めることがあり得る（Rhodes, 2004）。正常な加齢と病的な老化を区別することは有益である。病的な老化の場合，認知と行動がアルツハイマー病やパーキンソン病のような神経変性疾患によって影響を受ける。年を重ねるにつれて，事故や脳卒中からダメージを受ける可能性が増大する。

加齢とともに認知能力がどのように変化するかを調べる一般的なアプローチは二通りある。一方のアプローチは，加齢が全体的な影響をもつので，認知的リソースの減少や処理速度の低下の結果，すべての能力を通じて衰えると主張する。もう一方のアプローチは，反応を抑止する能力など，特殊な処理の衰えが認知的変化の原因であるとする（Banich, 2004）。最終的にどちらが正しいとしても，特定の脳領域や行動のある側面は加齢の影響に敏感なようである。正常な加齢に伴って，宣言記憶（declarative memory：事実の記憶）は手続記憶（procedural memory：物事のやり方の記憶）よりも早く低下する。宣言記憶は通常 60 歳頃からわずかに衰え始めるが，個人間には大いにばらつきがあることに注意すべきである（Hedden & Gabrieli, 2004）。

言語は加齢によって比較的影響を受けない。前述のことから予測されるように，宣言記憶検索に依存する言語の側面は，手続記憶に依存する側面よりも加齢に敏感である。したがって，統語論は最後まで全体的に維持されるが，単語の検索はもっと悪くなる。さらに，意味記憶や自伝的記憶はエピソード記憶やワーキングメモリよりも維持される。この一般的なパターンと，産出のより許容度の低い性質を考えると，加齢に伴う変化は理解よりも発話においてより明確である。名前を忘れ，反応時間が遅くなり，言い間違いや口ごもり，TOT（のどまで出かかって思い出せない）状態が増えることがわかっている。この問題は単語の音声にアクセスすることから生じる。また加齢に伴う同様な問題は書くことにも見られる（James & Burke, 2000）。固有名詞（特に最近使わなかったもの）は失われがちであり，TOT 状態を引き起こす傾向がある。TOT 状態では，高齢者は若い成人に比べて部分的情報を引き出せず，無関係な侵入もほとんどない。単語の音声は「行列の最後」にあるため，特に失われやすい。意味的表象は各単語の意味に寄与する意味特徴が豊富であり，それにより単語の意味が高度に保護されている。音韻的表象，特に近隣語が少ない低頻度語にはこのような保護がない。

脳の前頭葉（プランニング，実行処理，反応抑止をつかさどる）は，特に加齢の影響を受けやすい（Banich, 2004）。この知見を考慮すると，会話のコントロール，過度な反応を抑止する能力，メタ知識を使う能力（この場合は言語に関する知識であるが，知識を反映し，使う能力）など，実行処理に依存する言語の諸側面はゆっくりと崩壊する傾向にあるだろう。

全体的に，言語は他の認知能力に比べて良好に維持されるが，例外が 1 つある。**原発性進行性失語症**（primary progressive aphasia）は，特徴的に言語能力が著しく進行的に失われることではじまるタイプの認知症である。疾患はアルツハイマー病に関連があるが，特に言語にとって重要なことがわかっている，脳の前頭側頭葉領域の退化にはじまる。脳の外傷によって生じた言語障害の場合と同様に，流暢なタイプとそうでないタイプとがある。流暢なタイプは意味的知識や単語の意味の知識の喪失，および初期症状として**意味性認知症**（semantic dementia）と呼ばれる疾患と関連づけられる。意味的認知症は意味的知識が総じて加齢の最後に衰えるという私の主張の例外である。幸いにもまれにしか起こらないが，意味性認知症は脳が意味情報をどのように貯蔵し，構造化しているかに関する観察の機会を与えるので，近年心理学者によって研究されてきた（Hodges et al., 1992; Warrington, 1975）。

私たちには期待すべきものが多数ある。高齢者は有利な点もある。彼らはより多くの経験や専門的知識をもち，豊富な語彙をもっている。体を大事にし，適切なダイエットを楽しみ，身体的，精神的な訓練をすることによって，自身を改善することができるのはよいニュースである。だが，内外からの損傷がひどすぎる時がくると，それ以降は沈黙である。

再び問題は何か

あなたは私の友人が正しいかどうか，考えがまとまった違いない。心理言語学は退屈だろうか。言語に関して何か特別のことがあるのだろうか。前者の問いに対する答えはもちろん「ノー」であり，後者の問いに対する答えは，たいていの答えがそうであるように，どちらとも言えない。

私の最初の矛盾は，一方において，言語処理は言語に特有なものだとすれば，私たちはなぜそれらが特別に興味深いと思うのだろうか。しかし，他方において，言語処理が一般的な処理を反映するならば，なぜ言語だけに焦点を当てるのだろうか。言語は特殊ではあるが，それから重要なことを多く学べないほど特殊ではないことを納得してもらえたと思う。言語の心理学を理解するために努力する理由は2つある。第一に，言語は私たちの生活や認知にとってきわめて重要だからである。私は言語と思考が密接に絡み合っていることを示してきた。言語を理解することなく，思考を理解することはできなかった。第二に，言語は汎用的な認知過程（統計的学習，精緻な表象の形成）を利用し，その方法は，他の認知のどんな側面よりも複雑で，広く浸透しているからである。言語は心の窓である。Steven Pinker（2007）の『思考する言語（*The Stuff of Thought*）』の最終章が提示した非常に興味深いリストによれば，言語の構造は人間が時間，空間，因果関係に基づいていかに世界の表象を形成しているかを告げている。たとえば，私たちは物，状態，場所，目標を区別する。物は人類と人類以外，生物と無生物，個体か集合体か，そして，それらが空間上にどのように配置されるのかが区別されている。

研究者間の差異は，当初よりは少なくなっているようだ。言語は言語特有の知識を利用するのだろうか。東海岸人はイエスと言い，私たちは彼らに逆らって，ひどく特殊なので，おもしろくないと非難を浴びせることができる。しかし，その知識が用いるメカニズムは必ずしも言語に特有というわけではない。西海岸人はノーと言い，言語にあるこの種の統計的規則性（および不規則性）のある材料を心が処理する結果として言語は発生すると言う。彼らはもう少し視野を広げ，もっと普遍的なものに注目するべきであり，言語がいかにすばらしいかに注目すべきである，と非難することができる。汎用的な認知過程が言語材料を処理する方法を検討することによって，私たちはこれらの過程や，おそらく他の方法では学習できなかった事柄について多くを学ぶ。

最初の章で私が提起した重要な問題に，しばらくの間立ち戻ろう。本書の内容を繰り返すことなく，それらについて一般的に論評することができる。

第一に，私たちの言語行動はルールの使用によって，または多数の制約と統計的規則性によって決定されているのだろうか。複雑な文を聞く時，文法的規則に従ってその構造を解き明かすだろうか，それとも，その種の文が過去にどんな構造であったかを教えてくれる経験を利用するだろうか。本書に繰り返し生じるテーマは，言語処理が制約充足と複数源の情報統合を中心とした，重要な統計的構成要素をもっているということである。もちろん，すべての処理が確率的ではありえない。私たちは何を（正常に）話そうとしているのか，という考え方からはじめる。子どもは発話を音声に分割するのに多くの助けを受ける。私たちは理解において入力を重視しなければならない。

ルールに基づく言語と例外の間の区別については，多くのことが理解されているが，あたかもこれが基本的な二分法であるかのようである。しかしながら，この二分法は当初考えられていたほど，明確ではない。第一に，一部の不規則性には秩序がある。drink の過去時制（drank）は drinked とは言わないので不規則ではあるが，sink や shrink の過去時制と似ている。第二に，関連事項としては，あらゆる言語のすべての不確定性は連続体上で表すことができる。その連続体上では，単純なもの（大多数の項目が例外なくルールに基づいている）から，やや不規則なものを経由して，さらに複雑な不確定性で表現する必要があるものまでがある（たとえば，h の後を除き，－ave は save や gave のように発音する）。すなわち，言語におけるマッピングは完全に規則的ではないけれども，それらは確かに完全にランダムでもないが，その間のどこかである。言語は準規則的と言える（Seidenberg, 2005）。

私たちはまったくルールなしで行動できるだろうか。構文解析や産出は確率的な側面をもつが，統語論からルールをまったく排除することができるかはわからない。私が何度も以前に言ったように，内観は誤解を招きかねないが，ルールに従っているように確かに感じることがある。

第二に，知識はどこから得られるのか。生得的なもので，私たちの遺伝子の中にあるのか，それとも学習されるのか。赤ちゃんがどれほどの知識をもって生まれてくるかは，哲学の歴史において重要な問題である。これは程度の問題である。言語についての特殊な知識をどれほどもって生まれてくるのか。言語についての知識の一部は遺伝子に符号化されているのか，それとも汎用的な認知メカニズムを使用して知識を手に入れているだけなのか。生得的なものがあるに違いないことには皆が賛成しており，問題はその程度だけなのだ。過去10年間に，主としてコンピュータ・モデル化の結果により，大きな進歩があった。その進歩により，どのように言語獲得が可能か，そして汎用的学習アルゴリズム（汎用的とは，言語だけにではなく，認知全般にわたって利用されることを意味する）を使用することによって，かつては領域固有の生得的知識を必要とすると考えられていた言語の側面を，どのように説明できるかが示された。再度繰り返すが，このプログラムは経験から得られたものである。特殊な知識を引き出すことなく，いかに多くのことを（モデル化によって）説明できるだろうか。もちろん，私たちが特殊な知識なしに何かをモデル化することができるからと言って，実際にそれを使わないわけではない。しかし，もし学習が生じるために一般的知識で十分ならば，それを使うと節約になる。節約（parsimony）は科学において重要な原則である（どれがより経済的な選択肢であるかは，必ずしも明確ではないが)。

第三に，処理はモジュール式か，それとも相互作用的だろうか。相互作用的であるという多くの根拠（カスケード処理やフィードバックの根拠）を私は提示してきた。それは野放し状態であるが，ルールのないゲームは存在しない。脳の構造は，行動の特定の側面を担って相互作用し合う部分に分割されている。環境は構造をもち，私たちを制約する。心は構造をもつが，それは当てにならない構造である。言語には処理モジュールがあるが，それらは当てにならない。意味や世界に関する知識は，どの単語を聞いていると考えるのか，またどのような文構造を私たちが選ぶかの初期段階に影響を与える。

脳に言語処理の「グランド・モデル」はあるか

私は言語処理の一般的説明をしてきた（包括的すぎて，とてもモデルとは呼べないかもしれないが)。そこでは，視覚的単語認知，聴覚的単語認知，文処理のメカニズム，構文産出システム，そして語彙化プロセスなど，多数の言語モジュールを確認できる。これらのモジュールはそれぞれ多くの連関したレベルの処理から構成される。大規模に相互連結した機能をもつネットワークを経由して，活性化が拡散するという概念の重要性も示してきた。含まれている一般的メカニズムは，心理学全般にとって確かに一般的であり，言語だけに限られない。そのメカニズムは，活性化が拡散する重みづけられた結合によって，大規模に関連し合う単純なユニットの階層である。それは高性能な心を記述する方法の１つである。これらのモジュールはどのように組み合わされるのだろうか。

読みのトライアングル・モデルは，限定された領域への1つのアプローチではあるが，将来さらに進展する可能性がある。図 9.1 は Harley（2014）からの言語処理モデルである。このモデルは言語障害の神経心理学的検査に使用されたモデルに基づいている（Ellis & Young, 1988; Kay et al., 1992）。それは，発見した（および発見していない）一種の神経心理学的解離（dissociation）に基づいている。このモデルを詳しく検討する必要はないし，多くの者は一部のボックス（トライアングル・モデル論者は二重経路の側面を省くだろう）の必要性について意義を唱えるが，私たちは構築可能なモデルを示している。それが示すのは，どのように，さまざまな入力（発話，活字）を取り入れ，それらを使って意味を検索し，文章の表象を構成し，発話や（復唱したり，声に出して読むことを通じて），文字に（書き取ったり，写したりすることを通じて）変換できるのかである。私たちが内的な目標と表象から，どのようにして発話や書くことを新たに生み出すのかというシステムの構成をも，モデルは示している。

最も極端な「ボックス主義」のように思えるモデルで私が締めくくることを，あなたは皮肉と考えるかもしれない。第1章でこのアプローチに反対してまくし立てた後では，特にそうだろう。しかしこれは，言語についての一般的な説明をどのように展開させていくことができるか，そして言語の構成要素をどのように関係づけられるかを示しているにすぎない。もう少し掘り下げてプロセスを考えるために，1つの単語の反復を取り上げてみよう。私が非単語，SPRIT と言えば，あなたは声に出して繰り返せる。このことから，一連の音を反復するためには心的辞書の検索は不可欠でないと結論することができる。この考え方は，語義聾（word meaning deafness）として知られる障害によって支持されている。脳障害を伴う語義聾の患者は単語を復唱できるが，単語の意味を理解することができないのである。もう1つの例をあげよう。発話の産出は困難だが，書くことはるかに容易な患者が存在する。これが示すのは音韻出力システムと書字出力システムが，どこかで分かれていることである（Bub & Kertesz, 1982）。モデルを使って，特定の接続が断たれた場合，どのような神経心理学的障害が見られるのかを予測することで，数時間は楽しめたであろう。

次の段階は，私たちのモデルを脳に関連づけることである。Wernicke-

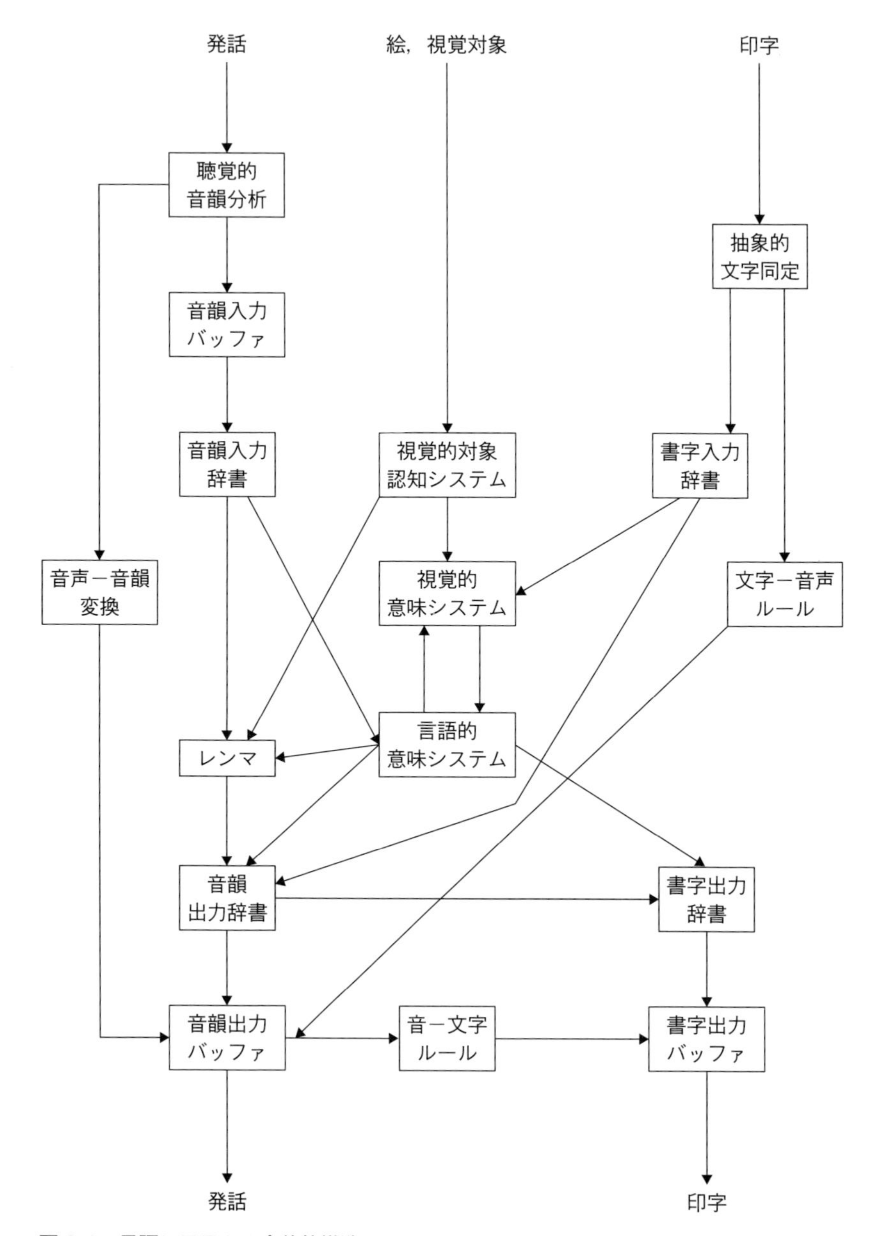

図 9.1　言語システムの全体的構造

発話レンマ・システムが必要ないか，またはレンマへの他のリンクを導入することが必要となる可能性がある。

Geschwind モデルは言語を脳に関連づけた最初の試みであったし，近年のモデルはさらに踏み込んでいる。Ullman（2004）は，言語と脳の相互作用およびそれが脳の構造にどのように関係するかのモデルを，宣言記憶と手続記憶を区別して詳しく述べた。事実に対する宣言記憶（心的辞書）すなわち，単語の知識が貯蔵されているのは脳の左側頭葉であり，単語に作用する文法の手続記憶は，前頭葉，脳幹神経節，小脳の一部を利用した明確な神経回路に基づいている。本質的にこれは，単語と統語論，または，事実とそれらの事実に作用する規則との間の区別である。モデルの詳細は本書の範囲を超えるが，重要な点は，私たちが人間行動の全容に関する完全なモデルを提起するために，脳と心がどのように働くかを統合することが可能になる，まさにその時を迎えていることである。

未来はどのようなものか

アインシュタインはかつて「未来を予測することはきわめて困難である」と語ったという。私はいくつかの本や論文を書いてきたが，未来を予測しようとしたり，それについて考えさせられたが，いつもほとんど間違っていた。したがって，心理言語学が，5 年あるいは 10 年後にどうなるかと推測してみても実りがあるとは思わない。科学の進展はあまりに速く，人間とは何かに関する最も基本的な問題に取り組むには，熱意をもって，やる気に満ちた聡明な研究者が必要である。その一員に加わろう。

読書案内

Next

次に何を読んだらよいか。私の著書『*The Psychology of Language*』（第4版，2014年にPsychology Press社から刊行）から始めるのが最適だろう。本書のトピックだけでなく，その他のトピックも加えて，さらに詳しく論じている。いまやインターネット上では，膨大な情報を簡単に手に入れられる。ウィキペディアには本書のトピックに関する多くの論文があり，リンクやその後の読書案内が備わっている。あなたはウィキペディアは完全には信頼できないと用心しているだろうが，私が知る範囲においては，とんでもない誤りをまだ見つけたことはない。しかし，分析が偏ったり，えり好みしていることがある。したがって，注意は必要だ。

Steven Pinkerの言語に関する3冊の著書（1994，1999，2007）は最適で読みやすい入門書である。それは，言語はルールに基づいた特殊な能力であり，言語固有の生得的知識に依存するという，言語に対する東海岸流の見解を理解するのに役立つ。

新しいところでは，大部で包括的だが高価な心理言語学のハンドブックが2冊ある。それらは全領域を詳細に扱い，さらに何千という文献も掲載されている（Gaskell, 2007; Traxler & Gernsbacher, 2011 第2版）。

以下は，章ごとの読書案内である。

第1章　言語の心理学

Crystal（2010）の『*Cambridge Encyclopedia of Language*』は言語学——言語および諸言語の研究についてさらに知るのに優れている。語の音声とルールについて特にわかりやすく書かれている。

Price（1984）は英国語の歴史の説明が優れている。ウェールズ語の歴史に関する私の説明はほとんどこの本からのものである。一方，ウィキペディアもまたウェールズ語とウェールズ語の歴史に関する優れた項を設けている。私はhttp://petelevin.com/shakespeare.htmからシェークスピアの侮辱生成プログラムを用いた。Bryson（1990）はイギリス史に関してとても優れている。

Steven Pinkerは優れたシリーズ本を書いている（『*The Language Instinct*（邦題：言語を生みだす本能）』，『*The Blank Slate*（邦題：人間の本性を考える——心は「空白の石版」か）』，『*Words and Rules*』）。それらはすべて，言語は特殊な能力であり，ルールに基づいたシステムであり，生得的な知識によって決まるという見解に立って書かれている。

ChristiansenとKirby（2003）著の『*Language Evolution*』は，このテーマについて

私の知る限り最良の論文集である。難しいと思うかもしれないが，最後にはこのテーマについて知るべきほとんどすべてのことがわかるだろう。ネアンデルタール人が話せるという時代遅れの証拠に対する批評は，DeGusta ら（1999）によって提起されている。Renfrew（2007）は原始人の興味深い記述であり，旧石器時代の文明の開化をどんな言語が栄えたかという論議とともに紹介している。

心についてのさまざまな比喩に対する議論および出典については，Harley（2004）を参照されたい。実際，心自体の比喩と脳損傷を調べることによって何が心について学べ，何が学べないのかを示唆するような比喩とを区別すべきであるが，その領域は注目すると興味深く，面白い。

第 2 章　動物のコミュニケーション

ウィキペディアにはアリ全般，アリのコミュニケーション，特にフェロモンについての優れた記事がある。クジラとイルカの産出する音には心奪われるが，私はよい入門的な参考文献を決められないでいる。短いが音のサンプルのあるウィキペディアの記事がやはり優れている。

Kako（1999a，1999b）と Pepperberg（1999）の間の論争は，アレックスを含む，ことばを教えられた動物の文法能力について疑問をもたらす。これらの動物が本当に言語を使ったと受け入れるには，明らかにしなければならないと一部の人々が考えていること――そして，その基準が厳しすぎる理由の一部――についてわかるので読む価値がある。『*Alex & Me*（邦題：アレックスと私）』（Pepperberg, 2013）は，アレックスについての研究の一般向けのものである。

チンパンジーは死を弔う――恋愛にも陥りやすいし，美しい日没がわかることさえ示唆されている。これらのアイデアについてさらに知るには，動物研究者 Jane Goodall の研究をみるとよい。彼女のウェブサイト www.janegoodall.org は手始めによいサイトである。

交叉哺育したチンパンジーと彼らに言語を教える試みについては，莫大な文献がある。グアについての Kellogg の研究には Benjamin と Bruce（1982）が優れた解説をしている。ニム・チンプスキーの生涯は，Hess によって 2008 年の本『*Nim Chimpsky: The Chimp Who Would be Human*』で好意的に記述されている。カンジについての一般向けの説明は，その名を冠した Sue Savage-Rumbaugh と Roger Lewin（1994）の本にみることができる。

第 3 章　子どもの言語獲得

Kuhl（2004）は，子どもの言語習得研究を簡潔にまとめている。特に，事前知識があまりなくても，子どもが言語を学ぶことを可能にするいくつかの制約に重点を置いている。Altmann（1997）の心理言語学の本は，胎内での言語の節がわかりやすく，全体として初学者に向いている。Fernald と Marchman（2006）の乳児期の言語に関する概説は素晴らしく，言語理解と産出の両方をカバーしている。詳細は，Clark（2009）のテキストが新しく評判がいい。Bloom（2000）の『*How Children Learn the Meaning of Words*』は，この分野の読みやすい本である。

ピジンとクレオールに関しては，ウィキペディアに興味深い例を載せた優れたページがたくさんある。Bickerton（2008）による，クレオールのよい一般書がある。以下のサイトに，クレオールの歌を見つけた www.mamalisa.com/blog/looking-for-a-french-creole-song-from-trinidad。La Compagnie Creole というグループが歌っている。どのように不規則動詞を処理するのか，子どもはどのように過去形を習得するのかに関しては，多くの議論がなされてきた。これらについては，Pinker と Ullman（2002），Plunkett と Marchman（1991，1993）を参照のこと。生得主義と経験主義論争の現状に関する簡単な概説も，Fernald と Marchman（2006）を参照するとよい。

生産性の高い文法，とりわけ無限の再帰性を習得するためには，否定情報が必要であるという考え方は，ゴールドの定理と呼ばれる（Gold, 1967）。Pinker（1994）の，言語の普遍的特性とパラメータ・セッティングの説明は素晴らしい。Elman ら（1996）の『*Rethinking Innateness*（邦題：認知発達と生得性――心はどこから来るのか）』は，生得説に代わる最高水準の文献で，子どもが何を言っているのかを正確に見極め，子どもが触れている言語に注意を向ける必要があると主張している。"less is more" という考え方は皆には受け入れられていない。コンピュータのシミュレーションのように制約された状況では，少ない方がよいが成り立つかもしれないが，もう少し現実的な刺激を使うと，小はやはり小だと，Rohde と Plaut（1999）は主張する。再帰性の重要性についての詳細と，再帰性が人間を特別な存在にするのかどうかについては，Fitch と Hauser（2004），Jackendoff と Pinker（2005），Pinker と Jackendoff（2005）を参照するとよい。

16 歳頃に突然，脳が柔軟性を失うのか，それとも柔軟性の低下は徐々に起こるのかどうかに関して，議論がなされている。Birdsong と Molis（2001）は，Johnson と Newport（1989）の実験を，スペイン語を母語とする英語学習者で追試を行ったが，突然獲得できなくなるような切れ目は見つけられなかった。Elman ら（1996）は，Johnson と Newport（1989）のもともとのデータは不連続線だけでなく，曲線でもぴったりと説明できると主張した。

「人類の言語」についての話は，Fromkin ら（1974）が主要な文献だが，いくつかのウェブサイトで詳しく説明している。Shattuck（1994）によるアヴェロンの野生児についての解説『*The Forbidden Experiment*（邦題：アヴェロンの野生児：禁じられた実験）』は読みやすい良書だ。野生児に関しては，物議をかもしている。記述の多くはまた聞きで，中には捏造もあるかもしれない。Serge Aroles（2007）の『The enigma of wolf children（邦題：オオカミに育てられた謎の子供たち）』は特に手厳しく，野生で長い間生き残った，または動物に育てられた捨て子のケースで，精査に耐えられるものは1つもないと主張する。明らかに子どもを育てられた動物には，オオカミ（数回），クマ，ガゼル，サル，チンパンジー，イヌ，ウシ，ヒツジが含まれる。ヒツジには馴染みがあるが，これは特に信じ難い。野生児について解説した素晴らしいウェブページが www.feralchildren.com で，ウィキペディアには有名なケースの包括的な概説がある。映画『*The Apple*（邦題：りんご）』（Makhmalbaf, 1998）は，12 歳まで父親に閉じ込められて育ったイラン人の双子，ザーラとマスメ・ナデリーのリハビリの物語だ。比較的最近の入手可能なジーニーの本には Rymer（1993）がある。もう1冊，最近の一般大衆向け野生児の本として Newton（2002）もある。

Dorothy Bishop（1997）の『*Uncommon Understanding*』は，特異的言語障害や発達性言語障害についての良書だ。言語の神経可塑性についてのよい概説には，Huttenlocher（2002）がある。

バイリンガリズム研究の最近の概説には，Bialystok（2001a）や Genesee と Nicoladis（2006）がある。言語教育についてのよい解説がウィキペディアにある。本文では触れていない方法がいくつかある。そのなかで最も有名なものは，自己受容法またはフィードバック法で，すべての感覚を使い，できるだけたくさんの動きと活動をする，できる限り大きい声で話をするというものである。Cook（2008）の第二言語学習と教育の本は定評がある。

第4章　思考と言語

認知発達についての2つの大きく異なる展望として，Flavell ら（2002）と Goswami（2008）による本をお薦めする。前者にはよりピアジェ的な偏りがあり，後者にはより神経科学的な偏りがある。言語能力と非言語的 IQ の相関は低いことを示す，その他の事例研究もあることにふれておこう。ダウン症の人々の例外的な言語能力を強調した Rondal（1998）が展望を与えてくれる。そのような事例研究から引き出すことのできる結論の強さについては異論もあるが（Levy, 1996 など），それらが認知仮説の限界について以外の何かをどのように示しているのかを知ることは難しい。一部の人はウィリアムズ症候群の子どもの保存された言語能力，さらには優れた言語能力の事例は誇張されていると考えている（例：Brock, 2007）。Piattelli-Palmarini（1980）の編集した論集は，1975 年のパリ付近のロワイヨモン修道院で行なわれた生得説と言語に関する Piaget と Chomsky の古典的論争をまとめている。

Hoff-Ginsberg（1997）には，対話，独話，Piaget，Vygotsky についての優れた記述がある。Goswami（2008）は，Vygotsky の著作について非常に優れた説明を与えてくれる。Chomsky については複数の入門書がある（彼はかつて世界中で最もよく引用された社会科学者である）。最もとっつきやすいのは『*Introducing Chomsky*（邦題：チョムスキー入門）』（Maher & Groves, 2004）である（特に，あなたが漫画的なアプローチを好むならそうである）。私はもっとまじめで詳細な，Fontana Modern Masters シリーズの『*Chomsky*』（Lyons, 1991）のほうが好きだ。

読んだことのない方には Orwell（1949）の小説『1984 年』をお勧めする。ニュースピーク〔『1984 年』に描かれた架空の言語〕の詳細についての付録は読み飛ばしてはならない。Pinker（1994）には，Sapir-Whorf 仮説についての非常に優れた論述があり，この仮説がどんなふうに出てきたのかについての興味深い情報もある。Sapir-Whorf に関する研究の最良の先進的な新しい論集の 1 つが Gumperz と Levinson（1996）である。Pinker は翻訳から Whorf の議論の循環性を論じている。この循環性を最初に指摘したのは Brown（1958）と Lenneberg（1953）である。ときどき私たちは Whorf を目の仇にしているような気がする。彼はマスコミにとても批判的に取り上げられた。彼が言うように，彼には複数の仮説があった。残念なことに彼は若くして亡くなり，研究のほとんどは無償のアマチュアとして行なわれたものだった。それでも彼は言語学に例外的な貢献を行なった。特に，マヤのヒエログリフの解読についてはそうである（Pullum, 1991）。McWhorter（2014）は Sapir-Whorf 仮説を攻撃している点と文化差全般について論じている点でたいへん面白い。

Pinker（2007）は，Sapir-Whorf 仮説について深く洞察している。雪についてのイヌイットの単語の数についての論争は，かつては雪についてのエスキモー語の数に関するものだった。だが（Boas が研究を行なった）カナダのイヌイットは「エスキモー」ということばを侮蔑的なものとみているので，私はこの語を避ける。Pullum の論文は 1991 年の『*The Great Eskimo Vocabulary Hoax*』――一般的な言語学の概念の誤りを指摘している，特に優れた面白い書き物を集めたもの――において新しい序論とともに再刊されたが，論文の一部はなかなかに言語学的に専門的である。雪についての単語の数の不確かさは，あなたの「単語」の定義に，すなわち，雪を指すものをどのくらいゆるく単語に数え上げたいかに依存する。Pullum はある論文のあるページでは 2 つだけにしたが，別の機会には 1 ダースほども援用している。非常にきちんとしたオンラインの英語－イヌイット語辞書が少なくとも 1 つはあり，利用できる。snow と入力すると 30 以上の単語が出てくるが，これらの多くは複合語に見える。だが，Pullum の言うように，それが何だというのか。彼の「これらの語彙的に放蕩なハイパーボリア遊牧民〔クトゥルー神話に登場する民族〕」という愉快な表現にふれずにいられない。

このような婉曲語法についてはどうなっているだろうか。「アダルト映画」はポルノグラフィーを意味し，「真実を節約する」は「嘘をつく」を意味し（あるいは，少なくとも，誤った印象を訂正しないことを意味する)，「疲れて感情的」は酔っていることを意味し，「私は手を洗う必要がある」は洗面所に行きたいことを意味する（私が思うに，この意味そのものもさらなる婉曲語法である。ただトイレに行ってトイレの様子をみたいだけの人はいない)。「疲れて感情的」は英国の雑誌『Private Eye』の労働党政治家のパロディに端を発する。「真実について経済的である」を最初に使ったのは，1986 年の Spycatcher 裁判〔イギリス政府のスパイ組織の暴露本出版差し止めをめぐる裁判〕における英国の内閣書記官の Robert Armstrong 卿だが，これはさらに Edmund Burke からの引用を転用したものである。合衆国軍には婉曲語法の伝説があり，「講和」(爆撃して徹底的に破壊する)，「高度な強制的審問技術」(拷問)，「睡眠管理」(睡眠剥奪)，「引き渡し」（誘拐）などを私たちに与えてくれた。権力乱用的な言語において，彼らが自身やその行為をより見栄えがよく不透明なものにするやり方に関心のある人には，Poole（2007）の『Unspeak』をお勧めする。

言語と数認知に関する最近の突発的な研究群を概観したのが Gelman と Butterworth（2005）である。彼らの結論によると，文化的差異とライフスタイルの差異が数操作の違いを説明するという。彼らが指摘するとおり，言語が認知に何の効果も及ぼさないとしたら驚くべきことだが，それは言語が私たちの能力の因果的な土台であると主張するのとはまったく別のことである。クック船長の船の話はどうかというと……同じ節で出典を確かめることの危険と話が歪むことについて書いているが，恥ずかしながら，私はこの話をどこで聞いたのかまったく思い出せないし，話を正しく繰り返しているかさえもあやしい。このことについては Hambling（2007）が概観している。

色呼称研究はかなりの論争を産み落とした。Rosch の実験手続きに挑戦したのが Lucy と Shweder（1979）である。彼らの主張によると，Rosch の焦点色は非焦点色よりも知覚的に弁別しやすかった――さらには，色空間において遠かった。今度はこの結論に挑戦したのが Kay と Kempton（1984）だった。ウィキペディアにはナバホ語についての優れた記事がある。

「英語にはすべての焦点色に対応する基本的な色項目がある」。いまわかっているところでは，「オレンジ」は果物についてのスペイン語の名称 naranja に由来し，比較的最近に加わったものであり，中世後期，ヘンリー八世の時代に最初に記録されている。かつては英語は yellow-red すなわち geoluhread に対応する複合語を用いていた。ウィキペディアには色に関する優れた記事がある。

中国語における反事実的条件文に関する Bloom の研究は，驚くには当たらないだろうが，論争の種となった。特に，Au（1983, 1984）と Liu（1985）の主張では，Bloom の中国語文は，単にオリジナルの英語の優れた翻訳とは言えないものであり，そのために中国語群は成績が低くなったと思われる。この論点はのちに Bloom（1984）によって否定された。中国語の単語を理解しない以上，強すぎる主張は避けるのが賢明だろうが，私の印象では，それでも反事実的言明の理解のしやすさは，言語による表現のしやすさによって差がみられそうである。

性差別主義者の言語についての有名なフェミニストの立場については，Spender（1980）を参照してほしい。

第5章　意　　味

この第5章についての読書紹介の最後で私が言及しているEysenckとKeane（2015），Reisberg（2007）における概念とカテゴリの2つの章は，どちらもここで紹介するのにふさわしい内容である。この分野のレビューとして近年素晴らしいのは，Mossetら（2007），ViglioccoとVinson（2007）である。

中国語辞書を持った男というのは，もちろん，哲学者John Searleの「中国語の部屋」論争を参考にしたものである。彼はコンピュータ，もしくは，人工知能システムが本当の意味では何かを理解しているとは言えないと主張した（Searle［1980］参照）。この論文では心理学以外の分野を中心に議論がなされているが，私が引用した稿ではもうあまり議論の余地がなくなっているようである（少なくとも私にとってはそうである。論文に寄せられた指摘やSearleのそれへの応答などについては，元の論文を参照されたい）。

宵の明星と明けの明星はFregeとKripkeにおいて議論されたものである（Kripke［1980］参照）。のちのギリシャ人はこの2つが同じものだと認識したが，しごくもっともなことに，彼らはまだこれら2つの明星は，同じものが2つの異なる現れ方をしている状態なのだと考えていた。バビロニア人は，明らかにこれら2つが同じものだとずっと気づいていた。Johnson-Laird（1983）はこの問題について非常に優れた明晰な議論をしている。

親族名称の意味論については言語学と文化人類学に膨大な文献がある。Googleで検索するとさらに多くの情報が得られるだろう。すべての言語をより少ない数の特徴に分解するという言語学的アプローチでは，自然意味論的メタ言語（natural semantic metalanguage）の中でそのことを扱っている。彼らは意味の最小単位，もしくは意味の原子のことについて述べているが，それは〔本書における〕特徴と同じものである。意味の原始的基礎（primitive）のリストのすべては，自然意味論的メタ言語のウィキペディアのページで見ることができるし，Wierzbickaの本の中の1冊でも見ることができる（例えば，1996年のもの）。Pinker（2007）は動詞の構造について議論しており，それと同時に，思考の言語のために基礎となるような，ある種の意味的要素についても述べている。「ゲーム」の定義を主題としたものでは，ウィキペディアには魅力的な項目がある。そのページで「ゲーム」の特徴のいくつかについて検討してみることは価値がある。分解意味論と非分解意味論を実験的に区別しようとしたもっとも有名な試みは，Foder ら（1975，1980）による。しかし，必要な実験的統制をすべて備えた実験をデザインすることは非常に難しい。単一意味論の考え――それぞれの単語にはある１つの概念が対応しており，それは分解できない――の主唱者は，東海岸の哲学者であり言語学者でもある Jerry Fodor である（1981 年など）。Pinker（2007）はこのアプローチについて，その難点を面白おかしく，そして詳細に議論している。いくつかの概念は生得的なものでなくてはならないので，もしすべての単語がそれを支える独自の概念を持っているのだとしたら，Fodor は，私たちは数万もの概念を生まれながらにして持って生まれてくると結論しなくてはならないだろう。この種のアイデアの問題点の１つは，生得的な概念を遺伝子がどのように符号化するかを考えるときに生じる。結局，遺伝子はどのようにタンパク質が合成されるべきかを記述するのみで，生まれた後にどのような花を咲かせるかというような，種に当たる知識は保持していないのである。しかしそのように考えてしまうのは，私の無知か想像力の欠如によるものなのかもしれない。

「私たちは，脳の右半球に読解能力が備わっていることを，さまざまな情報源から知ることができる」。このトピックについては多くの研究がなされており，その中には左半球を失ったが，読む能力を備えた成人についての研究が含まれる（Patterson et al., 1989）。その研究では，特に，分離脳（split-brain）患者の左視野へ提示された言語刺激の読解成績について言及されている。これらの患者は脳の左半球と右半球をつなぐ神経線維路，すなわち脳梁を，重度のてんかんへの処置として切断されていた。眼球と脳の結合方法の関係で，それぞれの目の左視野に映るものは右半球の視覚野へ，右視野に映るものは左半球の視覚野へ運ばれる。したがって，これらの患者は〔脳梁が切断されているために，視野の片側に提示するという方法によって〕脳の片方の半球にだけ刺激を提示するという機会を与えてくれることになるのだ。右半球の読解成績は，皆さんの予想通り，実際に非常に低いものだった。全体として，彼らは声に出して読むことはまったくできなかった。しかし，単語を見てそれと対応した絵を選ぶ課題には，エラーも犯すことがあるものの，しばしば正解することができた。ただし，この研究はかなりの議論を生み出していることは注意しておく必要があるだろう（おおよその知識ならば，Gazzaniga, 1983；Zaiel, 1983；Zaidel & Peters, 1981 を参照されたい）。

意味論のコネクショニスト・モデルの標準的な参考書としては Rogers と McClelland（2004）『*Semantic Cognition*』がある。同じ路線の研究論文としては Hinton と Shallice が最初となるが，この現象，特に心象性効果について説明しているのは Plaut と Shallice（1993）である。具体語は意味的特徴を他の語よりも豊富に持っているという考えは，もともと Greg Jones（1985）からである。心象性効果を〔モデル上で実際に〕示すためには，モデルは単語を声に出して読むプロセスそのものを取り込まなくてはならないので，モデルのデザインはより複雑になってしまう。しかしながら，同様の一般原理が適用可能である。写真の画質に対する認知症患者の敏感さを示している研究としては，Kirshne ら（1984）がある。

読解と記憶を計算モデル（computational model）によってシミュレーションするという一般的なアプローチは，Harm と Seidenberg（2004）によって大きく進められた。彼らは（他の多くのモデルが焦点を当てていた，文字を音に変換するというだけのプロセスではなく），印字された文字を読み，意味を計算する健常なプロセスのモデル化を行った。

カテゴリー特異的意味障害（semantic category-specific disorder）は，これまで非常に多くの議論を生み出してきた。概観のためには，Capitani ら（2003）がよいだろう。もともとの議論は，この障害がそもそも存在するのかどうかということであった。カテゴリー特異的意味障害が存在することを主張する研究において，画像の頻度や複雑性といった特徴の統制に失敗していることに由来して，この結果を信頼できないという批判があったのだ（Funnell & Sheridan, 1992; Stewart et al., 1992 など）。しかしながら，実験材料が適切に統制された実験においても，同様の結果が得られている。〔カテゴリー特異的意味障害が存在することは認めて，その次の議論として〕二重解離（double dissociation）――生物に対する課題成績が悪く，無生物に対してよいという患者がいる一方で，逆のパターンを示す患者が存在すること――が観察されるという事実を説明することは難しい。生物と他のカテゴリーの解離については，Caramazza と Shelton（1998）によって詳細に議論されている。感覚特徴をより細かな表象へと分解することに関しては，Warrington と McCarthy（1987）が，私たちは動物を認識するのに形態により強く依存し，食品を認識するのには色により強く依存するという考えを提案している。この考えは妥当なように思えるが，この考えを支持する独立した証拠はないのが現状だ。機能的情報のあり方について，私は別のところで議論している（Harley & Grant, 2004）。非常に幼い乳児の段階で，すでに生物と無生物を区別することができることについては，かなりの証拠がある（Quinn & Eimas, 1996）。

Eysenck と Keane（2015）は概念網アプローチ（conceptual web approaches）と状況的認知（situated cognition）の両方について記述している（第 9 章）。すべてのものは相互結合されている，という考えについて幅広い示唆を与えてくれる良書として，私ならば Barabasi（2002）と Buchanan（2002）を推薦する。潜在意味解析（LSA）についての入門書としては，Landauer ら（1998）を参照されたい。

本書のテーマの 1 つは，言語が 2 つのプロセスを持っていることを伝えることであった。1 つはコミュニケーションを行うことであり，もう 1 つは思考を制御・促進することである。しかし早い段階からそれらの 2 つの目的は密接に関連し始めた。もちろん，これは Vygotsky の考え方であり，Terence Deacon（1997）が言語と記号処理の進化についての説明の中で支持する考えかたに似ている。コミュニケーションの手段としての言語使用についてもっと知りたければ，Herb Clark（1996）の『*Using Language*』という素晴らしい良書があるので参照されたい。

潜在意味解析は数多い類似手法の中の１つである。それらはさまざまな名前で呼ばれる。概念網アプローチ，言語類似高次空間（hyperspace analogue to language：HAL），高次元記憶（high-dimensional memory：HDM）などである。Barsalou（1999），Glenberg と Robertson（2000）はこのアプローチを批判した。この批判に対する返答は Burgess（2000）を参照されたい。この批判の要点というのは，LSA が〔人間ならば備えているはずの〕知覚や行為システムに基盤化（grounding）する方法を持たない，ということである。〔ある単語とある単語の同じ文脈における〕共起関係を通して意味が獲得されるという考えは古くからあるものである。私たちはすでに，「パン」と「バター」の間には連合があるというような例について，本書において議論をした。意味の基盤としての連合の考えはアリストテレスの時代にまでさかのぼる。連合の考え方の問題点は，２つの単語が連合しているということがわかっても，これら２つの単語が共有している意味というのはどういったものなのかを何も知ることができないところにある。「幸福な」と「幸せな」，「イヌ」と「しっぽ」，「良い」と「悪い」は，非常に強く連合されている単語ペアであるが，すべてのペアの関係はみな大きく異なる意味を持っているのである。

そのイヌはフェリックス。私の友人であり同僚であるナディン・マーティンが飼っている。彼はジャーマン・ショートヘアード・ポインターだ。これは間違いのないことだ。私の本の読者であるビルは，彼の名前〔であるフェリックス〕はネコの名前であってイヌの名前ではないのでまぎらわしい，と指摘した。私は名前を変えようかと考えたが，真実のわかりやすさというものを犠牲にすることにした。フェリックスはイヌなのだ。

認知心理学の教科書のほとんどは概念とカテゴリーの章を持っている。私が特に好きなのは，Eysenck と Keane（2015）と Reisberg（2007）だ。カテゴリー内のあるメンバーは他のメンバーよりもそのカテゴリーの事例として良い（better），ということがあるという考え方は重要である。この考え方は，カテゴリーというのは，プロトタイプと呼ばれる抽象的で理想的な事例によって表象されるというモデルを提案することにつながる（Rosch, 1978）。Eysenck と Keane では，状況的認知の考え方についてもより深く説明されている。

第６章　単語認知と失読症

語の処理に影響する要因は，私の著書でより詳しく議論されている（Harley, 2014）。

頻度についてはWhaley（1978），頻度の別の側面，特にそれがどのように測定されるかについてはGernsbacher（1984），獲得年齢についてはMorrisonとEllis（1995, 2000），Boninら（2004），近隣語効果についてはAndrews（1989），形態に基づくプライミングについてはForsterとDavis（1984），Scarboroughら（1977）を参照してほしい。意味的プライミングは1888年にCattellによって最初に示されているが，古典的な最近の参考文献としては，MeyerとSchvaneveldt（1971）がある。

発話理解の最新研究に関する主な論点の要約は，McQueen（2007）を見てほしい。音素修復効果はかなりの議論を産み出してきた。人は失われた音素を報告でき，それを「聞いた」と言うが，それが何を意味するのか。修復は知覚的レベルで起こっているのか，それともより後の過程で起こっているのか。承知のように，人はこの種の自己申告は苦手である。議論のためにはFodor（1983）とSamuel（1996）を見てほしい。この原稿の執筆時点では，お好みのサーチエンジンに「音素修復効果」と「マガーク効果」を打ち込むと，ユーチューブを含むいくつかの例がオンラインでみられるだろう。

視覚的な語の認知と読みに関わること全般について，もっともよい最近の概説書は，Margaret SnowlingとCharles Hulmesが編集した『*The Science of Reading*』（2005）である。それに加え，Gaskell（2007），TraxlerとGernsbacher（2011）のハンドブックに，いくつか関連する章がある。

コホートモデルと，特にTRACEモデルについては簡単にしか説明しなかった。コホートモデルはエラーから回復するためのメカニズムが必要である。もしあなたが聞き間違いをした，あるいは語の最初の音に誤りがあった場合，常に回復するシステムの明確な方法はない。Marslen-Wilson（1990）は，このモデルの新しいバージョンで，全か無かという側面を放棄することによりこの欠陥に取り組んだ。語の候補が，確証的でない証拠に直面した時にコホートから完全に消えるわけではなく，候補の活性化レベルが大幅に減少する。たとえば，TAINTのような語において語頭の /t/ の音と語末の /t/ の音は異なっているという事実があるが，私のTRACEについての記述では，このような時間の問題については検討していない。このモデルは，不連続的に音を切り取ることで時間を扱っている。

文脈，トップダウン情報，フィードバック――あなたが好きなように呼んでよいが――それらがどのくらい発話の理解に影響を与えるのかは異論が多い。Norrisら（2000）の論文では，それらはまったく影響がないと述べている。この論文は，別の視点を提供する他の論評者のコメントが続いているので，特に有用な情報源となっている。NorrisらはMERGE（初期の形ではSHORTLIST）と呼ばれる別の計算モデルを提案している。このモデルでは語彙ユニットと前語彙ユニットとの間にフィードバックがない。このモデルはとても狭く，潜在的にフィードバックの形態を含んでいると批判者たちは述べている。このトピックの実験的データは複雑で，論争になりやすい。

Eysenck と Keane（2015）は，二重経路カスケード・モデル（DRC）をより詳しく紹介している。DRC とトライアングル・モデルはともに多くの議論を生み，批判と反論を行うたくさんの論文がある。要約とさらなる文献については，Harley（2014），Eysenck と Keane（2015）を参照してほしい。2 つの偏った説明としては Coltheart（2005）と Plaut（2005）を，他の読みのコネクショニスト・モデルについては，Seidenberg（2005）を見てほしい。トライアングル・モデルから必然的に予測されるように，音韻失読が必ず一般的な音韻障害に随伴するかどうかというトピックについては，論争が盛んである（Coltheart, 1996; Farah et al., 1996; Vliet et al., 2004 を参照）。トライアングル・モデルと表層失読についてさらに知るには Woollams ら（2007）を見てほしい。読みの脳イメージングについては，中国語読者が語彙性判断課題を行うのを fMRI 脳イメージングを用いて検証した Chen ら（2002）を参照してほしい。中国人はなじみのある表語文字の「絵のような」字体を持っているが，完全に直接語彙アクセスに依存していて，文字－音の変換プロセスを使うことができない。そして，「ピンイン」〔中国語のローマ字表記法〕と呼ばれる文字ベースの字体は，集積された音韻にのみ基づいている。これらの 2 つの非常に異なる字体は，読みを検証する独自の手段を提供する。予想された通り，両方の字体は脳の同じ領域の多くを活性化させたが，いくつかの領域は字体によって活性化量に違いが見られた。

また，これらの結果は二重経路モデルと一致しているが，二重経路モデルが正しく，トライアングル・モデルが間違っていることを示しているわけではない。この結果は，読みには処理の配分があるという考えを支持しているが，処理の配分が何であるかについてはあまり明確でない。

読み書き能力と読みの学習については，いくつかの書籍がある。初めに，最近のポピュラーな良書としては Wolf（2007）がある。さらに進んだものとしては，Goswami（2008）によい章がある。読みの発達の最近の理論の説明は，Byrne（2005）を見てほしい。読みのスキルの前提条件となる音韻意識について，Castles と Coltheart が批判しているが，それに対する回答としては，Hulme ら（2005）を見てほしい。Seymour（2005），Ziegler と Goswami（2005）が音韻意識，読みの学習，言語間の違いについて最近のレビューを書いている。読みを教えることについてもっと知りたい時は，Snowling と Hulme（2005）の最後の 2 章が参考になる。発達性失読についての概観は，Vellutino と Fletcher（2005）を見てほしい。ウィキペディアは，失読症についての良いウェブページをもっていて，マスコミで取り上げられた最近の論争をカバーしている。さらにこの議論に加わるためには，Vellutino ら（2004）を見てほしい。中流階級の病としての失読症の参考文献としては，Google で「失読症　中流階級」と打ち込むとたくさんの文献が見つかるだろう。私は 49,000 件ヒットさせて，やっと読み終えた。今ではおそらくもっと文献があるであろう。楽しんでほしい。最近の小脳仮説については Nicolson と Fawcett（2007）を，発達性失読の基礎をなす神経障害を強調した形の一般的なレビューについては Beaton（2004）を見てほしい。失読症の連続体上で，音韻失読の端にいる子どもたちの音韻障害のタイプについて語っている文献はたくさんある。この本では代表的かつ歴史上重要ないくつかだけを扱った。Harley（2014，p.251）にはもう少し包括的なリストがある。

音素のモニタリング課題を含むような，語彙的曖昧性に関する初期のモデルと実験についての議論については，Harley（2014，p.200）を見てほしい（その課題ではある特定の音を聞いたらボタンを押さなくてはならない。初期の実験では，強いバイアスをかけるような文脈の中に単語があっても，曖昧語の提示直後ではターゲットを検出するのが遅くなる）。曖昧性についてのより最近の研究についての短いレビューは Sereno ら（2003）を参照のこと。

第 7 章　文章理解

制約依存モデルを同じ時期に導入した論文が何本かある。本文中で記載したもの以外だと，MacDonald ら（1994）や Tanenhaus ら（1989）があげられる。Henderson と Ferreira（2004）は，言語処理と言語産出，両方の分野における言語，視覚世界，そして眼球運動の関連性についての論文をまとめた秀逸な書籍である。競争やアトラクター・ネットワークを利用する文解析のコネクショニスト・モデルもいくつか提唱されている。例えば McRae ら（1998），Tabor ら（1997），Tabor と Tanenhaus（1999）などである。

統語解析に関しては，主要な理論的問題について第 7 章で簡単に議論したが，カバーしきれなかった部分がたくさんある。私の著書（Harley, 2014）では統語解析の言語間相違や，他の統語解析モデル（中でも Van Gompel ら［2001］の無制約競合［unrestricted race］モデルは特筆に値する），統語範疇が曖昧な語への対処（例えば Trains は名詞にも動詞にもなりうる），空所（gaps）と充填語（fillers），さらに統語解析の神経心理学について紹介している。統語解析の近年の問題については，Pickering と Van Gompel（2006），Tanenhaus（2007），Van Gompel と Pickering（2007）を参照されたい。

第 7 章では，Kintsch の構成－統合モデルを簡略化し，改変した。そうすることによって他の章で用いた用語との統一を図っている。

Caplan（1992）には脳の右半球への損傷，ユーモア，談話分析における障害についての秀逸な節がある。メタファーと右半球の関係についての近年の研究としては Schmidt ら（2007）があげられる。

第8章　発話と失語症

Wheeldon（2000）は，言語産出のあらゆる側面について，よい論文を集めている。Gaskell（2007），Traxler と Gernsbacher（2011）のハンドブックには，言語産出の章が入っている。

言い間違いを収集した私の努力の結晶は，Harley（1984, 1990）を参照のこと。言い間違いのおもしろい記述は，Erard（2007）『Um』を読むとよい。ウィキペディアに Spooner 師のよい項目があり，Spooner 師の頭音転換の信頼性を分析している。フロイト的失言の心理的視点については，Reason と Mycielska（1982）を参照のこと。

私のコーパスでは，音韻的に似た単語の代用は，意味的に似た単語の代用ほど頻繁ではなく，私のコーパスから明らかなように，あまり説得力がない。しばしば，これらの言い間違いは，音韻欠落のような手法で説明できる。音韻的に似た単語の代用は起こると思うが，まれである。私が考えられる一番よい例は，Fromkin（1971）の “Liszt's Hungarian rhapsody”（リストのハンガリー狂詩曲）と言おうとして，“Liszt's Hungarian restaurant”（リストのハンガリーレストラン）と話者が言ってしまったという例だ。ウィキペディアには，文学や映画における，たくさんの音韻錯誤がある。

レンマの議論と二段階処理モデルの証拠を簡略化して説明してしまったが，これらに関する本格的な議論は Harley（2014）を読むといい。意味干渉と語彙化の時間経過を調べるため，Maess ら（2002）は脳イメージングと行動実験を合わせて研究している。レンマの議論は，私が書いたよりももう少し賛否が分かれている。語彙化が二段階処理である点は同意しているが，二段階処理の詳細とアクセスする情報の特質については議論が分かれている（Rapp & Goldrick, 2000, 2004）。脳損傷があるイタリア語話者は，TOT で単語の性にアクセスできるという証拠がある。単語の音韻にはアクセスできないが，性にはアクセスできる（Badecker et al., 1995）。他方で，レンマは統語的かつ意味的に指定されているとするモデルでは，TOT に陥っている人が音韻の一部にアクセスできるなら，単語の性にもアクセスできるはずだという予測になる。なぜなら，音にアクセスするためには，レンマを通らなければならないからだ。しかし，性と音韻情報は独立しているので，このケースもまだ決定は下されていない（Caramazza & Miozzo, 1997, 1998; Miozzo & Caramazza, 1997; Roelofs et al., 1998）。

ウィキペディアの絶対複数に関するページによると，（ここではそのまま引用するが）*in lvor*（intestines 腸）も絶対複数である。intestines や bowels は，英語における絶対複数のようなものだが，周囲の人が “the bowel” と言ったり，もっと興味深いことには “my intestine” などと言っているのを聞く。

company, collective, committee のような，名詞の複数形について説明したウェブサイトがたくさんある。www.askoxford.com はお勧めだ。私は特に www.alt-usage-english.org が好きだ。“the government is killing people” と言うと，政府軍が突入し

て人を撃つように命令されている，または国を封鎖して国民を餓死させるというような意味になる。しかし，“the government are killing people” と言うと，政府の役人がナタや機関銃を持ってそこに猛攻し，自分たちで人々を襲うという意味になると，親切に説明してくれている。もちろん，自動的な言語処理ではその区別は行われない。

ウィキペディアが，Broca と Wernicke の経歴について，すぐれた紹介をしている。さらに最近の言語処理モデルと脳に関しては，Wernicke-Geschwind モデルからそれほど進歩したわけではないが，Ullman（2004）がある。失文法症の議論に関して重要な文献を数本紹介したが，他にもたくさんある。中には，脳損傷と認知についてどのように研究するのが一番よい方法かについて，掘り下げているものもある（複数の患者を対象にした実験は妥当か。それとも，シングルケース・スタディに限定するべきか。選択肢としては，Bates et al., 1991; Caramazza, 1991; Goodglass & Menn, 1985; McCloskey & Caramazza, 1988; Schwartz, 1987 がある）。これらのやり取りの中には，私が知る限りでは，他に類を見ないほど毒舌をふるっているものもある。錯語と新造語の例は，Ellis（1985），Martin ら（1994），Martin と Saffran（1992）から引用した。

Dell ら（1997）のモデルは，批判なしには発展しなかった（Dell らは，誰も批判しなければ，そのモデルはおそらくよくないのだと言う）。議論の焦点は，コネクショニスト・モデルで脳損傷はどのようにシミュレーションされるべきなのか，そしてモデルと実際のデータがどのくらい一致すればよいのかということだ。専門的な文献としては，Dell ら（2000），Foygel と Dell（2000），Ruml と Caramazza（2000），Ruml ら（2000）がある。

これらにおける東海岸と西海岸の議論は，どこにあるのかと思うかもしれない。Dell ら（1997, 2000）のアプローチは西海岸モデルだ。もう 1 つのモデルには，Pim Levelt と Ardi Roelofs，彼らのオランダのナインメーヘンの同僚らによる WEAVER モデルやその変形版がある（Levelt et al., 1999; Roelofs, 1992, 1997）。確かにこれらのモデルは，カスケード型の処理やフィードバックの有無と意味表象のあり方において異なるが，語彙化は二段階で，活性化はネットワークを拡散するという基本的な点においては一致している。

第 9 章　終わりに

Steven Pinker（2002）による『*The Blank Slate*（邦題：人間の本性を考える）』は行動，素質か環境か，言語，性差に対する遺伝的影響についての優れた概説書である。言語を含む行動の性差に関する概説書として推奨するのは，Baron-Cohen（2003）による『*The Essential Difference*（邦題：共感する女脳，システム化する男脳）』と Susan Pinker（2008）による『*The Sexual Paradox*（邦題：なぜ女は昇進を拒むのか――進化心理学が解く性差のパラドクス）』である（確かに両者は関連しているが）。Kolb と

Whishaw（2015）は行動の性差について優れた記述をしており，生物学をも含む（第5版，12章）。

Banich（2004）は，加齢の神経心理学について優れた短いレビューをしているが，生物学的心理学の良書はそれに1章を充てるべきである。加齢と言語産出のレビューとしては，Burke と Shafto（2004）を参照されたい。

Ullman（2007）は言語の認知生物学の文献をレビューしている。Ullman の手続的／宣言的モデル（2001，2004）に加え，他の言語－脳統合のグランド・モデルは，聴覚的文理解（Friederici, 2002）と記憶，統合，コントロールの枠組み（Hagoort, 2005）に関する認知神経科学的モデルを含む。レビューとしては，Bornkessel-Schlesewsky と Friederici（2007）を参照されたい。

用語解説 Glossary

【あ行】

アーギュメント構造（argument structure）：特定の動詞が必要とする主題役割のパターン（例：「**動作主**」が「目標」に「**主題**」を「与える」）。

アトラクター（attractor）：コネクショニスト・アトラクター・ネットワークにおいてシステム内の動きが向かう点。

異言語間の（cross-linguistic）：複数の言語間の比較を意味する。

意味記憶（semantic memory）：事実を長期貯蔵するための記憶システム（例：コマドリは鳥である，パリはフランスの首都である）。

意味的プライミング（semantic priming）：意味的関連のある刺激を先に提示することによって得られる，通常は促進的なプライミング（例：医者－看護師）。

意味的特徴（semantic feature）：語の意味属性を表現する単位。

意味の（semantic）：意味に関連した。

意味論（semantics）：意味の研究。

隠喩（metaphor）：連想，比較，類似によって機能する比喩的表現（例：「戦いとなると彼はトラだ」「木の葉は湖をぐるりと泳ぐ」）。

韻律（prosody）：音声の継続時間，高さ，音量などに関連する。

ウエルニッケ失語（Wernicke's aphasia）：脳のウエルニッケ野における損傷が原因で起こる失語症の一種。特徴として，理解が劣り，流暢だが単語に対応しない無意味な発話をすることが多い。

エピソード記憶（episodic memory）：特殊なエピソードに関する知識（例：今朝朝食に何を食べたか，昨日図書館で何があったか）。

押韻（body）：韻を踏むこと。*rime* と同義。最後の母音と末尾の子音。

オフライン（offline）：処理が実際に起きている間に検出しない実験課題（例：記憶課題）。

音韻意識（phonological awareness）：音に関する意識は，単語間で共通の音をあげたり（例：bat と ball），単語から1つの音を除く（例：bland から2つめの音を取る）などの課題で測定される。読みの発達にとって重要と思われるが，おそらく言語の他の側面にとってもそうだろう。

音韻錯語（malapropism）：発話の失敗で，音の類似した語が目標語に置き換えられる（例：rhapsody［ラプソディー］の代わりに restaurant［レストラン］と言う）。

音韻失読（phonological dyslexia）：失読症の一種で，患者は単語を読むことができるが，非語を読むことが難しい。

音韻論（phonology）：音声および音声と言語の関係に関する研究。音韻論は各言語が音声空間を区分するために用いる音声カテゴリーを記述する。

音響学（acoustics）：音の物理的特性の研究。

音声学（phonetics）：音声の音響的詳細とその構音法に関する研究。

音節（syllable）：発話のリズミカルな単位（たとえばpo-loは2つの音節を含む）。音節は**頭子音**（onset）と**脚韻**（rime または rhyme）に分析され，さらに脚韻は核（nucleus）と末尾子音（coda）とに分析される。speaks において sp が頭子音，ea が核，ks が末尾子音となり，あわせて eaks は脚韻となる。

オンセット（onset）：事象の開始。2つの意味がある。刺激のオンセットはそれが最初に提示された時点である。印刷された語のオンセットは最初の子音結合（頭子音）となる（たとえば，speak では sp となる）。

音素（phoneme）：言語の音声。音素が変化すると単語の意味が変わる。

音素配列的制約（phonotactic）：隣り合う音声単位に対する連続の制約。

オンライン（online）：処理が実際に起きている間に，それを検出する実験課題（例：反応時間測定）。

【か行】

開放語類（open-class word）：**内容語**（content word）に同じ。

解離（dissociation）：あるプロセスが他のプロセスと分離できるのは，脳損傷が他のプロセスを損うことがないのに，そのプロセスを破壊する場合である。

会話の公理（conversation maxim）：会話の理解を助けるルール。

隠れユニット（hidden unit）：コネクショニスト・ネットワークの隠れ層から構成されるユニットで，**バックプロパゲーション**というアルゴリズムによってネットワークに複雑な入力－出力対の学習を可能にする。隠れ層は入力層と出力層の間の中間層を形成する。

過剰拡張（overextension）：子どもが事物を指すために語の特定の属性に基づいて語を用いる場合，多くの事物をその語を用いて呼ぶことができる（たとえば,「月」を用いてすべての丸いものを,「棒」を用いて傘のように長いものを指す）。

数（number）：動詞の数とは，その行動をしている主語が単数か複数かである（たとえば，単数なら the ghost was だが，複数なら the ghosts were となる）。

カスケード・モデル（cascade model）：処理のタイプで，最初のレベルの処理が終わらないうちに，情報を次のレベルの処理へと送ることができる。**離散型モデル**（discrete stage model）と対比される。

活性化（activation）：対象が保有するエネルギー量と考えてよい。対象が活性化されるほど，出力となる可能性が高くなる。

カテゴリー知覚（categorical perception）：連続体上に存在する対象をある特定のカテゴリーに，または別のカテゴリーに属するものとして知覚すること。

ガーデンパス文(garden-path sentence)：統語論的構造により，本来の意味とは異なった結論を期待してしまうようなタイプの文（例：“The horse raced past the barn fell”）。

含意（implicature）：会話の意味や関連性を維持するために行う推論。

関係節（relative clause）：主要名詞を修飾する関係代名詞によって通常は導かれる節（“The horse that was raced past the barn fell” において関係詞節は “that was raced past the barn” である）。

慣用句（idiom）：特定の言語に特有の表現で，その意味を構成要素から推論することができないもの（たとえば，“kick the bucket”［死ぬ］）。

疑似単語（pseudoword）：発音可能な非語を形成する文字列（smeak など）。

基礎レベル（basic level）：階層構造において，初期値となる表象のレベル（例：「テリア」か「動物」か，というよりも「イヌ」が期待値となる）。

機能語（function word）：言語の文法的働きを示す有限の単語の１つ（例えば限定詞，前置詞，接続詞。the, a, to, in, and, because など）。内容語と対比される。

脚韻（rime）：韻を踏む単語の末尾部分（たとえば，rant における韻の構成要素は ant であり，speak では eak となる）。より形式的には，単語の VC または VCC（母音－子音，または母音－子音－子音）の部分となる。

吸啜馴化パラダイム（sucking-habituation paradigm）：きわめて幼い赤ちゃんが２つの対象を弁別できるかどうかを調べる方法。子どもは装置の特殊な部分をしゃぶる。子どもは刺激に対して慣れるにつれて彼らの吸啜率は低下するが，新しい刺激が提示されれば，吸啜率は再度増加する。しかし，それはその刺激が初めのものとは異なることを子どもが感知できた場合に限られる。

句（phrase）：節（clause）以下のレベルで，文法的単位を形成する単語のまとまり（例：“up a tree”）。句は主語と述部とを含まない。一般に，文の全体的構造を変えることなく，一連の単語を１つの単語に置き換えることができるならば，その単語列は句である。

屈折（inflection）：動詞（-ed など，時制による変化）や名詞（-s や mice など，数による変化）の文法的変化。

屈折形態論（inflectional morphology）：屈折の研究。

クレオール語（Creole）：「クレオール化」として知られる進化的過程を通じて，共同体の言語となったピジン語。

形式錯語（formal paraphasia）：単語の発話における置き換えで，他の単語のように聞こえる（たとえば，カタパルトをカタピラーという）。形式関連錯語（paraphasia）ということもある。

継続バイリンガリズム（sequential bilingualism）：L1 の後に L2 を獲得した。これは幼児期の早期または後期に可能である。

形態素（morpheme）：意味をもつ最小の単位（たとえば，dogs は dog と複数の s という 2 つの形態素を含む）。

形態論（morphology）：語が形態素から形成される様式の研究。

形容詞（adjective）：特徴を記述する語（例：赤い）。

ゲーティング（gating）：単語の音声を徐々に明瞭にしてゆくことを含む課題。

言語運用（performance）：私たちの認知能力によって制限される実際の**言語能力**。言語能力（competence）とは区別される。

言語能力（competence）：言語に関する私たちの知識。**言語運用**（performance）とは異なる。

限定詞（determiner）：名詞の数を限定する文法的単語（the, a, an, some など）。

語彙化（lexicalisation）：発話の産出において，**意味論**から音声に達すること。

語彙検索（lexical access）：**レキシコン**の中から収録語を呼び出すこと。

語彙素（lexeme）：語の音素形態で，音声が表象されている形式。

語彙的な（lexical）：語彙に関連した。

構音器官（articulatory apparatus）：発話の物理的音声を発するための身体部位（舌，唇，喉頭など）。

構音結合（co-articulation）：ある音の構音に際して，構音器官が周辺の音の構音に影響を与えること。その結果，音が隣接する音に関する情報をもたらす。

構音点（place of articulation）：構音器官の中で空気の流れをせばめる場所。

構音法（manner of articulation）：発音の際に空気の流れを妨げる方法（閉鎖音など）。

構成素（constituent）：より大きな言語単位の一部となる言語単位。

拘束形態素（bound morpheme）：単独で存在することができない**形態素**（un, ent など）。

後天的障害（acquired disorder）：脳損傷に起因する障害は，過去に健全だった能力に影響を与えるとすれば，後天的である（**発達障害**とは対照をなす）。

構文解析（parsing）：文の文法的構造の分析。

語幹（stem）：**拘束形態素**を付加することができる語根となる形態素。

コネクショニズム（connectionism）：多数の単純な処理ユニットとともにコンピュータ・シミュレーションを含んだ認知へのアプローチ。知識は明示的に提示されたルールというよりも，統計的規則性を学習することから得られる。

コーパス（corpus）：言い間違いや単語のサンプルなど，何らかの集積または収集物。
語用論（pragmatics）：言われたことの文字通りの事実に影響を及ぼさない意味の側面。これらは同じ意味をもつ語からの選択，会話におけるほのめかし，会話の一貫性の維持などに関係する。
語類（word class）：統語カテゴリー。

【さ行】

再帰（recursion）：それ自体によって何かを定義するもの，またはそれ自体を呼び出すルール。たとえば，同じルールを使って繰り返し構造を形成できる統語構造など。
再帰的ネットワーク（recurrent network）：時系列を学習するために設計されたコネクショニスト・ネットワークの一種。文脈ユニットと呼ばれるユニットの付加層によってこれを行い，そこにはネットワークの過去の状態に関する情報を貯蔵している。
最小対立語（minimal pair）：唯一の音が変化することによって，意味が異なる一対の語。たとえば，pear（西洋ナシ）と bear（クマ）。
錯語（paraphasia）：語を入れ替えて話す。
錯読（paralexia）：語を入れ替えて読むエラーを起こす。
サッカード（saccade）：眼の急速な動き。たとえば，読書の際の凝視点の移動など。
子音（consonant）：空気の流れを閉鎖して発する音声。母音とは異なる。
ジェンダー（gender）：一部の言語（フランス語，イタリア語など）は，その性（男性，女性，中性）によって格を区別する。
指示（reference）：対象物を指示すること。
指示対象（referent）：語が指示している外界（またはモデル）の対象。“The vampire cooked his eggs and then he made some tea”において，“The vampire”と he は同じ指示対象をもつ。
時制（tense）：動詞の時制は過去か，現在か，未来かを示す（例：「彼女は与えた」「彼女は与える」「彼女は与えるだろう」）。
自然種（natural kind）：自然に発生した事物のカテゴリー（例：動物，樹木）。
失語症（aphasia）：言語障害の一種。脳損傷の結果として，書かれたまたは話された言語について表出（産出）の，または**受容**（理解）の障害または喪失を含む。
失読症（dyslexia）：読むことの障害。
失文法（agrammatism）：文字通り「文法喪失」。統語処理の障害を特徴とする**失語症**の一種（例：文の構成，単語の屈折，構文解析の困難）。
失名詞（anomia）：対象の名前を思い出せない失語症。
自動詞（intransitive verb）：目的語を取らない動詞（例：“The man laughs”）。

自動処理（automatic processing）：無意識で，高速で，強制的であり，容易で，ワーキングメモリ容量を必要とせず，一般的に二重課題の干渉を受けにくい処理（反意語は注意的処理）。

修飾語（modifier）：他の語に従属する発話の一部で，それを修飾したり，限定したりする（たとえば，形容詞は名詞を修飾する）。

従属節（subordinate clause）：単独で存在することができない節で，通常，who, that, which が目印となる。“The vampire who was running for president kicked the bucket”（大統領に立候補していた吸血鬼が死んだ）において“The vampire kicked the bucket”が主節で，“who was running for president”が従属節である。

縮約関係節（reduced relative）：関係代名詞および was を除いて縮約された関係詞節。“The horse raced past the barn fell.”（納屋の向こうを抜けて走らされた馬が転んだ）。〔“The horse”の後に関係詞節を導く“that was”が省略されている。〕

主語（subject）：文が関わる単語または句，すなわち何かが断定（陳述）されている節。動詞の主語，すなわち何かをしている人または対象。より形式的には，句構造において文のノードのすぐ下にある名詞句の文法的範疇，すなわちそれについて何かが陳述されているもの。

主節（main clause）：単独で成立することができる文の一部。

主題（theme）：それに従って行動したり，それに向かって進むもの。

主題役割（thematic role）：誰が誰に何をしているという情報を伝達する文中の意味役割。主語，目的語という統語役割とは対照的である。例として動作主，主題などが含まれる。

述部（predicate）：主語についての情報を提供する節の一部（たとえば，“The ghost is laughing”において“The ghost”が主語，“is laughing”が述部となる）。

受動者（patient）：動作主によって行為を受ける人または物の主題役割（thematic role）。

受容の（receptive）：理解と関連がある。

照応形（anaphor）：ある指示対象がもう一方の言語表現，すなわち照応形の先行詞を考慮することによってのみ決定することができる言語表現（たとえば，「ヴラッドは幸せだった。彼は吸血鬼を愛していた」において「彼」が照応形であり，「ヴラッド」が先行詞である）。

症候群（syndrome）：単一の原因の結果としてまとめられる一群の症状を意味する医学用語。

書記素（grapheme）：ある 1 つの音素（phoneme）を書き表す文字の単位（たとえば steak は s t ea k という 4 つの書記素を含む）。

書字障害（dysgraphia）：書くことの障害。

助動詞（auxiliary verb）：他の動詞とともに用いられる連結動詞（linking verb）（例：“You must have done that”において must や have が助動詞）。

新造語（neologism）：辞書にない作られた語。新造語はジャーゴン失語症（jargon aphasia）の人々の発話によく現れる。

深層失読（deep dyslexia）：復唱の際の意味的誤りを特徴とする読字障害。

深層発語障害（deep dysphasia）：意味の復唱の誤りを特徴とする復唱障害。

心像性（imageability）：語の心的イメージの形成しやすさに関する意味的変数。たとえば，「バラ」は「真理」よりもイメージしやすい。

心理言語学（psycholinguistics）：言語の心理学（The psychology of language）。

推論（inference）：既知の事実から付加的知識引き出すこと。これはテキストの一貫性を維持したり，実際に提示されたことを詳しく述べるために，テキストの範囲を超えることもある。

スキーマ（schema）：知識を構造化する手段。

スクリプト（script）：手続的情報の台本（例：医者に行く）。

スパン（span）：短期記憶に維持することができる項目（数字など）の数。

生成文法（generative grammar）：特定の言語のあらゆる文を産出または生成する（非文は生成しない）有限の規則の集合。

成熟（maturation）：特性が逐次発達してゆくこと。通常，遺伝情報の指令によって支配されている。

正書法の（orthographic）：正書法に基づいて言語を正しく綴ることに関連している〔本文中では「書記素の」または「書字の」と訳出〕。

生得説（nativism）：知識は生得的であるという考え方。

正配列の（orthotactic）：書記素の適格な結合に関する制約に関係する（たとえば，STDEAK は正配列として適格でない）。

声門閉鎖音（glottal stop）：声門を閉めたり，開けたりする（声門のひだの間を開ける）ことによって産出される音声。英語のいくつかの方言で（ロンドンの一部），bottle の中間の /t/ の音にとって代わる音がその例である。

節（clause）：主語と動詞とを含む，関連する単語のグループ。

接辞（affix）：単独では出現することができないが，語幹に付加されなければならない拘束形態素（re-, -ing など）。接頭辞ならば主要語の前に，接尾辞ならば，後に来ることができる。

接続詞（conjunction）：文中の単語を結合する発話の一部（and, because など）。

接頭辞（prefix）：語幹の前に付加される接辞（例：dis-interested）。接尾辞と対比される。

接尾辞（suffix）：語幹の後にくる接辞（laugh*ing* など）。接頭辞と対比される。

先行詞（antecedent）：照応形の指示対象を決定するために考慮に入れなければならない言語表現。先行詞は代名詞がそれと置き換えられているものである。たとえば「ヴィラッドは幸せだった。彼は吸血鬼を愛していた」において「彼」が照応形であり，「ヴィラッド」が先行詞である。

前置詞（preposition）：関係を表現する文法用語（to, with, from など）。

前置詞句（prepositional phrase）：前置詞で始まる句（with the telescope, up the chimney など）。

促進（facilitation）：通常，プライミングの結果として，処理が速くなること。抑止の反意語。

ソース（source）：主題がそこから移動するという主題役割。

【た行】

代名詞（pronoun）：名詞または名詞句を意味する語の品詞（she, he, it など）。

多義語（polysemous words）：複数の意味を持つ語。

他動詞（transitive verb）：目的語をとる動詞（例：「ネコがイヌをたたく」）。

単一言語（unilingual）：1つの言語しか使用しないこと。

単音節の（monosyllabic）：1つの音節だけからなる語。

短期記憶（short-term memory）：最近の出来事に対する限定された記憶（STM と略記される）。

単語（word）：独立に存在し得る文法の最小単位。

談話（discourse）：複数の文からなる言語的単位。

注意的処理（attentional processing）：必須ではなく，一般的にワーキングメモリ容量を費やし，二重課題に干渉を起こしがちであり，比較的低速で，意識されやすい処理（反意語は自動処理）。

超皮質性失語症（transcortical aphasia）：脳損傷に伴う言語障害の一種で，復唱は比較的良好だが，言語の他の側面の成績は劣る。

直示的（ostensive）：対象を示すことによって，それを具体的に定義することができる。

電報発話（telegraphic speech）：幼児によって使用される発話の型で，統語論的に単純で，特に機能語が脱落するという特徴がある。

頭音転換（spoonerism）：言い誤りの一種で，2つの単語の最初の音が置き換えられる（William A. Spooner 牧師にちなんで名づけられたもので，彼は “You have wasted the whole term” と言う代わりに “You have tasted the whole worm” と言ったと伝えられている）。

同音異義語（homophone）：発音が同じ2つの語。

同音疑似語（pseudohomophone）：発音すると単語のように聞こえる**非単語**（nite など）。

同音同綴異義語（homonym）：2つの意味をもつ語（例：bank は銀行，土手の意味をもつ）。

同化（assimilation）：1つの音声が他の音声の構音に影響を与え，その結果，2つの音声がより似てくること。

同形異義語（homograph）：綴りが同じで意味が異なる語。それらの発音は同じこともあれば異なることもある（たとえば，lead はイヌを散歩させるために使うひも，および金属の鉛を意味する）。

統語役割（syntactic roles）：語順情報から派生した一連の役割。文法的**主語**と**目的語**とを含む。

統語論（syntax）：言語の語順に関する規則。

動作主（agent）：行動を起こす存在を記述する**主題役割**。

動詞（verb）：行動，出来事，状態を表す語の統語範疇で，時制をもつ。

動詞アーギュメント構造（verb argument structure）：**動詞**に連合した可能性のある主題の組み合わせ（例：人が何かを誰かに与えた，もしくは**動作主**－**主題**－**目標**）。

同時バイリンガリズム（simultaneous bilingualism）：L1 と L2 とを同時に獲得すること。

統制下処理（controlled processing）：中枢資源を必要とする処理で，**注意的処理**と同義。**自動処理**の反意語。

トップダウン（top-down）：高次レベルからの知識を含む処理（たとえば，文脈から単語を予測する）。

【な行】

内言（inner speech）：頭の中で聞こえる声。外的には構音されない発話。

内容語（content word）：文の意味を表す膨大な単語の1つ。名詞，動詞，形容詞，副詞など。内容語は**開放語類**と同義。**機能語**と対比される。

喃語（babbling）：言語の初期段階。生後5〜6ヶ月頃に始まり，子どもは音節のように子音と母音を繰り返しつなげる（例：ババババババ）。

二重解離（double dissociation）：解離の一種で，ある患者は一方の課題ができるが，他方ができないのに対し，別の患者は逆のパターンを示す。

二重母音（diphthong）：2つの母音の音声を結合するタイプの母音（boy, cow, my など）。

脳卒中（stroke）：脳内の血流が遮断されることに伴って突然現れる症状。

のどまで出かかる現象（tip-of-the-tongue：TOT）：ある単語を知っているとわかって

いるのに，すぐにはそれを思い出すことができない（初めの音や，何音節かはわかるかもしれないにもかかわらず）。

【は行】

媒介プライミング（mediated priming）：意味的媒介による（促進的）プライミング（例：ライオンからトラ，トラから縞模様）。

バイリンガリズム（bilingualism）：2つの言語を話す能力。L2（第二言語）がL1と比較して，いつ習得されたかによって3つのタイプがある。同時（L1とL2とを同時に習得），早期に継時的（L1を最初に習得したが，幼児期に比較的早くL2を習得），後期（青年期以降に習得）。

バイリンガル（bilingual）：二カ国語を話すこと。

派生（derivation）：他の単語から文法的に派生した単語で，意味や文法的カテゴリーが変化することもある（例：entertainからentertainmentへの派生）。

派生形態論（derivational morphology）：派生的屈折の研究。

発達障害（developmental disorder）：通常の発達や処理（読みなど）の獲得が冒される障害。

バックプロパゲーション（back-propagation）：誤差逆伝播。コネクショニスト・ネットワークにおいて入力－出力対を学習するアルゴリズム。ネットワークの実際の出力と望ましい出力との間の誤差を交互に低減させることによって機能する。

バッファ（buffer）：入力された直後か，まもなく出力する一連の項目（音素など）を一時的に貯蔵するための記憶装置。

発話行為（speech act）：話し手の意図，およびそれが聞き手に与える効果によって定義される発話。

パラメータ（parameter）：Chomsky理論の構成要素で，言語の諸相を決定し，幼児期に特定の言語に接することによってセットされる。

半球皮質切除（hemi-decortication）：脳の半球の皮質を完全に切除すること。

反事実的条件文（counterfactual）：事柄の実際の状態に反する表現。たとえば“if the moon were made out of cheese then there’d be a lot of happy mice”（もし月がチーズからできているならば，喜ぶネズミがたくさんいることだろう）。

反復プライミング（repetition priming）：刺激を反復することによる（促進）プライミング。

非語彙的（sublexical）：完全な単語よりも低いレベルで綴りや発音が一致すること。

非単語（non-word）：単語を構成しない文字列。多くの場合，心理言語学でいう非語は発音可能な非語（疑似単語，たとえばblunk）を指すが，すべての非語が発音可能であるとは限らない（たとえばlbnkb）。

ピジン語（pidgin）：言語の種類で，簡略化された構造と形式をもち，それ自身の母語話者をもたない。それぞれ互いの母国語を話さない人々同士の交流によって生み出された。

比喩的発話（figurative speech）：隠喩や直喩（simile）など，字義通りでない材料を含む発話（例：「彼はヒョウのように走った」）。

表出の（expressive）：発話と関係がある。

表層失読（surface dyslexia）：失読症の一種で，例外語に障害がある。

品詞（class）：単語の品詞は主要な文法的カテゴリーである。単語は，名詞，形容詞，動詞，副詞，限定詞，前置詞，代名詞等に属する。

付加（attachment）：句がどのように結びついて統語構造を形成するかという問題。“The vampire saw the ghost with the binoculars” という文で，前置詞句（with the binoculars）は最初の名詞句（the vampire）または第二の名詞句（the ghost）のどちらにも付加することができる。

付加の選好性（attachment preference）：付加がどのように形成されるかの選好性。

副詞（adverb）：動詞を修飾する語（例：速く）。

不定詞（infinitive）：To を前に置くことによって，名詞のように機能することができる動詞（例：“To eat is my goal”）。

ブートストラップ（bootstrapping）：子どもが何か理解すると，独力で彼らの知識を増加させることができる方法。たとえば，意味論を理解すると，統語論を推論できるようになる。

普遍文法（universal grammar）：あらゆる言語に普遍的な文法の核心であり，個別言語がとり得る形式を特定し，制約する。

プライミング（priming）：ターゲットに先だって関連項目を提示することにより，それへの反応に影響を与えること。プライミングは促進効果または抑制効果をもつことができる。

ブローカ失語（Broca’s aphasia）：脳のブローカ野の損傷に伴う失語症のタイプ。特徴として，非流暢性，ゆっくりとしたぎこちない発話，構音障害，失文法といった症状がある。

プロトタイプ（prototype）：カテゴリーの最もよい事例の抽象概念で，そのカテゴリーの成員のすべての特徴の平均値をもつ。

文（sentence）：完結した思想を表現する単語のまとまりであり，最初の文字を大文字で書き，ピリオド（終止符）で終わる。文は主語と述部を含む（“Stop!” のような一語文をはじめとした，ごく少数の例外を除く）。

分詞（participle）：動詞句の一種で，動詞に -ed や -ing をつけることによって形容詞に変換したもの（We live in an *exciting* age）。

分節（segmentation）：発話を構成している音素に分割すること。

分布情報（distributional information）：何かは何かとともに生起する傾向があるという情報。たとえば，q という文字はほとんど常に u という文字が後に続くという知識や，the という単語の後には常に名詞が続くという知識が分布情報の例である。

文法（grammar）：特定の言語の統語規則の集合。

文法的要素（grammatical elements）：機能語と屈折の総称。

閉鎖項目（closed-class item）：文法的要素と同義。

変形（transformation）：ある統語構造から他の構造へと変形する文法規則（例：能動文から受動文への変換）。

変形文法（transformational grammar）：Chomsky によって提唱された変形に基づく文法の体系。

母音（vowel）：空気の流れをほとんど閉鎖しないで発する音声で，子音とは異なる。

補語（complement）：連結動詞の後で主語を記述するもの（例："the most important thing is *that you're alive*"）。従属節も形容詞を補足することができる（"I am sure *that you made a mistake*"）。

ボトムアップ（bottom-up）：純粋にデータ駆動型の処理。

補文標識（complementiser）：従属節を導くために用いられる単語のカテゴリー（that など）。

【ま行】

ミリ秒（millisecond）：1/1000 秒。反応時間は通常ミリ秒の単位で，ms と略記される。

無気音の（unaspirated）：聞き取れる息なしに発せられる音声（例：spin の中の /p/）。

無声の（unvoiced）：/p/ や /t/ など，声帯の振動を伴わずに発せられる音声。voiceless や without voice と同義。

名詞（noun）：語の統語範疇で，名称として働き，すべてが節の主語または目的語になりうる。あらゆる事物は名詞である。

名詞句（noun phrase）：名詞を基礎とする文法上の句（例：「赤い家」）。NP と略記される。

命題（proposition）：独立した知識の最小単位。真理値をもつ，すなわち，命題は真または偽であり得る。

メタ分析（meta-analysis）：多数の独立した研究を要約したり，比較したりするための統計的技法。

目的語（object）：動詞によって行動を起こされる人，事柄，概念。"The cat chased the dog." という文中で，cat が主語，chased が動詞，dog が目的語である。目的語には直接目的語と間接目的語がある。“She gave the dog to the man.”において dog が直接目的語，the man が間接目的語である。

目標（goal）：主題が向かおうとしている場所を示す**主題役割**。

モジュール性（modularity）：心は個別のモジュールから形成されているとする考え方。その復活はアメリカの哲学者，Jerry Fodor に関連がある。彼はモジュールが他のモジュールの内部に影響を与えることはできないと主張した。さらに進んだ主張では，心のモジュールは脳内の特定可能な神経構造に一致するとした。

【や行】

有声音（voicing）：声帯の振動を伴って発せられる子音。

有声開始時間（voice onset time）：子音を発する際に，空気の流れの閉鎖を開放してから，声帯が振動し始めるまでの時間〔声の出だしの時間〕。VOT と略記する。

ユニット（unit）：通常，ネットワーク中の最も単純な要素。

抑止（inhibition）：この語には 2 つの使われ方がある。処理に関して，処理速度を低下させせることを意味する。この意味においてプライミングが抑止を招く可能性がある。抑止は**促進**の反意語である。理解において，**抑制**の概念ときわめて密接な関係がある。ネットワークに関して，複数のコネクションが目標となるユニットの活性化量をいかに減少させるかを意味する。

抑制（suppression）：理解において，抑制は**抑止**ときわめて近い関係にある。**抑制**は**活性化**の減衰であるのに対し，抑止は活性化の妨害である。材料は抑制される前に活性化されなければならない。

【ら行・わ】

離散型モデル（discrete stage model）：処理のタイプで，現在の段階が処理を終えて初めて情報は次の段階へ通過することができる。**カスケード・モデル**（cascade model）と対比される。

レキシコン（lexicon）：私たちのもつ心的辞書。

連結動詞（copulative verb）：文の主語をその述部に結びつけるつなぎの動詞。英語では通常“to be”という動詞の形態をとる。構文は同一性，集団の成員，特性をもつことを表す。

レンマ（lemma）：**意味**表象と音韻表象との間にある語の表象のレベル。体系的に記述されているが，音声レベルの情報はまだ含んでいない。語彙化に関する二段階モデルの中間段階。

ワーキングメモリ（working memory）：アメリカでは**短期記憶**（short-term memory）の一般的用語として用いられることが多い。英国心理学者の Alan Baddeley によれば，ワーキングメモリは中央実行系，短期視空間貯蔵，および音韻ループという特定の構造を（まだモデルは発展途中であるが）もつ。

【欧文】

AD：アルツハイマー病（Alzheimer's disease）または認知症（dementia）。診断は不確実なことがあるので，これは実際には「おそらくアルツハイマー病」または「アルツハイマー型の認知症」の略。

ASL（American Sigh Language）：アメリカ・サイン言語（別名 AMESLAN）。

CDS（child-directed speech）：対幼児発話。幼児に向けた養育者の発話で，理解しやすいように変えてある（母親言葉［motherese］と呼ばれることもある）。

EEG（electroencephalography）：脳波記録法。頭皮に電極を置いて，脳電位を測定する方法。

ERP（event-related potential）：事象関連電位。特定の事象後に脳に生じる電気活動。事象関連電位は特定の事象に時間的に関連して生じる複雑な電気的波形で，EEG によって測定される。

L1：バイリンガル話者が最初に学習した言語。

L2：バイリンガル話者が二番目に学習した言語。

LAD（language acquisition device）：言語獲得装置。Chomsky の主張によれば，子どもが聴くのは乏しい言語入力なので，言語を獲得するためには，生得的な言語獲得装置を必要とする。

LSA（latent semantic analysis）：潜在意味解析。情報の共起関係から知識を獲得する方法。

SLI（specific language impairment）：特異的言語障害。言語だけに影響を及ぼす発達障害。

SOA（stimulus-onset asynchrony）：刺激開始の非同期性。一方の刺激提示の開始と他方の刺激の開始とのあいだの時間間隔。第一刺激提示の停止と第二刺激の開始との時間間隔は刺激停止・開始の非同期性（offset-onset asynchrony）と呼ばれる。

文　献 References

Adams, M.J. (1990). *Beginning to read: Thinking and learning about print*. Cambridge, MA: MIT Press.

Adelman, J.S., Marquis, S.J., Sabatos-DeVito, M.G., & Estes, Z. (2013). The unexplained nature of reading. *Journal of Experimental Psychology: Learning, Memory, and Cognition*, 39, 1037–1053.

Adriaans, F., & Kager, K. (2010). Adding generalization to statistical learning: The induction of phonotactics from continuous speech. *Journal of Memory and Language*, 62, 311–331.

Ainsworth-Darnell, K., Shulman, H.G., & Boland, J.E. (1998). Dissociating brain responses to syntactic and semantic anomalies: Evidence from event-related potentials. *Journal of Memory and Language*, 38, 112–130.

Aksu-Koc, A.A., & Slobin, D. (1985). The acquisition of Turkish. In D. Slobin (Ed.), *The crosslinguistic study of language acquisition* (Vol. 1, *The data*, pp. 839–880). Hillsdale, NJ: Lawrence Erlbaum.

Alladi, S., Bak, T.H., Duggirala, V., Surampudi, B., Shailaja, M., Shukla, A.K., Chaudhuri, J.R., & Kaul, S. (2013). Bilingualism delays age at onset of dementia, independent of education and immigration status. *Neurology*, 81, 1938–1944.

Altmann, G.T.M. (1997). *The ascent of Babel*. Oxford, UK: Oxford University Press.

Anderson, K.J., & Leaper, C. (1998). Metaanalyses of gender effects on conversational interruption: Who, what, when, where, and how. *Sex Roles*, 39, 225–252.

Anderson, R.C., & Pichert, J.W. (1978). Recall of previously unrecallable information following a shift in perspective. *Journal of Verbal Learning and Verbal Behavior*, 12, 1–12.

Andrews, S. (1989). Frequency and neighborhood effects on lexical access: Activation or search? *Journal of Experimental Psychology: Learning, Memory, and Cognition*, 15, 802–814.

Arensburg, B., Tillier, A.M., Vandermeersch, B., Duday, H., Schepartz, L.A., & Rak, Y. (1989). A middle palaeolithic human hyoid bone. *Nature*, 338, 758–760.

Arnold, J.E., Eisenband, J.G., Brown-Schmidt, S., & Trueswell, J.C. (2000). The rapid use of gender information: Evidence of the time course of pronoun resolution from eyetracking. *Cognition*, 76, B13–B36.

Aroles, S. (2007). *L'enigme des enfants-loup*. Paris: Publibook.

Au, T.K. (1983). Chinese and English counterfactuals: The Sapir-Whorf hypothesis revisited. *Cognition*, 15, 155–187.

Au, T.K. (1984). Counterfactuals: In reply to Alfred Bloom. *Cognition*, 17, 289–302.

Austin, J.L. (1976). *How to do things with words* (2nd ed.). Oxford, UK: Oxford University Press. [First edition published 1962].

Baars, B.J., Motley, M.T., & MacKay, D.G. (1975). Output editing for lexical status from artificially elicited slips of the tongue. *Journal of Verbal Learning and Verbal Behavior*, 14, 382–391.

Badecker, W., & Caramazza, A. (1985). On considerations of method and theory governing the use of clinical categories in neurolinguistics and cognitive neuropsychology: The case against agrammatism. *Cognition*, 20, 97–125.

Badecker, W., Miozzo, M., & Zanuttini, R. (1995). The two-stage model of lexical retrieval: Evidence from a case of anomia with selective preservation of gender. *Cognition*, 57, 193–216.

Badecker, W., & Straub, K. (2002). The processing role of structural constraints on the interpretation of pronouns and anaphors. *Journal of Experimental Psychology: Learning, Memory, and Cognition*, 28, 748–769.

Bae, G.Y., Olkkonen, M., Allred, S.R., & Flombaum, J.I. (2015). Why some colors appear more memorable than others: A model combining categories and particulars in color working memory. *Journal of Experimental Psychology: General*, 144, 744–763.

Bak, T.H., Long, M.R., Vega-Mendoza, M., & Sorace, A. (2016). Novelty, challenge, and practice: The impact of intensive language learning on attentional functions. *PLoS One*, 11 (April 27), 1–11.

Baker, C. (2006). *Foundations of bilingual education and bilingualism* (4th ed.). Clevedon, UK: Multilingual Matters.

Balota, D.A. (1990). The role of meaning in word recognition. In D.A. Balota, G.B. Flores d'Arcais, & K. Rayner (Eds.), *Comprehension processes in reading* (pp. 9–32). Hillsdale, NJ: Lawrence Erlbaum.

Banich, M.T. (2004). *Cognitive neuroscience and neuropsychology* (2nd ed.). Boston: Houghton Mifflin.

Barabasi, A. (2002). *Linked: How everything is connected to everything else and what it means for business, science, and everyday life*. New York: Plume Books.

Bargh, J.A., Chen, M., & Burrows, L. (1996). Automaticity of social behavior: Direct effects of trait construct and stereotype activation on action. *Journal of Personality and Social Psychology*, 71, 230–244.

Baron, J., & Strawson, C. (1976). Use of orthographic and word-specific knowledge in reading words aloud. *Journal of Experimental Psychology: Human Perception and Performance*, 2, 386–393.

Baron-Cohen, S. (2003). *The essential difference*. Harmondsworth, UK: Penguin. (三宅真砂子 訳［2005］共感する女脳，システム化する男脳．NHK 出版)

Barsalou, L. (1999). Perceptual control systems. *Behavioral and Brain Sciences*, 22, 577–660.

Barsalou, L. (2003). Situated simulation in the human conceptual system. *Language and Cognitive Processes*, 18, 513–562.

Barsalou, L. (2008). Grounded cognition. *Annual Review of Psychology*, 59, 617–645.

Bartlett, F.C. (1932). *Remembering: A study in experimental and social psychology*. Cambridge, UK: Cambridge University Press. (宇津木保・辻　正三 訳［1983］想起の心理学——実験的社会的心理学における一研究．誠信書房)

Batchelder, E.O. (2002). Bootstrapping the lexicon: A computational model of infant speech segmentation. *Cognition*, 83, 167–206.

Bates, E., Marchman, V., Thal, D., Fenson, L., Dale, P.S., Reznick, J.S., et al. (1994). Developmental and stylistic variation in the composition of early vocabulary. *Journal of

Child Language, 21, 85–123.

Bates, E., McDonald, J., MacWhinney, B., & Applebaum, M. (1991). A maximum likelihood procedure for the analysis of group and individual data in aphasia research. *Brain and Language*, 40, 231–265.

Beaton, A.A. (1997). The relation of planum temporale asymmetry and morphology of the corpus callosum to handedness, gender, and dyslexia: A review of the evidence. *Brain and Language*, 60, 252–322.

Beaton, A.A. (2004). *Dyslexia, reading and the brain: A sourcebook of psychological and biological research*. Hove, UK: Psychology Press.

Beattie, J., Cutler, A., & Pearson, M. (1982). Why is Mrs Thatcher interrupted so often? *Nature*, 300, 744–747.

Behrend, D.A., Rosengren, K.S., & Perlmutter, M. (1992). The relation between private speech and parental interactive style. In R.M. Diaz & L.E. Berk (Eds.), *Private speech: From social interaction to self-regulation* (pp. 85–100). Hillsdale, NJ: Lawrence Erlbaum.

Bellugi, U., Lichtenberger, L., Mills, D., Galaburda, A., & Korenberg, J.R. (1999). Bridging cognition, the brain and molecular genetics: Evidence from Williams syndrome. *Trends in Neurosciences*, 22, 197–207.

Benjamin, L.T., & Bruce, D. (1982). From bottle-fed chimp to bottlenose dolphin: A contemporary appraisal of Winthrop Kellogg. *Psychological Record*, 32, 461–482.

Berlin, B., & Kay, P. (1969). *Basic color terms: Their universality and evolution*. Berkeley: University of California Press.（日髙杏子 訳［2016］基本の色彩語：普遍性と進化について．法政大学出版局）

Bernstein, B. (1961). Social structure, language, and learning. *Educational Research*, 3, 163–176.

Berwick, R.C., & Chomsky, N. (2016). *Why only us: Language and evolution*. Cambridge, MA: MIT Press.

Betts, C. (1976). *Culture in crisis: The future of the Welsh language*. Wales: Ffynnon Press.

Bialystok, E. (2001a). *Bilingualism in development: Language, literacy and cognition*. Cambridge, UK: Cambridge University Press.

Bialystok, E. (2001b). Metalinguistic aspects of bilingual processing. *Annual Review of Applied Linguistics*, 21, 169–181.

Bialystok, E., Craik, F.I.M., Klein, R., & Viswanathan, M. (2004). Bilingualism, aging, and cognitive control: Evidence from the Simon task. *Psychology and Aging*, 19, 290–303.

Bialystok, E., Craik, F.I.M., & Luk, G. (2012). Bilingualism: Consequences for mind and brain. *Trends in Cognitive Sciences*, 16, 240–250.

Bickerton, D. (1984). The language bioprogram hypothesis. *Behavioral and Brain Sciences*, 7, 173–221.

Bickerton, D. (1990). *Language and species*. Chicago: Chicago University Press.

Bickerton, D. (2008). *Bastard tongues*. New York: Hill & Wang.

Bickerton, D. (2014). *More than language needs: Language, mind, and evolution*. Harvard: Harvard University Press.

Birdsong, D., & Molis, M. (2001). On the evidence for maturational constraints in second-language acquisition. *Journal of Memory and Language*, 44, 235–249.

Bishop, D.V.M. (1983). Linguistic impairment after left hemidecortication for infantile hemiplegia? A reappraisal. *Quarterly Journal of Experimental Psychology*, 35A, 199–207.

Bishop, D.V.M. (1997). *Uncommon understanding: Development and disorders of language comprehension in children*. Hove, UK: Psychology Press.

Bloom, A.H. (1981). *The linguistic shaping of thought: A study in the impact of thinking in China and the West*. Hillsdale, NJ: Lawrence Erlbaum.

Bloom, A.H. (1984). Caution – the words you use may affect what you say: A response to Au. *Cognition*, 17, 275–287.

Bloom, L. (1970). *Language development: Form and function in emerging grammars*. Cambridge, MA: MIT Press.

Bloom, P. (2000). *How children learn the meaning of words*. Cambridge, MA: Bradford Books.

Boas, F. (1911). Introduction to the handbook of North American Indians (Vol. 1). *Bureau of American Ethnology Bulletin*, 40 (Part 1).

Bock, J.K. (1982). Toward a cognitive psychology of syntax: Information processing contributions to sentence formulation. *Psychological Review*, 89, 1–47.

Bock, J.K. (1986). Syntactic persistence in language production. *Cognitive Psychology*, 18, 355–387.

Bock, J.K. (1987). An effect of accessibility of word forms on sentence structure. *Journal of Memory and Language*, 26, 119–137.

Bock, J.K., & Cutting, J.C. (1992). Regulating mental energy: Performance units in language production. *Journal of Memory and Language*, 31, 99–127.

Bock, J.K., & Eberhard, K.M. (1993). Meaning, sound and syntax in English number agreement. *Language and Cognitive Processes*, 8, 57–99.

Bock, J.K., Eberhard, K.M., & Cutting, J.C. (2004). Producing number agreement: How pronouns equal verbs. *Journal of Memory and Language*, 51, 251–278.

Bock, J.K., & Griffin, Z.M. (2000). The persistence of structural priming: Transient activation or implicit learning. *Journal of Experimental Psychology: General*, 129, 177–192.

Bock, J.K., & Irwin, D.E. (1980). Syntactic effects of information availability in sentence production. *Journal of Verbal Learning and Verbal Behavior*, 19, 467–484.

Bock, J.K., & Loebell, H. (1990). Framing sentences. *Cognition*, 35, 1–39.

Bock, J.K., & Miller, C.A. (1991). Broken agreement. *Cognition*, 23, 45–93.

Bock, J.K., & Warren, R.K. (1985). Conceptual accessibility and syntactic structure in sentence formulation. *Cognition*, 21, 47–67.

Boland, J.E., Tanenhaus, M.K., & Garnsey, S.M. (1990). Evidence for the immediate use of verb control information in sentence processing. *Journal of Memory and Language*, 29, 413–432.

Bonin, P., Barry, C., Méot, A., & Chalard, M. (2004). The influence of age of acquisition in word reading and other tasks: A never ending story? *Journal of Memory and Language*, 50, 456–476.

Bornkessel-Schlesewsky, I.D., & Friederici, A.D. (2007). Neuroimaging studies of sentence and discourse comprehension. In M.G. Gaskell (Ed.), *The Oxford handbook of psycholinguistics* (pp. 407–424). Oxford, UK: Oxford University Press.

Bornstein, S. (1985). On the development of colour naming in young children: Data and theory. *Brain and Language*, 26, 72–93.

Boroditsky, L. (2001). Does language shape thought? Mandarin and English speakers' conception of time. *Cognitive Psychology*, 43, 1–22.

Bowerman, M. (1990). Mapping thematic roles onto syntactic functions: Are children helped by innate linking rules? *Linguistics*, 28, 1253–1289.

Bradley, L., & Bryant, P. (1983). Categorizing sounds and learning to read: A causal connection. *Nature*, 301, 419–421.

Brainard, M.S., & Doupe, A.J. (2002). What songbirds teach us about learning. *Nature*, 417, 351–358.

Braine, M.D.S. (1976). Children's first word combinations. *Monographs of the Society for Research in Child Development*, 41 (Serial No. 164).

Bramwell, B. (1897). Illustrative cases of aphasia. *Lancet*, 1, 1256–1259. [Reprinted in *Cognitive Neuropsychology* (1984), 1, 249–258].

Branigan, H.P., Pickering, M.J., & Cleland, A.A. (2000). Syntactic co-ordination in dialogue. *Cognition*, 75, B13–B25.

Bransford, J.D., Barclay, J.R., & Franks, J.J. (1972). Sentence memory: A constructive versus interpretive approach. *Cognitive Psychology*, 3, 193–209.

Bransford,J.D., & Johnson, M.K. (1973). Consideration of some problems of comprehension. In W.G. Chase (Ed.), *Visual information processing* (pp. 383–438). New York: Academic Press.

Brock, J. (2007). Language abilities in Williams syndrome: A critical review. *Development and Psychopathology*, 19, 97–127.

Broom,Y.M., & Doctor, E.A. (1995a). Developmental phonological dyslexia: A case study of the efficacy of a remediation programme. *Cognitive Neuropsychology*, 12, 725–766.

Broom,Y.M., & Doctor, E.A. (1995b). Developmental surface dyslexia: A case study of the efficacy of a remediation programme. *Cognitive Neuropsychology*, 12, 69–110.

Brown, R. (1958). *Words and things*. New York: Free Press.（石黒昭博 訳［1978］ことばともの——言語論序説．研究社）

Brown, R. (1973). *A first language: The early stages*. London: George Allen & Unwin.

Brown, R. (1976). Reference in memorial tribute to Eric Lenneberg. *Cognition*, 4, 125–153.

Brown, R., & Hanlon, C. (1970). Derivational complexity and order of acquisition in child speech. In J.R. Hayes (Ed.), *Cognition and the development of language* (pp. 11–53). New York: Wiley.

Brown, R., & Lenneberg, E.H. (1954). A study in language and cognition. *Journal of Abnormal and Social Psychology*, 49, 454–462.

Brown, R., & McNeill, D. (1966). The "tip of the tongue" phenomenon. *Journal of Verbal Learning and Verbal Behavior*, 5, 325–337.

Brownell, H.H., Michel,D., Powelson, J.A., & Gardner, H. (1983). Surprise but not coherence: Sensitivity to verbal humor in right hemisphere patients. *Brain and Language*, 18, 20–27.

Bruner, J.S. (1983). *Child's talk: Learning to use language*. New York: W.W. Norton.

Bryant, P. (1998). Sensitivity to onset and rhyme does predict young children's reading: A comment on Muter, Hulme, Snowling, and Taylor (1997). *Journal of Experimental Child*

Psychology, 71, 29–37.

Bryson, B. (1990). *Mother tongue*. London: Penguin Books.

Bub, D., Cancelliere, A., & Kertesz, A. (1985). Whole-word and analytic translation of spelling to sound in a non-semantic reader. In K.E. Patterson, J.C. Marshall, & M. Coltheart (Eds.), *Surface dyslexia: Neuropsychological and cognitive studies of phonological reading* (pp. 15–34). Hove, UK: Lawrence Erlbaum.

Bub, D., & Kertesz, A. (1982). Evidence for logographic processing in a patient with preserved written over oral single word naming. *Brain*, 105, 697–717. Buchanan, M. (2002). *Nexus: Small worlds and the groundbreaking science of networks*. New York: W.W. Norton.

Buckingham, H.W. (1981). Where do neologisms come from? In J.W. Brown (Ed.), *Jargonaphasia* (pp. 39–62). New York: Academic Press.

Burgess, C. (2000). Theory and operational definitions in computational memory models: A response to Glenberg and Robertson. *Journal of Memory and Language*, 43, 402–408.

Burgess, C., & Lund, K. (1997). Representing abstract words and emotional connotation in high-dimensional memory space. In *Proceedings of the cognitive science society* (pp. 61–66). Hillsdale, NJ: Lawrence Erlbaum.

Burke, D.M., MacKay, D.G., Worthley, J.S., & Wade, E. (1991). On the tip of the tongue: What causes word finding failures in young and older adults? *Journal of Memory and Language*, 30, 237–246.

Burke, D.M., & Shafto, M. (2004). Aging and language production. *Current Directions in Psychological Science*, 13, 21–25.

Butterworth, B. (1979). Hesitation and the production of neologisms in jargon aphasia. *Brain and Language*, 8, 133–161.

Butterworth, B., Reeve, R., Reynolds, F., & Lloyd, D. (2008). Numerical thought with and without words: Evidence from indigenous Australian children. *Proceedings of the National Academy of Sciences of the United States of America*, 105, 13179–13184.

Butterworth, B., Swallow, J., & Grimston, M. (1981). Gestures and lexical processes in jargonaphasia. In J. Brown (Ed.), *Jargonaphasia* (pp. 113–124). New York: Academic Press.

Byrne, B. (2005). Theories of learning to read. In M.J. Snowling & C. Hulme (Eds.), *The science of reading: A handbook* (pp. 104–119). Oxford, UK: Blackwell.

Campbell, R., & Butterworth, B. (1985). Phonological dyslexia and dysgraphia in a highly literate subject: A developmental case with associated deficits of phonemic processing and awareness. *Quarterly Journal of Experimental Psychology Section A*, 37, 435–475.

Cantalupo, C., & Hopkins, W.D. (2001). Asymmetric Broca's area in great apes. *Nature*, 414, 505.

Capitani, E., Laiacona, M., Mahon, B., & Caramazza, A. (2003). What are the facts of semantic category-specific deficits? A critical review of the clinical evidence. *Cognitive Neuropsychology*, 20, 213–261.

Caplan, D. (1986). In defense of agrammatism. *Cognition*, 24, 263–276.

Caplan, D. (1992). *Language: Structure, processing, and disorders*. Cambridge, MA: MIT Press.

Caramazza, A. (1991). Data, statistics, and theory: A comment on Bates, McDonald, MacWhinney, and Applebaum's "A maximum likelihood procedure for the analysis of group and individual data in aphasia research". *Brain and Language*, 41, 43–51.

Caramazza, A. (1997). How many levels of processing are there in lexical access? *Cognitive Neuropsychology*, 14, 177–208.

Caramazza, A., & Berndt, R.S. (1978). Semantic and syntactic processes in aphasia: A review of the literature. *Psychological Bulletin*, 85, 898–918.

Caramazza, A., & Miozzo, M. (1997). The relation between syntactic and phonological knowledge in lexical access: Evidence from the "tip-of-the-tongue" phenomenon. *Cognition*, 64, 309–343.

Caramazza, A., & Miozzo, M. (1998). More is not always better: A response to Roelofs, Meyer, and Levelt. *Cognition*, 69, 231–241.

Caramazza, A., & Shelton, J.R. (1998). Domain-specific knowledge systems in the brain: The animate–inanimate distinction. *Journal of Cognitive Neuroscience*, 10, 1–34.

Carey, S., & Bartlett, E. (1978). Acquiring a single new word. *Proceedings of the Stanford Child Language Conference*, 15, 17–29.

Carmichael, L., Hogan, H.P., & Walter, A.A. (1932). An experimental study of the effect of language on the reproduction of visually presented forms. *Journal of Experimental Psychology*, 15, 73–86.

Carroll, J.B., & Casagrande, J.B. (1958). The function of language classifications in behavior. In E.E. Maccoby, T.M. Newcomb, & E.L. Hartley (Eds.), *Readings in social psychology* (3rd ed., pp. 18–31). New York: Holt, Rinehart & Winston.

Casey, B.J., Thomas, K.M., & McCandliss, B. (2001). Applications of magnetic resonance imaging to the study of development. In C.A. Nelson & M. Luciano (Eds.), *Handbook of developmental cognitive neuroscience* (pp. 137–147). Cambridge, MA: MIT Press.

Castles, A., & Coltheart, M. (1993). Varieties of developmental dyslexia. *Cognition*, 47, 149–180.

Castles, A., & Coltheart, M. (2004). Is there a causal link from phonological awareness to success in learning to read? *Cognition*, 91, 77–111.

Cattell, J.M. (1947). On the time required for recognizing and naming letters and words, pictures and colors. In A.T. Poffenberger (Ed.), *James McKeen Cattell, man of science* (Vol. 1, pp. 13–25). Lancaster, PA: Science Press. [Originally published 1888].

Cheeta (2008). *Me Cheeta: The autobiography*. New York: Fourth Estate.

Chen, Y., Fu, S., Iversen, S.D., Smith, S.M., & Matthews, P.M. (2002). Testing for dual brain processing routes in reading: A direct contrast of Chinese character and Pinyin reading using fMRI. *Journal of Cognitive Neuroscience*, 14, 1088–1098.

Chomsky, N. (1959). Review of B.F. Skinner, *Verbal Behavior*. *Language*, 35, 26–57.

Chomsky, N. (1965). *Aspects of the theory of syntax*. Cambridge, MA: MIT Press.（安井　稔 訳［1970］文法理論の諸相．研究社出版）

Chomsky, N. (1975). *Reflections on language*. New York: Pantheon.

Chomsky, N. (1980). *Rules and representations*. Oxford: Blackwell.（井上和子 訳［1984］ことばと認識――文法からみた人間知性．大修館書店）

Christiansen, J.A. (1995). Coherence violations and propositional usage in the narratives of fluent aphasics. *Brain and Language*, 51, 291–317.

Christiansen, M.H., & Kirby, S. (2003). *Language evolution*. Oxford, UK: Oxford University

Press.

Clark, E.V. (1973). What's in a word? On the child's acquisition of semantics in his first language. In T.E. Moore (Ed.), *Cognitive development and the acquisition of language* (pp. 65–110). New York: Academic Press.

Clark, E.V. (2009). *First language acquisition* (2nd ed.). Cambridge, UK: Cambridge University Press.

Clark, H.H. (1996). *Using language*. Cambridge, UK: Cambridge University Press.

Clark, H.H., & Clark, E.V. (1977). *Psychology and language: An introduction to psycholinguistics*. New York: Harcourt Brace Jovanovich. (藤永 保 訳 [1986–87] 心理言語学——心とことばの研究 上・下. 新曜社)

Collins, A.M., & Loftus, E.F. (1975). A spreading-activation theory of semantic processing. *Psychological Review*, 82, 407–428.

Collins, A.M., & Quillian, M.R. (1969). Retrieval time from semantic memory. *Journal of Verbal Learning and Verbal Behavior*, 8, 240–247.

Coltheart, M. (1980). Deep dyslexia: A right hemisphere hypothesis. In M. Coltheart, K.E. Patterson, & J.C. Marshall (Eds.), *Deep dyslexia* (2nd ed., pp. 326–380). London: Routledge & Kegan Paul. [1987].

Coltheart, M. (1985). Cognitive neuropsychology and the study of reading. In M.I. Posner & O.S.M. Marin (Eds.), *Attention and performance XI* (pp. 3–37). Hillsdale, NJ: Lawrence Erlbaum.

Coltheart, M. (1996). Phonological dyslexia: Past and future issues. *Cognitive Neuropsychology*, 13, 749–762.

Coltheart, M. (2004). Are there lexicons? *Quarterly Journal of Experimental Psychology*, 57A, 1153–1171.

Coltheart, M. (2005). Modeling reading: The dual-route approach. In M.J. Snowling & C. Hulme (Eds.), *The science of reading: A handbook* (pp. 6–23). Oxford, UK: Blackwell.

Coltheart, M. (2013). How can functional neuroimaging inform cognitive theories? *Perspectives on Psychological Science*, 8, 98–103.

Coltheart, M., Rastle, K., Perry, C., Langdon, R., & Ziegler, J. (2001). DRC: A dual route cascaded model of visual word recognition and reading aloud. *Psychological Review*, 108, 204–256.

Conrad, C. (1972). Cognitive economy in semantic memory. *Journal of Experimental Psychology*, 92, 149–154.

Cook, V. (2008). *Second language learning and language teaching* (4th ed.). London: Hodder Arnold.

Coolidge, F.L., & Wynn, T. (2009). *The rise of Homo sapiens: The evolution of modern thinking*. Chichester: Wiley-Blackwell.

Corballis, M.C. (2004). On the origins of modernity: Was autonomous speech the critical factor? *Psychological Review*, 111, 543–552.

Corballis, M.C. (2011). *The recursive mind: The origins of human language, thought, and civilization*. Princeton, NJ: Princeton University Press.

Costa, A., & Sebastian-Galles, N. (2014). How does the bilingual experience sculpt the brain? *Nature Reviews Neuroscience*, 15, 336–345.

Craig, F.I.M., Bialystock, E., & Freedman, M. (2010). Delaying the onset of Alzheimer's disease: Bilingualism as a form of cognitive reserve. *Neurology*, 75, 1726–1729.

Crain, S., & Steedman, M.J. (1985). On not being led up the garden path: The use of context by the psychological parser. In D. Dowty, L. Karttunen, & A. Zwicky (Eds.), *Natural language parsing* (pp. 320–358). Cambridge, UK: Cambridge University Press.

Critchley, M. (1970). *The dyslexic child* (2nd ed.). Springfield, IL: Charles C. Thomas.

Croot, K., Patterson, K.E., & Hodges, J.R. (1999). Familial progressive aphasia: Insights into the nature and deterioration of single word processing. *Cognitive Neuropsychology*, 16, 705–747.

Cross, T.G. (1978). Mother's speech and its association with rate of linguistic development in young children. In N. Waterson & C.E. Snow (Eds.), *The development of communication* (pp. 199–216). Chichester, UK: Wiley.

Crystal, D. (1986). Prosodic development. In P. Fletcher & M. Garman (Eds.), *Language acquisition* (2nd ed., pp. 174–197). Cambridge, UK: Cambridge University Press. Crystal, D. (2010). *Cambridge encyclopaedia of language* (3rd ed.). Cambridge, UK: Cambridge University Press.

Curtiss, S. (1977). *Genie: A psycholinguistic study of a modern-day "wild child"*. London: Academic Press.

Cutting, J.C., & Ferreira, V. (1999). Semantic and phonological information flow in the production lexicon. *Journal of Experimental Psychology: Learning, Memory, and Cognition*, 25, 318–344.

Daland, R., & Pierrehumbert, J.B. (2011). Learning diphone-based segmentation. *Cognitive Science*, 35, 119–155.

D'Anastasio, R., Wroe, S., Tuniz, C., Mancini, L., Cesana, D.T., Dreossi, D., Ravichandiran, M., Attard, M., Parr, W.C.H., Agur, A., & Capasso, L. (2013). Micro-Biomechanics of the Kebara 2 Hyoid and its implications for speech in Neanderthals. *PLoS One*, 8, 1–7.

Daneman, M., & Carpenter, P.A. (1980). Individual differences in working memory and reading. *Journal of Verbal Learning and Verbal Behavior*, 19, 450–466.

Davidoff, J. (2001). Language and perceptual categorisation. *Trends in Cognitive Sciences*, 5, 382–387.

Davidoff, J., Davies, I., & Roberson, D. (1999). Colour categories in a stone-age tribe. *Nature*, 398, 203–204.

Davis, K. (1947). Final note on a case of extreme social isolation. *American Journal of Sociology*, 52, 432–437.

Deacon, T. (1997). *The symbolic species*. Harmondsworth, UK: Penguin Books.

De Boysson-Bardies, B., Sagart, L., & Durand, C. (1984). Discernible differences in the babbling of infants according to target language. *Journal of Child Language*, 11, 1–15.

De Bruin, A., Treccani, B., & Della Sala, S. (2015). Cognitive advantage in bilingualism: An example of publication bias? *Psychological Science*, 26, 99–107.

DeCasper, A.J., Lecanuet, J.P., Maugais, R., Granier-Deferre, C., & Busnel, M.C. (1994). Fetal reactions to recurrent maternal speech. *Infant Behavior and Development*, 17, 159–164.

DeGusta, D., Gilbert, W.H., & Turner, S.P. (1999). Hypoglossal canal size and hominid speech. *Proceedings of the National Academy of Sciences of the United States of America*, 96,

1800–1804.

Dehaene, S. (2000). *The number sense: How the mind creates mathematics*. Oxford, UK: Oxford University Press. (長谷川眞理子・小林哲生 訳 [2010] 数覚とは何か?——心が数を創り，操る仕組み. 早川書房)

Dell, G.S. (1986). A spreading-activation theory of retrieval in sentence production. *Psychological Review*, 93, 283–321.

Dell, G.S. (1988). The retrieval of phonological forms in production: Tests of predictions from a connectionist model. *Journal of Memory and Language*, 27, 124–142.

Dell, G.S., Martin, N., & Schwartz, M.F. (2007). A case-series test of the interactive two-step model of lexical access: Predicting word repetition from picture naming. *Journal of Memory and Language*, 56, 490–520.

Dell, G.S., & Reich, P.A. (1981). Stages in sentence production: An analysis of speech error data. *Journal of Verbal Learning and Verbal Behavior*, 20, 611–629.

Dell, G.S., Schwartz, M.F., Martin, N., Saffran, E.M., & Gagnon,D.A. (1997). Lexical access in aphasic and nonaphasic speakers. *Psychological Review*, 104, 801–838.

Dell, G.S., Schwartz, M.F., Martin, N., Saffran, E.M., & Gagnon, D.A. (2000). The role of computational models in the cognitive neuropsychology of language: A reply to Ruml and Caramazza. *Psychological Review*, 107, 635–645.

De Villiers, P.A., & De Villiers, J.G. (1979). *Early language*. London: Fontana/Open Books.

Dooling, D.J., & Lachman, R. (1971). Effects of comprehension on retention of prose. *Journal of Experimental Psychology*, 88, 216–222.

Doyen, S., Klein, O., Pichon, C.L., & Cleeremans, A. (2012). Behavioral priming: It's all in the mind, but whose mind? *PLoS One*, 7 (1), e29081.

Duncker, K. (1945). On problem-solving. *Psychological Monographs*, 58 (5, Whole No. 270).

Dunlea, A. (1989). *Vision and the emergence of meaning: Blind and sighted children's early language*. Cambridge, UK: Cambridge University Press.

Eberhard, K.M., Cutting, J.C., & Bock, J. (2005). Making syntax of sense: Number agreement in sentence production. *Psychological Review*, 112, 531–559.

Ehri, L.C. (1992). Reconceptualizing the development of sight word reading and its relationship to recoding. In P. Gough, L. Ehri, & R. Treiman (Eds.), *Reading acquisition* (pp. 107–143). Hillsdale, NJ: Lawrence Erlbaum.

Ehri, L.C. (1997). Learning to read and learning to spell are one and the same, almost. In C.A. Perfetti, L. Rieben, & M. Fayol (Eds.), *Learning to spell: Research, theory, and practice across languages* (pp. 237–269). Mahwah, NJ: Lawrence Erlbaum.

Ehri, L.C., Nunes, S.R., Stahl, S.A., & Willows,D.M. (2001). Systematic phonics instruction helps students learn to read: Evidence from the National Reading Panel's meta-analysis. *Review of Educational Research*, 71, 393–447.

Eimas, P.D., & Corbit, L. (1973). Selective adaptation of linguistic feature detectors. *Cognitive Psychology*, 4, 99–109.

Eimas, P.D., Miller, J.L., & Jusczyk, P.W. (1987). On infant speech perception and the acquisition of language. In S. Harnad (Ed.), *Categorical perception* (pp. 161–195). New York: Cambridge University Press.

Elliott, J., & Place, M. (2004). *Children in difficulty: A guide to understanding and helping*.

London: Routledge.

Ellis, A.W. (1985). The production of spoken words: A cognitive neuropsychological perspective. In A.W. Ellis (Ed.), *Progress in the psychology of language* (Vol. 2, pp. 107–145). Hove, UK: Lawrence Erlbaum.

Ellis, A.W., Miller,D., & Sin, G. (1983). Wernicke's aphasia and normal language processing: A case study in cognitive neuropsychology. *Cognition*, 15, 111–144.

Ellis, A.W., & Young, A.W. (1988). *Human cognitive neuropsychology*. Hove, UK: Lawrence Erlbaum. [Augmented edition with readings, 1996].

Ellis, N.C., & Hennelly, R.A. (1980). A bilingual word-length effect: Implications for intelligence testing and the relative ease of mental calculations in Welsh and English. *British Journal of Psychology*, 71, 43–52.

Elman, J.L. (2005). Connectionist models of cognitive development: Where next? *Trends in Cognitive Sciences*, 9, 111–117.

Elman, J.L., Bates, E.A., Johnson, M.H., Karmiloff-Smith, A., Parisi, D., & Plunkett, K. (1996). *Rethinking innateness: A connectionist perspective on development*. Cambridge, MA: Bradford Books. (乾　敏郎・今井むつみ・山下博志 訳 [1998] 認知発達と生得性——心はどこから来るのか．共立出版)

Elowson, A.M., Snowdon, C.T., & Lazaro-Perea, C. (1998). Infant "babbling" in a nonhuman primate: Complex vocal sequences with repeated call types. *Behaviour*, 135, 643–664.

Entus, A.K. (1977). Hemispheric asymmetry in processing of dichotically presented speech sounds. In S.J. Segalowitz & F.A. Gruber (Eds.), *Language development and neurological theory* (pp. 63–73). New York: Academic Press.

Erard, M. (2007). *Um: Slips, stumbles, and verbal blunders and what they mean*. New York: Anchor Books.

Ervin-Tripp, S. (1979). Children's verbal turntaking. In E. Ochs & B.B. Schieffelin (Eds.), *Developmental pragmatics* (pp. 391–414). New York: Academic Press.

Evans, N., & Levinson, S. (2009). The myth of language universals: Language diversity and its importance for cognitive science. *Behavioral and Brain Sciences*, 32, 429–495.

Eysenck, M.W., & Keane, M.T. (2015). *Cognitive psychology: A student's handbook* (7th ed.). Hove, UK: Psychology Press.

Farah, M.J., & McClelland, J.L. (1991). A computational model of semantic memory impairment: Modality-specificity and emergent category-specificity. *Journal of Experimental Psychology: General*, 120, 339–357.

Farah, M.J., Stowe, R.M., & Levinson, K.L. (1996). Phonological dyslexia: Loss of a reading-specific component of the cognitive architecture? *Cognitive Neuropsychology*, 13, 849–868.

Fay, D., & Cutler, A. (1977). Malapropisms and the structure of the mental lexicon. *Linguistic Inquiry*, 8, 505–520.

Feist, Si. (1932). The origin of the Germanic Languages and the Europeanization of North Europe. *Language*, 8, 245–254.

Fernald, A. (1991). Prosody and focus in speech to infants and adults. *Annals of Child Development*, 8, 43–80.

Fernald, A., & Marchman, V.A. (2006). Language learning in infancy. In M.J. Traxler & M.A. Gernsbacher (Eds.), *Handbook of psycholinguistics* (2nd ed., pp. 1026–1071). Amsterdam: Elsevier.

Ferreira, F., & Clifton, C. (1986). The independence of syntactic processing. *Journal of Memory and Language*, 25, 348–368.

Ferreira, F., Ferraro, V., & Bailey, K.G.D. (2002). Good-enough representations in language comprehension. *Current Directions in Psychological Science*, 11, 11–15.

Fiebach, C.J., Friederici, A.D., Müller, K., & von Cramon, D.Y. (2002). fMRI evidence for dual routes to the mental lexicon in visual word recognition. *Journal of Cognitive Neuroscience*, 14, 11–23.

Fisher, S.E., & Marcus, G.F. (2006). The eloquent age: Genes, brains, and the evolution of language. *Nature Reviews Genetics*, 7, 9–20.

Fisher, S.E., Marlow, A.J., Lamb, J., Maestrini, E., Williams, D.F., Richardson, A.J., et al. (1999). A quantitative-trait locus on chromosome 6p influences different aspects of developmental dyslexia. *American Journal of Human Genetics*, 64, 146–156.

Fitch, W.T., & Hauser, M.D. (2004). Computational constraints on syntactic processing in a nonhuman primate. *Science*, 303, 377–380.

Fitch, W.T., Hauser, M.D., & Chomsky, N. (2005). The evolution of the language faculty: Clarifications and implications. *Cognition*, 97, 179–210.

Flavell, J.H., Miller, P.H., & Miller, S.A. (2002). *Cognitive development* (4th ed.). Upper Saddle River, NJ: Prentice Hall.

Fodor, J.A. (1981). *Representations*. Cambridge, MA: MIT Press.

Fodor, J.A. (1983). *The modularity of mind*. Cambridge, MA: Bradford Books.（伊藤笏康・信原幸弘 訳［1985］精神のモジュール形式――人工知能と心の哲学．産業図書）

Fodor, J.A., Bever, T.G., & Garrett, M.S. (1974). *The psychology of language*. New York: McGraw-Hill.

Fodor, J.A., Garrett, M.F., Walker, E.C.T., & Parkes, C.H. (1980). Against definitions. *Cognition*, 8, 263–367.

Fodor, J.D., Fodor, J.A., & Garrett, M.F. (1975). The psychological unreality of semantic representations. *Linguistic Inquiry*, 6, 515–531.

Forster, K.I., & Davis, C. (1984). Repetition priming and frequency attenuation in lexical access. *Journal of Experimental Psychology: Learning, Memory, and Cognition*, 10, 680–698.

Fouts, R.S., Fouts, D.H., & Van Cantford, T.E. (1989). The infant Loulis learns signs from cross-fostered chimpanzees. In R.A. Gardner, B.T. Gardner, & T.E. Van Cantford (Eds.), *Teaching sign language to chimpanzees* (pp. 280–292). Albany, NY: SUNY Press.

Foygel, D., & Dell, G.S. (2000). Models of impaired lexical access in speech production. *Journal of Memory and Language*, 43, 182–216.

Frankell, A.S. (1998). Sound production. In B. Wursig & J.G.M. Thewissen (Eds.), *Encyclopedia of marine mammals* (pp. 1126–1137). New York: Academic Press.

Frazier, L. (1987). Sentence processing: A tutorial review. In M. Coltheart (Ed.), *Attention and performance XII: The psychology of reading* (pp. 559–586). Hove, UK: Lawrence Erlbaum.

Frazier, L., & Rayner, K. (1982). Making and correcting errors during sentence comprehension: Eye movements in the analysis of structurally ambiguous sentences. *Cognitive Psychology*, 14, 178–210.

Freud, S. (1975). *The psychopathology of everyday life* (Trans. A. Tyson). Harmondsworth, UK: Penguin. [Originally published 1901].（懸田克躬 訳［1970］フロイト著作集 4　日常生活の精神病理学他．人文書院）

Friederici, A.D. (2002). Towards a neural basis of auditory sentence processing. *Trends in Cognitive Sciences*, 6, 78–84.

Friederici, A.D. (2011). The brain basis of language processing: From structure to function. *Physiological Review*, 91, 1357–1392.

Fromkin, V.A. (1971). The non-anomalous nature of anomalous utterances. *Language*, 51, 696–719. [Reprinted in V.A. Fromkin (Ed.) (1973). *Speech errors as linguistic evidence* (pp. 215–242). The Hague: Mouton].

Fromkin, V.A., Krashen, S., Curtiss, S., Rigler, D., & Rigler, M. (1974). The development of language in Genie: A case of language acquisition beyond the "critical period". *Brain and Language*, 1, 81–107.

Frost, R. (1998). Toward a strong phonological theory of visual word recognition: True issues and false trails. *Psychological Bulletin*, 123, 71–99.

Funnell, E. (1983). Phonological processes in reading: New evidence from acquired dyslexia. *British Journal of Psychology*, 74, 159–180.

Funnell, E., & Sheridan, J. (1992). Categories of knowledge? Unfamiliar aspects of living and non-living things. *Cognitive Neuropsychology*, 9, 135–153.

Galaburda, A.M., Sherman, G.F., Rosen, G.D., Aboitiz, F., & Geschwind, N. (1985). Developmental dyslexia: Four consecutive patients with cortical anomalies. *Annals of Neurology*, 18, 222–233.

Gardner, R.A., & Gardner, B.T. (1969). Teaching sign language to a chimpanzee. *Science*, 165, 664–672.

Gardner, R.A., & Gardner, B.T. (1975). Evidence for sentence constituents in the early utterances of a child chimpanzee. *Journal of Experimental Psychology: General*, 104, 244–267.

Garrett, M.F. (1975). The analysis of sentence production. In G. Bower (Ed.), *The psychology of learning and motivation* (Vol. 9, pp. 133–177). New York: Academic Press.

Garrett, M.F. (1976). Syntactic processes in sentence production. In R.J. Wales & E.C.T. Walker (Eds.), *New approaches to language mechanisms* (pp. 231–255). Amsterdam: North Holland.

Garrett, M.F. (1980). Levels of processing in sentence production. In B. Butterworth (Ed.), *Language production: Vol. 1. Speech and talk* (pp. 177–220). London: Academic Press.

Garrod, S.C., & Sanford, A.J. (1977). Interpreting anaphoric relations: The integration of semantic information while reading. *Journal of Verbal Learning and Verbal Behavior*, 16, 77–90.

Gaskell, M.G. (Ed.) (2007). *The Oxford handbook of psycholinguistics*. Oxford, UK: Oxford University Press.

Gaskell, M.G., & Marslen-Wilson, W.D. (2002). Representation and competition in the perception of spoken words. *Cognitive Psychology*, 45, 220–266.

Gathercole, V.C. (1985). He has too much hard questions: The acquisition of the linguistic mass-count distinction in much and many. *Journal of Child Language*, 12, 395–415.

Gazzaniga, M. (1983). Right hemisphere language following brain bisection: A 20-year perspective. *American Psychologist*, 38, 525–537.

Gelman, R., & Butterworth, B. (2005). Number and language: How are they related? *Trends in Cognitive Sciences*, 9, 6–10.

Genesee, F., & Nicoladis, E. (2006). Bilingual first language acquisition. In E. Hoff & M. Schatz (Eds.), *Handbook of language development* (pp. 324–342). Oxford: Blackwell.

Gernsbacher, M.A. (1984). Resolving 20 years of inconsistent interactions between lexical familiarity and orthography, concreteness, and polysemy. *Journal of Experimental Psychology: General*, 113, 256–281.

Geschwind, N. (1972). Language and the brain. *Scientific American*, 226, 76–83. (河内十郎 訳 [1972] 言語と脳のはたらき. サイエンス, 2(6), 28–36.)

Gilbert, A.L., Regier, T., Kay, P., & Ivry, R.B. (2006). Whorf hypothesis is supported in the right visual field but not the left. *Proceedings of the National Academy of Sciences of the United States of America*, 103, 489–494.

Gleason, H.A. (1961). *An introduction to descriptive linguistics*. New York: Holt, Rinehart & Winston.

Gleitman, L.R. (1990). The structural sources of word meaning. *Language Acquisition*, 1, 3–55.

Glenberg, A.M. (2007). Language and action: Creating sensible combinations of ideas. In M.G. Gaskell (Ed.), *The Oxford handbook of psycholinguistics* (pp. 362–370). Oxford, UK: Oxford University Press.

Glenberg, A.M., & Robertson, D.A. (2000). Symbol grounding and meaning: A comparison of high-dimensional and embodied theories of meaning. *Journal of Memory and Language*, 43, 379–401.

Glucksberg, S., & Weisberg, R.W. (1966). Verbal behavior and problem solving: Some effects of labeling in a functional fixedness problem. *Journal of Experimental Psychology*, 71, 659–664.

Glushko, R.J. (1979). The organization and activation of orthographic knowledge in reading aloud. *Journal of Experimental Psychology: Human Perception and Performance*, 5, 674–691.

Gold, E.M. (1967). Language identification in the limit. *Information and Control*, 16, 447–474.

Goldbrick, M., Ferreira, V., & Miozzo, M. (2014). *The Oxford handbook of language production*. Oxford: Oxford University Press.

Goldinger, S.D., Luce, P.A., & Pisoni, D.B. (1989). Priming lexical neighbours of spoken words: Effects of competition and inhibition. *Journal of Memory and Language*, 28, 501–518.

Goldin-Meadow, S., & Alibali, M.W. (2013). Gesture's role in speaking, learning, and creating language. *Annual Reviews of Psychology*, 64, 257–283.

Goldin-Meadow, S., So, W.C., Ozyurek, A., & Mylander, C. (2008). The natural order of events: How speakers of different languages represent events nonverbally. *Proceedings of the National Academy of Sciences*, 105, 9163–9168.

Golinkoff, R.M., Mervis, C.B., & Hirsh-Pasek, K. (1994). Early object labels: The case for lexical principles. *Journal of Child Language*, 21, 125–155.

Gollan, T.H., & Acenas, L.R. (2004). What is a TOT? Cognate and translation effects on tip-of-the-tongue states in Spanish–English and Tagalog–English bilinguals. *Journal of Experimental Psychology: Learning, Memory, and Cognition*, 30, 246–269.

Gombert, J.E. (1992). *Metalinguistic development* (Trans. T. Pownall). London: Harvester Wheatsheaf. [Originally published 1990].

Gómez, R.L., & Gerken, L.A. (2000). Infant artificial language learning and language acquisition. *Trends in Cognitive Science*, 4, 178–186.

Goodglass, H. (1976). Agrammatism. In H. Whitaker & H.A. Whitaker (Eds.), *Studies in neurolinguistics* (Vol. 1, pp. 237–260). New York: Academic Press.

Goodglass, H., & Geschwind, N. (1976). Language disorders (aphasia). In E.C. Carterette & M.P. Friedman (Eds.), *Handbook of perception: Vol. VII. Language and speech* (pp. 389–428). New York: Academic Press.

Goodglass, H., & Menn, L. (1985). Is agrammatism a unitary phenomenon? In M.L. Kean (Ed.), *Agrammatism* (pp. 1–26). New York: Academic Press.

Gopnik, M. (1997). Language deficits and genetic factors. *Trends in Cognitive Sciences*, 1, 5–9.

Gopnik, M., & Goad, H. (1997). What underlies inflection errors in SLI? *Journal of Neurolinguistics*, 10, 109–237.

Gopnik, M., & Meltzoff, A.N. (1986). Relations between semantic and cognitive development in the one-word stage: The specificity hypothesis. *Child Development*, 57, 1040–1053.

Gordon, P. (1985). Evaluating the semantic categories hypothesis: The case of the count/mass distinction. *Cognition*, 20, 209–242.

Gordon, P. (2004). Numerical cognition without words: Evidence from Amazonia. *Science*, 306, 496–499.

Goswami, U. (1986). Children's use of analogy in learning to read: A developmental study. *Journal of Experimental Child Psychology*, 42, 73–83.

Goswami, U. (1993). Towards an interactive analogy model of reading development: Decoding vowel graphemes in beginning reading. *Journal of Experimental Child Psychology*, 56, 443–475.

Goswami, U. (2008). *Cognitive development: The learning brain*. Hove, UK: Psychology Press.

Goswami, U., & Bryant, P. (1990). *Phonological skills and learning to read*. Hove, UK: Psychology Press.

Greenberg, J.H. (1963). Some universals of grammar with particular reference to the order of meaningful elements. In J.H. Greenberg (Ed.), *Universals of language* (pp. 58–90). Cambridge, MA: MIT Press.

Grice, H.P. (1975). Logic and conversation. In P. Cole & J. Morgan (Eds.), *Syntax and semantics: Vol. 3. Speech acts* (pp. 41–58). New York: Academic Press.

Grosjean, F. (1980). Spoken word recognition processes and the gating paradigm. *Perception and Psychophysics*, 28, 267–283.

Gumperz, J., & Levinson, S. (1996). *Rethinking linguistic relativity*. Cambridge, UK: Cambridge University Press.

Hagoort, P. (2005). On Broca, brain, and binding: A new framework. *Trends in Cognitive Science*, 9, 416–423.

Hambling, D. (2007). I see no ships. *Fortean Times*, February. Available online at: www.

forteantimes.com/strangedays/science/20/questioning_perceptual_blindness.html

Harley, B., & Wang, W. (1997). The critical period hypothesis: Where are we now? In A. M.B. de Groot & J.F. Kroll (Eds.), *Tutorials in bilingualism: Psycholinguistic perspectives* (pp. 19–51). Mahwah, NJ: Lawrence Erlbaum.

Harley, T.A. (1984). A critique of top-down independent levels models of speech production: Evidence from non-plan-internal speech production. *Cognitive Science*, 8, 191–219.

Harley, T.A. (1990). Environmental contamination of normal speech. *Applied Psycholinguistics*, 11, 45–72.

Harley, T.A. (1993). Phonological activation of semantic competitors during lexical access in speech production. *Language and Cognitive Processes*, 8, 291–309.

Harley, T.A. (2004). Does cognitive neuropsychology have a future? *Cognitive Neuropsychology*, 21, 3–16.

Harley, T.A. (2012). Why the earth is almost flat: Imaging and the death of cognitive psychology. *Cortex*, 48, 1371–1372.

Harley, T.A. (2014). *The psychology of language* (4th ed.). Hove, UK: Psychology Press.

Harley, T.A., & Bown, H.E. (1998). What causes a tip-of-the-tongue state? Evidence for lexical neighbourhood effects in speech production. *British Journal of Psychology*, 89, 151–174.

Harley, T.A., & Grant, F. (2004). The role of functional and perceptual attributes: Evidence from picture naming in dementia. *Brain and Language*, 91, 223–234.

Harm, M.W., & Seidenberg, M.S. (1999). Phonology, reading acquisition, and dyslexia: Insights from connectionist models. *Psychological Review*, 106, 491–528.

Harm, M.W., & Seidenberg, M.S. (2001). Are there orthographic impairments in phonological dyslexia? *Cognitive Neuropsychology*, 18, 71–92.

Harm, M.W., & Seidenberg, M.S. (2004). Computing the meanings of words in reading: Cooperative division of labor between visual and phonological processes. *Psychological Review*, 111, 662–720.

Harris, A.L., & Vitzthum, V.J. (2013). Darwin's legacy: An evolutionary view of women's reproductive and sexual functioning. *The Journal of Sex Research*, 50, 207–246.

Harste, J., Burke, C., & Woodward, V. (1982). Children's language and world: Initial encounters with print. In J. Langer & M. Smith-Burke (Eds.), *Bridging the gap: Reader meets author* (pp. 105–131). Newark, DE: International Reading Association.

Hart, J., Berndt, R.S., & Caramazza, A. (1985). Category-specific naming deficit following cerebral infarction. *Nature*, 316, 439–440.

Hartsuiker, R.J., Anton-Méndez, I., Roelstraete, B., & Costa, A. (2006). Spoonish spanerisms: A lexical bias effect in Spanish. *Journal of Experimental Psychology: Learning, Memory, and Cognition*, 32, 949–953.

Hatcher, P.J., Hulme, C., & Ellis, A.W. (1994). Ameliorating early reading failure by integrating the teaching of reading and phonological skills: The phonological linkage hypothesis. *Child Development*, 65, 41–57.

Hauk, O., Johnsrude, I., & Pulvermüller, F. (2004). Somatotopic representation of action words in human motor and premotor cortex. *Neuron*, 41, 301–307.

Haviland, S.E., & Clark, H.H. (1974). What's new? Acquiring new information as a process of comprehension. *Journal of Verbal Learning and Verbal Behavior*, 13, 515–521.
Hayes, C. (1951). *The ape in our house*. New York: Harper.
Hayes, K.J., & Nissen, C.H. (1971). Higher mental functions of a home-raised chimpanzee. In A.M. Schrier & F. Stollnitz (Eds.), *Behaviour of nonhuman primates* (Vol. 4, pp. 60–115). New York: Academic Press.
Hedden, T., & Gabrieli, J.D.E. (2004). Insights into the ageing mind: A view from cognitive neuroscience. *Nature Reviews Neuroscience*, 5, 87–97.
Heider, E.R. (1972). Universals in colour naming and memory. *Journal of Experimental Psychology*, 93, 10–20.
Henderson, J.M., & Ferreira, F. (Eds.) (2004). *The interface of language, vision, and action: Eye movements and the visual world*. Hove, UK: Psychology Press.
Henderson, L. (1982). *Orthography and word recognition in reading*. London: Academic Press.
Hernandez, A.E., Fernandez, E.M., & Aznar-Besé, N. (2007). Bilingual sentence processing. In G. Gaskell (Ed.), *The Oxford handbook of psycholinguistics* (pp. 371–384). Oxford, UK: Oxford University Press.
Hess, E. (2008). *Nim Chimpsky: The chimp who would be human*. New York: Bantam Press.
Hills, T.T., Jones, M.N., & Todd, P.M. (2012). Optimal foraging in semantic memory. *Psychological Review*, 119, 431–440.
Hindley, P. (2005). Development of deaf and blind children. *Psychiatry*, 4, 45–48.
Hinton, G.E., & Shallice, T. (1991). Lesioning an attractor network: Investigations of acquired dyslexia. *Psychological Review*, 98, 74–95.
Hodges, J.R., Patterson, K.E., Oxbury, S., & Funnell, E. (1992). Semantic dementia: Progressive fluent aphasia with temporal lobe atrophy. *Brain*, 115, 1783–1806.
Hoff, E. (2003). The specificity of environmental influence: Socioeconomic status affects early vocabulary development via maternal speech. *Child Development*, 74, 1368–1378.
Hoff-Ginsberg, E. (1997). *Language development*. Pacific Grove, CA: Brooks/Cole.
Hoffman,C., Lau, I., & Johnson,D.R. (1986). The linguistic relativity of person cognition. *Journal of Personality and Social Psychology*, 51, 1097–1105.
Hofstadter, D. (1979). *Godel, Escher, Bach: An eternal golden braid*. New York: Basic Books.
Hogaboam, T.W., & Perfetti, C.A. (1975). Lexical ambiguity and sentence comprehension: The common sense effect. *Journal of Verbal Learning and Verbal Behavior*, 14, 265–275.
Hostetter, A.B., & Alibali, M.W. (2010). Language, gesture, action! A test of the gesture as simulated action framework. *Journal of Memory and Language*, 63, 245–257.
Howard, D., & Orchard-Lisle, V. (1984). On the origin of semantic errors in naming: Evidence from the case of a global aphasic. *Cognitive Neuropsychology*, 1, 163–190.
Hulme, C., & Snowling, M. (2009). *Developmental disorders of language: Learning and cognition*. London: Wiley.
Hulme, C., Snowling, M., Caravolas, M., & Carroll, J. (2005). Phonological skills are (probably) one cause of success in learning to read. *Scientific Studies of Reading*, 9, 351–366.
Hunt, E., & Agnoli, F. (1991). The Whorfian hypothesis: A cognitive psychology perspective. *Psychological Review*, 98, 377–389.
Huttenlocher, P.R. (2002). *Neural plasticity: The effects of environment on the development of the*

cerebral cortex. Cambridge, MA: Harvard University Press.

Indefrey, P., & Levelt, W.J.M. (2000). The neural correlates of language production. In M. Gazzaniga (Ed.), *The new cognitive neurosciences* (2nd ed., pp. 845–865). Cambridge, MA: MIT Press.

Indefrey, P., & Levelt, W.J.M. (2004). The spatial and temporal signatures of word production components. *Cognition*, 92, 101–144.

Jackendoff, R., & Pinker, S. (2005). The nature of the language faculty and its implications for evolution of language (Reply to Fitch, Hauser, and Chomsky). *Cognition*, 97, 211–225.

Jackson, D.E., & Ratnieks, F.L.W. (2006). Communication in ants. *Current Biology*, 16, R570–R574.

Jacobsen, E. (1932). The electrophysiology of mental activities. *American Journal of Psychology*, 44, 677–694.

Jakobson, R. (1968). *Child language: Aphasia and phonological universals*. The Hague: Mouton. (服部四郎 編・監訳［1976］失語症と言語学．岩波書店)

James, L.E., & Burke, D.M. (2000). Phonological priming effects on word retrieval and tip-of-the-tongue experiences in young and older adults. *Journal of Experimental Psychology: Learning, Memory, and Cognition*, 26, 1378–1391.

Jared, D., & Seidenberg, M.S. (1991). Does word identification proceed from spelling to sound to meaning? *Journal of Experimental Psychology: General*, 120, 358–394.

Joanisse, M.F., & Seidenberg, M.S. (1998). Specific language impairment: A deficit in grammar or processing? *Trends in Cognitive Sciences*, 2, 240–247.

Joanisse, M.F., & Seidenberg, M.S. (2003). Phonology and syntax in specific language impairment: Evidence from a connectionist model. *Brain and Language*, 86, 40–56.

Jobard, G., Crivello, F., & Tzourio-Mazoyer, N. (2003). Evaluation of the dual route theory of reading: A metanalysis of 35 neuroimaging studies. *NeuroImage*, 20, 693–712.

Joel, D., Berman, Z., Tavor, I., Wexler, N., Gaber, O., Stein, Y., et al. (2015). Sex beyond genitalia: The human brain mosaic. *Proceedings of the National Academy of Sciences*, 112, 15488–15473.

Johnson, J.S., & Newport, E.L. (1989). Critical period effects in second language learning: The influence of maturational state on the acquisition of English as a second language. *Cognitive Psychology*, 21, 60–99.

Johnson-Laird, P.N. (1983). *Mental models*. Cambridge, UK: Cambridge University Press. (海保博之 監修, AIUEO 訳［1988］メンタルモデル——言語・推論・意識の認知科学．産業図書)

Johnston, R., & Watson, J.E. (2007). *Teaching synthetic phonics*. Exeter, UK: Learning Matters.

Jolicoeur, P., Gluck, M.A., & Kosslyn, S.M. (1984). Pictures and names: Making the connection. *Cognitive Psychology*, 16, 243–275.

Jones, G.V. (1985). Deep dyslexia, imageability, and ease of predication. *Brain and Language*, 24, 1–19.

Jones, G.V., & Langford, S. (1987). Phonological blocking in the tip of the tongue state. *Cognition*, 26, 115–122.

Jones, S.R., & Fernyhough, C. (2007). Thought as action: Inner speech, self-monitoring, and auditory verbal hallucinations. *Consciousness and Cognition*, 16, 391–399.

Just, M.A., & Carpenter, P.A. (1987). *The psychology of reading and language comprehension*. Newton, MA: Allyn & Bacon.

Kako, E. (1999a). Elements of syntax in the systems of three language-trained animals. *Animal Learning and Behavior*, 27, 1–14.

Kako, E. (1999b). Response to Pepperberg; Herman and Uyeyama; and Shanker, Savage-Rumbaugh, and Taylor. *Animal Learning and Behavior*, 27, 26–27.

Kaminski, J., Call, J., & Fischer, J. (2004). Word learning in a domestic dog: Evidence for "fast mapping". *Science*, 304, 1682–1683.

Katz, J.J., & Fodor, J.A. (1963). The structure of a semantic theory. *Language*, 39, 170–210.

Kay, J., & Ellis, A.W. (1987). A cognitive neuropsychological case study of anomia: Implications for psychological models of word retrieval. *Brain*, 110, 613–629.

Kay, J., Lesser, R., & Coltheart, M. (1992). *Psycholinguistic assessments of language processing in aphasia (PALPA): An introduction*. Hove, UK: Lawrence Erlbaum.

Kay, J., & Marcel, A.J. (1981). One process, not two in reading aloud: Lexical analogies do the work of nonlexical rules. *Quarterly Journal of Experimental Psychology*, 33A, 397–414.

Kay, P., & Kempton, W. (1984). What is the Sapir-Whorf hypothesis? *American Anthropologist*, 86, 65–79.

Kegl, J., Senghas, A., & Coppola, M. (1999). Creations through contact: Sign language emergence and sign language change in Nicaragua. In M. DeGraff (Ed.), *Comparative grammatical change: The intersection of language acquisition, Creole genesis, and diachronic syntax* (pp. 179–237). Cambridge, MA: MIT Press.

Kellogg, W.N., & Kellogg, L.A. (1933). *The ape and the child*. New York: McGraw-Hill.

Kersten, A.W., & Earles, J.L. (2001). Less really is more for adults learning a miniature artificial language. *Journal of Memory and Language*, 44, 250–273.

Kennedy, A., & Pynte, J. (2005). Parafoveal-on-foveal effects in normal reading. *Vision Res.*, 4, 153–68.

Kimura, D. (1999). *Sex and cognition*. Cambridge, MA: MIT Press.

King, S.L., Sayigh, L.S., Wells, R.S., Fellner, W., & Janik, V.M. (2013). Vocal copying of individually distinctive signature whistles in bottlenose dolphins. *Proceedings of the Royal Society B: Biological Sciences*, 280, 1757.

Kintsch, W. (1988). The use of knowledge in discourse processing: A construction-integration model. *Psychological Review*, 95, 163–182.

Kintsch, W., & Bates, E. (1977). Recognition memory for statements from a classroom lecture. *Journal of Experimental Psychology: Human Learning and Memory*, 3, 187–197.

Kintsch, W., & Vipond, D. (1979). Reading comprehension and readability in educational practice and psychological theory. In L.G. Nilsson (Ed.), *Perspectives in memory research* (pp. 329–366). Hillsdale, NJ: Lawrence Erlbaum.

Kirshner, H.S., Webb, W.G., & Kelly, M.P. (1984). The naming order of dementia. *Neuropsychologia*, 22, 23–30.

Kita, S. (2000). How representational gestures help speaking. In D. McNeill (Ed.), *Language and gesture* (pp. 162–185). Cambridge, UK: Cambridge University Press.

Kohn, S.E., & Friedman, R.B. (1986). Word-meaning deafness: A phonological-semantic dissociation. *Cognitive Neuropsychology*, 3, 291–308.

Kolb, B., & Whishaw, I.Q. (2015). *Fundamentals of human neuropsychology* (7th ed.). New York: W.H. Freeman.

Kousta, S.-T., Vigliocco, G., Vinson, D.P., Andrews, M., & Del Campo, E. (2011). The representation of abstract words: Why emotion matters. *Journal of Experimental Psychology: General*, 140, 14–34.

Kovacs, A.M., & Mehler, J. (2009). Cognitive gains in 7-month-old bilingual infants. *Proceedings of the National Academy of Sciences of the United States of America*, 106, 6556–6560.

Krashen, S.D. (1982). *Principles and practices in second language acquisition*. Oxford, UK: Pergamon.

Krashen, S.D. (2003). *Explorations in language acquisition and use: The Taipei lectures*. Portsmouth, NH: Heinemann.

Krause, J., Lalueza-Fox, C., Orlando, L., Enard, W., Green, R.E., Burbaro, H.A., et al. (2007). The derived FOXP2 variant of modern humans was shared with Neandertals. *Current Biology*, 17, 1908–1912.

Krauss, R.M. (1998). Why do we gesture when we speak? *Current Directions in Psychological Science*, 7, 54–60.

Kripke, S. (1980). *Naming and necessity*. Cambridge, MA: Harvard University Press. (八木沢敬・野家啓一 訳［1985］名指しと必然性――様相の形而上学と心身問題．産業図書)

Krutzen, M., Mann, J., Heithaus, M.R., Connor, R.C., Bejder, L., & Sherwin, W.B. (2005). Cultural transmission of tool use in bottlenose dolphins. *Proceedings of the National Academy of Sciences of the United States of America*, 102, 8939–8943.

Kuczaj, S.A. (1977). The acquisition of regular and irregular past tense forms. *Journal of Verbal Learning and Verbal Behavior*, 16, 589–600.

Kuhl, P.C. (2000). A new view of language acquisition. *Proceedings of the National Academy of Sciences of the United States of America*, 97, 11850–11857.

Kuhl, P.C. (2004). Early language acquisition: Cracking the speech code. *Nature Reviews Neuroscience*, 5, 831–843.

Kuhl, P.K., & Miller, J.D. (1975). Speech perception by the chinchilla: Voiced–voiceless distinction in alveolar plosive consonants. *Science*, 190, 69–72.

Labov, W. (1972). *Language in the inner city: Studies in Black English Vernacular*. Philadelphia: University of Pennsylvania Press.

Lai, C.S.L., Fisher, S.E., Hurst, J.A., Vargha-Khadem, F., & Monaco, A.P. (2001). A fork-head-domain gene is mutated in a severe speech and language disorder. *Nature*, 413, 519–523.

Lambert, W.E., Tucker, G.R., & d'Anglejan, A. (1973). Cognitive and attitudinal consequences of bilingual schooling. *Journal of Educational Psychology*, 85, 141–159.

Landau, B., & Gleitman, L.R. (1985). *Language and experience: Evidence from the blind child*. Cambridge, MA: Harvard University Press.

Landauer, T.K., & Dumais, S.T. (1997). A solution to Plato's problem: The latent semantic analysis theory of acquisition, induction, and representation of knowledge. *Psychological Review*, 104, 211–240.

Landauer, T.K., Foltz, P.W., & Laham, D. (1998). An introduction to latent semantic analysis. *Discourse Processes*, 25, 259–284.

Lantz, D., & Stefflre, V. (1964). Language and cognition revisited. *Journal of Abnormal Psychology*, 69, 472–481.

Lee, A.C.H., Graham, K.S., Simons, J.S., Hodges, J., & Patterson, K.E. (2002). Regional brain activations differ for semantic features but not categories. *NeuroReport*, 13, 1497–1501.

Lenneberg, E.H. (1953). Cognition and ethnolinguistics. *Language*, 29, 463–471.

Lenneberg, E.H. (1967). *The biological foundations of language*. New York: Wiley.（佐藤方哉・神尾昭雄 訳［1974］言語の生物学的基礎．大修館書店）

Lennie, P. (1984). Recent developments in the physiology of color vision. *Trends in Neurosciences*, 7, 243–248.

Leopold, W.F. (1939–1949). *Speech development of a bilingual child: A linguist's record* (5 vols.). Evanston, IL: Northwestern University Press.

Levelt, W.J.M. (1989). *Speaking: From intention to articulation*. Cambridge, MA: MIT Press.

Levelt, W.J.M. (2001). Spoken word production: A theory of lexical access. *Proceedings of the National Academy of Sciences of the United States of America*, 98, 13464–13471.

Levelt, W.J.M., Roelofs, A., & Meyer, A.S. (1999). A theory of lexical access in speech production. *Behavioral and Brain Sciences*, 22, 1–75.

Levelt, W.J.M., Schriefers, H., Vorberg,D., Meyer, A.S., Pechmann, T., & Havinga, J. (1991). The time course of lexical access in speech production: A study of picture naming. *Psychological Review*, 98, 122–142.

Levinson, S., & Gray, R. (2012). Tools from evolutionary biology shed new light on the diversification of languages. *Trends in Cognitive Sciences*, 16, 167–173.

Levy,Y. (1996). Modularity of language reconsidered. *Brain and Language*, 55, 240–263.

Levy,Y., & Schlesinger, I.M. (1988). The child's early categories: Approaches to language acquisition theory. In Y. Levy, I.M. Schlesinger, & M.D.S. Braine (Eds.), *Categories and processes in language acquisition* (pp. 261–276). Hillsdale, NJ: Lawrence Erlbaum.

Lewis, V. (1987). *Development and handicap*. Oxford, UK: Blackwell.

Liberman, A.M., Harris, K.S., Hoffman, H.S., & Griffith, B.C. (1957). The discrimination of speech sounds within and across phoneme boundaries. *Journal of Experimental Psychology*, 53, 358–368.

Liberman, I.Y., Shankweiler, D., Fischer, F.W., & Carter, B. (1974). Explicit syllable and phoneme segmentation in the young child. *Journal of Experimental Child Psychology*, 18, 201–212.

Lieberman, P., & Crelin, E.S. (1971). On the speech of Neanderthal man. *Linguistic Inquiry*, 2, 203–222.

Lieven, E.V.M. (1994). Crosslinguistic and crosscultural aspects of language addressed to children. In C. Gallaway & B.J. Richards (Eds.), *Input and interaction in language acquisition* (pp. 56–73). Cambridge, UK: Cambridge University Press.

Liu, L.G. (1985). Reasoning counter-factually in Chinese: Are there any obstacles? *Cognition*, 21, 239–270.

Locke, J.L. (1983). *Phonological acquisition and change*. New York: Academic Press.

Loftus, E.F., & Palmer, J.C. (1974). Reconstruction of automobile destruction: An example of the interaction between language and memory. *Journal of Verbal Learning and Verbal*

Behavior, 13, 585–589.

Lovegrove, W., Martin, F., & Slaghuis, W. (1986). A theoretical and experimental case for a visual deficit in specific reading disability. *Cognitive Neuropsychology*, 3, 225–267.

Lucy, J.A., & Shweder, R.A. (1979). Whorf and his critics: Linguistic and nonlinguistic influences on colour memory. *American Anthropologist*, 81, 581–615.

Lund, K., Burgess, C., & Atchley, R.A. (1995). Semantic and associative priming in high-dimensional semantic space. *Proceedings of the Seventeenth Annual Conference of the Cognitive Science Society*, 17, 660–665.

Lyons, J. (1991). *Chomsky* (3rd ed.). London: Fontana.

MacDonald, M.C., Pearlmutter, N.J., & Seidenberg, M.S. (1994). The lexical nature of syntactic ambiguity resolution. *Psychological Review*, 101, 676–703.

Maess, B., Friederici, A.D., Damian, M., Meyer, A.S., & Levelt, W.J.M. (2002). Semantic category interference in overt picture naming: Sharpening current density localization by PCA. *Journal of Cognitive Neuroscience*, 14, 455–462.

Maher, J., & Groves, J. (2004). *Introducing Chomsky*. Cambridge, UK: Icon Books. (芦村　京訳［2004］チョムスキー入門．明石書店)

Mahon, B.Z., & Caramazza, A. (2011). What drives the organization of object knowledge in the brain? The distributed domain-specific hypothesis. *Trends in Cognitive Science*, 15, 97–103.

Manis, F.R., Seidenberg, M.S., Doi, L.M., McBride-Chang, C., & Petersen, A. (1996). On the bases of two subtypes of developmental dyslexia. *Cognition*, 58, 157–195.

Markman, E.M. (1979). Realizing that you don't understand: Elementary school children's awareness of inconsistencies. *Child Development*, 50, 643–655.

Markman, E.M. (1990). Constraints children place on word meanings. *Cognitive Science*, 14, 57–77.

Marshall, J.C., & Newcombe, F. (1966). Syntactic and semantic errors in paralexia. *Neuropsychologia*, 4, 169–176.

Marshall,J.C., & Newcombe, F. (1973). Patterns of paralexia: A psycholinguistic approach. *Journal of Psycholinguistic Research*, 2, 175–199.

Marshall, J.C., Robson, J., Pring, T., & Chiat, S. (1998). Why does monitoring fail in jargon aphasia? Comprehension, judgement, and therapy evidence. *Brain and Language*, 63, 79–107.

Marslen-Wilson, W.D. (1990). Activation, competition, and frequency in lexical access. In G.T.M. Altmann (Ed.), *Cognitive models of speech processing* (pp. 148–172). Cambridge, MA: MIT Press.

Marslen-Wilson, W.D., & Welsh, A. (1978). Processing interactions and lexical access during word recognition in continuous speech. *Cognitive Psychology*, 10, 29–63.

Martin, N.,Dell, G.S., Saffran, E.M., & Schwartz, M.F. (1994). Origins of paraphasia in deep dysphasia: Testing the consequences of a decay impairment to an interactive spreading activation mode of lexical retrieval. *Brain and Language*, 47, 609–660.

Martin, N., & Saffran, E.M. (1992). A computational account of deep dysphasia: Evidence from a single case study. *Brain and Language*, 43, 240–274.

Masataka, N. (1996). Perception of motherese in a signed language by 6-month-old deaf

infants. *Developmental Psychology*, 32, 874–879.
Mather, M., Cacioppo, J.T., & Kanwisher, N. (2013). How fMRI ca inform cognitive theories. *Perspectives on Psychological Science*, 8, 108–113.
McClelland, J.L., & Elman, J.L. (1986). The TRACE model of speech perception. *Cognitive Psychology*, 18, 1–86.
McCloskey, M., & Caramazza, A. (1988). Theory and methodology in cognitive neuropsychology: A response to our critics. *Cognitive Neuropsychology*, 5, 583–623.
McGurk, H., & MacDonald, J. (1976). Hearing lips and seeing voices. *Nature*, 264, 746–748.
McKoon, G., & Ratcliff, R. (1992). Inference during reading. *Psychological Review*, 99, 440–466.
McQueen, J.M. (2007). Eight questions about spoken word recognition. In M.G. Gaskell (Ed.), *The Oxford handbook of psycholinguistics* (pp. 38–53). Oxford, UK: Oxford University Press.
McRae, K., Spivey-Knowlton, M.J., & Tanenhaus, M.K. (1998). Modeling the influence of thematic fit (and other constraints) in on-line sentence comprehension. *Journal of Memory and Language*, 38, 283–312.
McWhorter, J.H. (2014). *The language hoax: Why the world looks the same in any language.* Oxford: Oxford University Press.
Mechelli, A., Crinion, J.T., Noppeney, U., O'Doherty, J., Ashburner, J., Frackowiak, R.S., et al. (2004). Neurolinguistics: Structural plasticity in the bilingual brain. *Nature*, 431, 757.
Mehler, J., Jusczyk, P.W., Lambertz, G., Halsted, N., Bertoncini, J., & Amiel-Tison, C. (1988). A precursor of language acquisition in young infants. *Cognition*, 29, 143–178.
Metsala, J.L., Stanovich, K.E., & Brown, G.D.A. (1998). Regularity effects and the phonological deficit model of reading disabilities: A metaanalytic review. *Journal of Educational Psychology*, 90, 279–293.
Meyer, A.S. (1996). Lexical access in phrase and sentence production: Results from picture–word interference experiments. *Journal of Memory and Language*, 35, 477–496.
Meyer, D.E., & Schvaneveldt, R.W. (1971). Facilitation in recognizing pairs of words: Evidence of a dependence between retrieval operations. *Journal of Experimental Psychology*, 90, 227–235.
Miceli, G., Mazzucci, A., Menn, L., & Goodglass, H. (1983). Contrasting cases of Italian agrammatic aphasia without comprehension disorder. *Brain and Language*, 19, 65–97.
Miller, K.F., & Stigler, J. (1987). Counting in Chinese: Cultural variations in a basic cognitive skill. *Cognitive Development*, 2, 279–305.
Mintz, T.H. (2003). Frequent frames as a cue for grammatical categories in child directed speech. *Cognition*, 90, 91–117.
Miozzo, M., & Caramazza, A. (1997). Retrieval of lexical-syntactic features in tip-of-thetongue states. *Journal of Experimental Psychology: Learning, Memory, and Cognition*, 23, 1410–1423.
Miyake, A., Emerson, M.J., Padilla, F., & Ahn, J. (2004). Inner speech as a retrieval aid for task goals: The effects of cue type and articulatory suppression in the random task cuing paradigm. *Acta Psychologica*, 115, 123–142.
Molfese, D.L. (1977). Infant cerebral asymmetry. In S.J. Segalowitz & F.A. Gruber (Eds.),

Language development and neurological theory (pp. 21–35). New York: Academic Press.

Moon, C., Lagercrantz, H., & Kuhl, P.K. (2013). Language experienced in utero affects vowel perception after birth: A two-country study. *Acta Paediatrica*, 102, 156–160.

Morais, J., Bertelson, P., Cary, L., & Alegria, J. (1986). Literacy training and speech segmentation. *Cognition*, 24, 45–64.

Morrison, C.M., & Ellis, A.W. (1995). Roles of word frequency and age of acquisition in word naming and lexical decision. *Journal of Experimental Psychology: Learning, Memory, and Cognition*, 21, 116–133.

Morrison, C.M., & Ellis, A.W. (2000). Real age of acquisition effects in word naming. *British Journal of Psychology*, 91, 167–180.

Morton, J., & Patterson, K.E. (1980). A new attempt at an interpretation, or, an attempt at a new interpretation. In M. Coltheart, K.E. Patterson, & J.C. Marshall (Eds.), *Deep dyslexia* (2nd ed., pp. 91–118). London: Routledge & Kegan Paul. [1987].

Moseley, P., Fernyhough, C., & Ellison, A. (2013). Auditory verbal hallucinations as atypical inner speech monitoring, and the potential of neurostimulation as a treatment option. *Neuroscience Biobehavioral Review*, 37, 2794–2805.

Moss, H.E., Tyler, L.K., & Taylor, K.I. (2007). Conceptual structure. In M.G. Gaskell (Ed.), *The Oxford handbook of psycholinguistics* (pp. 217–234). Oxford, UK: Oxford University Press.

Mowrer, O.H. (1960). *Learning theory and symbolic processes*. New York: Wiley.

Muter, V., Hulme, C., Snowling, M., & Taylor, S. (1998). Segmentation, not rhyming, predicts early progress in learning to read. *Journal of Experimental Child Psychology*, 71, 3–27.

Myers, P., & Mackisack, E.L. (1990). Right hemisphere syndrome. In L.L. LaPointe (Ed.), *Aphasia and related neurogenic language disorders* (pp. 177–195). New York: Thieme.

Nagy, E. (2006). From imitation to conversation: The first dialogues with human neonates. *Infant and Child Development*, 14, 223–232.

Nelson, K. (1973). Structure and strategy in learning to talk. *Monographs of the Society for Research in Child Development*, 38 (Serial No. 149).

Nelson, K. (1987). What's in a name? *Journal of Experimental Psychology: General*, 116, 293–296.

Newport, E.L. (1990). Maturational constraints on language learning. *Cognitive Science*, 14, 11–28.

Newton, M. (2002). *Savage girls and wild boys*. London: Faber & Faber.

Nicolson, R.I., & Fawcett, A.J. (2007). Procedural learning difficulties: Reuniting the developmental disorders? *Trends in Neurosciences*, 30, 135–141.

Nicolson, R.I., Fawcett, A.J., & Dean, P. (2001). Developmental dyslexia: The cerebellar deficit hypothesis. *Trends in Neurosciences*, 24, 508–511.

Norris, D., McQueen, J.M., & Cutler, A. (2000). Merging information in speech recognition: Feedback is never necessary. *Behavioral and Brain Sciences*, 23, 299–370.

Nudel, R., & Newbury,D.F. (2013). FOXP2. *Wiley Interdisciplinary Reviews: Cognitive Science*, 4, 547–560.

Oller, D.K., & Eilers, R.E. (1988). The role of audition in infant babbling. *Child Development*,

59, 441–449.

Olulade, O.A.,Jamal,N.I., Koo,D.S., Perfetti,C.A., LaSasso,C., & Eden, G.F.（2015）. Neuroanatomical evidence in support of the bilingual advantage theory. *Cerebral Cortex*, 26, 3196–3204.

Oppenheim, G., & Dell, G.S.（2008）. Inner speech slips exhibit lexical bias, but not the phonemic similarity effect. *Cognition*, 106, 528–537.

Orwell, G.（1949）. *Nineteen eighty-four*. Harmondsworth, UK: Penguin.（高橋和久 訳［2009］一九八四年［新訳版］. 早川書房）

Osgood, C.E., & Sebeok, T.A.（Eds.）（1954）. *Psycholinguistics: A survey of theory and research problems*. Bloomington: Indiana University Press.

Osterhout, L., & Nicol, J.（1999）. On the distinctiveness, independence, and time course of the brain responses to syntactic and semantic anomalies. *Language and Cognitive Processes*, 14, 283–317.

Paap, K.R., & Greenberg, Z.I.（2013）. There is no coherent evidence for a bilingual advantage in executive processing. *Cognitive Psychology*, 66, 232–258.

Pansky, A., & Koriat, A.（2004）. The basic-level convergence effect in memory distortions. *Psychological Science*, 15, 52–59.

Patterson, K.E., Graham, N., & Hodges, J.R.（1994）. The impact of semantic memory loss on phonological representations. *Journal of Cognitive Neuroscience*, 6, 57–69.

Patterson, K.E., & Morton, J.（1985）. From orthography to phonology: An attempt at an old interpretation. In K.E. Patterson, J.C. Marshall, & M. Coltheart（Eds.）, *Surface dyslexia: Neuropsychological and cognitive studies of phonological reading*（pp. 335–359）. Hove, UK: Lawrence Erlbaum.

Patterson, K.E., Vargha-Khadem, F., & Polkey, C.E.（1989）. Reading with one hemisphere. *Brain*, 112, 39–63.

Pennington, B.F., & Lefly,D.L.（2001）. Early reading development in children at family risk for dyslexia. *Child Development*, 72, 816–833.

Pepperberg, I.（1999）. Rethinking syntax: A commentary on E. Kako's "elements of syntax in the systems of three language-trained animals". *Animal Learning and Behavior*, 27, 15–17.

Pepperberg, I.（2002）. *The Alex studies: Cognitive and communicative abilities of grey parrots*. Cambridge, MA: Harvard University Press.（渡辺　茂・山崎由美子・遠藤清香 訳［2003］アレックス・スタディ——オウムは人間の言葉を理解するか. 共立出版）

Pepperberg, I.（2013）. *Alex & me: How a scientist and a parrot discovered a hidden world of animal intelligence and formed a deep bond in the process*（new ed.）. New York: Collins.（佐柳信男 訳［2010］アレックスと私. 幻冬舎）

Pérez-Pereira, M., & Conti-Ramsden, G.（1999）. *Language development and social interaction in blind children*. Hove, UK: Psychology Press.

Peterson, R.R., & Savoy, P.（1998）. Lexical selection and phonological encoding during language production: Evidence for cascaded processing. *Journal of Experimental Psychology: Learning, Memory, and Cognition*, 24, 539–557.

Petitto, L.A., & Marentette, P.F.（1991）. Babbling in the manual mode: Evidence for the ontogeny of language. *Science*, 251, 1483–1496.

Piaget, J.（1926）. *The language and thought of the child*. London: Routledge & Kegan Paul.

Piattelli-Palmarini, M. (Ed.) (1980). *Language and learning: The debate between Jean Piaget and Noam Chomsky*. London: Routledge & Kegan Paul.

Pica, P., Lerner, C., Izard, V., & Dehaene, S. (2004). Exact and approximate arithmetic in an Amazonian indigene group. *Science*, 306, 499–503.

Pickering, M.J. (1999). Sentence comprehension. In S. Garrod & M.J. Pickering (Eds.), *Language processing* (pp. 123–153). Hove, UK: Psychology Press.

Pickering, M.J., & Branigan, H.P. (1998). The representation of verbs: Evidence from syntactic priming in language production. *Journal of Memory and Language*, 39, 633–651.

Pickering, M.J., & Garrod, S. (2004). Toward a mechanistic psychology of dialogue. *Behavioral and Brain Sciences*, 27, 169–226.

Pickering, M.J., & Van Gompel, R.P.G. (2006). Syntactic parsing. In M.J. Traxler & M.A. Gernsbacher (Eds.), *Handbook of psycholinguistics* (2nd ed., pp. 455–503). Oxford, UK: Oxford University Press.

Pine, J.M. (1994). Environmental correlates of variation in lexical style: Interactional style and the structure of the input. *Applied Psycholinguistics*, 15, 355–370.

Pinker, Steven (1984). *Language learnability and language development*. Cambridge, MA: MIT Press.

Pinker, Steven (1994). *The language instinct*. Harmondsworth, UK: Penguin.（椋田直子 訳［1995］言語を生みだす本能 上下．NHK 出版）

Pinker, Steven (1999). *Words and rules*. London: Weidenfeld & Nicolson.

Pinker, Steven (2001). Talk of genetics and vice versa. *Nature*, 413, 465–466.

Pinker, Steven (2002). *The blank slate*. Harmondsworth, UK: Penguin.（山下篤子 訳［2004］人間の本性を考える――心は「空白の石版」か 上・中・下．NHK 出版）

Pinker, Steven (2007). *The stuff of thought*. Harmondsworth, UK: Penguin.（幾島幸子・桜内篤子 訳［2009］思考する言語――「ことばの意味」から人間性に迫る 上・中・下．NHK 出版）

Pinker, Steven, & Jackendoff, R. (2005). The faculty of language: What's special about it? *Cognition*, 95, 201–236.

Pinker, Steven, & Prince, A. (1988). On language and connectionism: Analysis of a parallel distributed processing model of language acquisition. *Cognition*, 28, 59–108.

Pinker, Steven, & Ullman, M.T. (2002). The past and future of the past tense. *Trends in Cognitive Science*, 6, 456–463, and Reply, 472–474.

Pinker, Susan (2008). *The sexual paradox*. London: Atlantic.（幾島幸子・古賀祥子 訳［2009］なぜ女は昇進を拒むのか――進化心理学が解く性差のパラドクス．早川書房）

Plaut, D.C. (2005). Connectionist approaches to reading. In M.J. Snowling & C. Hulme (Eds.), *The science of reading: A handbook* (pp. 24–38). Oxford, UK: Blackwell.

Plaut, D.C., McClelland, J.L., Seidenberg, M.S., & Patterson, K.E. (1996). Understanding normal and impaired word reading: Computational principles in quasi-regular domains. *Psychological Review*, 103, 56–115.

Plaut, D.C., & Shallice, T. (1993). Deep dyslexia: A case study of connectionist neuropsychology. *Cognitive Neuropsychology*, 10, 377–500.

Plunkett, K., & Marchman, V. (1991). U-shaped learning and frequency effects in a multilayered perceptron: Implications for child language acquisition. *Cognition*, 38, 43–

102.

Plunkett, K., & Marchman, V. (1993). From rote learning to system building: Acquiring verb morphology in children and connectionist nets. *Cognition*, 48, 21–69.

Poole, S. (2007). *Unspeak*. London: Abacus.

Potter, M.C., & Lombardi, L. (1998). Syntactic priming in immediate recall of sentences. *Journal of Memory and Language*, 38, 265–282.

Premack, D. (1971). Language in chimpanzee? *Science*, 172, 808–822.

Premack, D. (1976). *Intelligence in ape and man*. Hillsdale, NJ: Lawrence Erlbaum.

Premack, D., & Premack, A. (1983). *The mind of an ape*. New York: Norton.

Price, G. (1984). *The languages of Britain*. London: Arnold.

Pritchard, S.C., Coltheart, M., Palethorpe, S., & Castles, A. (2012). Nonword reading: Comparing dual-route cascaded and connectionist dual-process models with human data. *Journal of Experimental Psychology: Human Perception and Performance*, 38, 1268–1288.

Pruetz, J.D., & Bertolani, P. (2007). Savanna chimpanzees, *Pan troglodytes verus*, hunt with tools. *Current Biology*, 17, 412–417.

Pullum, G.K. (1989). The great Eskimo vocabulary hoax. *Natural Language and Linguistic Theory*, 7, 275–281.

Pullum, G.K. (1991). *The great Eskimo vocabulary hoax and other irreverent essays on the study of language*. Chicago: University of Chicago Press.

Pullum, G.K., & Scholz, B.C. (2002). Empirical assessment of stimulus poverty evidence. *Linguistic Review*, 19, 9–50.

Pulvermüller, F. (1999). Words in the brain's language. *Behavioral and Brain Sciences*, 22, 253–336.

Pulvermüller, F., Shtyrov,Y., & Illmoniemi, R.J. (2003). Spatio-temporal patterns of neural language processing: An MEG study using minimum-norm current estimates. *NeuroImage*, 20, 1020–1025.

Quay, L.C., & Blaney, R.L. (1992). Verbal communication, nonverbal communication, and private speech in lower and middle socioeconomic status preschool children. *Journal of Genetic Psychology*, 153, 129–138.

Quinn, P.C., & Eimas, P.D. (1996). Perceptual organization and categorization in young infants. In C. Rovee-Collier & L.P. Lipsitt (Eds.), *Advances in infancy research* (Vol. 10, pp. 2–36). Norwood, NJ: Ablex.

Ramus, F., Rosen, S., Dakin, S.C., Day, B.L., Castellote, J.M., White, S., et al. (2003). Theories of developmental dyslexia: Insights from a multiple case study of dyslexic adults. *Brain*, 126, 841–865.

Rapp, B., & Goldrick, M. (2000). Discreteness and interactivity in spoken word production. *Psychological Review*, 107, 460–499.

Rapp, B., & Goldrick, M. (2004). Feedback by any other name is still interactivity: A reply to Roelofs (2004). *Psychological Review*, 111, 573–578.

Rayner, K., Carlson, M., & Frazier, L. (1983). The interaction of syntax and semantics during sentence processing: Eye movements in the analysis of semantically biased sentences. *Journal of Verbal Learning and Verbal Behavior*, 22, 358–374.

Rayner, K., & Frazier, L. (1987). Parsing temporarily ambiguous complements. *Quarterly*

Journal of Experimental Psychology, 39A, 657–673.

Rayner, K., & Pollatsek, A. (1989). *The psychology of reading*. Englewood Cliffs, NJ: Prentice Hall.

Read, C., Zhang,Y., Nie, H., & Ding, B. (1986). The ability to manipulate speech sounds depends on knowing alphabetic writing. *Cognition*, 24, 31–44.

Reason, J.T., & Mycielska, K. (1982). *Absent-minded? The psychology of mental lapses and everyday errors*. Englewood Cliffs, NJ: Prentice Hall.

Reisberg, D. (2007). *Cognition: Exploring the science of the mind* (3rd Media ed.). New York: Norton.

Renfrew, C. (2007). *Prehistory*. London: Phoenix.

Rhodes, M.G. (2004). Age-related differences in performance on the Wisconsin card-sorting test: A meta-analytic review. *Psychology of Aging*, 19, 482–494.

Rips, L.J., Shoben, E.J., & Smith, E.E. (1973). Semantic distance and the verification of semantic relations. *Journal of Verbal Learning and Verbal Behavior*, 12, 1–20.

Roberson,D.,Davies, I., & Davidoff,J. (2000). Color categories are not universal: Replications and new evidence from a stone-age culture. *Journal of Experimental Psychology: General*, 129, 369–398.

Rodriguez-Fornells, A., Rotte, M., Heinze, H.J., Nosselt, T., & Munte, T. (2002). Brain potential and functional MRI evidence for how to handle two languages with one brain. *Nature*, 415, 1026–1029.

Roelofs, A. (1992). A spreading-activation theory of lemma retrieval in speaking. *Cognition*, 42, 107–142.

Roelofs, A. (1997). The WEAVER model of word-form encoding in speech production. *Cognition*, 64, 249–284.

Roelofs, A., Meyer, A.S., & Levelt, W.J.M. (1998). A case for the lemma/lexeme distinction in models of speaking: Comment on Caramazza and Miozzo (1997). *Cognition*, 69, 219–230.

Rogers, T.T., & McClelland, J.L. (2004). *Semantic cognition*. Cambridge, MA: Bradford Books.

Rohde, D.L.T., & Plaut, D.C. (1999). Language acquisition in the absence of explicit negative evidence: How important is starting small? *Cognition*, 72, 67–109.

Rondal, J.A. (1998). Cases of exceptional language in mental retardation and down syndrome: Explanatory perspectives. *Down Syndrome Research and Practice*, 5, 1–15.

Rosch, E. (1973). Natural categories. *Cognitive Psychology*, 4, 328–350.

Rosch, E. (1978). Principles of categorization. In E. Rosch & B. Lloyd (Eds.), *Cognition and categorization* (pp. 27–48). Hillsdale, NJ: Lawrence Erlbaum.

Rosch, E., & Mervis, C.B. (1975). Family resemblances: Studies in the internal structure of categories. *Cognitive Psychology*, 7, 63–605.

Rosch, E., Mervis, C.B., Gray, W., Johnson, D., & Boyes-Braem, P. (1976). Basic objects in natural categories. *Cognitive Psychology*, 8, 382–439.

Rowe, M.L. (2008). Child-directed speech: Relation to socioeconomic status, knowledge of child development and child vocabulary skill. *Journal of Child Language*, 35, 185–205.

Rumelhart, D.E., & McClelland, J.L. (1986). On learning the past tense of English verbs. In

D.E. Rumelhart, J.L. McClelland, & the PDP Research Group (Eds.), *Parallel distributed processing: Vol. 2. Psychological and biological models* (pp. 216–271). Cambridge, MA: MIT Press.

Ruml, W., & Caramazza, A. (2000). An evaluation of a computational model of lexical access: Comment on Dell et al. (1997). *Psychological Review*, 107, 609–634.

Ruml, W., Caramazza, A., Shelton, J.R., & Chialant, D. (2000). Testing assumptions in computational theories of aphasia. *Journal of Memory and Language*, 43, 217–248.

Rymer, R. (1993). *Genie*. London: Joseph.

Sachs, J.S. (1967). Recognition memory for syntactic and semantic aspects of connected discourse. *Perception and Psychophysics*, 2, 437–442.

Sachs, J.S., Bard, B., & Johnson, M.L. (1981). Language with restricted input: Case studies of two hearing children of deaf parents. *Applied Psycholinguistics*, 2, 33–54.

Sacks, H., Schegloff, E.A., & Jefferson, G. (1974). A simplest systematics for the organization of turn-taking in conversation. *Language*, 50, 696–735.

Saffran, E.M., Marin, O.S.M., & Yeni-Komshian, G.H. (1976). An analysis of speech perception in word deafness. *Brain and Language*, 3, 209–228.

Saffran, J.R., Aslin, R.N., & Newport, E.L. (1996). Statistical learning by 8-month-old infants. *Science*, 274, 1926–1928.

Samuel, A.G. (1996). Does lexical information influence the perceptual restoration of phonemes? *Journal of Experimental Psychology: General*, 125, 28–51.

Sandler, W., Meir, I., Padden, C., & Aronof, M. (2005). The emergence of grammar: Systematic structure in a new language. *Proceedings of the National Academy of Sciences*, 102, 2661–2665.

Sanford, A.J., & Garrod, S.C. (1981). *Understanding written language*. Chichester, UK: Wiley.

Santa, J.L., & Ranken, H.B. (1972). Effects of verbal coding on recognition memory. *Journal of Experimental Psychology*, 93, 268–278.

Savage-Rumbaugh, E.S. (1987). Communication, symbolic communication, and language: A reply to Seidenberg and Petitto. *Journal of Experimental Psychology: General*, 116, 288–292.

Savage-Rumbaugh, E.S., & Lewin, R. (1994). *Kanzi: The ape at the brink of the human mind*. New York: Wiley.

Savage-Rumbaugh, E.S., McDonald, K., Sevcik, R.A., Hopkins, W.D., & Rupert, E. (1986). Spontaneous symbol acquisition and communicative use by pygmy chimpanzees (*Pan paniscus*). *Journal of Experimental Psychology: General*, 115, 211–235.

Savage-Rumbaugh, E.S., Murphy, J., Sevcik, R.A., Brakke, K.E., Williams, S.L., & Rumbaugh, D.M. (1993). Language comprehension in ape and child. *Monographs of the Society for Research in Child Development*, 58 (Whole Nos. 3–4).

Scarborough, D.L., Cortese, C., & Scarborough, H.S. (1977). Frequency and repetition effects in lexical memory. *Journal of Experimental Psychology: Human Perception and Performance*, 3, 1–17.

Schaeffer, H.R. (1975). Social development in infancy. In R. Lewin (Ed.), *Child alive* (pp. 32–39). London: Temple Smith.

Schenkein, J. (1980). A taxonomy for repeating action sequences in natural conversation. In B. Butterworth (Ed.), *Language production: Vol. 1. Speech and talk* (pp. 21–48). London:

Academic Press.

Schmidt, G.L., DeBuse, C.J., & Seger, C.A. (2007). Right hemisphere metaphor processing? Characterizing the lateralization of semantic processes. *Brain and Language*, 100, 127–141.

Schotter, E.R., Angele, B., & Rayner, K. (2012). Parafoveal processing in reading. *Attention, Perception, & Psychophysics*, 74, 5–35.

Schriefers, H., Teruel, E., & Meinshausen, R.M. (1998). Producing simple sentences: Results from picture–word interference experiments. *Journal of Memory and Language*, 39, 609–632.

Schull, K.D.I., Smits, M., & Zwaan, R.A. (2013). Sentential context modulates the involvement of the motor cortex in action language processing: An fMRI study. *Frontiers in Human Neuroscience*, 7, 1–13.

Schumacher, J., Hoffmann, P., Schmal, C., Schulte-Korne, G., & Nothen, M.M. (2007). Genetics of dyslexia: The evolving landscape. *Journal of Medical Genetics*, 44, 289–297.

Schvaneveldt, R.W., Meyer, D.E., & Becker, C.A. (1976). Lexical ambiguity, semantic context, and visual word recognition. *Journal of Experimental Psychology: Human Perception and Performance*, 2, 243–256.

Schwartz, M.F. (1987). Patterns of speech production deficit within and across aphasia syndromes: Application of a psycholinguistic model. In M. Coltheart, G. Sartori, & R. Job (Eds.), *The cognitive neuropsychology of language* (pp. 163–199). Hove, UK: Lawrence Erlbaum.

Schwartz, M.F., Dell, G.S., Martin, N., Gahl, S., & Sobel, P. (2006). A case-series test of the interactive two-step model of lexical access: Evidence from picture naming. *Journal of Memory and Language*, 54, 228–264.

Schwartz, M.F., Linebarger, M., Saffran, E., & Pate, D. (1987). Syntactic transparency and sentence interpretation in aphasia. *Language and Cognitive Processes*, 2, 85–113.

Schwartz, M.F., Marin, O.S.M., & Saffran, E.M. (1979). Dissociations of language function in dementia: A case study. *Brain and Language*, 7, 277–306.

Searle, J. (1969). *Speech acts*. Cambridge, UK: Cambridge University Press. (坂本百大・土屋俊 訳［1994］言語行為——言語哲学への試論．勁草書房)

Searle, J. (1980). Minds, brains, and programs. *Behavioral and Brain Sciences*, 3, 417–457.

Sedivy, J.C., Tanenhaus, M.K., Chambers, C.G., & Carlson, G.N. (1999). Achieving incremental semantic interpretation through contextual representation. *Cognition*, 71, 109–147.

Seidenberg, M.S. (2005). Connectionist models of word reading. *Current Directions in Psychological Science*, 14, 238–242.

Seidenberg, M.S., & McClelland, J.L. (1989). A distributed developmental model of word recognition. *Psychological Review*, 96, 523–568.

Seidenberg, M.S., & Petitto, L.A. (1979). Signing behaviour in apes: A critical review. *Cognition*, 7, 177–215.

Seidenberg, M.S., & Petitto, L.A. (1987). Communication, symbolic communication, and language: Comment on Savage-Rumbaugh, Macdonald, Sevcik, Hopkis, and Rubert (1986). *Journal of Experimental Psychology: General*, 116, 279–287.

Seidenberg, M.S., & Plaut, D.C. (2014). Quasiregularity and its discontents: The legacy of the past tense debate. *Cognitive Science*, 38, 1190–1228.

Semenza, C., & Zettin, M.（1988）. Generating proper names: A case of selective inability. *Cognitive Neuropsychology*, 5, 711–721.

Senghas, A., Kita, S., & Ozyurek, A.（2004）. Children creating core properties of language: Evidence from an emerging sign language in Nicaragua. *Science*, 305, 1779–1782.

Sereno, S.C., Brewer, C.C., & O'Donnell, P.J.（2003）. Context effects in word recognition: Evidence for early interactive processing. *Psychological Science*, 14, 328–333.

Seymour, P.H.K.（2005）. Early reading development in European orthographies. In M.J. Snowling & C. Hulme（Eds.）, *The science of reading: A handbook*（pp. 296–315）. Oxford, UK: Blackwell.

Seymour, P.H.K., & Elder, L.（1986）. Beginning reading without phonology. *Cognitive Neuropsychology*, 3, 1–36.

Seymour, P.H.K., & Evans, H.M.（1994）. Levels of phonological awareness and learning to read. *Reading and Writing*, 6, 221–250.

Shallice, T., & Warrington, E.K.（1975）. Word recognition in a phonemic dyslexic patient. *Quarterly Journal of Experimental Psychology*, 27, 187–199.

Shastry, B.S.（2007）. Developmental dyslexia: An update. *Journal of Human Genetics*, 52, 104–109.

Shattuck, R.（1994）. *The forbidden experiment*. New York: Kodansha International.（生月雅子訳［1982］アヴェロンの野生児――禁じられた実験．家政教育社）

Sheldon, A.（1974）. The role of parallel function in the acquisition of relative clauses in English. *Journal of Verbal Learning and Verbal Behavior*, 13, 272–281.

Siegel, J.A., & Siegel, W.（1977）. Categorical perception of tonal intervals: Musicians can't tell sharp from flat. *Perception and Psychophysics*, 21, 399–407.

Simpson, G.B.（1981）. Meaning dominance and semantic context in the processing of lexical ambiguity. *Journal of Verbal Learning and Verbal Behavior*, 20, 120–136.

Sinclair-deZwart, H.（1973）. Language acquisition and cognitive development. In T.E. Moore（Ed.）, *Cognitive development and the acquisition of language*（pp. 9–26）. New York: Academic Press.

Singer, M.（1994）. Discourse inference processes. In M.A. Gernsbacher（Ed.）, *Handbook of psycholinguistics*（pp. 479–516）. San Diego, CA: Academic Press.

Skoyles, J., & Skottun, B.C.（2004）. On the prevalence of magnocellular deficits in the visual system of non-dyslexic individuals. *Brain and Language*, 88, 79–82.

Smith, M., & Wheeldon, L.（1999）. High level processing scope in spoken sentence production. *Cognition*, 73, 205–246.

Smith, N.V.（1973）. *The acquisition of phonology: A case study*. Cambridge, UK: Cambridge University Press.

Smith, N.V., & Tsimpli, I.M.（1995）. *The mind of a savant: Language learning and modularity*. Oxford, UK: Blackwell.

Smith, S.M., Brown, H.O., Thomas, J.E.P., & Goodman, L.S.（1947）. The lack of cerebral effects of d-tubocurarine. *Anesthesiology*, 8, 1–14.

Snow, C.E.（1977）. The development of conversation between mothers and babies. *Journal of Child Language*, 4, 1–22.

Snow, C.E.（1994）. Beginning from baby talk: Twenty years of research on input and interaction. In C. Gallaway & B.J. Richards (Eds.), *Input and interaction in language acquisition* (pp. 3–12). Cambridge, UK: Cambridge University Press.

Snow, C.E., & Hoefnagel-Hohle, M. (1978). The critical period for language acquisition: Evidence from second language learning. *Child Development*, 49, 1114–1128.

Snow, C.E., & Juel, C. (2005). Teaching children to read: What do we know about how to do it? In M.J. Snowling & C. Hulme (Eds.), *The science of reading: A handbook* (pp. 501–520). Oxford, UK: Blackwell.

Snowling, M.J. (2000). *Dyslexia* (2nd ed.). Oxford, UK: Blackwell.

Snowling, M.J., Gallagher, A., & Frith, U. (2003). Family risk of dyslexia is continuous: Individual differences in the precursors of reading skill. *Child Development*, 74, 358–373.

Snowling, M.J., & Hulme, C. (Eds.) (2005). *The science of reading: A handbook*. Oxford, UK: Blackwell.

Snowling, M.J., & Melby-Lerv, G.M. (2016). Oral language deficits in familial dyslexia: A meta-analysis and review. *Psychological Bulletin*, 142, 498–545.

Sokolov, J.L., & Snow, C.E. (1994). The changing role of negative evidence in theories of language development. In C. Gallaway & B.J. Richards (Eds.), *Input and interaction in language acquisition* (pp. 38–55). Cambridge, UK: Cambridge University Press.

Sommer, I.E.C., Aleman, A., Bouma, A., & Kahn, R.S. (2004). Do women really have more bilateral language representation than men? A meta-analysis of functional imaging studies. *Brain*, 127, 1845–1852.

Spender, D. (1980). *Man-made language*. London: Routledge & Kegan Paul.

Sperber, D., & Wilson, D. (1986). *Relevance: Communication and cognition*. Oxford: Blackwell. (内田聖二・宋　南先・中逵俊明・田中圭子 訳［1999］関連性理論――伝達と認知．研究社出版)

Sperber,D., & Wilson,D. (1987). Précis of Relevance: Communication and cognition. *Behavioral and Brain Sciences*, 10, 697–754.

Spivey, M. (2007). *The continuity of mind*. Oxford, UK: Oxford University Press.

Stein, J. (2001). The magnocellular theory of developmental dyslexia. *Dyslexia*, 7, 12–36.

Stein, J. (2003). Visual motion sensitivity and reading. *Neuropsychologia*, 41, 1785–1793.

Stemberger, J.P. (1985). An interactive activation model of language production. In A.W. Ellis (Ed.), *Progress in the psychology of language* (Vol. 1, pp. 143–186). Hove, UK: Lawrence Erlbaum.

Stern, K., & McClintock, M.K. (1998). Regulation of ovulation by human pheromones. *Nature*, 392, 177–179.

Stewart, F., Parkin, A.J., & Hunkin, N.M. (1992). Naming impairments following recovery from herpes simplex encephalitis: Category-specific? *Quarterly Journal of Experimental Psychology*, 44A, 261–284.

Stroop, J.R. (1935). Studies of interference in serial verbal reactions. *Journal of Experimental Psychology*, 18, 643–622.

Struhsaker, T.T. (1967). Behavior of vervet monkeys and other Cercopithecines. *Science*, 156, 1197–1203.

Sulin, R.A., & Dooling, D.J. (1974). Intrusion of a thematic idea in retention of prose. *Journal of Experimental Psychology*, 103, 255–262.

Sundberg, M.L. (1996). Toward granting linguistic competence to apes. *Journal of the Experimental Analysis of Behavior*, 65, 477–492.

Swinney,D.A. (1979). Lexical access during sentence comprehension: (Re)consideration of context effects. *Journal of Verbal Learning and Verbal Behavior*, 18, 545–569.

Sykes, J.L. (1940). A study of the spontaneous vocalizations of young deaf children. *Psychological Monograph*, 52, 104–123.

Tabor, W., & Hutchins, S. (2004). Evidence for self-organised sentence processing: Digging-in effects. *Journal of Experimental Psychology: Learning, Memory and Cognition*, 30, 431–450.

Tabor, W., Juliano, C., & Tanenhaus, M.K. (1997). Parsing in a dynamical system: An attractor-based account of the interaction of lexical and structural constraints in sentence processing. *Language and Cognitive Processes*, 12, 211–271.

Tabor, W., & Tanenhaus, M.K. (1999). Dynamical models of sentence processing. *Cognitive Science*, 23, 491–515.

Tanenhaus, M.K. (2007). Spoken language comprehension: Insights from eye movements. In M.G. Gaskell (Ed.),*The Oxford handbook of psycholinguistics* (pp. 309–326). Oxford, UK: Oxford University Press.

Tanenhaus, M.K., Carlson, G.N., & Trueswell, J.C. (1989). The role of thematic structure in interpretation and parsing. *Language and Cognitive Processes*, 4, 211–234.

Tanenhaus, M.K., Leiman, J.M., & Seidenberg, M.S. (1979). Evidence for multiple stages in the processing of ambiguous words in syntactic contexts. *Journal of Verbal Learning and Verbal Behavior*, 18, 427–440.

Tanenhaus, M.K., Spivey-Knowlton, M.J., Eberhard, K.M., & Sedivy, J.C. (1995). Integration of visual and linguistic information in spoken language comprehension. *Science*, 268, 1632–1634.

Taraban, R., & McClelland, J.L. (1988). Constituent attachment and thematic role assignment in sentence processing: Influences of content-based expectations. *Journal of Memory and Language*, 27, 597–632.

Terrace, H.S., Petitto, L.A., Sanders, R.J., & Bever, T. (1979). Can an ape create a sentence? *Science*, 206, 891–902.

Tettamanti, M., Buccino, G., Saccuman, M.C., Gallese, V., Danna, M., Scifo, P., et al. (2005). Listening to action-related sentences activates fronto-parietal motor circuits. *Journal of Cognitive Neuroscience*, 17, 273–281.

Thomas, E.L., & Robinson, H.A. (1972). *Improving reading in every class: A sourcebook for teachers*. Boston: Allyn & Bacon.

Thomas, M.S.C. (2003). Limits on plasticity. *Journal of Cognition and Development*, 4, 95–121.

Tippett, L.J., & Farah, M.J. (1994). A computational model of naming in Alzheimer's disease: Unitary or multiple impairments? *Neuropsychology*, 8, 1–11.

Tomasello, M. (1992). The social bases of language acquisition. *Social Development*, 1, 67–87.

Traxler, M.J., & Gernsbacher, M.A. (Eds.) (2011). *Handbook of psycholinguistics* (2nd ed.). Amsterdam: Elsevier.

Trueswell, J.C., Tanenhaus, M.K., & Garnsey, S.M. (1994). Semantic influences on parsing: Use of thematic role information in syntactic disambiguation. *Journal of Memory and Language*, 33, 285–318.

Ullman, M.T. (2001). A neurocognitive perspective on language: The declarative/procedural model. *Nature Reviews Neuroscience*, 2, 717–726.

Ullman, M.T. (2004). Contributions of memory circuits to language: The declarative/procedural model. *Cognition*, 92, 231–270.

Ullman, M.T. (2007). The biocognition of the mental lexicon. In M.G. Gaskell (Ed.), *The Oxford handbook of psycholinguistics* (pp. 267–286). Oxford, UK: Oxford University Press.

Valian, V. (1986). Syntactic categories in the speech of young children. *Developmental Psychology*, 22, 562–579.

Van Gompel, R.P.G., & Pickering, M.J. (2007). Syntactic parsing. In M.G. Gaskell (Ed.), *The Oxford handbook of psycholinguistics* (pp. 289–307). Oxford, UK: Oxford University Press.

Van Gompel, R.P.G., Pickering, M.J., & Traxler, M.J. (2001). Reanalysis in sentence processing: Evidence against constraint-based and two-stage models. *Journal of Memory and Language*, 45, 225–258.

Van Orden, G.C., Johnston, J.C., & Hale, B.L. (1988). Word identification in reading proceeds from spelling to sound to meaning. *Journal of Experimental Psychology: Learning, Memory, and Cognition*, 14, 371–386.

Van Orden, G.C., Pennington, B.F., & Stone, G.O. (1990). Word identification in reading and the promise of subsymbolic psycholinguistics. *Psychological Review*, 97, 488–522.

Vargha-Khadem, F., Watkins, K., Alcock, K., Fletcher, P., & Passingham, R. (1995). Praxic and nonverbal cognitive deficits in a large family with a genetically transmitted speech and language disorder. *Proceedings of the National Academy of Sciences of the United States of America*, 92, 930–933.

Vellutino, F.R., & Fletcher, J.M. (2005). Developmental dyslexia. In M.J. Snowling & C. Hulme (Eds.), *The science of reading: A handbook* (pp. 362–378). Oxford, UK: Blackwell.

Vellutino, F.R., Fletcher, J.M., Snowling, M.J., & Scanlon, D.M. (2004). Specific reading disability (dyslexia): What have we learned in the past four decades? *Journal of Child Psychology and Psychiatry*, 45, 2–40.

Vigliocco, G., Antonini, T., & Garrett, M.F. (1997). Grammatical gender is on the tip of Italian tongues. *Psychological Science*, 8, 314–317.

Vigliocco, G., & Nicol, J. (1998). Separating hierarchical relations and word order in language production: Is proximity concord syntactic or linear? *Cognition*, 68, B13–B29.

Vigliocco, G., & Vinson, D.P. (2007). Semantic representation. In M.G. Gaskell (Ed.), *The Oxford handbook of psycholinguistics* (pp. 195–215). Oxford, UK: Oxford University Press.

Vigliocco, G., Vinson, D.P., Lewis, W., & Garrett, M.F. (2004). Representing the meanings of object and action words: The featural and unitary semantic space hypothesis. *Cognitive Psychology*, 48, 422–488.

Vliet, E.C., Miozzo, M., & Stern, Y. (2004). Phonological dyslexia without phonological impairment. *Cognitive Neuropsychology*, 21, 820–839.

Von Frisch, K. (1974). Decoding the language of bees. *Science*, 185, 663–668.

Vygotsky, L. (1934). *Thought and language* (Trans. E. Hanfman & G. Vakar, 1962). Cambridge, MA: MIT Press.

Warren, R.M. (1970). Perceptual restoration of missing speech sounds. *Science*, 167, 392–393.

Warren, R.M., & Warren, R.P. (1970). Auditory illusions and confusions. *Scientific American*, 223, 30–36.

Warrington, E.K. (1975). The selective impairment of semantic memory. *Quarterly Journal of Experimental Psychology*, 27, 635–657.

Warrington, E.K., & McCarthy, R. (1987). Categories of knowledge: Further fractionation and an attempted integration. *Brain*, 110, 1273–1296.

Warrington, E.K., & Shallice, T. (1984). Category-specific semantic impairments. *Brain*, 107, 829–854.

Watanabe, S., Sakamoto, J., & Wakita, M. (1995). Pigeon's discrimination of paintings by Monet and Picasso. *Journal of the Experimental Analysis of Behavior*, 63, 165–174.

Watson, J.B. (1913). Psychology as the behaviorist views it. *Psychological Review*, 20, 158–177.

Waxman, S.R. (1999). Specifying the scope of 13-month-olds' expectations for novel words. *Cognition*, 70, B35–B50.

Weir, R.H. (1962). *Language in the crib*. The Hague: Mouton.

Werker, J.F., & Tees, R.C. (1984). Crosslanguage speech development: Evidence for perceptual reorganization during the first year of life. *Infant Behavior and Development*, 7, 49–63.

Whaley, C.P. (1978). Word–nonword classification time. *Journal of Verbal Learning and Verbal Behavior*, 17, 143–154.

Wheeldon, L. (Ed.) (2000). *Aspects of language production*. Hove, UK: Psychology Press.

Whitehouse, A.J.O., Mayberry, M.T., & Durkin, K. (2006). Inner speech impairments in autism. *Journal of Child Psychology and Psychiatry*, 47, 857–865.

Whorf, B. L. (1940). Science and linguistics. *Technology Review*, 42, 229–31, 247–8.

Whorf, B.L. (1956). *Language, thought, and reality*. Cambridge, MA: MIT Press. (池上嘉彦 訳 [1993] 言語・思考・現実. 講談社)

Wierzbicka, A. (1996). *Semantics: Primes and universals*. Oxford, UK: Oxford University Press.

Wierzbicka, A. (2004). Conceptual primes in human languages and their analogues in animal communication and cognition. *Language Sciences*, 26, 413–441.

Wilding, J. (1990). Developmental dyslexics do not fit in boxes: Evidence from the case studies. *European Journal of Cognitive Psychology*, 2, 97–131.

Wilkins, A.J. (1971). Conjoint frequency, category size, and categorization time. *Journal of Verbal Learning and Verbal Behavior*, 10, 382–385.

Wilkins, A.J. (2003). *Reading through colour: How coloured filters can reduce reading difficulty*. London: Wiley.

Wilkins, A.J., & Neary, G. (1991). Some visual, optometric and perceptual effects of coloured glasses. *Ophthalmic and Physiological Optics*, 11, 163–171.

Wilks,Y. (1976). Parsing English II. In E. Charniak & Y. Wilks (Eds.), *Computational semantics* (pp. 155–184). Amsterdam: North Holland.

Williams, J., & O'Donovan, M.C. (2006). The genetics of developmental dyslexia. *European Journal of Human Genetics*, 14, 681–689.

Wittgenstein, L. (1953). *Philosophical investigations* (Trans. G.E.M. Ancombe). Oxford, UK:

Blackwell.

Wolf, M. (2007). *Proust and the squid: The story and science of the reading brain*. Cambridge, UK: Icon Books.（小松淳子 訳［2008］プルーストとイカ――読書は脳をどのように変えるのか？　インターシフト）

Woollams, A.M., Lambon Ralph, M.A., Plaut, D.C., & Patterson, K. (2007). SD-squared: On the association between semantic dementia and surface dyslexia. *Psychological Review*, 114, 316–339.

Woumans, E., Santens, P., Sieben, A., & Duyck, W. (2014). Bilingualism delays clinical manifestation of Alzheimer's disease. *Bilingualism: Language and Cognition*, 18, 568–574.

Wright, B., Lombardino, L.J., King, W.M., Puranik, C.S., Leonard, C.M., & Merzenich, M.M. (1997). Deficits in auditory temporal and spectral resolution in language-impaired children. *Nature*, 387, 176–178.

Xu, F. (2002). The role of language in acquiring object kind concepts in infancy. *Cognition*, 85, 223–250.

Yamada, J.E. (1990). *Laura: A case for the modularity of language*. Cambridge, MA: MIT Press.

Yngve, V. (1970). On getting a word in edgewise. *Papers from the Sixth Regional Meeting of the Chicago Linguistic Society* (Vol. 6, pp. 567–577). Chicago: Chicago Linguistic Society.

Zaidel, E. (1983). A response to Gazzaniga: Language in the right hemisphere, convergent perspectives. *American Psychologist*, 38, 542–546.

Zaidel, E., & Peters, A.M. (1981). Phonological encoding and ideographic reading by the disconnected right hemisphere. *Brain and Language*, 14, 205–234.

Ziegler, J.C., & Goswami, U. (2005). Reading acquisition, developmental dyslexia, and skilled reading across languages: A psycholinguistic grain size theory. *Psychological Bulletin*, 131, 3–29.

Zimmerman, D., & West, C. (1975). Sex roles, interruptions and silences in conversation. In B. Thorne & N. Henly (Eds.), *Language and sex: Difference and dominance* (pp. 105–129). Rowley, MA: Newbury.

監訳者あとがき

本書は，Trevor Harley による *Talking the Talk: Language, Psychology and Science. Second Edition*（Routledge, 2017）の全訳である。原題は「話すことを語る：言語，心理学，科学」と訳せるが，それでは読者にとって内容が漠然としているので，邦題は『心理言語学を語る――ことばへの科学的アプローチ』とした。

著者の Trevor Harley は「言い間違い」をテーマとして発話の産出に関する論文により，ケンブリッジ大学から博士号を取得した。その後，スコットランドのダンディー大学の心理学部で教鞭を執った。彼の専門は言語の心理学であり，認知プロセスの計算論的，数学的モデルを支持している。近年は老化による言語や認知機能への影響の研究からメタ認知，意識の問題にも取り組んでいる。

Harley の代表的な著作として広く知られているのは *The psychology of language.: From data to theory. 4th ed.*（Psychology Press, 2014）である。この書は言語をどのように習得し，理解し，産出するかという言語心理学のテーマを包括的に網羅しており，テキストとして広く利用されている。しかしながら，その内容がきわめて専門的で，さまざまな理論を精緻に，かつ公平に紹介しているため，入門書としては，難解なものになっている。そこで，著者の立場から論旨を整理して簡潔な解説を目指し，学部の初学者や一般の読者にもわかりやすい入門書として本書は執筆された。

著者が第一に強調するのは，本書の副題にあるように心理学は科学であるという主張である。彼は先ごろ Wilton, R. と共著で *Science and Psychology*（Routledge, 2018）を刊行し，科学的説明とは何か，科学を心理学研究にどのように適用するかについて詳細に論じている。さらにこの立場から，コンピュータを利用した数学的モデルを支持し，コネクショニスト・モデルの重要性を説く。認知過程には，情報を処理するための手段として統計的処理を行う複雑なシステムとしてとらえるアプローチが最も適していると考えている。

第二に，博士論文以来のテーマである発話産出の研究では，発話エラーに関する膨大なコーパスの収集を続けている。著者は発話産出のメカニズムを言い間違いや「のどまで出かかる現象」（TOT）から探ろうとしている。すなわち，発話の際，意味から単語にどのように到達するかを，それに失敗したケースから探り，モデル化を試みるのである。

第三に，脳の損傷が言語にどのような影響を与えるのかを随所で扱い，さまざまな失語症に加え，老化や認知症による障害についても考察する。著者の最近の興味はメタ認知すなわち，自身の認知能力に関する知識をどのように利用するかにあり，さらに自身の認知をどのように制御するか，この能力が年齢とともにどのように変化するかについても取り組んでいる。

本書の第1章「言語の心理学」では，心理言語学全般についての導入とともに，科学的説明，コネクショニスト・モデルについて解説し，著者の立場を明らかにしている。第2章「動物のコミュニケーション」では動物に言語はあるかを探る。アリ，サル，イルカ，オウム，チンパンジーの例を挙げ，結局，動物のコミュニケーションには限界があることを示す。第3章「子どもの言語獲得」で，子どもはどのように言語を獲得するかという問題を扱う。まず，喃語，一語文，二語文と進む言語の発達過程を概観した後，Chomsky の言語生得論への批判，発達性言語障害，言語獲得の臨界期について論じる。さらに，言語学習の問題として，バイリンガリズム，第二言語の学習法についても言及する。第4章「思考と言語」では言語発達は認知発達に影響するか，言語発達は社会的発達に依存するかを問いかけ，さらに言語が思考に影響を与えるか，すなわち Sapir-Whorf 仮説をめぐる論争を整理する。

第5章「意味」では意味とは何かを定義し，意味記憶の構造と，意味記憶からどのように概念を検索するかについてのモデルを紹介する。さらに，脳損傷に伴う失読症や認知症における進行性の意味喪失に対してコネクショニスト・モデルを適用し，ネットワーク上の結合を阻害することによって脳へのダメージをシミュレートできることを示す。話しことば，書きことばを理解するためには，語のもつ意味情報，音韻情報，書字情報のすべてにアクセスすることが必要である。第6章「単語認知と失読症」では，トライアングル・モデルとして知られるコネクショニスト・モデルによって通常の読みと表層失読症を説明できると主張する。文を読む際には，名詞，動詞，形容詞などの要素に分解し，それらがどのように関連するのかを分析する必要がある。このように，文の構造を解析する処理である統語解析を第７章「文章理解」で扱う。当初の解釈を誤ってしまうような文法的曖昧性を含む文（ガーデンパス文）から，われわれの統語解析のバイアスを知ることができると指摘し，複数のモデルを検証する。さらに文章理解における文脈の効果，発話行為の機能，会話の公理，物語理解のモデルにも言及する。第８章「発話と失語症」では，言い間違いのコレクションから規則性を見出して分類し，発話産出のモデルを示す。また，大脳皮質への損傷による失語症は障害を受けた脳の部位によって異なり，ブローカ野の損傷による非流暢性失語とウェルニッケ野の損傷による流暢性失語など，失語症のさまざまな発話の特徴を紹介する。第９章「終わりに」で，著者は言語における性差，加齢による言語への影響を加筆する。そして，読みのトライアングル・モデルを発展させ，言語障害の神経心理学的知見に基づいた言語処理モデルで締めくくる。

翻訳は下記のように分担して行い，全体の統一を川﨑がおこなった。

第１章，結語	川﨑　惠里子
第２章，第４章	井関　龍太
第３章，第８章	星野　徳子
第５章	猪原　敬介
第６章	小林　由紀
第７章	大石　衡聴

本文中では psycholinguistics を「心理言語学」と訳出しているが，著者は第１章に述べているように，「言語心理学」（psychology of language）の意味で用いている。このため，訳者の中には言語学を専門とする研究者も含まれるが，訳語の選択に当たっては，認知心理学において一般的な用語を採用した。たとえば，「構音」（articulation）などである。また，文脈に応じて「書記素の・書字の」（orthographic）と訳し分けた箇所もある。

読者には，きわめて複雑な言語にどのように科学的アプローチを行い，どこまで解明が進んでいるかを知り，そのプロセスのおもしろさを味わっていただきたい。

本書の翻訳は原書の初版から始め，完成した原稿を印刷に出す直前に第二版が刊行された。そこで，初版との違いを丹念にチェックしながら改稿を始めることになった。その間，訳者の皆様には辛抱強く作業を続けていただいたことに感謝したい。また，本書の企画を採用して下さった誠信書房に，特に細部まで丁寧に編集作業を支えていただいた担当の小寺美都子氏に感謝したい。最後に，初版の原稿がまとまった時点で退職された児島雅弘氏に感謝し，刊行の喜びを共に分かち合いたい。

2018 年 5 月

川﨑　恵里子

索　引

※ゴチックは人名

アルファベット

あ行

か行

さ行

た行

な行

は行

ま行

や・ら・わ行

監訳者紹介

川﨑惠里子（かわさき えりこ）監訳，序文，第1章，第9章
1980年　早稲田大学大学院文学研究科博士課程単位取得退学
現　在　川村学園女子大学名誉教授
著訳書　『ことばの実験室』（編著・ブレーン出版，2005年），『認知心理学の新展開』（編著・ナカニシヤ出版，2012年），『ワーキングメモリ：思考と行為の認知的基盤』（共訳・誠信書房，2012年）『文章理解の認知心理学：ことば・からだ・脳』（編著・誠信書房，2014年），他

訳者紹介

井関龍太（いせき りゅうた）第2章，第4章
2005年　筑波大学大学院博士課程心理学研究科一貫制博士課程修了
現　在　大正大学心理社会学部専任講師
著訳書　『ワーキングメモリ：思考と行為の認知的基盤』（共訳・誠信書房，2012年），『ベイズ統計で実践モデリング：認知モデルのトレーニング』（訳・北大路書房，2017年）

猪原敬介（いのはら けいすけ）第5章
2012年　京都大学大学院教育学研究科教育科学専攻博士課程修了
現　在　くらしき作陽大学子ども教育学部講師
著　書　『文章理解の認知心理学：ことば・からだ・脳』（共著・誠信書房，2014年），『読書と言語能力：言葉の「用法」がもたらす学習効果』（単著・京都大学学術出版会，2016年）

大石衡聴（おおいし ひろあき）第7章
2007年　九州大学大学院人文科学府言語・文学専攻博士課程修了
現　在　立命館大学総合心理学部准教授
著　書　『言語と思考を生む脳』（単著・東京大学出版会，2008年），『言語力を育てる：言語心理学入門』（共著・培風館，2012年）

小林由紀（こばやし ゆき）第6章
2002年　東京大学大学院人文社会系研究科基礎文化研究専攻心理学専門分野博士課程単位取得退学
現　在　東京大学総合文化研究科進化認知科学研究センター特任専門職員
著　書　『ことばの実験室』（共著・ブレーン出版，2005年），『認知心理学の新展開』（共著・ナカニシヤ出版，2012年），『文章理解の認知心理学：ことば・からだ・脳』（共著・誠信書房，2014年）

星野徳子（ほしの のりこ）第3章，第8章
2006年　ペンシルベニア州立大学大学院心理学研究科認知心理学専攻博士課程修了
現　在　津田塾大学学芸学部英文学科准教授
著　書　*Applying language science to language pedagogy: Contributions of linguistics and pyscholinguistics to second language teaching*（共著・Cambridge Scholars Publishing，2012年），*Advances in the study of bilingualism*（共著・Multilingual Matters，2014年）

トレヴァー・ハーレイ著
心理言語学を語る——ことばへの科学的アプローチ

2018年6月25日　第1刷発行

監訳者　川﨑惠里子
発行者　柴田敏樹
印刷者　日岐浩和

発行所　株式会社　誠信書房
〒112-0012　東京都文京区大塚3-20-6
電話　03(3946)5666
http://www.seishinshobo.co.jp/

中央印刷㈱／協栄製本㈱
検印省略

Printed in Japan
ISBN978-4-414-30632-3 C3011